U0839890

中國鄉土小說名作大系

平凹题

主编 郑电波

中篇小说系列（一九七七年至二〇一二年）

第三十卷

中原出版传媒集团
大地传媒
中原农民出版社

图书在版编目(CIP)数据

中国乡土小说名作大系. 第30卷 / 郑电波主编. —郑州：中原出版传媒集团，中原农民出版社，2014.12
ISBN 978-7-5542-1004-8

Ⅰ.①中… Ⅱ.①郑… Ⅲ.①中篇小说-小说集-中国-当代 Ⅳ.①I247

中国版本图书馆CIP数据核字(2014)第278518号

中国乡土小说名作大系

出 版 人 刘宏伟
总 编 审 汪大凯

总 策 划 刘宏伟
策划编辑 郑电波
责任编辑 郑电波 高燕燕
责任校对 彤 冰
装帧设计 吴丹青
装帧制作 董 雪
封面题字 贾平凹
插　　图 董 钺

出版发行 中原出版传媒集团 中原农民出版社
地　　址 河南省郑州市经五路66号 **邮 编** 450002
网　　址 http://www.zynm.com **电 话** 0371-65751257
邮购热线 0371-65724566 **传 真** 0371-65751257
承印单位 河南省瑞光印务股份有限公司

开　　本 787mm×1092mm 1/16
印　　张 23.5
字　　数 457千字
版　　次 2014年12月第1版 **印 次** 2014年12月第1次印刷

书　　号 ISBN 978-7-5542-1004-8 **定 价** 98.00元

《中国乡土小说名作大系》
编辑工作委员会

凡 例

本大系全套共36卷，精选了1977年至2012年在中国国内公开发表、出版的乡土小说作品中的短、中篇名作。其中前6卷为短篇小说，后30卷（7卷—36卷）为中篇小说。其中包括荣获全国大奖的乡土短、中篇小说；被小说选刊选载且极具影响力的作品；在当时受到社会广泛关注、在读者记忆中留下深刻印象的优秀作品。

本套书的选编原则上是以发表、出版的时间顺序排列的，每卷从作品的品质考量前后有所微调，但大的格局不变。

上世纪整个80年代，是中篇乡土小说创作的黄金时段，名作灿若群星，该大系收录此时段的作品较多。短篇小说系列每卷分上、中、下三部分，而中篇小说系列不作界分。

每卷的字数大致相当。由于上世纪80年代及90年代初，一般中篇小说的篇幅比后来的较长，因此每卷的篇数较少，这也是全套各卷选篇数目不均的原因。

卷首语

三十多年来，中国农村发生了翻天覆地的变化，而中国农村题材小说的创作，正是对应了这段历史。它们是如此的丰富、瑰丽、饱满和激越，如此的斑驳陆离色彩纷呈。它们是心史，是一次不曾间歇的歌哭相随——过人的敏感，欣悦和忧郁，惊愕与绝望，大喜过望以及突如其来的沮丧，肤浅的赞许和陡峭的情感——这一切情愫一切境遇的全面记录和生动描摹。

张　炜

2013 年春

卷首语

中原农民出版社出版《中国乡土小说名作大系》，是当今文化界一个大事件。

中国现代文学过去多少年取得的成就主要是乡土小说。

现在我们国家的改革进入到了城乡一体化阶段，农民进城，小城镇的人到县上，县上的人到省城，省城的人到北京上海等大城市，中国社会已是迁徙的社会。我估计将来再过一两代人，乡土小说类型慢慢就要消退了，肯定不会再成为中国文学的主流了。但是，消亡我觉得是不可能的，因为大量的农村还在，更重要的是中国农村文明的思维还在，只要土地在，思维在，农耕的思维观念在，不管在哪儿，就是你在美国，到月球上去，你还是中国的，中国式的，写中国人的文学就不会消失，因此乡土小说也不会真的消失。

在中国，你想真正了解这个社会，获得一些更深层的东西，就去看一看乡土小说。乡土小说就好像馆藏一样，那里有丰富的宝藏。现在它已经不出现在街头了，就像庙堂或者说茶室一样，有闲时可以去坐一坐，静一静，慢慢品味它。

贾平凹

2014年春

前 言

中国是一个乡土性很强的大国，诚如社会学家费孝通所说，中国是一个“乡土中国”。

乡土，几乎是每个中国人的精神家园。

在新时期文学中，乡土文学堪称最敏感的文化神经。新时期当代文化思潮的演进变化，许多是从乡土小说中透露出重要信息的。应该说，从中国乡土小说中可以读懂当代中国。

农民在我国的文学中，历来处于一个突出而显赫的地位。农民的社会地位不高，而文学地位不低。这是由中国作家的乡土情结、生活阅历、审美情趣及价值取向所决定的。在文学对民族文化心理的反思中，农民作为民族文化心理的主要载体，自然成为小说家关注和表现的对象，故乡土小说天然地在新时期小说中，有着举足轻重的地位。

改革开放的三十多年，这是一个伟大的时代，一个中国前所未有的大变革时代。农村生活的改变，农民心气的勃发，新一代农民在精神、意识、思想上的吐故纳新，新与旧在现实生活中的冲突与较量，以及对于腐败现实的理性批判，随后成为乡土小说在一个时期里反复吟唱的主旋律。作家成了这个时期乡村广大农民理想的抒发者和愿景诉求的代言人。农民在内心理想的感召下奋发向前，作家与之击鼓前行。

改革开放以来的文学，我们称之为新时期文学。新时期文学有三个相互联系的阶段：“伤痕文学”、“反思文学”和“改革文学”。许多作品系统地反映了农村农民生活命运的变化，社会的深层变革，抒写了自己的社会理想。有些作家把思想的锋芒指向乡土文化与农耕文明，以自己的眼光与理性来发现和表现乡土中国的浑重、复杂与嬗变。当然，也有不少作家在作品中多有对自身命运的描述和情感宣泻。

新时期文学初期，印象深、乡土味儿较浓的有何士光的短篇小说《乡场上》，高晓生的《陈奂生上城》《李顺大造屋》，张炜的《一潭清水》，贾平凹的《黑氏》，铁凝的《哦，香雪》，邵振国的《麦客》，张石山的《镢柄韩宝山》，王润滋的《内当家》，史铁生的《我的遥远的清平湾》，田中禾的《五月》，乔典运的《满票》等。中篇小说有郑义的《老井》，路遥的《人生》，张贤亮的《绿化树》，张一弓的《犯人李铜钟的故事》，叶蔚林的《在没航标的河流上》，莫言的《红高粱》，张炜的《秋天的愤怒》，映泉的《桃花湾的娘儿们》，王安忆的《小鲍庄》等等。

新时期文学的早期，是一个激动人心的时期，是一个重建希望的时代，人的内心如同枯木逢春，激情被时代精神所鼓舞并迅速地再度燃烧起来。人们在思想解放运动的昭示下又一次看到了未来的希望，并热情地期许这一切尽快变成现实。深怀理想主义文化信念的作家，无论用什么样的创作方法，骨子里都潜伏着浓重的浪漫主义基因，时代气氛使这浪漫潜滋暗长。那个时代的作家极少悲观，历经再多的苦难也不能告别乐观。作家几乎对未来用承诺的方式描绘着生活，读者的期待使写出好作品的作家一夜成名，自发阅读小说的人超过以往任何时代。人们最大的自由就是对美好的向往，人们在想象的话语中得到满足。

时间在飞驰，中国的变革在加深、加快。二十世纪九十年代引发的经济热潮、商业大潮席卷而来，文学受到很大冲击，一些作家纷纷下海弃文经商，文学创作受到了影响。然而乡土小说的创作，因与政治思潮、商品大潮都有一定程度的疏离，也由于作家的坚守，似乎并没有出现中断或萎缩的情形，无论是中、短篇小说还是长篇小说，都在坚守中有所拓展，且成就了乡土小说创作的特有景观，其作家创作形成了楚文化群落、吴越文化群落、齐鲁文化群落、燕赵文化群落、秦晋文化群落、中原文化群落、东北文化群落、巴蜀滇黔文化群落等，乡土小说内容丰富，五彩斑斓。

九十年代的乡土小说不再是单色的，而是多色的，很耐人寻味。如陈源斌的《万家诉讼》，李佩甫的《无边无际的早晨》，关仁山的《九月还乡》，余华的《活着》，迟子建的《雾月牛栏》，张宇的《乡村情感》，韩少功的《马桥人物》，杨争光的《公羊串门》，赵德发的《通腿儿》等等。

这一时期的长篇小说数量不太多，但质量很高，作家开始向家族、人生命运深处思考，审察人性、反思历史、反观传统，因此作品更显得有分量。长篇小说取得了重大成就。先有张炜的《古船》初现端倪，继有陈忠实的《白鹿原》，莫言的《丰乳肥臀》，阿来的《尘埃落定》的联袂冲刺，掀起长篇小说创作的第二个新高潮，是继八十年代古华的《芙蓉镇》，路遥的《平凡的世界》，贾平凹的《浮躁》之后第二个创作高峰。

新世纪阶段比之于前二十年文学文化领域，因面临着商业文化、传媒文化与信息科技的多重冲击，更由于人们价值观的变化，乡土小说读者的减少，作家浪漫情怀的式微，总体来说乡土小说创作出现了下滑和萎缩的趋势。然而，乡土小说并未到这部乐曲的尾声，不少乡土作家还在这片“土地”上耕耘，他们的笔墨自由而灵动，多元的叙事与多元化的观念已出现，令人感到振奋的是长篇小说的进一步繁荣，乡土长篇小说的创作出现了新的景观。贾平凹的《秦腔》，蒋子龙的《农民帝国》，孙慧芬的《歇马山庄》，铁凝的《笨花》，张炜的《你在高原》，刘震云的《一句顶一万句》，莫言的《蛙》等，其中有的作品的水平，已达到乡土长篇小说的新高。这是由于一些乡土小说作家一直在创作的深刻思考之中，他们甘于寂寞，其思考已抵达生活、社会、历史、人生甚至哲学的深处。

中国乡土小说可以说是新时期文学的精华与支撑，几乎所有的小说名篇都与“乡土”血脉相连，这不但有广泛的共识，也是不争的事实，它们占据了文学、文化、出版价值的制高点。

它是我们这个时代特有的文学形态，具有深厚的人文价值，就中国乡土小说而言，可以说达到了中国文学史上“前无古人”的思想和艺术高度，而且由于我们社会的深度变革，农耕文明的逐渐瓦解，这种形式的文学必将终结，因此可以说，它不仅是空前的，也是绝后的，它的辉煌如同唐诗宋词在中国文学史上的辉煌一样。

乡土小说植根于中华民族精神深处汲取营养，又表现并滋润着民族精神和意识，形成了新时期的文化景观。它不但被中国有识之士充分肯定和赞许，同时也被世界看重。“越是民族的，越是世界的”，莫言获诺贝尔文学奖，就是一个有力的证明。

多年来，从鲁迅到沈从文，中国作家无不有着共同的诺贝尔文学梦，可是直到去年，莫言才为中国作家实现了这个梦想。我认为，莫言获诺贝尔奖，不是他一个人的胜利，而是一大群中国乡土小说作家的胜利。这片热土，造就了这一批作家；这个时代的气候，滋润了这一批作家的成长。如张炜、贾平凹、陈忠实等一批作家，其文学创作的实绩和水平，也大都进入了这个层面。我们为中国乡土作家的成功而鼓掌，为中国乡土小说的辉煌而欢呼。

这是一套乡土小说的精选本，我们这套书重在推出改革开放35年(1977—2012)来中国乡土小说的精华部分，它们绝大部分是获奖名篇或被小说选刊选载、被评论家和广大读者所关注、极具影响力的作品。这些作品是时代的一面镜子，较深刻地反映了一个时期的社会现实。

本套书重时代感，所选作品的排序按照原作初次发表的时间先后顺延。选篇首重乡土气息、时代精神和文学价值，以作品品质为标杆(作家名气、地位作第二位考虑)以期展示35年中国农村变革、农民精神嬗变的文明进程，使内涵巨大的乡土小说所构成的文字画卷，具有以文学纪录时代史诗般的价值。

虽然过去也有一两家出版社出版过一些乡土小说选集版本，但大多是以作家为标杆选择篇目，规模小，不全面；而这套书以整个大改革时代为着眼点，登高望远，选篇宏观铺陈，将散失于长达35年间奇珍般的乡土小说，用一根乡土彩线串系在一起，这是对乡土小说的寻找与抢救，也是在打造我们中国人共同的心灵家园。

由于书的印张所限，有不少影响大、水平高的乡土小说未能选入，对此我们深感遗憾。我们希望这套书的出版，不但能让热爱乡土小说的读者喜欢，而且能让更多的农民兄弟读到。让农民了解农民，了解农村的变化，关心自身命运，关心社会变革，这是我们的初衷。

郑电波

2013年初春

目　录

阿 吉

贾平凹

阿吉原名叫阿鸡，从城里打工回来后村人才知道他已经改名了。

城里人将妓女称作鸡，这使初次进城的阿鸡很没体面，虽掏了五元钱在环南十字路口的卦摊上求了个“吉”字，但字改音未改，仍被人瞧不起，只能在建筑工地上当和灰的小工。工人们一边劳作一边要说些荤段子，阿吉呆听着就捉了锨把不动，老总便骂阿吉懒，不出四个月，结算了三百元，让他走人。

阿吉在城里浪逛了一天，无事可做，将一泡屎拉在草帽里，把草帽又摔在一堵砌了瓷片的墙上，离城回家。

回家要坐一天的火车，三百元钱藏在鞋垫下，不敢随便买吃喝。同椅上和对面椅上是三男两女，衣着鲜亮，又啃着烧鸡，阿吉就很孤独，把鞋脱了，抱起双膝在座位上作瞌睡状，心里骂：好东西都叫狗吃了！好女人都叫狗×了！骂着骂着，心理平衡下来，真的便瞌睡了。一觉醒来，刚好车快到站，赶忙要穿鞋往车门口去，却怎么也找不着自己的鞋。

“鞋呢，我的鞋呢？”椅下满是皮鞋，阿吉急出一头水。

旁边人问，你是什么鞋？阿吉说条绒面，布底子。那人说，就是那双破鞋呀？臭死人了，早从窗口扔出去了！阿吉质问谁扔的？拳头便提了起来。但阿吉很快就松开了手，因为他面前站起了三个男人，又粗又高，拿眼睛盯住他。阿吉说：“扔了……就扔了。”人站在车外了，却对着车窗破口大骂：“扔我鞋的，我×你妈！”骂一句，跳一下；再跳一下，站台上一块玻璃碴子扎了脚，扎出血来。

阿吉并不可惜那双鞋，鞋确实是破鞋了，他也是可以打赤脚从小站上走十里路回村的，但阿吉遗憾的是鞋垫子下藏着钱，硬咯铮铮的三百元钱。

阿吉赤了脚到小站东边的席棚里去找阿狗。阿狗是阿吉的同胞哥哥，父母死的时候，阿狗待阿吉还好，发誓说他卖豆腐也要供弟弟念完高中念大学，可阿狗一娶了婆姨就听婆姨话了，分家过活，搬到小站卖豆腐了。阿吉也瞧不起阿狗，进城时路过豆腐棚就懒得去打招呼。现在，他只好向哥哥借钱了。阿狗听阿吉说了恓惶，扇了他一个耳光，却把五十元钱捏一疙瘩塞给他，低声说："别让你嫂子看见。"

阿吉说："尿，我会还你的！"

原本阿吉要买双板儿鞋的，想了想，一怒买了双人造革皮鞋，二十元。又三元钱买了一副墨镜。镜一戴上，眼前蓝哇哇的，感觉换了个人似的。

阿吉回到村里，天已麻麻黑，老远看见巷口村长家的窗口亮了灯，灯光映在山墙外的碾盘上，阿米和小安蹴在碾盘上赌红桃四。阿吉咳嗽了一声，端端走过去。阿米"哈"地咋呼了一下，说："是鸡哥回来了?!"

阿吉说："从城里回来了！"

阿米抬起身要摘墨镜看看，阿吉喊了一声："臭手！"阿米就不敢动了。

小安说："我手才臭哩，叫他赢了十元了！"

阿米说："这靠智力哩，又不是抢的。"

阿吉说："你以为你是谁，看我收拾你！"

阿米是村里的上门女婿，阿吉没进城前就眼里没有他。婚后的第二天，牡丹引着新夫阿米来给本家子各户认门磕头。到了阿吉家，阿吉问："贵姓?"阿米说："免贵，姓米。"阿吉就笑了。阿米说："大哥的大名?"阿吉说："说了嫌你怕怕哩！"阿米说："莫非大哥叫老虎?"阿吉说："老虎倒不是，叫鸡，往后你不要惹了我！"从此阿米果然害怕阿吉。阿吉去城里打工的时候，阿米就求过能不能跟着一块去，阿吉没有理他。

一张牌一块钱，三个人赌了几个来回，阿吉果然赢了。阿米嚷着再来，阿吉说行么，我也不嫌钱多了扎手，却一定要验资。小安是没钱了，只好袖了手在旁当牌警。阿吉和阿米两个人一来二去继续赌，阿吉把赢来的输了，又把身上的二十七元钱输掉了，一摔牌，说："权当我要了个歌厅的小姐！"

小安说："吉哥在城里要过歌厅的小姐?!"

阿吉说："城里讲究夜生活嘛！"

阿米死死捏着一把钱，看着阿吉走了，一张张清点，却突然想：阿吉他是骂我哩嘛！恰好村长的公鸡天黑了从大场上回院中的架上，阿米一脚踢去，骂道："黄鼠狼拉了你去！"往常，骂黄鼠狼阿吉是不会饶的，但现在阿吉竟不理，这使阿米有些纳闷，看着那一溜皮鞋脚印，甚至有了点失意。

阿米说："阿吉怎么不理会?"

小安说："阿吉见过大世面了。"

阿吉走得很远了，站住，回过头来，而且是把墨镜推架在了脑门上，说："阿米，我告诉你，我不是鸡狗的鸡，我是吉，上边一个士下边一个口的吉！"

阿鸡改名为阿吉了，这消息很快就在村里传开来，能改了名字，肯定是在城里做了大事。园园甚至听到议论，说是阿吉在一家公司里当了什么主管，皮鞋西服那是上班的工作服，一月发一次，常陪客户去歌舞厅，要的是白脸长身的小姐，还泡过俄罗斯来的妞儿，园园就惊慌了。

因为阿吉以前曾要和园园谈恋爱，园园拒绝了他，说，你能给我盖一院像拴子家的两层水泥板楼房，我就嫁你！拴子的舅舅在县公路局当局长，拴子的爹能长年在公路工地上包活干，是村里最富的人家。阿吉哪有和拴子家的比头，打死他也盖不了那样的房子！阿吉进城也是受了园园的打击而走的，那时阿吉说：我在城里不干出个名堂就不回来！如今阿吉回来了，一定是会羞辱她的。

园园就去找拴子，拴子和他爹正从害了肾病的刘干事家出来往回走，园园立在树后叫了一声“拴子”，自己脸都红了。园园是和拴子在他家的磨坊里亲过嘴的，说话已经不心跳，但园园怯拴子的爹。拴子的爹眉眼威严，却是开通人，说了一句“你们说话”，自己就先回去了。拴子见爹一走，急猴猴就扑过来拉园园的手，园园说大白天的，把手收了：“你知道阿吉回来了吗？”拴子说：“知道。”园园说：“你知道他改了名吗？”拴子说：“城里的王八大三辈啦？何况他还不是城里人！”园园说：“听说他在城里要大啦，交识的都是些有头有脸的，装了一口袋名片哩！”拴子说：“别听胡说！”心里却吃了一紧：现在的世事说不得，什么情况也会发生，难道阿吉还真脱胎换骨了？就拿眼睛盯着园园：“他又骚扰你了？”园园说：“这倒没。你说他这回来要干啥呀？”拴子说：“管他干啥呀，咱俩的事我爹催着待客的，你定个日子吧。”

园园很快定了日子，毛看待了十桌客。按风俗毛看就是订婚，但订婚分两道手续，得毛看一次，男方的父母要给女方钱财首饰，再得正看一次，男方的父母还得给女方钱财首饰，方可领取结婚证，商定结婚日期。园园和拴子毛看待客的那个上午，阿吉和小安，还有小安的相好豆花，去逛镇街。小安年纪轻轻的就有了相好，阿吉气有些不顺，好的是豆花腿短屁股下坠，阿吉便让他带着豆花。豆花是石头的侄女，进乡政府院子去询问修水渠经不经过她家坟地的事，小安便问阿吉：“你觉得好不好？”

阿吉说：“鞋好。”

小安说：“鞋是我买的，脚胖了些，看不见鞋沿了。”

阿吉说：“你倒舍得！”

小安说：“咱想讨个婆姨么。”

阿吉呵呵地笑，问小安，婆姨是什么？小安说婆姨就是婆姨呀。阿吉说你也学过拼音的，你念，慢点拼拼。小安念：“婆——姨——×！”叫道：“原来婆姨是指那个呀，你怎么知道的？！”其实阿吉也是听城里人说的，城里人曾经听阿吉口里婆姨长婆姨短的，就嘲笑乡下人把女人不当人。

但现在阿吉却嘲笑小安了，为讨个“婆姨”就买那么好的一双鞋。阿吉再问小安，你知道日子是什么意思？小安说这我知道，油盐柴米醋吧。

“你什么也不懂！”阿吉说，“你没进过城！”

小安完全是低了一辈了，他歪着头看阿吉的脸，问日子到底是什么，阿吉的脸定得平平的，什么却不说了。豆花从乡政府出来，脸色灰了一层，小安问怎么啦，豆花说水渠已定了线，是要经过她家坟地，去年才给爷爷造了新墓，又得迁移的。阿吉说迁移的事有你爹和你叔哩，用得了你犯愁，你操心个草帽是正事，大热天的，人都晒成红薯啦。豆花说，小安不给买么。小安翻着口袋，口袋底都翻出来了，说，哪有钱？街上的人窝里有人戴了个新草帽，阿吉说，豆花你要不要那个草帽？豆花说，要哩么。阿吉说，你有一条绳带没，有绳带了这草帽就归你。

豆花把一条绳带给了阿吉，阿吉将绳带从头顶系到脖子上，还打了个结儿，就走近那个戴草帽的人。他是站在了那人的左边，右手极快地揭了草帽戴到自己头上，那人头扭向左边张望，喊："谁抢帽子？我的帽子?!"阿吉在右边拍拍那人肩："嫂子，这街上贼多哩，戴帽子你要系帽带么，你瞧我，有帽带儿谁抢得去?"

阿吉戴着草帽踅过来，把草帽戴在了豆花的头上，豆花眼里都放了光。

阿吉一得意就想尿尿，他去街边的公共厕所里尿得老高，但阿吉听到了两个人说话，话说得像五雷轰顶。两个人是蹲在坑边边拉屎边议论拴子家的事，一个说有钱的人都长得好，一个说那不见得，东洼村的得胜该有钱吧，脸窄得像刮刀。一个说得胜不行他儿子拴子也不行，可拴子生下娃娃了你瞧吧，那园园就人样稀么。一个说拴子真的能娶了园园？一个说今日毛看哩你不知道，得胜昨天在银匠铺里取了戒指哩。阿吉不等尿完就提裤子，裤裆里湿了一片。他没有再去理会小安和豆花，小跑进村要查个究竟。村里果然有许多人都往拴子家走，当下拐脚回到自己家，哐啷把门关了。

阿米也是去拴子家吃席的，走到半路，牡丹让阿米回去拿个空桶，说是拴子家今日待客，肯定剩菜剩饭多，到时候盛在桶里提回来喂猪。阿米就返回去拿桶，跑过阿吉的后窗，听见屋里有吵架声，吓了一跳，放下空桶站上去从窗缝往里看，看见阿吉一个人在屋里走过来走过去，大声地说："嗨——把我气死啦！嗨——我×你妈!"

阿米同情起阿吉了，他在拴子家坐了一会儿，想，这时候安慰阿吉，阿吉就不会再欺负他阿米了，便推托家里有急事，向拴子告辞。拴子大方，说那让牡丹带些饭菜给你捎回去。阿米便来敲阿吉门，什么话都不提了，只邀请到他家吃饭去。阿吉在阿米面前是不倒威的，他把皮鞋穿上了，又穿上了那一件很短的西服，戴上墨镜，说："请我去你家呀，没有肉我不去给你充脸哩!"

牡丹从拴子家带回来的是一盆米饭和一碟红烧肉，阿吉吃毕，问："有没有牙签?"阿米说："牙签?"阿吉说："瞧你，你家哪儿会有牙签？在城里用牙签惯了，吃完饭不剔剔牙就像每天不洗脸一样难受!"牡丹看着阿吉上嘴角粘着的一颗米，她不敢说阿吉你擦擦嘴，便夸奖道："吉哥不显老，嘴上不长胡子。"阿吉抹抹嘴，笑笑，是不？米粒掉下来。牡丹说："吉哥在城里是个主管了?"阿吉说："你看我像不像?"牡丹说:“我早就说了,吉哥大鼻子,不是乡里能待住的人,果然是了! 东洼村最俊的女子数园园,可惜园园眼里没水,鲜花插到拴子的牛粪上了!”阿米知道底细,立即用眼睛瞪牡丹。阿吉却嘎嘎大笑:“你说园园是鲜花呀?!”牡丹说:“园园不是鲜花谁还是鲜花啊?”阿吉说:“你没进过城,我怎么给你说呢? 我告诉你,即使是我一辈子在村里,我也不会娶园园,她是个白虎哩!”这下阿米和阿米的婆姨都吃惊了:白虎? 我的天!

女人若是白虎便命硬,嫁谁克谁。阿米千叮咛万叮咛婆姨不敢把这话扬出去,可牡丹哪里能憋得住一个屁,先给隔壁的石头爹说了,石头爹又告诉了阿财的婆姨,不几天村里人都知道园园是个白虎。园园人称小观音的,毛看的时候虽然得胜一再挡客,村里仍是十分之七的人家去行情恭贺,猛一下形象坏了,好像兴善庙里的佛像在“文革”中被人砸了头,庙从此成了生产队的仓库,什么东西都可以扔在里面。大家对得胜家的敬畏没有了,也避着园园和拴子,拴子已经感觉到有些不对劲儿,但他弄不清是什么原因。

一日,小安和拴子去镇街,拴子给小安买了一碗凉粉吃,小安受感动,两人小便的时候,小安往拴子腿根看,说:“拴子你是不是青龙?”拴子说:“不是青龙怎么啦?”小安说:“不是青龙压不住白虎。”如此这般那般说了一通。拴子说:她是白虎? 拴子的衬衣都汗湿了,当晚约了园园到村后的废砖瓦窑上,拴子和园园亲了嘴,拴子的手就往园园的裤带下钻。园园坚决不愿意,说不到洞房花烛夜,是绝不会干那事的,拴子梗着脖子不言传,两人纠缠了半天,园园只允许手伸进去摸摸,拴子摸了,倒在地上狂笑。园园说:“瞧你这瓜样!”拴子才把小安的话说了一遍。园园当下打了拴子一个耳光,说:“别人这么坏我名声,你竟然信了来验证我?!”转身跑走,拴子叫也叫不回。

这一恼,园园数天不理拴子,拴子去她家,门都是哐地关了,门外的狗还在喊:汪! 拴子就把这事告诉了爹,得胜勃然大怒,他不允许阿吉来诋毁,就召集了曾在公路上包过活的一帮熟人要教训阿吉。

镇上的灌溉大渠开始栽桩画线,阿吉去现场看了看,正逢着邻村有人给孩子过满月,阿吉也去了,问:“是男娃女娃?”主人说:“生得不好,女娃。”阿吉说:“不就是长大了嫁给皇帝吗?!”主人高兴了这一句话,也拉他去吃席。阿吉吃得肚子多大,往回走时弯不下腰,路过一片芦苇地,墨镜掉在地上,醉眼蒙眬的,又折不了身。芦苇里出来三个人,一女两男,他说:“嫂子,帮我拾拾镜。”女的说:“你眼睛瞎了?”阿吉看了一眼,女的也是大肚子,阿吉说:“唔,嫂子也去吃席了?”两个男的便扑过来一顿打,阿吉说:“我没看清她是孕妇么,我就该打?”两个男的并不说话,又是一顿打。

“我是阿吉!”阿吉赶忙说。

一个拳头戳过来,阿吉只觉得嘭的一声,人就倒在地上,赶忙用手护头,人就像西瓜一样滚过来滚过去。滚到了芦苇丛里，两个男人解他的裤子，阿吉立即叫道："不要不要！"害怕被割了尘根。但阿吉的裤子被拉开了，手脚同时也被压住，他看见一个人拿了剪刀，说："就这么一点点呀！"阿吉就昏过去了。不知过了多久，阿吉醒来了，满天星斗，芦苇地里一片蛐蛐叫。我还没有死？阿吉想，赶忙用手摸下身，那尘根还在，却没有了毛，爬起来唾了一口："呸，是瞎子还讲究杀人哩，剪×把×毛剪走了！"四下里瞧瞧无人，一瘸一跛回了村。

二道巷拐弯处是刘干事家，刘干事家的屋檐下燃着一堆火，火旁几个人在杀黄鼠狼。刘干事的肾病已经很严重了，中医和西医没办法，家人开始缝制寿衣，来修水渠的技术员提供了一偏方：喝黄鼠狼血，喝过十只黄鼠狼的血就会好。刘干事的婆姨哭着说，死马当着活马治吧。可黄鼠狼许多年不见踪影，托人去南山总算捡了一只装在铁笼里提来，却没人敢杀，正急着，阿米的婆姨看见有人从巷道走过，就喊："那是谁？"阿吉听见了，说："是我！"

"是吉哥？"阿米的婆姨喜欢了，"吉哥是男人，让吉哥杀！"

几个人去拉阿吉，阿吉不知道是干什么，后来听说杀黄鼠狼给刘干事治病的，挣脱了众人，说："谁的忙不帮，刘干事的忙得帮哩。"把西服领子提了提，强忍了右腿的疼痛，走过去。一看，铁笼口被口袋套住，黄鼠狼就在口袋里乱蹬，口袋就这儿一个包，那儿一个疙瘩，阿吉就不敢下手了，说："把口袋剪个小洞，只让头出来么。"小洞剪开了，一只黄脑袋钻出来，几乎整个身子也要钻出去，阿米的婆姨赶紧压住口袋，说："吉哥，快拿剪子剪！"阿吉剪了一下脖子，没剪开，手一抖，黄鼠狼把剪刀咬住了，阿吉就跳开去，说："使不得，我是鸡。黄鼠狼要吃鸡的！"

阿米婆姨说："你不是士字头口字底的吉吗？"

阿吉说："你知道士字是什么意思，士不杀生的。"

石头的媳妇也在场，说："让我来！"胖身子拧过去，抓起口袋扭了一匝，黄鼠狼一动不动了，然后拿剪刀剪黄鼠狼脖子，血就流下来，而同时有屁发响，熏得众人都背过头。石头的媳妇一丢剪刀，将血手往阿吉的腮帮抹，说你不如个娘儿们！却大叫："你留胡子啦？"

众人看去，阿吉是留了胡子，两撮小八字胡。

阿吉用手摸摸，果然唇上有胡子，他也不知道这是怎么回事，却说："少见多怪，城里的人越年轻越要留胡子哩！"

阿吉回了家自个纳闷怎么就长了胡子，照照镜，揪了揪，就揪下来，发现是用胶水粘就的，忽地醒悟了，就吐了一口，还恶心，把座席吃的酒肉全吐了出来。

阿吉一口气咽不下去，找村长告状。

村长说："你怎么知道是拴子家找人打了你？"

阿吉说："我说了园园是白虎。"

村长说："你怎么知道园园是白虎？"

阿吉说:"她应该是白虎。"

村长说:"那你就应该挨打。"

告状自然是不了了之,但阿吉丢了面子,几天闷在家里不出。后来坐到村长家山墙外的旧碾盘上,招呼人来玩"红桃四"。阿米路过,阿米说他到地上摘茄子呀。叫小安,小安说让他上个茅房,进了茅房却翻过茅房矮墙跑了。阿吉坐在碾盘上,看见巷子东口走过来一只狗,巷子西口也走过来一只狗,两只狗在巷子中同时发现了一根骨头,就咬着抢骨头。阿吉便过去用脚踢狗,把骨头捡起来扔到了村长家的房上。村长的婆姨一直在窗里看阿吉动静,说话了:"阿吉,你真缺德,一块骨头也不让狗啃?"

阿吉说:"干骨头有啥啃的?!"

村长的婆姨说:"狗就图个肉味嘛。"又说:"阿吉,你那胡子呢?"

阿吉拾了身就走,巷口里两个人吵吵闹闹地过来,一个说:"你把爹叫爹哩,我把爹就不叫爹?一个萝卜你两头切,这天下还有理没?!"一个说:"什么理,给了你就是理?咱寻村长么!"阿吉见是石头和石头的哥,就又坐在了碾盘上,而村长的婆姨呼地关了窗。石头和石头哥便敲村长家的院门,敲了一阵敲不开,拳头砸得门扇咚咚响。村长的婆姨在院里说:"是土匪打劫呀!?"石头说:"我们找村长断个理,婶子。"村长的婆姨还是不开门,院墙上撂出一句话:"村长不在!"石头说:"村长几时回来?"村长的婆姨说:"村长就是回来,他也断不了你们家窝事!"

石头和石头的哥见敲不开门,靠着院墙闷了一会儿,阿吉拿石子在碾盘上敲,石头的哥说:"你烦不烦?!"石头就对阿吉说:"阿吉你是从城里回来的,你来评评这是个什么理儿!"石头的哥说:"让阿吉评就让阿吉评!"

阿吉来了精神头,说:"等等。"阿吉把墨镜取下来,收了镜腿儿装在上衣口袋,说:"谁先说,啥事么,说截快些。"石头就先说,说得满口白沫,石头的哥又说,也说得满口白沫。阿吉终于听明白了,原来是石头的娘死得早,埋在老坟里,剩下一个爹八十多了。兄弟俩分家时讲好爹轮流着在儿子家吃饭,而爹将来死了,石头的哥管待造坟制棺材,石头管待埋葬时的待客吃喝,石头的哥前年春上就选了新坟地给爹造了墓,没想修水渠正好经过新墓址,这新墓就得迁移。当然,迁移新墓乡政府给迁移费的,迁移费石头的哥拿了石头没意见,可新坟四周栽了二十棵小柏树,乡政府一棵树赔十元钱,二十棵树赔了二百元,石头便提出二百元一人该分一半,石头的哥死活不愿意,两人吵闹了两天吵闹不清。阿吉说:"就为这事?"

石头的哥说:"墓是我造的,树是我栽的,为啥要给他分一半?"

石头说:"你要这么说,爹死了待客的事我就不管了!"

阿吉还是问:"就为这事?"

石头和石头的哥说:"就为这事。"

阿吉说:"这是打的事么,吵个熊哩?!"

村长家的院门哐啷打开了，门口站着的是村长，村长竟一直就在他家里。村长黑着脸说："阿吉你真个是臊嘴，你就这样评理哩？打起来你还要不要安定团结啦?!"

阿吉瓷在那里，说："你安定团结哩，你还不就是个以老卖老的专制呀!"

村长说："该专制就专制哩!"把石头和石头的哥拉进院去，回过头还说："你往一边冷着去!"

阿吉灰不塌塌回坐在自己家里，拿瓢在水瓮里舀水喝，喝得牙根疼，喝得肚子和心都凉了。他突然觉得在村里难待下去了，可不在村里待又能到哪儿去呢？阿吉实在不愿意再往城里去打工。蹴在地上，用柴棍在地上画，画着画着，画出阿吉两个字，猛地想到吉字上半部是士，自己也多少有文化的，下半部是口，莫非该要我做口力工作者？阿吉这么想去，精神振作了，重新穿好了西服和皮鞋就出门，走到门外了又回来，从柜盖上拿了墨镜戴上。

阿吉去的是镇街上的龟兹班。龟兹班主一脸麻子，先是在县剧团唱黑头，剧团没了演出，工资发不出，他就拢了一帮人吹龟兹，逢着谁家婚嫁，给老人祝寿，为孩子过满月，或者死了人葬埋和过三年忌日，被请去吹吹唱唱，赚三二百元，吃三顿饭，末了还能带一条烟一瓶酒的。麻子的龟兹班在这一带还挺红火。阿吉去麻子家时，麻子正在他家山墙边的茅房里蹲坑。茅房的挡墙低，头能露出来，阿吉一进院，麻子就看见了，麻子没有理。阿吉却瞧着麻子在对他笑哩。

"麻哥——"阿吉把墨镜摘下来。

麻子的脸还在笑着，一颗颗麻子红赳赳的。

"麻哥——!"阿吉回笑了一下。

一阵扑里扑咚响，麻子的脸不笑了，阿吉才明白麻子刚才不是对他笑，是努了力拉屎哩。麻子说："你是不是阿吉，谁又死了？"

阿吉说："人倒没死的，我想跟着你哩。"

麻子说："你会干啥？"

阿吉说："我能唱。我唱一板《张连卖布》。"将一口稠痰唾给脚下的鸡，唱了起来，鸡立即跑远了。

麻子说："好了，你甭唱了，该做啥就做啥去!"

阿吉一时眼前乌黑，想起了城里工地上老总的训斥，再勉强说了一句："我……我还会说段子。"

麻子说："你说说我听。"

阿吉想了想，说道："说的是两头牛，一头公牛一头母牛，犁完地后没有回村，在村外河边吃草哩。吃着吃着，公牛说回吧，母牛说你要回你回，我还要再吃哩，公牛就蹶子一尥一尥回村了。但公牛很快便从村里跑出来了，一边跑一边喘着气，牛鼻子都歪了。母牛问，咋啦咋啦？公牛说，县上来了几个干部，嚷道着要吃牛鞭呀!

母牛说，噢，那与我无关，你就在这儿躲着，我回呀。母牛回去了，母牛很快也从村里跑了出来。公牛问：你怎么也出来啦？母牛说，干部说了，吃了牛鞭今晚吹牛×呀！”

麻子用粪铲将坑槽里的屎往下捅，忍不住扑哧哧笑了，拿着粪铲在矮墙上磕，说：“你狗日的阿吉，嘴比这屎还臭！”

阿吉从此留在了龟兹班。龟兹班始终是坐在过事人家的院子里，面前蹾着茶壶，耳朵上别着烟，敲板鼓的敲板鼓，拉二胡的拉二胡，麻子和一个女的脖子上暴了青筋地唱。吹唱之后，轮到阿吉说段子，以麻子的想法，要用白粉给阿吉按个白眼圈儿，阿吉坚决反对，他就戴墨镜。阿吉的本事是嘴皮子利，说得别人笑了他不笑。豆花来听了一场，豆花就佩服得不得了，说：“吉哥，你真行，你也给小安教教呗。”阿吉说：“小安那猪嘴！”小安的嘴唇是厚，豆花就丧气了，豆花说：“那我拜你为师。”

阿吉领着豆花去镇街的饭馆里吃麻辣粉，一个盆里你夹一筷子，我夹一筷子，吃着吃着，一条长粉一人吸了一头，像两只鸡争吃着一条蚯蚓。豆花一松口，阿吉把整条粉吸进了肚，他看着笑得整个下巴呼噜呼噜抖肥肉的豆花，说：“再有场合了，你把园园也叫上。”

豆花立刻不笑了，说：“你请我吃饭，原来是要我叫园园啊？！”

豆花赌了气离开饭桌，阿吉再喊也不回头。

阿吉到底没有在场合上碰见过园园，阿吉肚子里的段子也差不多掏空了，重复老一套，听者就生了腻歪，常常一开口，说上三句，有人就跟着一块往下说。阿吉急了，说我这段子可是从城里听来的！主人说，我这钱也不是我家印的！主人不高兴，麻子自然分给阿吉的钱少，赚来的烟，别人可以分得一盒，麻子也只给他几支。

麻子说：“阿吉，屁放三遍都没味了，你得说些大伙儿爱听的么。”

阿吉说：“我又不是每个人肚里的蛔虫，我咋知道爱听啥？”

麻子说：“农民么，你说联合国的事鬼听呀，你不会编些东家长西家短的事儿？”

阿吉开了窍，编造起本乡的趣闻逸事，这阿吉是在行的，比如谁家的公公天一黑就给儿媳拿了尿盆呀；谁家的婆姨把丈夫打得钻在炕洞呀；谁家的两个儿子都是结巴，两个结巴吵架，一个比一个如何地能换气呀。阿吉成了长舌男，逮住个影儿就编造得云山雾罩，听的人蛮起哄，阿吉的嘴成了名嘴。

阿吉终于发现了自己的天才，每说过一个段子，自己也被自己感动得热泪盈眶。正流泪着，被作践了的人骂阿吉，阿吉、阿吉你嘴里就吐不出个象牙来？！阿吉还未回应，听众就说，这你就气量小了，说笑说笑就是说一说笑一笑嘛！有众人叫彩，阿吉就轻狂了，越发要哗众取宠。往后的场合上，有的事说上，没有的事也捏上，肆无忌惮，凡是编造了谁的段子，犯不上法也出不了人命，但尿泡打人不疼，臊气重哩，每次场合前，就有人来求阿吉，你今日把某某给咱糟蹋一下。或许，有人就提前打招呼，阿吉，你今日可别作践我啊。阿吉说，这我考虑考虑，你去买一包烟吧。

没有了场子，阿吉在家里用锅煤子涂鞋帮，人造革皮鞋磨出了一片白，思谋着是不是去买一双真皮子的，就听到巷口有人吵架。一个说："你没文化，这事我不和你说了！"一个说："你有文化，不就是个民办教师么，你给学生教课，你说光，光，光明的明……"一个说："你污蔑！"一个说："我污蔑？阿吉当着那么多人都说了，我污蔑?!"阿吉就得意了喝酒。喝酒把酒瓶子提着蹲在院外的碌碡上喝，阿米提了粪笼从村外回来，阿吉就说："阿米拾粪起得早？"

阿米说："石头他爹那老家伙没瞌睡，他拾过一遍了，你说说，墓都给他造了两回了，咋还不死嘛？"

阿吉说："你要当皇帝哩，当了皇帝天下的粪都归你拾！"

阿吉把酒往嘴里灌，灌过了从口袋掏钱数，一张，一张，对着天空辨真假。

阿米说："哇，这么多钱？"

阿吉说："常言说，钱难挣屎难吃，屎真的难吃，钱倒好挣的。"

阿米说："吉哥的日子和拴子家一样了！"

阿吉说："甭提他！"

阿米说："我有气哩么，都在一个村里，都是农民，他日子恁好过，我日子恁难过?!"

阿吉说："你恨他哩？"

阿米说："我咬牙哩！"果然嘴里响，吐出一颗蚀了一半的黑牙。

阿吉拉阿米坐在了碌碡上，把酒给他喝，阿米一口气灌下二指深，顿时耳朵都红了。阿吉说："慢慢喝，这半瓶你拿上，让小安也喝几口了，都归你。你晚上和小安来我家说说话。"阿米喜欢地走了，继续喝酒，一条巷没走完，把酒全喝光了。

晚上，阿米和小安就来了。小安一进门便骂得胜，说他去向得胜借钱，得胜有的是钱却不借给他。阿吉说："他不借你钱，让他留着买药吃么。"小安说："他吃人参哩，身体壮得很！"阿吉就关了门，叽叽咕咕地给阿米和小安出主意，末了说："这话就烂在咱肚子里了，小安你要漏了风儿，我和阿米就一口咬定是你干的，阿米你要漏了风儿，我和小安就指证你，指证你懂吗？"阿米说："不懂。"阿吉说："就是吃不了兜着走，你是上门女婿，你该知道轻重！"一条烟拆开，一人给撂了一包。

自后的日子里，阿米见了得胜，说："叔，你咋啦，脸色这不好？"得胜说："胡说了，拉条牛看你扳得倒还是我扳得倒？"小安见到得胜了，说："叔哎，要那么多钱干啥呀？"得胜说："咋啦？"小安说："你也买些好东西吃么，瞧瘦成啥了！"得胜说："我是瘦人，肚子里吃头牛也不胖。"得胜回到家就照镜子，纳闷怎么几个人说我瘦了，气色不好？又过了几天，阿米碰上得胜说得胜叔你越来越瘦了，你得去医院看看，到了这个岁数突然消瘦就有问题了。得胜握握手腕，也似乎觉得有些瘦，回来窝在家里休息了几天。得胜是闲不住的人，休息了几天，就觉得身上不自在，吃饭也觉得不香。小安在镇街上当着很多人的面还是说得胜气色不好，而且问周围的人是不是气色不好，众人也说有一些，得胜心里就有了慌。如此阿米小安逢人就说得胜有了病，许多人倒跑来问候，得胜嘴里说没事没事，却背了负担，饭量越来越少，两腿也沉起来，终于去找镇街上的跛子医生抓了七副中药。

拴子家门外的巷子十字口开始每日倒一摊药渣，阿吉约了阿米到镇街的酒馆去喝酒，两人坐在条凳上，说起得胜婆姨近日脸上的愁苦相，高兴得呱呱大笑，笑过了，就比着努屁。阿米先努响了一个，阿吉就努了连声响，阿米再努，没有成功，阿吉憋了一口气，一抬屁股又是一个，虽然嘶哑，却使酒馆的掌柜都听到了。掌柜说："阿吉，啥事这么高兴，捂了嘴用尻子笑哩！"

阿吉说："笑掌柜要给我们免这一壶酒钱哩！"

掌柜说："我这小生意可免不起的。"

阿米说："要是乡长来你免不免？"

掌柜说："阿米，我晓得你，你是上门女婿，你可不是乡长！"

阿米登时蔫了，阿吉说："阿米是试试你德性哩，你以为我们掏不起一壶酒钱吗？"从口袋里掏出一张钱往桌上拍，拍出来却是五角钱，再掏，是五十元，拉了阿米顺门便走："多余的，不用找啦！"

阿吉和阿米到了街上，坐在一家屋檐下的台阶上了，阿米还在说："那一壶酒十元钱，两碟小菜六元钱，你就给他五十元？"阿吉说："你为啥穷，你眼窝子浅嘛！"阿米不言语了，手伸进怀里搓垢甲，搓一个泥球儿出来，说："吉哥有钱么，有一句话我想给你说的。"阿吉说："啥事？"却大声叫道："老侯哎！"

邻村的老侯披着一件褂子，从斜对面的裁缝铺出来，抬头看了，骂道："阿吉，你狗日没进城前叫我侯叔哩，从城里回来了叫我老侯，赶明日发财了就该叫我侯老屃了?!"

阿吉就嘿嘿地笑，走过去，他喝了酒，鼻子里就流清涕，捏了一把趁机在拍打老侯的后背时抹了上去，说："咱这乡上，我最服气的还不就是你，听说你当了工头了，县医院门前的那一条下水道是你修的？几时也让我给你帮个下手么！"

老侯说："我可不敢请你！给我当下手？干不了一个月真说不定谁成谁的下手！"撇开阿吉，径自走了。

阿吉尴尬地回坐到台阶上来，呸了一口，说："他还真以为我去给他当下手啊?!"仄过头问阿米："你刚才要给我说啥话？"阿米说："姓侯的就靠胡煽乱吹着办事哩，修了个下水道，整天吹嘘他认识县上这个头头那个脑脑，你现在要给他说帮买个原子弹吧，他也会说没问题，我给你去挑一个没把儿的！"阿吉说："我问你要给我说啥话的？"阿米说："你能不能给麻子说说，让我也去龟兹班吧。"阿吉扳过阿米的脸，看了一会儿，说："你瞧着我潇洒啦？"阿米说："牡丹老唠叨我挣不来钱么。"阿吉掏出一支烟叼在嘴上，阿米立即用打火机给点着了，阿吉就眯着眼看街上行人，说:"看见那并排的一男一女吗,你给我说说,他们是什么关系,是夫妻,还是情人,还是男的拐来谁家的婆姨?你说说,你能不能编一个段子?"

阿米说:"这我咋知道人家是干啥的?"

阿吉说:"是吃哪碗饭的料就吃哪碗饭吧,你好好把地种好,早上起早些多拾些粪……"

阿吉突然间不说了,因为阿吉看见了园园从街东头走了过来,手里提着一大袋中草药包,阿吉就站了起来,软软地叫:"喂!"园园瞥了一眼,立即斜侧了身,假装在看对面街房的门面,腿换得很快地走过去了。阿米说:"园园走路水上漂一样,把人看得骨头都酥了。"

阿吉重新坐下来,一口一口吐烟圈,说:"阿米,哥在城里耍过小姐,你信不信?"阿米说:"信的。"阿吉说:"你想不想听哥咋耍来?"阿米说:"咋耍来?"阿吉拉了阿米就走,园园远远地在前边走,阿吉和阿米慢慢地在后边走,阿吉没有再说他是如何耍小姐的。走出镇街,走过了一片苞谷地,远处的园园回头看了一下,阿吉拉了阿米躲身到一棵树后,园园钻进苞谷地里不见了。

阿米说:"你是要看园园哩?"

阿吉说:"我是看她提草药包子的,她一定是给得胜抓的药。哼,她现在就是洗得白白的睡到我的炕上,我理都不理呢!她到苞谷地做啥去了?"

阿米说:"是不是去尿了?"

约摸过了五分钟,苞谷地里又走出了园园,还是回头看看,然后提着草药包顺着小路走,拐了一个弯,消失了。阿吉和阿米便走过来,阿吉竟也钻进了苞谷地,阿米一时纳闷,哎哎地叫阿吉。阿吉不理,只管往苞谷地里走。阿吉也已经猜出园园钻进苞谷地一定是尿了一泡,果然在一个地塄和一个地塄的中间处有了一片湿,阿吉就端详着那片湿,看着像一块地图。像哪一个国家的地图他没看出来,却猛地听到,左边地塄上有人急促地跑开,踏倒了一溜苞谷秆。阿吉大声问:"谁?"那人也不管,还是跑。阿吉斜插着过去,跌了一跤还未爬起来的是小安。

阿吉揪着小安的耳朵从苞谷地里出来了。

阿吉怒不可遏地在小路上审训起了小安:"你说,你刚才在苞谷地里干啥?"

小安说:"我不是故意的,我在地塄上扳甜秆吃,是园园在地塄下尿哩,她碰到我眼里了么。"

阿吉说:"你看见什么啦?"

小安说:"我看见她的脑壳。"

阿吉说:"胡说,往下说!"

小安说:"看见脖子。"

阿吉说:"胡说,往下说!"

小安说:"看见了腰秆。"

阿吉说："胡说，往下说！"

小安说："看见了大腿。"

阿吉说："胡说，往上说！"

小安说："我看见毛啦。"

阿吉扇了小安一个嘴巴，骂道："把你眼窝咋不瞎了哩！"拉了阿米就走，小安再叫"吉哥吉哥"，阿吉就是不理。

阿吉恼得不理小安，阿吉并不担心小安会把他们密谋过的事漏出风去，反倒是小安惶惶不可终日了。第三天，小安硬让阿米作陪来见阿吉，说："吉哥，我想来想去，我没有啥错么，就是看见了园园光着尻子尿尿，园园又不是吉哥的婆姨，我咋就错了？"阿吉说："你还没错?!"小安说："好，好，就算我错了，吉哥没看到我看到了，我赔个罪儿，我还要给吉哥说一件大喜事哩！"阿米说："小安真有个大喜事哩，你笑笑，让小安给你说。"阿吉皮笑肉不笑了一下。小安告诉道："得胜原本是承包了水渠二里长的一段工程，这一病，眼看着修不成了，许多人就吵闹着寻乡政府要重新承包，争得最厉害的就是邻村那个姓侯的，听说乡政府也动了心，要再研究哩。"

阿米说："得胜这一下亏得多了！这不是喜事？"

阿吉说："这倒还是个喜事。我阿吉命硬着哩，谁要和我作对，没有不栽了的！"

阿吉这一夜没有睡着，他冲动起了一个念头：既然得胜承包不了水渠工程，别的人要重新承包，我阿吉也可以去重新承包么！阿吉就盘算着若要自己承包了，工程三个月即可完成，工程若是一里十万元，二里就二十万，三分之一买钢筋、水泥和石料，三分之一付做工的工钱，三分之一就全是盈了的利！阿吉想着想着却叹气了，乡政府肯让我承包吗？承包了能招来做工的吗？阿米是跟着干的，小安也可以，石头和石头的哥肯不肯呢……阿吉不去想了，天也就亮了。

天亮起来，阿吉便去找老侯。阿吉去找老侯是要探探承包的事，而老侯却刚刚从乡政府大院回来，粗着声给几个人说："论能力，县城的下水道我是干过的，我修不了一条水渠？论担保，我一院子房，青堂瓦舍的，还不够抵押？况且我有电视机，我还有存款哩，谁比得了我？可乡长就会说要研究要研究，还有啥研究的，他要研究给他的熟人啊?!"阿吉一听，扭头就走，心里说：毕了毕了，我拿啥担保呀？走到村口，却收住脚又往老侯家去，一进门喊："侯叔！"

老侯说："又叫侯叔了？肯定有求我的事了！"

阿吉说："求着给你送钱哩！"

老侯说："你要送钱，钱也是被药水煮了的！"

阿吉说："你是不是想承包水渠工程？"老侯说："想哩。"阿吉说："是不是还没有承包上？"老侯说："是没有。"阿吉说："这事你包在我身上好了，明人不做暗事，我要给你争取到了承包，你得给我二千元。"老侯说："行么，再给你添二百！"阿吉当下就趴在柜盖上写了约定书，说："口说无凭，咱以城里的行规办。"自个咬破中指按了一个指印，让老侯蘸了他的血也按了一个指印。

现在，倒轮到阿吉来求小安了，小安把刘干事叫姑父，刘干事是可以给乡长写推荐老侯的条子的，但小安在家里坐着，阿吉喊了三声，小安都没理。阿吉说："啥，我来了你不拿烟倒茶，连理都不理了？"小安让了座，说他生豆花的气哩，豆花刚才还在这儿，他要亲嘴哩，豆花不让亲，他把嘴洗了还是不让亲，说嫌他黑，人长得黑那是能洗白的吗？阿吉说："她是老鸦笑猪黑哩！你给哥说，你把她放展过没有？"小安说："没有，要亲个嘴把脸都抓烂了。"小安的鼻子上果然有道指甲印。阿吉说："没出息！你得硬下手哩！"小安叫苦没有个环境，豆花家他不敢去，他家里又有个老娘，总不能把豆花往苞谷地里拉吧！阿吉说："哥给你寻地方，你就在哥屋里！"小安简直不敢相信，眼睛珠子都要掉下来了。阿吉说："这你得办件事哩。"将想法道出，小安当下出门就要去找姑父，却又回来，说："豆花不去你家怎么办？"阿吉说："你就说我叫她哩。"

小安真的去了刘干事家，央求姑父给乡长写个推荐老侯承包的条子，刘干事的婆姨就骂小安："你姑父病成这样子了还写什么条子？姓侯的承包不承包与你有屁干系?!"再骂，小安就是纠缠，刘干事趴在炕沿把条子写了。

小安把推荐条交给了阿吉，就去找豆花，豆花一个人先去了阿吉家，豆花说："你叫我来的？你眼里只有个园园，叫我来干啥？"阿吉说："你往我眼里看，看到底里边是谁？"豆花竟真凑近来，看见了阿吉的眼球里有一个小人儿，是她豆花，就嗤嗤地笑。阿吉顺手把那个胖奶子握了一下。豆花一对小拳便在阿吉的胸上打："吉哥你坏！吉哥你坏！"院门外一声干咳，小安进来了，小安脸红彤彤的，才喝了酒。豆花登时安稳了，噘嘴坐到一边，阿吉就把一筐陈年老苞谷棒子拿出来，说："小安来了更好，你们给我帮着剥剥苞谷颗儿，我出去割些豆腐，今日就在我这儿吃饭啊！"一出院门，却喊小安，让小安把院门关了，隔了门缝说："成不成是你的事。你记着，你得把被褥揭了，若在被褥上留下不干净东西，我可饶不了你！"

阿吉把小安和豆花关在了自己的家里，心里总不是个滋味，见着了阿米，要阿米跟他一块去乡政府找乡长。两人走着走着，阿吉就低声嘟囔道："有贼心时候没贼胆，有贼胆的时候没贼钱，贼心贼钱是有了，贼却不行了。"阿米说："你贼不行了？"阿吉说："你贼才不行了！"

走到乡政府，乡政府的大门口拥了许多人，吵吵嚷嚷地要往里进，而大门口站着三个派出所的警察，黑着脸说县上来了领导了，谁也不能去干扰，把人往散着赶。阿米腿就有些发软。

阿米说："咱回吧。"

阿吉说："我在城里看电影从来没买票哩！"

阿吉就把西服的扣子系上，墨镜也戴上了，端端地朝着大门口走，竟一直走了进去，然后站在那里还给阿米招手："进来呀，从这边走，从这边走！"

阿米脸色煞白，走进大院了颜色还未变过来。阿米说："怪了，他们怎么就不挡你？"阿吉说："这得有气质！"阿米说："啥叫气质？"阿吉说："说句你能懂的话，老虎天生下是吃肉哩，老鼠就只会溜墙根。"阿米说："来了县上领导，乡长还会不会见咱俩？"阿吉说："有县上领导，咱还见他乡长干啥？！"阿米就跟着阿吉走。

走过院子，拐一个墙角，是后院招待楼门口，还往里走，有人很快跑过来挡住了门。阿吉不认识这人，说要找县上领导。当然阿吉阿米这回不得进去了。阿米说："这是阿吉！"那人说："什么阿鸡阿狗的，领导正吃饭哩，要告状明日寻你们乡长好了！"阿吉说："我不是鸡，是士字头口字底的吉，我哪里是告状了，要告状我能进了大院吗？"一吵嚷，乡长出来了，乡长头梳得油光光的，正和县上领导碰杯照相着，见着是阿吉，定着脸问阿吉怎么进来的。

阿吉眨巴眨巴眼，说："乡上招呼领导哩，需要不需要龟兹班来热闹热闹？"

乡长说："这里啥场合，用得着你吹龟兹？"

阿吉便把干事伯的推荐条子交给了乡长。乡长看了看，说："他病成那样子，还操心这事？！"收了条子，转身就走。阿吉赶紧说："乡长乡长！"乡长已经站到饭厅门口了，说："事情我知道了，回去好好伺候老刘，好吃的就让他吃，好喝的就让他喝，就说有空了我去看他！"阿吉却大了声说："我想和领导照个相哩，行不行？"

声音响亮，饭厅的领导就听见了，问乡长谁要和他照相呢？乡长说："决定修水渠，群众高兴得不得了，自发成立了自乐班，每天晚上唱戏哩，现在知道您来了，派两个代表想和你合张影的。"领导说好么好么，阿吉和阿米就赶紧进了饭厅。

领导原来是个白胖子，这让阿吉和阿米肃然起敬，拍照的时候，阿米的头发乱，在手里唾着唾沫往头上抹，脸上的肉是硬的，摄影师叫他笑，他紧张得不会笑了。阿吉说："领导，咱农民要给你们修庙哩，这水渠可修好啦！"

白胖子说："干部就是为群众办事么！修渠是大家的事，大家都来关心和支持，这水渠就能修得快，修得好！"

阿吉说："就是就是，得胜他病了，可不敢让他的病延误了工程。"

白胖子就问乡长："得胜是谁？"

乡长说："得胜是工程承包人，现在突然病了，我们正考虑让别的人重新承包哩。"

白胖子说："那就得抓紧物色人，可不得误了工期！"

乡长说："这不会的，误了工期你把我这乡长撤了去！"就推了阿吉阿米出去。阿吉说："那我们走了呀！"眼瞧着饭厅的门就关了。

阿吉一出了乡政府大院，直脚往老侯家去，阿米也要去，阿吉拒绝了，说："你回去，回去了不要洗手，让牡丹也瞧瞧，你阿米也是和县上领导握了手的！"阿吉到老侯家，端了桌上的茶壶就喝。老侯说："阿吉，你怕是走错了门了吧，这可不是你家！"阿吉慢条斯理地说了他怎样托干事伯给乡长写了条，又如何见到县上领导直接反映了得胜有病而工程要让你老侯承包，再是乡长说了什么话，表了什么态，末了说，你老侯这茶喝得喝不得？

老侯说："我现在又不是你侯叔了？"

阿吉说："你现在的任务一是这两天直接去找乡长去落实，二嘛，给我付二千二百元吧。"

老侯揭了炕席，炕席下压着一沓钱，但老侯只数了一千元给阿吉。阿吉脸长起来。老侯说："你就靠两片嘴皮子挣这么多钱呀？即便现在事情十有八成，那也只能付你一半呀！"

阿吉说："八成比五成多三成。"

老侯说："八成也可能事不成，这和五成有啥区别？"

阿吉说："那二百呢？"

老侯从炕席下又拿了一百元给了阿吉，说阿吉你心沉得很。阿吉走出门，吐了一口："这侯老尕！"

三天后，老侯如愿揽成了水渠工程，喜欢得念了佛，借着他生日过寿要待客庆贺，就请龟兹班去热闹。阿吉曾鼓动着麻子不要去给侯家凑兴，但麻子说，姓侯的给的钱多，又说，姓侯的承包水渠工程，势头压过了得胜了，这号人不要得罪。阿吉也只好跟了去。

龟兹班在老侯的院子里吹吹唱唱后，阿吉就开始卖嘴了。众人说："阿吉，今日咬谁呀？"

阿吉说："逮住谁咬谁！"

众人说："老侯绊一跤拾了个金疙瘩，咬老侯！"

阿吉说："我是咬哩，可我有个原则，以势欺人的我咬，村盖子我咬，别人不敢咬的我咬，别人咬不动的我咬，你说不能咬的我偏咬！"

众人说："阿吉倒成了纪检委的人了？!"

阿吉说："你以为我只为混个小钱来的？要挣钱我进城去了，我又不是没挣过大钱！"

众人就嚷嚷得胜是没人咬也咬不动的人，你把得胜外派外派。阿吉说得胜叔现在病了，水渠工程也干不了了，外派他我心里不忍，但得胜叔前日请了南山的大夫，大夫让他每日喝钱哩。

麻子拿敲板鼓的棍儿敲了一下阿吉的头，说："你说着说着就胡扯了，有喝钱的药方？"

阿吉说："我听说了我也不信，昨日早起，我去看我得胜叔，我没敢进去看，站在窗外看的，我那婶子真的是把一沓一百元的票子剪成碎末儿，冲了水让我得胜叔喝。得胜叔喝不下去，我婶子放了些红糖，他就喝了。喝毕了，我婶子问，还吃啥呀不？得胜叔摇了摇头。我婶子又问，还喝啥呀不？得胜叔摇了摇头。我婶子再问，还干呀不？得胜叔说话了，得胜叔说的话是：那你活活把我放上去啊……”

众人哄然大笑。老侯骂道：“你狗日的缺德！”却把一瓶酒塞在了阿吉的怀里。

阿吉在老侯家外派得胜，当然有人就传到东洼村。阿吉问过阿米：“拴子家什么反应？”阿米说：“倒能沉住气，没动静。”阿吉说：“他害怕了！”

阿吉认为拴子一家害怕了，就想为啥害怕了，一定是有更大的见不得人的事，比如，他得胜为什么就长年在公路上包活干，他给县上领导行了多少贿？这回承包水渠工程为什么又首先他能承包？他和乡长有没有猫腻的事？阿吉想着想着，感到他若真能弄点情况来捅出去，他阿吉就会被乡人捧为打虎的武松了，到时候得胜的势一倒，园园就不一定还会嫁了拴子。阿吉一高兴，在院子里唱龟兹班里麻子曾唱过的一段戏：

眼看着他起高楼，
眼看着宾客宴，
眼看着楼坍了。

阿米和阿米的婆姨经过院外，阿米喊：“吉哥，你段子说得好，你唱戏聒人哩！”

阿吉在院内说：“你懂得屁！”

阿米和阿米的婆姨要走过了，阿吉却说：“阿米，你进来，咱俩到刘伯家去落实个事！”

阿米说：“哪个刘伯？”

阿吉说：“还有哪个刘伯，在乡政府当干事的刘伯！”

阿米和阿米的婆姨进了院子，阿米说：“刘伯家我昨儿去过，喝了五只黄鼠狼的血了，病还不回头，我看人快要毕了。今日石头的哥给他爹新墓拱好了，你去不去行情？”

阿吉说：“麻子没有通知去给热闹么。”

阿米说：“石头的哥舍得花钱请龟兹班？咱一个村的，再不亲，你也该去去。”

阿吉该去的。阿吉说我拿啥礼呀，仰起头看屋檐下一串晾着的辣子，要过去取，却一拍手说：“屎，人去了就给他壮了脸了，拿什么东西？我烦就烦咱这里提酒呀送糖的，一瓶酒一包糖又能值几个钱！”

到了石头的哥家，人来得不多，坐了三席客，席上没见石头。阿吉一见石头的爹，老人是坐在他的那副已做好了十年的棺材上，阿吉说：“老伯，你有了新房子，恭喜恭喜！”老人说：“阿吉，你几时还进城呀，听石头说你在城里坐大啦？”阿吉说：“那有啥哩，几时我把你老领到城里也去看看。”老人说：“我不中了，都八十有六了。”阿吉说：“你还能活哩，你给咱往一百上活！”老人说：“活得丢人了，再活就丧德了。”

饭菜很简单，吃饭的时候，小安嘟囔没有鱼也没有鸡，石头的哥这么啬皮，到时候老伯倒了头，看谁还来帮着抬棺材呀。他说：“反正我不会来啦！”石头的婶子听见了，脸不好看，舀了一勺肉片扣在小安的碗里，说：“兄弟，别人我不管，你得吃好！”小安端了碗就蹴到了阿吉身边，讨好地说：“吉哥，这几天你见着园园了没？”

阿吉说：“吃你的肉，我见她干啥？”

小安说：“我看见她在镇街上买红裤带哩，买了两条，说是今年她晦运哩，要给她和拴子系红裤带避邪呀。”

阿吉说：“是不是，怕快要系白腰带了吧。”

阿米也凑过来问：“吉哥你是说得胜要死呀？我可没想让人家死……不会闹出大事吧？”

阿吉说：“出啥事？话就多得很！”

阿米受了噎，瓷在那里，正好石头的爹叫阿米给他舀一碗汤来，阿米把汤端给老人，问了一句：“今日石头呢，他没来？”

石头的哥听见了，没好气地说：“我爹就我一个儿！”

阿米的婆姨就用手拧阿米的腿，低声说：“你不会说话就别说话！”一时众人寂静下来，只有很响的吃饭声、咳嗽声和擤鼻声。阿米的婆姨便说：“吉哥，你到处都在说段子哩，今日你也不来几句？老伯有了新房是喜事，又不是到了刘伯家看病人哩。”

阿吉就把一片肥肉未嚼碎咽下了肚，说：“那我给老伯热闹几句，说啥呀，原本我要去看咱干事伯的，得知老伯新房盖好了，就又赶了过来，那我就说说干事伯的事吧。前年秋天，县长到咱乡政府来检查工作，乡政府当然就做了一桌饭菜招待县长。咱干事伯是负责伙食的，饭菜好后他就端上来。端上来时大拇指伸在菜汤里，乡长就说，你瞧你那指头？干事伯说，指头咋啦？乡长说，指头都伸到汤里了！干事伯说，我这指头风湿，伸在汤里暖和么。乡长说，你咋不伸到尻子里去呢？干事伯说，端饭前我就在尻子里伸着呀！”

阿米噗地把满口的饭菜喷出来，喷了对面人一身，有肉，有米，还有一片菠菜。大家就笑，阿吉说：“阿米，你也文明些，你瞧瞧喷在你婆姨身上的肉，你吃肉要嚼烂么！”

石头的爹却指着阿吉说：“你看看你，耳朵上不也挂了根粉条！”

阿吉一摸，在耳朵上真的就也挂了根粉条。

阿吉作践刘干事的段子，有人就传给了刘干事，刘干事已经喝了五只黄鼠狼的血，又托人逮来了第六只，杀了正喝血哩，听了传过来的话，说：“他阿吉谁都糟蹋！”一口气憋住，没返上来，倒在炕沿上翻白眼死了。

刘干事死了是命到头了该死，虽然死时是听了传过来的话才死的，但不能说是阿吉气死的。阿吉坦坦荡荡没有内疚，刘干事的家里人也没怪罪。尸首在家停放了三天，第三天下葬，村人从坟上回来，刘家照规矩招待吃饭，堂屋里、院子里都摆了席。

龟兹班是一早就来的，起灵时吹唱了《诸葛亮吊孝》，也吹唱了《血染的风采》，阿吉没有卖嘴说段子。阿吉随着送葬人往坟上去的路上看见了拴子和园园，故意咳嗽着，但园园没有正眼看他。现在吃开饭了，阿吉心情还是不好，只闷了头扒饭，一只鸡就盯着他，掉一个米粒，鸡吃一颗，他不吃了，鸡却跳起来啄他腮帮上的一颗米，把脸啄破了。阿吉一下子躁起来，放下碗把鸡扑住就拔毛。刘干事的婆姨说："阿吉阿吉，我那鸡是下蛋的鸡！"

阿吉下不了台，呼哧呼哧出粗气。小安就打圆场："吉哥，轮到你的节目了吧！"

阿吉说："我说啥呀，刘伯不是旁人，他一死我心里难受得很，我不说了吧。"

梨子树底下坐了几个人，冒了一声："恐怕怕刘伯的鬼哩！"

阿吉明白这话指的是什么，憋着的火儿就攻上了心，说："我怕啥鬼哩，我阿吉这张嘴天王老子都钝不了的！"

小安说："吉哥你说，说个带彩儿的！"

阿吉说："我不说带彩儿的，今儿谁说风凉话我就说谁，刚才是拴子撂凉话了吧，拴子在学校的时候，有一天……"

拴子放下碗站起来，唾了一口，往院外走。走到院门口了，又给园园招手，园园帮着刘家人洗碗，起身也跟着走了。

阿吉说："走了？这让我很遗憾，走啥哩，阿吉是老虎吃了你？走了我就不说了？我还要说，有一天……"

堂屋台阶上的一张凳子倒了，发出很大响声，从凳子上立起来的是阿财，他把阿吉的话打断了。阿财是乡小学的民办教师，穿着四个兜儿的中山服，口袋里插了钢笔。阿财说："阿吉，我整日在学校忙着，可你进了一回城回来，干了些啥事我也听说了，你也太过分了吧？谁你也作践糟蹋，你要真有能耐，你批评腐败么，你说你敢吗？老是你那一套，我也就小看你了！"

阿财的话说得很慢，但阿财把阿吉镇住了，立在那里没再能说下去，脸一阵红，一阵又白了。麻子敲了碗说："都吃饭都吃饭！"阿吉的脸颜色缓过来了，擦了一把鼻涕，抹在了身边的桌腿上，说："阿财老师身上插钢笔哩，是知识分子，知识分子我是尊重的。阿财老师说我不敢说腐败的事，我不敢吗？我敢！阿财老师的嘴哄娃娃哩，阿吉的嘴从来没有不正义的，今日我就说一个段子，阿财老师你听着！"

阿财说："你说吧！"

阿吉说："这个段子有一个背景，就是咱们乡里修水渠，原本是五里长的水渠，但乡政府上报的材料是十里水渠，县上拨款当然要拨十里水渠的款。那么，多拨的款到哪儿去了？前五天，县上来了一个领导，来了后就住在乡政府的接待楼上，请注意，故事就从楼上发生了……"

满院的人都不吃饭了，拿耳朵听，却听到了堂屋里有人喊："阿吉！"

声音尖亮，是乡长的声，乡长在群众会上总是讲话，声音是大家都熟悉的。阿吉下意识应了一句："嗯。"便说："乡长没走？"

乡长是代表了乡政府也来给刘干事送葬的，但乡长来时在灵桌上上了香，奠了酒，没有去坟上，原本告辞了要回去，刘家的亲戚却硬留下让吃饭，就一直待在堂屋吃烟喝茶，饭时也便坐了上席在堂屋。这些，阿吉不知道，阿吉听见乡长叫他，不能不去，阿吉就到堂屋，一条腿在堂屋门坎里，一条腿在堂屋门槛外。阿米看见阿吉的皮鞋后跟一边磨损得已经很厉害了。

乡长指着阿吉说："你在说啥哩？"

阿吉说："我还以为你走了。"

乡长说："我不在你就可以信口雌黄？你有事实根据吗？你有证据吗？"

阿吉赶忙笑，说："乡长你也信我说的是真的吗？"

乡长说："你红口白牙地当众造谣，我不信别人信不信？你如此造谣诽谤，我得告你！"

阿吉脸一下子绿了，当下就扇自己嘴，墨镜掉下来打碎了。阿吉说："乡长，我不是诽谤你呢，你问问大伙，我在背地里常说乡长是好人，就是有一天乡长你坐监狱了，别人躲着你，我阿吉能去给你送饭的……"

乡长更火了，说："这么说，我真贪污水渠款了？我告诉你，你要送饭，我不会给你这个机会的，我永远坐不了牢！"

院子里当下混了，一部分人顺门就走，一部分人进了堂屋去拉劝。阿米也往堂屋钻，阿米的婆姨拽了他的耳朵拉回来。堂屋里，麻子扶住了乡长，让乡长坐椅子，说："阿吉的嘴上贴过×毛，是臊嘴，狗咬了人，人犯得着去咬狗吗？"乡长方坐下来，一拍桌子，桌子上的酒杯全跳起来。

乡长到底没有告阿吉，使阿吉躲过了一难。但乡长把麻子叫去，指示麻子开销阿吉，若阿吉还在龟兹班胡说八道，破坏社会安定，那么龟兹班就要负法律责任了。麻子当天便把阿吉除了名。

阿吉没事干了，地里的草长得比庄稼高，他是个懒身子，不去料理，嘴还是能说，但说了话没人接茬。阿吉就在自己家里骂乡长，骂阿财，骂拴子和园园，骂："'文化大革命'，我×你妈！"

阿米从院外经过，立住脚听了听，说："吉哥，你骂错了！"

阿吉开了院门，让阿米进来，说："我就骂啦！"

阿米说："'文化大革命'惹了你了？咱那时还穿开裆裤哩。"

阿吉说："我骂它怎么就不再来啦？！"

阿米听不懂阿吉的话，阿米有阿米的心思，他想着能几时进城打工去，说："吉哥，咱俩一样，在村里混笨了，你要进城了，给我说一声。"

阿吉说："我和你咋能是一样？你是上门的女婿！"

阿米低了头就走，阿吉却说我到十里外火车小站上找阿狗呀，阿米你愿意不愿意跟我一块去？阿米说："卖豆腐呀？"阿吉骂："你就只会出瞎力，我告诉你，这世上是出力的不挣钱，挣钱的不出力！"阿米点点头，说："去哩。"

阿吉说："那好，我带着你，你把你家的莲花白给我装一口袋，不给带点东西去，我那嫂子脸比尻子还难看哩！"

阿吉在火车站东边的席棚里，他对来收管理费的人说他名字叫鸡，左边一个又，右边一个鸟的鸡。

(选自《人民文学》2001 年第 7 期)

贾平凹

1952 年出生，陕西丹凤人，1975 年毕业于西北大学中文系；现为中国作家协会主席团委员，陕西省作家协会主席，西安市文联主席，西安市建筑科技大学人文学院院长，《美文》杂志主编。

他著有《贾平凹文集》二十卷。其著述的《满月儿》获 1978 年首届全国优秀短篇小说奖；《腊月·正月》获第三届全国优秀中篇小说奖；《爱的踪迹》获首届全国优秀散文(集)奖；《贾平凹长篇散文选》获第四届鲁迅文学奖；《废都》获 1997 年法国费米那文学奖；《浮躁》获 1987 年美国美孚飞马文学奖；《秦腔》获 2008 年第七届茅盾文学奖和 2006 年香港首届"红楼梦·世界华文长篇小说奖"。

其代表作：《白夜》《废都》《浮躁》《秦腔》《天狗》《高兴》《美穴地》《黑氏》等。

农民父亲

李西岳

父亲不是一个地地道道彻头彻尾的农民，他曾有过改变农民命运的经历，但命运又请他回到了农民的序列。

父亲说，命就是命。

在老家我们管父亲叫爹。我平生最引以为自豪的就是讲述父亲，因为父亲的故事能使我倒海翻江一发而不可收拾，能使我长时间地沉浸在酣畅的幸福之中。

一

关于父亲的故事，可以从我当兵的历史说开去。

父亲在家里急需用人的时候，毅然决然送我出去当兵，家里所有的问题都他一个人扛，不用怀疑，他老人家是盼着我出人头地。

一晃3年过去了，我当兵的历史进入攻坚时期。

有出息的军人曾总结出当兵三部曲：一年立功，二年入党，三年提干。不知道是我主观努力的因素还是客观存在的影响，这三部曲，我一部也没按时唱响。第三年提干本来也有戏，在我去师教导队学习之前，干部部门已经进行了考察并定为提拔对象，然而，等我集训3个月回来，一张冻结提干的文件把我挡在提干的门外，我无力回天地在心里骂，早不冻结晚不冻结，偏偏他妈该提我的时候它就冻结。骂完了我又认命，我们家压根儿就不出当官的材料，父亲当了3年的大队书记，不就让人家赶下台了吗？我觉得我就像赶某一趟火车的人，背着行囊，举着车票，气喘吁吁地赶到车站，眼睁睁地看着那趟火车开走了。

上级冻结提干的文件下来的时候，正好我服役期满，铁打的营盘流水的兵，我解甲归田是极正常的事。但想想一个车皮拉来的500多个李县兵，90%以上的都要回家种地，其中有一部分人都代理干部一年多了，不也照样成为冤大头吗？这样一想，心里就不那么堵得慌了。

是走是留拿不定主意，写信征求父亲的意见，父亲很快回信，还是临走时嘱咐我的那句话：只要部队不撵就别提出退伍。那不容置疑的口气，好像我这么空着手退伍，他就要把我轰出家门。

到了第5个年头，我还没探过家，这时候，李县兵已经走得差不多了。这期间因为心态不好，给家写信也不多，父亲的信倒是很有规律的每月一封，内容都大同小异，除了嘱咐我好好干以外，每封信的最后都是这两句话：家中老幼平安，吾儿勿牵肠挂肚。有一段时间父亲两个月没来信，我预感到家里必定发生了什么，刚要发信去问，就接到了电报：父遭车祸，速归。

捏着电报，一股又阴又凉的气体从脑门儿穿过五脏六腑一直蹿到脚跟，我想父亲的伤势一定轻不了，不然绝对不会给我拍加急电报，一向对我报喜不报忧的父亲，此时此刻早已失去了拍电报的权力和能力，事态的严重性一定比我想象的要惨多少倍。领导很同情我，因为我5年没探过家，领导把我的假期延长到春节以后，加起来一共40天，即使在团机关，对于一个战士来说，也是超出原则的照顾了。

二

我进了村，认出我的人主动跟我打招呼，从父老乡亲的脸上我猜到了发生在父亲身上的各种不测。其中我听到一位大娘悄悄对别人说，回来的是时候，没入殓，还能看得见。我浑身发毛了，那股奇怪的阴冷气体又奔袭而来，我的小腿开始打哆嗦。

一切都证实了我的预测，家门口挂着用绳子扎起的白纸，老家叫佐钱，是死人的标志。完了，父亲走了！我三步并作两步跨进院内，直奔灵房，喊声：我的亲爹呀！跪倒在地上大哭不止。

我正哭得忘了自己，娘过来把我拉起来，埋怨：我那傻儿，你也不睁眼看看，灵床上躺的是你爷爷。

陪灵的白家族男男女女都止住了哭泣。姐和弟弟埋怨我一进门也不往灵床上看就瞎号！走近灵床，小心翼翼地揭开爷爷脸上的烧纸，爷爷那张蜡黄的脸带给我从未有过的寒战。爷爷的嘴是张着的，像要说什么话。爷爷这是怎么了？他儿孙双全，寿终正寝，他一辈子与世无争，无怨无恨，为什么在临走前还要发出无声的呐喊呢？

爹呢？爹呢？离开爷爷的灵床，我向披麻戴孝的众人问。

娘告诉我，父亲在医院。

我问:爹是怎么伤的,伤得怎么样?

娘告诉我,是给刘爷家拉砖翻车砸的。摔断了一条大腿和5根肋条,现在没有生命危险了。

我总算松了一口气,我父亲没完,我父亲还活着!

不一会儿,管事的给我送来孝衣孝裤,说你回来的正是时候,替你爹给你爷爷打幡。我问娘:我叔没回来呀?娘说:拍了三封电报,到现在也没见人影。你爷爷命苦,养了俩儿,一个送终的也没有。

哦,我终于找到了爷爷呐喊的真正原因。

爷爷出殡以后,我成了柳条庄上的新闻人物,先是笑话我不管灵床上躺的是谁,趴下就哭亲爹,后又夸奖我在给爷爷出殡的队伍中哭得最厉害。

后来我回忆了一下,当时我感情那么奔放,泪水那么泉涌,与其说是哭爷爷,倒不如说是哭父亲。听娘说,爷爷病的时候,父亲一天24小时守候,人熬得跟躺在炕上的爷爷一样瘦,爷爷总把父亲当成叔叔,见了父亲就骂,说你这个混蛋,你还要你爹呀?回来给你爹收尸来啦,不在天津卫享清福儿啦?爷爷还把尿壶里的尿倒给父亲喝,不喝就往墙上撞头,孝顺的父亲就咕咚咕咚喝下去,爷爷就大笑。有一天,爷爷突然特别明白,一声一声地叫父亲的小名儿,此时父亲已经摔伤住院,娘对爷爷说父亲去开会了。爷爷说,他不是早不当干部了吗,还开什么会?娘再也回答不上什么来了。就这样,爷爷一遍又一遍地叫着父亲的小名儿咽了气,最后嘴怎么也合不上。

我无法不为父亲流泪。

三

父亲去天津打工那年22岁,读过几年私塾且英俊倜傥的父亲是因家境贫寒被迫外出求生的。那一年叔叔18岁,在饥寒交迫贫困潦倒的情况下,把老大撒出去闯世界并期盼以此改变全家的命运,是天经地义的事。父亲在天津举目无亲,他沿街乞讨四处流浪了几个月以后,一家笼屉厂的老板收留了他。开始人家不教手艺,只叫他干杂活,管吃管住,并不给分文报酬,这对于父亲来说就已经知足了。父亲很有眼力,干活也十分卖力气,把柜台院落收拾得干干净净、井井有条,深得老板的喜欢和宠爱。一天,父亲早晨起来收拾柜台发现地上有一块洋钱,马上捡起来送给了老板;第二天早晨又在地上发现一块洋钱,父亲又捡起来送给了老板,善良而单纯的父亲丝毫没有察觉到老板是在考验他,身无分文的父亲未曾犹豫,未曾产生丁点儿的私心杂念,熟读《朱子家训》的父亲时刻检查对照自己:“莫贪意外之财,莫饮过量之酒。与肩挑贸易,毋占便宜。”我们懂事以后,父亲也常用朱子家训启蒙我们,从“黎明即起,洒扫庭除,要内外整洁,既昏便息,关锁门户,必亲自检点”开始,让我们逐字逐句地背,稍有差错便招来父亲错落有致的五指扇。等我们长大以后,父亲就一点一滴让我们按着去做,走了样,便家法从事。

父亲很得老板的赏识,就让账房先生教父亲算账,父亲没进过学校门,对算盘一窍不通,账房先生先从“小九九”开始教,父亲只会背不会打,账房先生打两遍,就背着手出去喝茶了。父亲开始练,还没打完,账房先生进来朝算盘上一看,不屑地说:不对,不对,根本就没这个数。便又出去喝茶了。嘴里还哼着:小九九,不用打,上边俩,下边俩。父亲很有悟性,等账房先生再进来的时候,算盘上已经出现了“上边俩下边俩”的格局。账房先生不信,父亲不慌不忙地又打了一遍,一点儿不差。账房先生后来又教父亲“凤凰单单翅”、“凤凰双双翅”、“大扒皮”、“小扒皮”,只用打一遍,父亲就会了。账房先生对老板说:我不能再教了,再教我的饭碗就让他顶了。这话没说多少天,果然老板把店里所有的账目都交给了父亲。父亲管理得井井有条,长年累月,不曾出现丁点儿差错,父亲的算盘越打越熟,越打越精,越打越响,很快在天津卫出了名。有一次,不知一家什么单位组织珠算比赛,父亲得了冠军,从此,老板对父亲恩宠有加。我记事的时候,父亲已经是生产队的队长兼会计了,哪个小队会计把账弄乱了,大喇叭里就催父亲去拨乱反正。只可惜,父亲一招鲜的珠算绝活,我们谁也没能承袭下来。

老板见父亲聪明过人年轻有为,而且人品极佳,不仅把账交给父亲,还把手艺传给父亲。父亲心灵手巧,再加上勤奋刻苦,一整套编笼屉的手艺很快学到手。当时这家产供销一条龙的笼屉店在天津卫是独一家,买卖兴旺,利润丰厚,生产规模越来越大,门脸越建越阔,生意越做越火。这里边,父亲可以说是功不可没。老板曾经说过,自己年纪大了,这份家业迟早要交给父亲,因为老板膝下无儿女。也就是说,父亲成为天津卫的阔老板,只是时间的问题。

可惜事情并没有朝着利于父亲的方向发展。

在父亲去天津的第13个年头,也就是1955年,叔叔因不大点的小事和爷爷拌了几句嘴,爷爷第一次抡起巴掌扇了叔叔的脸,从小没受过委屈的叔叔连夜不辞而别离家出走,一个月以后给家来信说已在东北落户了。叔叔的离家出走,使这个家塌了一根柱子,在让父亲还是叔叔回柳条庄支撑这个家的问题上,爷爷和奶奶的意见发生分歧,最后奶奶托人给父亲发了电报。起初父亲不想回来,只要家里来信诉苦,他就赶紧寄钱,后来奶奶急了,又托人给父亲捎口信:要你爹要你娘,就回柳条庄;不要,我们死了也不用你回来收尸!

父亲是大孝子,他对《朱子家训》中“重资财,薄父母,不成人子”的格言有深刻的理解,他很快做出选择,弃商归田,养活父母妻小。老板劝他慎重考虑,尤其是天津户口别轻易丢掉。父亲说:爹娘都快活不下去了,我还要天津户口有什么用?老板见留不住父亲,就问他有什么要求,父亲便向老板提出:我走了,让我兄弟来接班。老板犹豫了一下同意了。老板觉得这样远不能报答父亲,又说:这店里的东西,只要你相中的,就可以拿走。父亲选了一把算盘,那是父亲在那家笼屉店辛苦了十几年,索取的最后的回报。那把算盘至今还在父亲身边,他当公社粮站会计到小队会计,一直就用它。

那年10月,父亲极其悲壮地告别了天津,从此再无缘与这座城市谋面;那一年,远走东北的叔叔奉父亲之命开进天津。

四

在见到父亲之前,我曾想象过遭受车祸的父亲会是一副什么样的尊容。据我记忆,由农民变成工人再由工人变成农民,由群众变成干部再由干部变成群众的父亲,一向是注意修边幅的,性格是爽快达观的,从外表上谁也看不出他内心遭受的磨难和冤屈,这一切构成了父亲的人格魅力,也赢得了柳条庄人的拥戴。可如今他毕竟是50开外,遭受重伤,与我5年没见过面了。

父亲比我想象得还惨,大概是长期卧床的原因,父亲的眼睛红肿,目光呆滞而无神采。见我进来,父亲想直直脖子,动不了,嘴咧了一下,把眼睛闭上了,一行泪水顺着脸颊淌在枕头上。我这远离父亲5年的不孝之子走近,上前抓住父亲的大手,我什么也没有说,撩开被子看父亲的伤势,父亲示意不让动,我还是把被子掀开了,父亲赤裸着身子,腿上、身上都固定着夹板,所有的伤口都没有愈合,有的地方还缠着绷带,绷带上渗着血迹。

父亲慢慢把眼睛睁开,问我:部队能脱开身吗?

我点点头。

父亲又问:赶上给爷爷入殓了吗?

我点点头。

父亲说:你爷爷这辈子不易,大好人……满村没有一个红过脸的人,88岁了,喜丧啊,喜丧……

父亲的声音是哽咽的,我从来没见父亲这么伤心过。

父亲出事到现在已经20多天了,当时爷爷正在弥留之际,守着爷爷的娘顾不了父亲,照顾父亲就全靠村里的父老乡亲了,父亲一再嘱咐娘,只要他不咽气就别给我拍电报。娘是善良女人,她不忍心让老白家欠乡亲们更多的感情债,就让人偷偷给我拍了电报。

我心疼地埋怨父亲:都50开外的人了,还给人家拉什么砖?而且还是给那个王八刘爷家。

父亲自然也想起了自己跟刘爷家的恩怨,摇摇头说:做人应该记功不记过,忘怨不忘恩。谁家没有用人的时候？

我还是埋怨父亲：在咱们家，你这事出得起吗？你是家里的顶梁柱，这一躺在床上，不等于塌了天吗？

父亲说：没有过不去的火焰山。

我说：我还是复员回来吧，家里这日子往后怎么过？

父亲有些急了：不是部队上没撵你吗？你回来做啥？你能替我躺在床上吗？

我说：我回去就要求复员。

父亲咳嗽两声：你混蛋！你没出息！父亲又咳嗽两声：把尿壶递给我。

去为父亲倒尿壶，我又偷偷流了泪。我的父亲遭罪了。

五

腊月二十八，这一天是爷爷的“三七”，这一天是父亲摔伤的第40天。常言说，伤筋动骨一百天，父亲年过半百，伤得又重，没有仨月是不能动弹的。

给爷爷烧完“三七”的路上，我和族里人商议，必须接父亲回来过年，父亲躺在医院，这年谁也过不好。其实我是揣测出了父亲的心思。

医生却说什么也不让抬，说过年在哪儿都一样，病人安全要紧。我说，出了问题我们自己负责。父亲在医院躺了40天了，格外想家，他说，抬吧抬吧，在这儿也是光养着。就这样，我们把两个门板并在一起，用绳子杠子绑好，把父亲往门板上一搁，就上路了。

天公不作美，刚走了不到3里路，就飘起了雪花，小西北风嗖嗖的，直往脖子里灌，雪花让风卷得满天飞舞，打得脸上生疼。抬人的一边走一边出汗，倒不觉得冷，躺在门板上的父亲可受不了，鼻子尖红红的，不时地打喷嚏，我把军用皮帽摘下来，放下帽耳给父亲戴上，又把被子往上拽。等我们进柳条庄的时候，或许是父亲在村里人缘好，或许是我们白家族刚刚抬走了爷爷，或许是说不清的原因，柳条庄能出动的人都冒雪拥到村口来看父亲。人们问这问那，父亲抬起手和大家打招呼，就像在前方打仗光荣负伤凯旋。我的视线四下睃寻，然而没有看到那个最该出现的刘爷，我心里不舒坦，就加快了脚步。

等父亲安安全全地躺在炕头上，我这心里也像块石头落了地。好了，我们家能过一个团圆年了。

腊月廿九是春节前的最后一个集，我问娘，过年咱还缺什么，我想赶个集。

我这话刚落地，娘的眼泪就掉下来了，怕父亲看到她掉泪，她拉我到外屋，说，缺什么，什么都缺，年货一点儿没买呢。

以前过年都是父亲考虑操办年货，眼下父亲躺在炕上不能动弹，理所当然由我这个长子来替父亲操办。可办年货需要钱，手里只剩下不足 60 元钱，正好是我回部队的路费。我问娘，家里还有没有钱。娘说，本来家里这几年有些积攒，可你爹这一出事，所有的积蓄都搭进去不算，还欠了 200 多元钱的窟窿。听娘这么一说，我不再问什么了。

不管怎么着，这年得过，饺子得吃，鞭炮得放，父亲出院了，我当兵 5 年第一次回家，这是个团圆年，该好好过，不能让外人笑话。

我想到了借钱，让这个家过一个说得过去的年。但找谁借呢？我想起了一个合情合理的借钱处——刘爷家。

我细心观察过了，父亲回来以后，全村人差不多都来看过了，只有刘爷家没人露面。我听说，父亲摔伤以后，他们家只派人去过一次医院，既没提医疗费由谁来出，也没说留下来伺候病人，坐了一袋烟的工夫，撂下两包点心一瓶罐头就走人了。过去的恩怨且不提，一个 50 开外的人为你家拉砖差点儿把命搭进去，你们到现在既不出钱，又不出力，甚至连看一眼都懒得来，这他妈还有人味吗？血气方刚的我咽不下这口气，我要找那家人理论理论，让他出点血，掏点良心，让他看看白家族不是没人，也让他家看看，我这些年在外边没白混。

我转身要走，却见刘爷登门了，又是手里提着两包点心和一瓶水果罐头，像到一个跟他家没任何关系的病号家去施舍。

刘爷进了屋，挨着爹坐下，把提来的慰问品在父亲眼前晃来晃去才放在柜上，说：听说你回来了，因为过年忙，我也没顾上来看看。

父亲看样子还挺感动，拉着刘爷的手说：看不看不要紧，往后光剩下养着了。

刘爷点了一支烟说：过年了，缺啥不？

娘接过来说：啥都缺，肉还没称呢。得钱不？

父亲对娘说：你少说两句好不好？

我说：刘爷，那次翻车你家损失不小吧，砖是不是都摔碎了，要不要我爹赔呀？那天可是我爹押的车。

刘爷不爱听了：你这话是什么意思？

我当然不甘示弱：你说什么意思？为你家拉砖，我爹快把命搭进去了，你知道不？为我爹治腿，我们家借了 200 多块钱的亏空，你知道不？今儿都腊月廿九了，我家一点儿年货也没置，你知道不？

父亲朝我瞪眼发怒：老大，你长脸呀你，你怎么能这么跟你刘爷说话，出去 5 年了，你这兵怎么当的？

娘在一边说：当然，谁家也不愿意碰上天灾人祸，可既然摊在咱头上了，就认倒霉呗。凭良心讲，打他爹出了事，俺也没打算赖着你家，可你家也不能躲得太远了。那天往医院捎干粮，我说朝你家借一碗白面蒸馒头，你媳妇愣说没有，没有就没有呗，我出门的时候你媳妇还说了一句，嗨，那次拉砖压根儿没打算让你家老头去，是他愿意去的。你说说,这是人话吗?

父亲又咳嗽两声:老大他娘,你给我住嘴!

刘爷把脑袋耷拉进裤裆里,只顾抽烟,什么话也不说,像根从咸菜缸里捞出来的蔫黄瓜,看着让人心里皱巴。

我没可怜刘爷,继续向他进攻:刘奶说的话,我们可以不计较,因为她毕竟是妇道人家。刘爷,你可是一家之主哇,你也曾当过革命干部。我把丑话说在前头,关于我爹受伤的事,你要拿出点姿态来,不然我可对你们家不客气!我们白家人向来以吃亏为福,不会得理不饶人,但也绝对不是窝囊废。我有两个条件,这一,我爹的医疗费,咱各摊一半,以发票为据,截止到出院为止,以后的费用我们自己担负。第二个条件最重要,因为我爹受伤后,你们一家姿态太低,所以必须全家来给我爹赔礼道歉。

父亲制止住了我:老大,你混蛋!我还没死呢,你算老几?你的意见不代表我,你赶快给我住嘴,你的话都是放屁!

刘爷站起来说:我回去跟家里商量商量。

父亲说:老大的话全是放屁,你别往心里去。

刘爷说:放屁不放屁我不敢说,只要你好好的,我就踏实了。

娘说:将来能不能站起来,还难说哪,要是落个瘫子,俺这日子咋过呀?

刘爷被娘噎得无言答对,只好往外溜达。

我说:刘爷,拿着你的慰问品吧,不然将来账不好算。

没人送刘爷。

父亲大声叫我的名字,说要好好教训教训我。我知道父亲会冲我发火,会给我上政治课,讲大道理,我故意磨蹭着不进屋。

父亲又大声叫我。

六

父亲离开天津以后,并没有一步沦落为农民,而是在乡粮站担任会计,父亲在这个位置上干到"低指标,瓜菜代"那年,奶奶再也不允许父亲在粮站里端着算盘子了,使出浑身的解数拉父亲回柳条庄和全家人同甘共苦。因为那年1斤玉米要5元钱;1斤胡萝卜要2元钱;1斤白菜要3元钱,而叔叔长年不给家寄钱,父亲的工资远解决不了全家人的温饱。1961年的农历四月初五,父亲没再犹豫,回到了柳条庄,与此同时,他的"商品粮"户口注销了。

那年,我们的家庭成员有:爷爷、奶奶、父亲、母亲、姐姐、我和婶子、强哥、环姐、山弟(不含在天津的叔叔),总共11口,这在柳条庄算是大户人家,一般家庭这么多人口早分家各过各了，可我们家还是伙在一起。那时我们家只有3间房，其中上房两间，厢房一间。叔叔不在家，父亲是老大，爷爷奶奶是长辈，在这由三个小家组成的大家庭里，父亲率领我们小家5口住厢房几乎是理所当然的事。

父亲从公社粮站回到柳条庄，大队干部知道父亲会打一手好算盘，伯乐识马地把父亲任命为第三生产队队长兼会计。父亲那个级别跟部队里的班长差不多，属于兵头将尾，不能享受脱产待遇，丢了20年锄杆把的父亲，两只手早没老茧了，农业活儿的技术也丢了不少，他得从头捡起来，他要管好二三百口人的生产队，还要管好十几口人的家，里里外外白天黑夜都得忙。

我那年才5岁，但那干旱和饥荒，却给我留下了刻骨铭心的记忆。那年，庄稼都旱得抽回去了，地里干得裂缝，缝里冒烟。老天把庄稼人旱急了，稍有块云彩飘来，老人们就跪在地上祷告：老天爷，下大雨，蒸了饽饽献给你；老天爷，下大雨，烙了大饼往上举。要是厚厚的云彩再吹来一阵风，庄稼人坚信“风是雨头，屁是屎头”，撒了丫子往家跑，可没等跑到家，太阳就又出来了，庄稼人嘟嘟囔囔骂大街。有一天，老天爷显灵了，没让庄稼人有任何精神准备就下起雨来，全村的人都拥出家门，让大雨浇着洗澡，男人们骂大街：狗日的老天爷，你他妈还下呀！妇女们则跟着老天爷一块哭，孩子们拿着铁锹、脸盆在街上叮叮当当乱敲，柳条庄像发生了大事变。可老天爷一点儿也不可怜庄稼人，挤了几滴眼泪就赶紧收住了。雨刚停就在南天上挂起一道彩虹，我觉得像蜡笔画，红黄蓝三种颜色随便一抹，就成了一座彩桥，我又奇又喜，可大人们却蔫头耷拉脑袋。我纳闷，这么好的彩虹，为什么大人们不喜欢？奶奶给我说了句顺口溜：东虹云彩西虹雨，南虹出来卖儿女。完了，看来我要让大人们给卖了。

有一天，全家人正有滋有味地喝着红薯粥，父亲突然宣布这是最后一次吃粮食了，以后只有野菜吃。我问：为什么吃野菜？父亲说：因为毛主席都不吃肉了。我不再问了，毛主席是皇上，连皇上都不吃肉了，还能问吗？

爷爷喝完最后一口粥，在碗边上深深地舔了一口，叹了口气说：让老二回来吧，挣那俩钱有啥用？奶奶说：等等吧，这饥荒说熬就熬过去了。那时候我还小，不知道奶奶为什么不同意让叔回来，后来我大点了，才知道奶奶偏心眼，当时往家揪父亲的时候，是奶奶下的圣旨，逾期不回，她就要跑到天津卫，亲手牵着耳朵把父亲揪回来，让他在家里顶天立地，让他跟家里人同舟共济。我记得父亲还深明大义地说了一句：让老二回来干嘛，不就是多一个人挨饿吗？父亲的话等于挽救了叔叔和他们一家的命运，如果他重蹈父亲的覆辙，就没有了他们一家在天津卫落户的好日子。当然这是后话。

好久没吃上饼子和咸菜了，一天三顿都是野菜粥，有时粥里有点玉米面，焦黄的玉米面漂在菜叶上，就像天上的星星一样稀稀拉拉，再后来玉米面也没有了，青一色的菜粥。时间一长，我的嘴开始干裂，紧接着拉稀，一天蹿好多次，全身只剩下一副骨头架子。环姐和强哥十四五岁，正是装饭量的时候，他们每天要跑五六里路上学，又饿又累，一到吃饭的时候就哭。后来环姐病了，实际上就是饿的，全家人都急得团团转，奶奶婶子就知道哭。而真正着急上火的是父亲，他在家是顶梁柱，全家人生死冷暖安危都系在他心上，父亲实在没什么办法了，后来他终于下决心用铤而走险来挽救环姐的生命。前不久，上级赈济下来一批豆饼和甜疙瘩丝，由大队分到小队，可大队书记不让分到单户，说这是有政治影响的，因为前天公社刚派人总结了柳条庄大队“大灾促大干，大干不减产”的经验，经逐级上报，专区的报纸在头条位置上登了柳条庄大队的经验，柳条庄一下子红得发紫，大队书记几次戴着光荣花去外头开会。为了证实柳条庄“大灾不减产”，大队书记作出指示，谁也不许擅自动用和分发赈灾物资。父亲亲耳聆听了书记的话，知道这番话的分量。不论是身为一名党员还是身为一名生产队长，他对上级的指示可以说是唯命是从，在公与私、个人与集体利益上，父亲向来是以大局为重，以集体为重的。但是，在环姐即将被饿死的情况下，父亲心理失衡了，他决定不惜自己的政治生命去换取侄女的自然生命。

父亲毕竟是父亲，虽说是铤而走险，他还是很讲究策略的，上级给的赈灾物资放在生产队的仓库里，两把锁的钥匙，分别由他和保管员刘爷掌着。他找到刘爷说打开仓库救救我侄女的命。刘爷说：书记有指示，这你是知道的。父亲说，我知道，可我顾不上这么多了，侄女快死了。说着，父亲掏出一个金耳坠子递给刘爷：等于我提前领了侄女那一份，到时候扣下就行了，我拿这个金耳坠作抵押还不行吗？那个金耳坠子是天津卫笼屉店老板在我父亲成亲时送给他的，父亲一直压在箱子底下，今天万不得已把看家的宝贝拿了出来。

刘爷大概被父亲的精神所打动，毅然打开仓库。父亲还和刘爷拉钩，天知地知，你知我知。

环姐的病一天天好起来，她又背起书包上学了，她哪里知道，父亲为救她的性命，几乎遭了灭顶之灾。

刘爷很快把父亲私自往家拿赈灾物资的事报告给了支书，支书大怒，让父亲挂着用绳子穿起的甜疙瘩丝和豆饼游街。父亲筛着锣，走一步，敲一下，喊一声：我偷拿赈灾物资，我不是人，大伙儿别跟我学。

村里的人都拥出家门，少气无力地哄看往日风风光光如今却凄凄惨惨的父亲，有人呼口号，有人骂大街，有人往父亲脸上吐痰，有人则声泪俱下愤怒声讨：当队长的这么自私，我们快饿死了没人管，他们家偷着吃独食！有人则为父亲惋惜：挺好的一个人，这是何苦呢？

游完街，斗争完，大队党支部做出决定：撤销父亲第三生产队队长职务，鉴于父亲算盘打得好，念其过去有功，又是初犯，仍保留生产队会计职务。

七

在我的软硬兼施下，刘爷在大年三十的前夜送来了100元钱，说这不算结账的钱，先把年过去再说。

父亲执意不接，又骂我狼心狗肺黑了心肝。

父亲光骂大街不能动弹，钱让我给收了。我又问刘爷：那么，第二个条件呢？

刘爷犹豫着：第二个条件……噢，赔礼道歉，好，我代表全家赔礼吧，我们做得不够，对不住了。

我说：对，这些话提前说了好，再见面就光剩下拜年了。

父亲继续骂我三七赶集四六不懂，一瓶子不满半瓶子晃荡，当兵出去两天半，脚丫子就不想在鞋里了。

为这事，父亲一直骂到我大年三十。

5年没在家过春节了，我很怀念老家过年的风俗习惯，在部队过年的时候最想家，也曾端着饺子落过泪，不是想家乡过年的好吃好喝，而是想老家过年时的热闹气氛。

今年我们这个家无论如何也热闹不起来。

街坊邻居鞭炮响了。全村的鞭炮都响了。弟弟们爬起来穿新衣服，我却懒得动，娘看看窗户外边的灯火，说，老大，起吧，一会儿人家该来拜年了。

按老家的风俗，大年初一早晨，女人不做饭，这是对女人一年365天围着锅台转的犒赏。往年，父亲老早起床点火煮饺子烧纸上供了，今年娘只好继续操旧业，我想起了这个规矩，拦住娘，让娘照常享受妇女的合法权益，我要顶替父亲完成男人的使命。娘却说，你不行。我说，娘，你就瞧好了。娘说：大年初一，说话要规矩。娘说完就去梳妆打扮了，这是她一年中最有权力讲究的一天。

水烧开了，我把饺子下在了锅里，毕竟是多年没拉风箱了，使劲"呱嗒"半天，饺子怎么也漂不上来，我拿烧火棍在灶火坑里乱捅，结果越捅火越小，我赶紧向娘求援。娘一看，急眼了，看在大年初一的面子上才没骂我，重新把火烧旺，可饺子早烂成了一锅粥。我十分歉疚地把饺子盛在碗里，弟弟们见饺子煮成这样，可能因为大年初一不让随便说不吉利的话，他们对着满碗名为饺子实为面片的年饭发愣。

父亲在关键时刻表现出了父亲的大度，说了声：碎碎平安，碎碎平安。端起碗带头吃起来。

我说：慢着，爹，我们还没给你磕头呢。

父亲说：算啦。

我说：爹，你先把碗放下。娘，你上炕把我爹的脑袋往上抬着点，让他对着我们，就算接受我们磕头了。

我和弟弟们按大小顺序排开，从我开始，叫声：爹，给你拜年啦。跪下就磕，磕完又给娘磕，等我们弟兄四个依次磕完，父亲和娘都背过脸去擦泪。因为这毕竟是个不寻常的年。

八

大旱灾持续了3年，后来被人们称为3年自然灾害。

父亲被撤职以后，刘爷荣升为第三生产队队长，作为会计，父亲在队长领导之下开展工作，彼此之间的恩恩怨怨也就随之拉开了序幕。刘爷阴坏，不断给父亲出难题，父亲处处谨小慎微，几乎是夹着尾巴做人，想方设法不让刘爷抓住什么把柄，另外父亲在柳条庄毕竟还有一定的威望，人们很快原谅了他，重新记起父亲的种种好处。后来刘爷因为半夜三更敲寡妇家的门，倒是被赶下台了。想起与刘爷搭档的日子，父亲深有感触地说：因为有刘爷的明查暗访，我一点儿错误也不敢犯，几乎成完人了，从这一点儿上，我应该感谢刘爷才是。

天荒的第3年，挺不住饿的人就撒手归天了，1000多口人的柳条庄饿死了40多口。就是这样，老天爷还舍不得发慈悲，死活不下雨，把庄稼人往死路上逼。

环姐经过那场病落下个心慌气短的病根，每天上桌子得让她吃头一口，不然她就发昏。一天晚上，环姐又昏过去了，怎么也摇不醒，奶奶和婶子都吓傻了，父亲背起环姐就往公社卫生院跑。爷爷、奶奶、婶子、强哥在后边紧跟着。6里路，父亲跑了半个多小时就到了，医生说，再晚上半小时，病人就没命了。

全家人喘了一口大气。这事没过几天，叔叔从天津回来了。

叔叔的到来令我毕生难忘，叔叔带来了天津卫的糖果、面包和挂面，在那么饥饿的年代，吃上这么好的东西，全柳条庄没第二家。叔叔这次回来显得特别大方，不光有吃的，还有穿的，叔叔给我们分衣服，说是女儿和侄女、儿子和侄子一样的标准。我分到的是一件上面印着小狗的背心，强哥和我的一模一样，就是号大了一点儿。姐和环姐分的是花衬衣。姐高兴极了，我也欢喜惨了，穿在身上不顾娘连扯带骂撒了丫子往街上跑，我要让柳条庄人看看我有一个带小狗的花背心，有一个把侄子和儿子一样待遇的好叔叔。但没几天我发现强哥穿上了新凉鞋，姐也发现环姐穿上了新袜子；还有，每人分了10颗糖块，我们早吃完了，可环姐强哥嘴里老是含着糖，我不明白，不是一样的待遇吗？大人难道说话不算话？我长大以后才明白了一尺与一寸的关系，儿子就是儿子，侄子就是侄子，怎么能一样呢？受了卖糖公公骗，至今不信口甜人。天长日久，我也交了一些朋友，酒桌上朋友拍着胸脯喷着唾沫星子说：咱俩谁跟谁呀，你的事就是我的事。我都付之一笑，很少拿着当真。

叔叔在家住了一个礼拜，就操持婶子收拾他们一家所有的东西，娘告诉我，叔叔一家马上要搬到天津去了。难怪环姐强哥老抿着嘴乐，原来他们要去住高楼大厦。

我跟娘说，我也要去住高楼大厦。娘拍拍我的脑袋说：等你长了能耐吧。我说：环姐强哥他们有什么能耐？娘又摸摸我的头，没回答我的话。

叔叔一家离开柳条庄的日子一天天逼近了，我突然间感到有一种莫名的委屈和失落，感到这个家从今以后再没什么好光景了，叔叔再也不背着小包每年回来一趟，我们家再也没有工人阶级的荣耀了，环姐强哥再也不回柳条庄了。从此天各一方，他们在城里过着楼上楼下电灯电话的阔日子，我们还得在柳条庄这鬼地方挨饿受饥。

叔叔走的头天晚上，我们全家人像开会一样地集中在爷爷奶奶的屋里，一盏小油灯闪着豆粒一样大的亮光，把每个人的影子投在墙上晃来晃去，像演电影一样。叔叔靠在炕上，正和父亲对面，哥俩对了好几次眼神，叔叔才开腔：哥，我这一走，家里老人就全靠你了。叔叔停顿了下，又说：家里正闹饥荒，等我回去寄点钱来。父亲说：你们在外头安家也需要钱，别人家能过，咱也能过。叔叔犹豫了一会儿说：哥，有句话我说在前头，等我退休以后，我和环她娘打算搬回来住……叔叔没把话说完就停住了，聪明的父亲马上把话接过来：你放心吧，你什么时候回来，保证什么时候有你的房子住。这工夫爷爷说话了：咱又没分家，等我们死了，你们愿怎么住就怎么住。奶奶一听不高兴了，狠挖了爷爷一眼说：树高千丈，落叶归根，他们将来回来怎么也得有个落脚的地方吧？我做主了，这老宅归老二，等条件好了老大出去另盖房。父亲赶紧接过来说：我也是这么盘算的。娘这时插话了：我插一句，老宅宽绰结实，给他叔留着可以，可俺要出去盖房的话，他叔叔添钱不？父亲瞪了娘一眼：这儿没你的话说，一边待着去！爷爷说：老大家里说的也在理。奶奶一下子把脸耷拉下来了：拿钱不拿钱也是我说了算，我不是还没断气吗？娘把头扭过去小声嘟哝道：那还商量什么？一见奶奶要生气，父亲抬起腿来给了娘一脚：滚！滚出去！我冲着父亲吐了口痰，跟着娘出去了。

我一觉醒来，叔叔一家早走了，我哭着要强哥，因为他答应要把小人书送给我。那本小人书是打仗的，强哥总一个人偷着看，昨天他收拾东西的时候，我央求他把小人书借我看，他说：我再看一眼，明天走的时候送给你。我高兴极了，等明天那本打仗的小人书就是我的了，我可以天天看小人书了。

娘告诉我，强哥把那本小人书送别人了。

我上三年级的时候，以买作业本为名向奶奶要了1毛钱，买了那本叫作《平原枪声》的小人书，和强哥的一模一样，那本小人书，我谁也没借给看过，一直到当兵带到部队。

九

正月初二，部队拍来电报：见电速归。那一天离我的假期还差 19 天。什么急事，大年初二电报就来了！打仗？救灾？还是什么突发事件需要部队紧急出动？

我捏着电报迟迟不敢回家，我不知道到家该怎么对父亲说。不用怀疑，深明大义的父亲一定支持我立即归队，但我心里无论如何也平静不下来：离家 5 年没进过家门，这 5 年父亲率领这个家是怎么熬过来的，这 5 年有多少风风雨雨磕磕绊绊的事，虽然父亲只字未提，我却意识得到，想象得出。这是图什么？我暗自下了决心，回到部队干到年底一定走人。

等我到家一看，傻了，娘早把我的行囊准备好，包括我的毛巾牙刷什么的都装在饭包里，只等着我左肩右斜背着它们上路了。我突然眼睛一阵涨潮。

父亲催促说：趁早走吧，还有一趟班车进城。

我说：你们怎么知道部队催我回去？

娘说：大喇叭里广播说有你的电报，你爹和我就猜着了。

我说：我……我怎么走得开呢？

父亲急了：怎么，还想守我一辈子啊？

娘说：老大，你爹这伤一天半天的好不了，你再多守上十天八天也是那么回事。现在你爹回到家了，我能在跟前伺候，省得麻烦人家外人了。咳，就这么慢慢养呗。娘说得很平静，却背过脸去擦泪，在娘背脸的那一瞬间，我揣摩到她日后的艰难。

我是一个男子汉，我是一名中国人民解放军战士，我不能给这个家庭留下太多的悲伤，我应该给这个家庭以力量和希望。

我出了屋，大声招呼三个弟弟：你们过来，大哥给你们开会！

大弟 15 岁，二弟 13 岁，小弟 6 岁。三个小家伙一听说我要给他们开会，像初一早晨给爹娘拜年一样，按序列站在我面前，听候我的发落。

我站得笔直，拿着连长给全连官兵点名的架势，严肃认真地说：大哥就要回部队了，临走前我要给你们上上课，都好好听着，现在咱们这个家你们也都看见了，我不在家，你们应该多替爹娘分忧，在学校好好读书，回到家好好干活，能不能做到？

能。弟弟们回答。

不够响亮，再来一次。能不能做到？我大声说。

能！弟弟们这回把嗓门放开了。

好，如果你们谁惹爹娘生了气，我回来收拾你们，听见了没有？我又敲打他们。

听见了！

我回到屋里，准备临走前跟父亲说几句离别的话，可我在父亲跟前待了半天，怎么也找不出一句合适的话。

父亲说:走吧,到了部队就给家写信。

我没说话。

父亲说:只要部队没撵就别要求回来。要是为了我耽误了前程,说明你小子没出息。

我无言,正正帽檐,给父亲敬了一个军礼。

十

到了1963年,旱灾总算过去了,这年上半年基本上是风调雨顺,庄稼人收了一季三年没收过的小麦,狠吃了一阵子多年没吃过的白面馒头。麦收以后又下了一场透雨,秋收作物没费多大劲就种上了,老天爷终于不跟庄稼人做对了。

这一年,父亲的政治命运也有了转机。上级经过调查核实,认为对父亲偷拿赈灾物资的事件处理得过重了。3月,支书过世,公社党委根据父亲的德才表现,决定任命父亲为柳条庄大队党支部书记。和共产党同年同月同日诞生的父亲居然说自己干不了,但公社书记的意见:干得了得干,干不了也得干。就这样,父亲成了柳条庄的一号人物。

这年8月,突然大风暴雨几天几夜连续不断,电闪雷鸣中,大沟小河满了,庄稼地里满了,大街小巷满了,家家房子漏雨。半个多月了,柳条庄人没见过太阳是什么模样。庄稼人开始害怕了:莫非老天漏了?

父亲从公社开会回来说:上边分洪了,大水就要到了,赶快转移。我问:什么叫分洪?父亲说:滹沱河的水和北大堤平了,再不泄出来一部分就要淹天津淹北京了。我问:淹了我们就可以保住强哥家的高楼大厦吗?父亲不耐烦了:小祖宗,别问了,就是那么个理儿。父亲对娘说:别犯傻了,快收拾东西准备转移吧。娘慌了手脚:往哪儿转移?父亲说:百草山呗。父亲扔下这句话就走了,直到我们上山,也没见着他的人影。

父亲穿着雨衣提着灯笼,到大队部召集各小队队长开会,要求各生产队在天亮之前把所有的人都转移上山,这是关系到柳条庄1200口人性命的问题。有的队长问,有人不走怎么办?父亲说:两个办法。一个是磕头作揖;一个是拳打脚踢,拖也把人拖上山。

村里有3户五保户,两个老头儿一个老太太,都快80岁了,无论父亲怎么动员,他们死活不上山。他们有的说,哪来的那么大水,说得邪乎。有的说,我都这么大岁数了,活了今儿个没明儿个,折腾什么,死在外边还不如死在家里呢。父亲一激动给他们跪下了:快上山吧,不上山咱就一块死在这儿啦。两个老头儿被父亲感化了，收拾收拾上了山，可老太太不管那一套，就是坐在炕头上不动弹，没办法，父亲抱起她就出门，然后命令两个壮劳力把老太太背走。

整个转移过程，父亲光在外边忙了，指挥我们家转移的是爷爷。爷爷那时身子骨还挺硬朗，他说他年轻的时候遇到过这事，甭惊慌，有百草山在，就能保住性命。爷爷让我们把衣服带齐，把粮食装走，其他东西就等着让大水泡了。娘有些惊慌，在柜里乱翻，说有些东西是父亲放的，可父亲这会儿不知道在谁家。爷爷说，1000多口子人都等着他转移，别指望他了，拿上什么算什么。负责转移的青年民工队来了，他们把我家的两布袋麦子装上车，又拉扯着我们往街上轰，我死死地扯着娘的衣角一点儿也不敢松。村子里乱了，大雨在下，人们在嚷，牲口在叫，村里村外黑压压、乱哄哄。我平生第一次尝到了逃荒的滋味。

我们随着人流走，后边不住地有人赶：快走，快走！洪水已经到东韦庄了。东韦庄离柳条庄不到10里路，还有人说已经看见水头了，人们经不住吓唬，战战兢兢地加快了步子。这时我多么想看见父亲，这个时候我多么需要父亲，只要他在我身边，心里就踏实多了，他在哪儿呢？

村里人陆陆续续上了山，在三五家一组的窝棚里挤着过夜。第一次和这么多人在一起睡觉，我怎么也睡不着，娘紧紧地挨着我，但我还是害怕，我问娘：爹为什么不回家？娘说：你爹有你爹的事，办完了就回来。我又说：人家的爹可都在家呢！娘说：你爹是官，当官就得为别人操心。我不再问娘了，我觉得父亲能为那么多人操心真了不起，父亲是伟大的操心父亲。

天亮了，洪水没有来，柳条庄遥遥在望。

山上的人又乱起来，有人开始骂大街：村干部净他妈吓唬人，哪来的他妈的大水？有人说，我家门没锁。有人说，我家的猪还没弄上山呢。人们嚷嚷着，又开始下山。父亲急了，喊：洪水一会儿就到，下山就没命了，都给我回来！但是有好多人不听话，愣往山下跑。父亲破口大骂：我操你祖宗！你们他妈不要命啦！骂完追着社员下山。我大声嚷：爹！爹！父亲头也不回地追着人下了山。

下山的人终于被村干部逮回来了。这工夫，远处传来轰轰隆隆的声音，就像过火车一样，在山上已经看见水头了。大水来了！

大水肆虐地扑过来，浊浪滔天，激流凶险，像万人擂鼓猛虎下山。柳条庄眨眼间被水包围，一片片房屋在浪涛中“扑通”“扑通”倒下，溅起一个个混浊的浪柱，没来得及牵走的牲畜家禽在嚎叫中丧生。一顿饭的工夫，柳条庄的房子都倒光了，分不清哪是村庄哪是田地，分不清哪是洪水哪是苍天，天地浑然，汪洋一片。

柳条庄人站在百草山上眼看着家园被洪水毁于一旦，高叫着，完啦，完啦！全完啦！

十一

我几乎是丧魂落魄地回到部队，那天是正月初四，部队还放年假，机关没人上班，营院里静悄悄的，根本没有执行紧急任务的迹象。我不由得骂：谁他妈这么惊惊乍乍的，害得我大年初二扔下重伤卧床的老爹往回颠？团政治处刘副主任看见我说：你真是傻蛋，没好事我能催你吗？他告诉我：4 月份有一批直接提干的指标，这是最后的一批了，但要通过文化考核，像考状元一样，因为你表现突出，我们已经给你报名填表了。

我感激地握住了刘副主任的手。在这一点我极像父亲，是个“滴水之恩，涌泉相报”的人。刘副主任笑着说：别再涌泉了，那不他妈把我淹死啊。好好复习吧，还有两个多月的时间。

第二天我去了师教导队，我发现教导队春节根本就没放假，为考状元，这些野心勃勃的家伙都成了拼命三郎。我曾下决心不在部队干了，回家为父亲分忧，让父亲安度晚年，现在一看这阵势，再加上离家时父亲有嘱咐：只要部队不撵就别回来，我心又热了，血又涌动起来，人生难得一搏，砂锅子捣蒜最后一锤子买卖，拼了！不为别的，就为父亲！父亲这辈子太委屈太不易太窝囊也太悲哀了，父亲在家里用人的时候打发我出来当兵，又在他身负重伤的情况下支持我继续服役，就是指望我长出息，指望我为他争脸。

决心下了，可操作起来并不容易，我在学校里除了语文成绩拔尖以外，其他各科都松松垮垮，本身就没学到什么东西，又扔了这么多年，再加上为爷爷奔丧为父亲治伤耽误了这么长时间，我要比别人多付出几倍的努力。我一门心思拼死拼活地学起来。这几年因为搞军民共建，我和县城二中的老师们关系比较好，便让他们给我开小灶，走捷径。

二中的高老师每年都给学校出高考模拟题，每次都押中一大部分题。临考试的前一天，高老师帮我出好了模拟题，说，答案在上边，你拿去背吧。我接过来溜了一眼，极其颤抖地捏住高老师的手。

考试那天是 4 月 21 号，我一辈子甚至下一辈子也忘不了这个刻骨铭心的日子。在入考场之前，我在台历上胡乱诌了一首诗：今日上沙场，心情莫乱慌，舍得命来考，争得状元郎。一共考 5 门，两天半考完。语文、政治是我的强项，答得轻松自如；数理化是我的弱项，幸运的是这几门分数多的大题都让高老师给押住了。最后一门考完，我走出考场，长长地呼出一口气。不知为什么，我突然在胸中喊了一声：爹！

我想急着给父亲写封信，让躺在炕上不能动弹的父亲分享我的快乐。可冷静一想，还是再忍一忍吧。不光没给父亲写信，我还假装特冷静，每天坚持提前半小时上班，跟新兵争着打水、拖地板、擦桌子、夹报纸，再就是天天往连队跑，回来就加班写稿子，军区小报隔三岔五就有我的大名。有人问我考得怎么样，我不以为然地说，一般化吧，只跟刘副主任说了实话。刘副主任点我脑袋一指头，说你小子，有门！

录取分数线在我们忐忑不安的期待中终于下来了。我报考的司务长专业分数线是 370 分，我超过了 28.5 分，硬邦邦，响当当，这下我把心放在肚子里了。

得知分数线的当天晚上，我请刘副主任和高老师在我常去的小饭馆里喝了个酩酊大醉。我说遇到他们是我命好，说我代表我爹向他们敬酒。最后是刘副主任和高老师把我搀回宿舍的。

那张步兵第 28 团干令字第 23 号的文件终于发下来了，在第 2 页的最后一行，我找到了自己的名字。白纸黑字，油印的，清清楚楚地写着，我任步兵第 28 团一营二连司务长。这张命令就是命运的判决书。有了这张命令，我的职务可以由战士变成干部；我的津贴可以变成工资，可以由 15 元变成 52 元……我除了可以让父亲认为他的大儿子“长出息”了以外，还能够在经济上更多地帮父亲一把了。

这回我可以踏踏实实地给父亲写信了，我把我考试前后的酸甜苦辣起转回合在信里宣泄得痛快淋漓，写起来一发不可收拾。我完全可以想象，躺在炕上不能动弹的父亲读着我这封长达 16 页的信，是怎样的老泪纵横。

十二

洪水围困着柳条庄，死赖着不退。实际上能判断柳条庄方位的只有那座据说是隋朝年间留下的六合木塔了，而塔也只露着一个尖顶，那个尖顶像海洋里的航标，极其庄严地证明着柳条庄的存在。

百草山上，呜咽一片，男女老少对着那个塔尖发出撕肝裂胆的哭号。

百草山救了柳条庄人的命，也救了所有生灵的命。

一天晚上，我正睡着觉，忽然觉得身子底下软乎乎冰冰凉，我用手一摸，吓死了，是条蛇。我哇的一声哭了，娘惊醒，打开手电一看，一条又粗又长的大蛇偎在我身子底下，睡得正香。娘很快镇静下来，把我搂在怀里。我哭着说：快，快把它打死。娘却说：它也是一条性命，大水来啦，它也得求活路呀。娘把我放下，拿起身边的一根木棍子，把蛇轻轻地挑走了。我没想到娘有这么大胆，也不知道娘善良到这种程度，我突然发现娘也很伟大。

大水迟迟不退，柳条庄人开始了在百草山上大家庭野人般的生活。上山前各家的粮食都抢救出来了一部分，可山上因为雨水连绵生不着火，做不成饭，人们只好吃麦粒豆粒，再因为喝不上开水，跑肚的跑肚，蹿稀的蹿稀，不少人都趴下了。

父亲作为柳条庄的最高统帅，他也是跑肚拉稀的带头人，但父亲不愧是父亲，他拄着拐杖穿着雨衣到各帐篷里转，反复宣传：坚持住，上级会派人来支援我们的，毛主席不会看着柳条庄人死在百草山上。

有人骂父亲：别他妈硬撑着叫好，淹了这么多村子，上级哪顾得过来！

还有人说：我们是为保北京、保天津挨的淹，毛主席该派人来救我们。

人们正骂着，忽然远处传来飞机的声音，因为雨天雷大雾大，看不见飞机在什么地方，却听着声音很响。

父亲大声喊：有手电的举起来，有红衣裳的举起来！快！毛主席派飞机来啦！

跑肚拉稀的柳条庄人都兴奋地爬起来，一起晃着衣服朝天上喊：俺们在这儿，俺们快淹死啦！

飞机向下俯冲，几乎是在柳条庄人头顶上掠过就又飞走了。

柳条庄人对着飞机大骂起来：操你娘，飞机！飞机！狗日的！

父亲说：大伙儿别嚷，飞机肯定是来侦察的，回去给我们搬吃的喝的去了。

父亲的判断果然准确，两架直升机又出现在百草山顶上，柳条庄人又嗷嗷叫了起来。这回飞机没让柳条庄人失望，投下了一个个大麻袋。紧接着直升机的门打开了，一个解放军拿着喇叭喊话：乡亲们，我们是毛主席派来给你们送慰问品的，给你们投下的大饼还有周总理亲自烙的呢。

毛主席万岁！周总理万岁！柳条庄人对着飞机扯着嗓子狂呼乱喊。

柳条庄人扑向一个又一个的大麻袋，饥饿的人们不分男女老少，不分壮劳力还是弱寡妇，都像猎手碰到猎物一样奋不顾身地扑上去。人们七手八脚牙咬手撕地把麻袋弄开，掏出大饼朝嘴里送，朝怀里揣，朝窝棚里拿。

父亲到制高点上大喊：大伙儿别乱，一会儿飞机还来，大饼有的是。但人们不听父亲那一套，还是义无反顾前仆后继地扑向大饼。

飞机把好多东西都投在了水里，父亲组织一些吃饱大饼的人去抢救，大家把被水泡湿的东西捞上来，父亲让人把它们搬进帐篷，摊开凉着，派专人看管。

飞机每天都来一次，投下衣服、救生圈、粮食、药品。吃饱喝足的柳条庄人躺在山坡上，让雨水淋着，拍着肚皮朝天号叫：狗日的老天爷，你下吧，有毛主席给我们撑腰，老子不怕你！

雨下腻了，太阳磨磨蹭蹭地出来了，洪水不情愿地退了，柳条庄露出来了。然而让人看到的只是一片淤泥和砖头瓦块，没有一间房子是戳着的，没有一棵树是站着的，只有那座六合木塔经过洪水洗礼后仍然顽强地屹立着。

人们踩着泥水回来了，柳条庄人瞪着眼找不到自己的家。人们愣了半天都自觉地集合在六合塔下，以此为参照物来判断自己家的方位。

八月的太阳很火爆，没几天就把地上的雨水吸干了。柳条庄开来了有史以来的第一辆轿车，后边跟着一溜大卡车，上边载着满满的物资。

轿车上下来一个大官，下车就问：支书在哪里？

父亲跑到大官跟前，激动地说：我是。

大官上前握住父亲的手说：柳条庄死了多少人？

父亲说：一个没死。

大官感激地说：闹这么大的水，你们村一个人没死，你这书记有功。

父亲赶紧说：不！是社会主义好，要是在旧社会，柳条庄早家破人亡了。

大官握住父亲的手不放，说：这次水灾，让乡亲们受苦了。

父亲说：这是天灾人祸，谁赶上也没治，这要是淹了天津、北京，国家损失就更大了。

大官拍了拍父亲的肩膀感慨地说：你是个好党员，好干部！

大官在父亲的陪同下围着村子里转了一圈，柳条庄人正含着眼泪清理自己家的破瓦烂罐。寻找还能够用的东西，能竖的竖起来，能撑的撑起来，为自己建构一个能遮风挡雨的家园。

大官走到一个正在扒柴火的老太太面前，蹲下来问：大娘，大水把你家冲了，你不向国家要慰问物资吗？

大娘看了大官一眼，慢声慢气地说：大饼也给了，衣裳也给了，还让国家怎么救济？这么大的灾，光指望国家不行，自个儿得干。

大官双手握住老太太的手，眼泪噗噜噜地往下掉。

大官回过头来对父亲说：柳条庄人真好，老百姓真好！

父亲说：庄稼人没文化，不会说舍小家顾大家的话。

大官说：这话更实在，更有分量！

父亲开始带着全村的人卸车。车上有粮食、衣服、竹竿、檩条、帐篷、围箔、绳子、铁丝、塑料布等东西。上级为柳条庄人想得很周到，盖房建屋，居家过日子的东西，差不多都有了。面对大灾后国家的支援，柳条庄人奇异地变得冷静而有秩序，东西卸下以后，谁也不往家拿一件，老老实实地等着分配。

一场大水，把柳条庄人从里到外冲洗了一遍，房子倒了，人却站得更直了。

父亲召集支委们在六合塔下开会。父亲郑重地提出：各家的简易房子尽快搭起来，早点下地生产。洪水给柳条庄的沟沟坑坑里留下不少鱼，各小队首先组织人力抓鱼，恢复生产，重建家园。秋庄稼毁了，各队赶紧种白菜，种小麦，明年争取丰收。

父亲最后向大家说：这次咱柳条庄虽然损失惨重，但谁也不能光伸着手等国家救济。庄稼人就是种地吃饭，有人在，有地种，庄稼人就饿不死。咱柳条庄当年讨饭讨出了名，这次绝对不能出一个讨饭的，都老老实实地干活。要讨的话，我替你们去。

父亲的话掷地有声，支委们都表示不给国家增加负担。父亲纠正说：要为国家分忧，就像你为你爹分忧一样。

十三

我承认我有点小心眼，不如父亲宽宏大量，父亲常用朱柏庐的治家格言教训我：轻听发言，安知非人之谮诉，当忍耐三思，因事相争，焉之非我之不是，须平心而想。无论父亲如何从理论上批判我和在行动中影响我，我还是树立不起那么崇高的境界。在别人提干我却面临冻结时，我曾满怀怨言，以后我又过多地考虑过在职务上的进步。凭着我的为人、肯干和才气，很得领导赏识，从机关到连队，又从连队到机关，平均不到两年调一职，当兵的第 8 个年头，也就是我 26 岁那年，已经是不大不小的副教导员了，可比我早提干两年的老乡，大部分还是正连或者副连，这使我沾沾自喜，以至招来父亲总是批评我小心眼成不了大气候。让我心花怒放的是，这几年几乎是一帆风顺好戏连台，当上副教导员没多久，师长的女儿、女军医燕看上了我，燕向我表露心迹的当天晚上，我就迫不及待地给父亲写信，写了燕多么多么有才，多么多么美貌，出身多么多么高贵。父亲很快就回信了，开头就引用了《朱子家训》的警句："婢美妾娇，非闺房之福。童仆勿用俊美，妻妾且忌艳妆……娶妻求书女淑，勿计厚奁。"还说了"女子无才便是德"、"门不当户不对"、"家有贤妻，男人出息"之类的话。我认为父亲走入误区了，如果不是言语和谐志趣相投，仅因为燕的出身背景，我绝对不会相中她，因为我压根儿就不是那种攀龙附凤拉靠山往上爬的人。

我决定把燕带回老家去，让父亲看看燕是不是他理想中的儿媳。

燕的灵秀漂亮与朴实大方，很快赢得了父母的欣赏和宠爱，父亲不再叨念"婢美妾娇，非闺房之福"的古训，倒是接二连三地说：不是一家人，不进一家门。缘分缘分啊！父亲年轻的时候走过南闯过北，定也见过比娘美得多的女人，所以见了燕并没有像别人表现出的惊讶，也没有因门第差别而表现出自卑与矜持。这些都出乎燕的意料，她偷偷对我说，你父亲了不起。父亲大概是有点骄傲，天黑之前让我领着燕到白家族的各家转转，按道理来讲这是常识性的礼节，但由于燕的身份和相貌，在柳条庄却成了兴师动众的壮举，所到之处都招来夸说不休。

这次回家意外的是竟撞上了叔叔。我 6 岁那年叔叔一家搬到天津，从此以后他再也没回过老家，包括爷爷去世三封电报也没催回来，以后甚至连信也不通了，怎么说回来就回来呢？我隐约感到叔叔这次柳条庄之行大有文章，一定是意味深长的家乡之旅。

果然不出我所料，叔叔这次回老家是来卖房的。我纳闷，叔叔一家在天津生活得不错，还等着花这两间土坯房的钱？原先叔叔不是说等退休以后回来住吗，怎么又卖房？

按道理说，柳条庄应该没有叔叔的房了，奶奶曾许诺老宅归叔叔，可1963年闹大水，房子早冲倒了，恢复家园时在老宅基上盖了三间坯房，等后来条件好一些了，我们出去另盖了房子，老宅让爷爷奶奶住，等爷爷奶奶去世以后，那房子空了，父亲只是在里面放一些柴草。柳条庄人都知道那是爷爷奶奶的故居，是专门供人凭吊的。这么多年，父亲不间断地修修补补，使房子基本上保持了原貌。

叔叔也被燕征服了，他连连说我们白家族从来没娶过这么有地位有品貌的媳妇，我听了很得意，这证明燕比我那没见过面的强嫂要强得多。叔叔在口袋里抠了半天抠出来100块钱给燕，说是见面礼，燕又落落大方地塞回了叔叔的口袋，叔叔就没再掏出来。

晚上，燕去了姐姐家，我和叔叔睡在一条炕上，由于兴奋，我们爷儿俩几乎说了一夜的话。叔叔说，强哥在耐火材料厂工作，是科长，强嫂是普通工人，和强哥在一个厂；环姐是纺织厂工人，姐夫在天津市政府机关工作。这么听来，他们一家确实混得还不错。但叔叔说强哥不孝顺，环姐是出了门的闺女泼出去的水指不上，山弟还是个学徒工，连自己都养活不了，他们老两口光靠他那点退休金，在天津的日子不好过，还说婶子得脑血栓住院借了好几千块钱等等。这么一听，叔叔回来卖房似乎顺理成章了，也非常让人理解和同情。我又问：这么多年为什么不回老家，甚至连信也不写？叔叔叹了口气说：我斗大字不认一升，你强哥环姐又懒得写。我没资格驳斥我那作长辈的叔叔，这也叫理由？

叔叔因为卖房的事和父亲伤了和气。

叔叔很伤脑筋，卖给父亲吧，兄弟之间不好砍价，要多了，心里亏，要少了呢，手里亏；卖给别人吧，这房子名义上是自己的，可盖房子的时候自己没掏一分钱，这些年又一点儿也没经管，再说明摆着父亲这边四个儿子都没成家，都等着用房，这些情况，柳条庄人谁心里没数？

工人阶级的叔叔去找了刘爷，他找刘爷的理由是：一，刘爷和他的房子是邻居，他要是买了可以把两个院子打通了连在一起；二，刘爷的大儿子做买卖发了财，买房子的钱会一次交清；三，刘爷的小儿子已经订了婚，等着盖房娶媳妇。

刘爷爽快地打酒炒菜款待叔叔，说他早打过这个算盘，不过他有顾虑，刘爷担心地说：水大漫不过桥去，你卖房，首先应该征得你哥的同意呀。叔叔说：我跟我哥商量了，他说房是你的，愿卖给谁就卖给谁。刘爷说：这房应该他是第一买主，他想要，别人争不过，也不好争。刘爷看了看叔叔的表情，又说：我和你哥有矛盾，这你知道。所以，这事我不能主动往外伸头。叔叔为难的就是这一点，刘爷见火候到了，给叔叔出了一个主意后连着说：来！来！喝酒，喝酒。

叔叔醉醺醺地回来就和父亲摊牌了，说：哥，咱俩拉拉这房的事吧。我知道这房是你操持着盖的，这么多年了，也是你起早贪黑地经管着，花了不少钱，操了不少心，也受了不少累。我要是不缺钱呢，就不提这事，可强他娘住院一下子欠下 3500 块钱的亏空……

父亲打断了叔叔的话：老二，咱兄弟之间没外人，有话就直说吧。你回来十几天了，一直没为房子的事说句痛快话。

叔叔往上撩了一下眼皮，先瞅瞅房梁，然后把目光移向父亲，看样子窝在心里的话脱口而出着实不易。叔叔用手抠着脚丫子，把头低下，声音很细很慢地说：这房卖给别人不合适；卖给你，又怕你嫌贵。我让人估算了一下，值 3500 块钱。你要的话，我让出 100 来……

父亲噌一下子火上来了，那火好像一蹿就一房多高，其火势竟先把自己掀了起来，他一个踉跄栽倒在地，很快又爬起来，伸出颤巍巍的手指着叔叔说：好哇，老二，我想着咱怎么也是一个爹娘生，一个爹娘养的，也在一个锅里抡了那么多年马勺，没承想，你这么无情无义。3500 块钱，我连老命卖了也不值，你跑到别处发财去吧。滚！滚！

叔叔被父亲从未见识过的暴躁吓酥了，他的小腿不由自主地打哆嗦，上前拉了一把父亲，说：哥，你别发这么大火，有话好说……

父亲一屁股坐在地上什么也不说。

娘在一边看不下去了，她强忍着没扯开嗓门嚷：他叔，按说你们兄弟俩说话，我这外姓人不该跟着瞎掺和，可卖房买房这么大事，怎么着跟我也有关系。盖这房你一没掏钱二没出力，你这是回来了，要不你连这房的模样也认不上来。老人活着的时候说这房归你，合不合理，咱今儿就不说了。你现在摸摸心口窝想想，这三间破房值不值 3500 块钱？咱拉到大街上当着柳条庄的男男女女白话白话，你拿着这 3500 块钱硬气不硬气，手上哆嗦不哆嗦，良心上踏实不踏实？

娘的语气虽然不那么慷慨陈词，但分量并不比父亲的轻。这是硬给叔叔逼出来的，我差点儿给娘鼓掌。

叔叔把脑袋耷拉下来，但脸上并不见愧色。

我以人民解放军某部副教导员而不是以侄子的身份给叔叔点一支烟，他把打火机接过去自己点着了。我说：叔，我来点文明词儿，那房子在法律上属于你，你有权利出售和转让，为了更丰厚的利润，你有权利选择客户。

叔叔听了我的话，把头抬起来：那我总得先问问你爹，咋说他都该是第一买主。

我说：感情不能代替政策，更不能代替法律，只要你心安理得。

叔叔说：那我以后还怎么进柳条庄？

我说：咳！只要房子能卖出高价还管那些！

没文化的叔叔肯定没有掂出我话外的含义，居然精神振作起来：哥，既然你手头上困难，我就问问别人要不要。

父亲半眯着眼，默然无言。

叔叔走了，当晚没回来，父亲让我出去找找，我说丢不了。娘对父亲不满了：到底是亲兄弟，惦记上了，心疼上了？你亲兄弟对你可真亲！

第二天后晌，我们正在老宅里闲聊，忽然刘爷叼着烟进来了，没进屋，却在院子里乱转悠，像进自己家一样。我说：刘爷，进来坐呀。刘爷冲我龇龇牙：不咧不咧。转身走了，不大工夫，折身又回来了。屁股后头跟着几个壮小伙子，都是刘家族的后生，其中一个小伙子肩上还扛着一把大锯，几个人招呼不打，坐在地上就锯树。

父亲什么都明白了，这是他想到却最不愿看到的情景，他踉踉跄跄地扑到树跟前，两只胳膊紧紧地搂住那棵大树，责问：你们为什么锯我们家的树？

锯树的人停下来。刘爷说：锯呀，我等着做檩条呢。

父亲说：不能锯，这树是我栽的。

刘爷把嘴里的半支烟吐在地上，不紧不慢地从怀里掏出一张纸递给父亲：你在柳条庄是有学问的人，这上面的字我还真认不清，当着众人的面，你受累给念念吧。哎，你可看仔细了，下面有你亲兄弟的签名和手印。

一向聪明应变的父亲霎时变得十分木讷。我接过了那张纸，让我震惊的是，合同上竟是 3000 元成交。我那工人阶级的叔叔是那么黑，跟他的同胞兄弟也玩猫腻，这实在让我始料不及。

刘爷把合同收起来，不无得意地说：我本来不想买，这几间破房哪值 3000 元？还不是为了帮你们家兄弟一把。

刘爷逮住便宜卖乖，这话抑或还有其他的含义。见我们爷俩谁也没有说话，刘爷更是得意忘形：小子们，锯呀，锯完了刘爷请你们喝酒。

刘家后生又开锯了，父亲一把抓住锯条，大声吼道：不能锯！那些后生措手不及，父亲的手跟着锯条嵌进了树缝，顿时，血流如注，白杨树、锯条都被父亲的鲜血染红，一滴一滴地涌动……

混蛋，你们给我滚开！我猛扑过去，推开众人，抱住父亲，父亲的手死死地抓住锯条，我怎么也掰不动。父亲的鲜血把我的手也染红了，我和父亲的手紧紧地抓在一起，父亲的鲜血在我们俩的两只手中间润滑、流淌，父亲跪在地上号啕大哭……

我感到一种撕肝裂胆的难受。

十四

细算起来，父亲在柳条庄当大队党支部书记的历史是 3 年零 8 个月，这是他政治生命的巅峰时期，可惜这种巅峰只是昙花一现。

这 3 年零 8 个月的是非功过，任他人评说。1963 年发大水，据说是百年不遇，李县位于滹沱河与滏阳河的交汇处，而下游河道窄小，形如咽喉，一遇大水便宣泄不及。清光绪七年(1881 年)，有个叫李鸿章的总督把李县定为泛区，从此，逢洪水淹李县就成了天经地义的事。那次发大水，李县泛区内的 48 个自然村没有不死人的，而柳条庄 1200 多口人一个没死，作为党支部书记，父亲功不可没，以后在恢复家园的建设中，父亲也是立下汗马功劳的。为此，父亲被评为省抗洪模范，还光荣地出席了省抗洪救灾表彰大会。时势造英雄，这给刚刚走马上任的父亲创造了一个良好的开端，他开始勾画柳条庄长远建设的宏伟蓝图，他组织劳力在百草山上栽满了果树，在盐碱地里栽上了枣树，在枣树地里套种庄稼，打破了柳条庄历史上靠农业单打一的生产格局。父亲又托人在县银行贷款，在浇不上水的南洼和北洼，各打了一眼机井，实现了大面积连洼灌溉，从根本上解决了柳条庄靠天吃饭的问题。

这些年只要长眼睛有良心的柳条庄人，都会记住父亲不可磨灭的历史功绩，然而，导致父亲下台，恰恰是因为他的功绩不可磨灭。

到了 1966 年，父亲任支书满 3 年以后的第 4 个年头，上边闹了一场大运动，据说是史无前例的，时间不长，运动波及了农村，柳条庄人都对这运动犯蒙。父亲不管他千万条道理，只认一条死理，地里产不出粮食就要死人。他在社员会上说：别管它怎么运动，咱种咱的地，庄稼人不能靠运动吃饭。

父亲说这话的时候，运动还没那么轰轰烈烈，后来，报纸上的字体越来越大，广播里的口号越喊越凶，柳条庄再也平静不下来了。公社里一次又一次开会，让各大队摊几个走资派，没办法，父亲只好召开社员大会，揭发柳条庄谁是走资派。柳条庄人大部分不知道走资派是什么概念，刘爷这时大摇大摆地走上台，拿烟袋指着父亲说：咱村的走资派还用揪哇，就是你呗！

刘爷语惊四座，会场一片哗然。

刘爷继续说：我查了一下报纸，走资派就是走资本主义道路的当权派，从中央到省里、县里揪出来的都是大官，你在柳条庄最有权，也带领柳条庄人走过资本主义道路。远的咱不说，你让大伙儿在百草山上栽果木树，卖了钱给社员分。还有自留地，上级早就让收了，你就是拖着不办，结果是分了地社员也分了心，这不是资本主义是什么？你还在社员会上说，庄稼人不能靠运动吃饭，这是什么态度，难道毛主席他老人家发动这场运动是错误的？再有，三年自然灾害闹饥荒的时候，你偷拿上级的赈灾物资，你以为社员群众都忘啦？我今天就不一一细说了，随便哪一条都能给你定一个走资派，大伙儿说是不是呀？

会场上没什么反映。

刘爷就举起手来高呼打倒父亲的口号，但只有刘家族的人跟着喊，声音也不大。

第二天，大队部的墙上贴满了大字报，都是批判父亲的，在父亲的名字上打了大红叉子。没几天上边派来了工作队，没进大队部先看大字报，刘爷赶到向工作队的人控诉父亲的罪行，工作队的人很满意，说：柳条庄的人民群众终于发动起来了。

柳条庄开起了父亲的批判会。

柳条庄开始了大游行。

柳条庄人开始挥动斧子砍百草山上的果树。

柳条庄人开始背诵老三篇……

望着伐倒在地的果树，父亲病了，病中刘爷成立的“革命战斗队”已夺了大队的权。

是年11月3日，父亲革职为民了。

十五

叔叔卖房的举动，等于宣布了对父亲和白姓家族的背叛，同时也宣布了和柳条庄的决裂。我敢断定，叔叔这一辈子再也没脸回老家了。

10年过去了，叔叔一家音讯皆无。

这10年，我们家发生了翻天覆地的变化。我不到35周岁那年，被破格提拔为步兵第28团政治委员，成为在全师全集团军乃至更大范围内的最年轻的正团职干部，另外二弟和小弟都当了兵，并分别考入了石家庄陆军学院和长沙炮兵学院，毕业后他们一个分到了师通信营，一个分到军机关。按军衔区分，现在我是上校，二弟是上尉，小弟是少尉，再加上二弟、小弟的对象都是军人，这样，我们家加在一起就是6位军人，快有一个班的兵力了。父亲说我积了大德，我为他排了忧解了难，不然这像羊羔子一样的一堆儿子，能不能娶妻生子立下门户还难说呢，现在却个顶个地找了女军官。父亲在高兴之余又后怕，假如当初他不让我出去当兵；假如他受伤那年也像奶奶一样把大儿子往回揪；假如我提干考不上回家种地，现在这个家还不知道是什么光景呢。

当政委后更忙，很少有闲空能为家里做些什么，但稍有空我就想想家里的事，想想父亲在忙什么，娘在干什么，身子骨是不是结实，有没有什么闪失的事？有时也和燕叨叨起叔叔一家的事，讲我们小时候的故事。叨叨得多了，燕就烦了，说你可别为你们老白家累个好歹，累坏了别指望我伺候你，我就不叨叨了，可闭上眼睛眼前还是那些陈糠烂谷子的事。

这些年，父亲总是把我高看一眼，但我也惹他生过气。

有一年，我探家时绕道去了一趟军分区，军分区齐司令是我原来的老首长，他执意要送我回柳条庄，我说家很寒酸就免了吧。齐司令说，都是农村出来的，谁不知道谁老家的底？你轻易不回来一趟，带我们去认个门也是应该的。齐司令亲自开着“蓝鸟”送我，到了李县武装部，张部长和王政委坐不住了，也坐专车一道前往柳条庄。两辆高级轿车鱼贯进村，这在柳条庄是极为壮观的场面。车到村中央，再往右拐 200 米就到我家门口了，在拐弯处的老槐树底下站着一堆贴墙根晒太阳的老头儿，我打老远就看见了父亲站在人堆里，就下车和父亲打招呼，并把父亲介绍给大家。齐司令让父亲坐他的车在前面带路，父亲摆摆手，像个小伙子一样往家跑。

一溜儿小车开进我家，我认为父亲一定觉得风光，但等齐司令等人一走，父亲就把脸拉下来了：你以为这是给你爹长脸啊，你这是给你爹添堵！庄稼人要脸要的是真脸，不是面具。以后再这样，你就别进家门！

我让父亲鼻子不是鼻子脸不是脸地损了一顿，以后再也不敢耀武扬威了，即便是县里派车送我回家，车到柳条庄村边，我就打发人家回去，我再背着大包小包进家。

可我后来听村里人说，父亲在晒太阳的时候，只要有小车往我们家的方向拐，就不由自主地追过去，见不是上自己家的，叹口气又回来了。

父亲一辈子不容易，到了晚年也算是享福了，父亲口口声声说是沾了我的光，他说因为我的出息而改变了全家的命运，就像中国出了个毛泽东一样，由于他的揭竿而起，使中国的历史得以改写，这充分说明领袖在创造历史的过程中所发挥的作用是不可低估的。

对父亲的评价我不能完全接受，实事求是地讲，父亲这些年是沾了大弟的光。大弟这几年做买卖发了财，盖了洋楼，买了车，腰里挎着 BP 机，手里拿着大哥大，一副款爷的派头。父亲虽然对大弟的做派有些看不上，但喝酒吃肉还是心安理得地让大弟供着。发财发福的大弟也爱琢磨事，有一次，他在电话里跟我说：哥，咱白家族人都出息了，条件也好了，咱续续家谱吧？我问：爹是什么态度？他说父亲不表态。我担心地问：这样在村里是不是影响不好？他说人家都在搞。

大弟还告诉我一个意外的消息：叔叔一家也要回来。

十六

我经过反复考虑，又和燕商量，最后下决心率全家并召唤二弟二弟媳小弟小弟媳回老家续家谱。

为不挨父亲埋怨，我们到了县城没跟任何部门打招呼，一行 6 人提着背着步行 10 多里路进了柳条庄。

大弟告诉我，给叔叔写信是父亲的主意。我不以为然，父亲看出我的心态，叹口气说：既然续家谱，怎么能少了你叔呢？

父亲血统观念太强了，面对一个从不回应亲情的亲兄弟，如此不遗余力地施加爱心，是不是太用心良苦，忍辱负重了？叔叔这些年欠父亲欠白家族太多太多了。奶奶去世的时候，他是用 3 封电报催回来的，回来的时候，人早入了殓，没烧头七就走人了。而爷爷死的时候，3 封电报愣没把叔叔催回来，这以后，除了那次卖房再也没回来过，看样子要和柳条庄的白家族老死不相往来了，现在他竟好意思回来？

父亲解释说：这是最后通牒，如果他们不回来，白氏家谱上，他这一支就没了。白家族的人都不大欢迎叔叔回来，但父亲是族长，叔叔是他的亲兄弟，谁也奈何不得。

关于欢迎叔叔一家的地点和方式问题，父亲提出就在家里办。大弟却持不同意见：不，咱应该给叔叔家一个下马威，在李县唯一上星级的枣城宾馆包一个大厅，搞得风风光光排排场场，让他们对咱一家刮目相看。

大弟是土财主，自从兜里有了钱总愿意讲排场，这是父亲极力反对的。父亲马上提出来反对：咱白家一向遵循朱柏庐的治家格言，一粥一饭当思来之不易，半丝半缕恒念物力维艰。还是在家里办吧。

没等我表态，燕说话了：大弟的意见我看值得考虑，这不是有意讲排场摆阔气，这说明我们一家对叔叔回来的一种真诚态度。

父亲对燕的意见一向偏袒，他看着燕的神态点了点头，然后问大弟：得多少钱？

大弟说：按 4 桌准备，加起来 5 千块钱吧。

燕抢过来说：咱实行 AA 制。

大弟手一扬把燕挡了回去：大嫂，你见外了。这点儿花销小菜一碟儿，兄弟我一人包了。

燕说：兄弟，你误会了，钱多是你自己的，但这事儿我们都有责任。

大弟说：好，好，嫂子厉害，大大的厉害。这样吧，我先垫上还不行嘛？

十七

腊月二十八上午，我们全家人列队在火车站门口，等候从天津开来的那趟火车。这是一支庞大的迎宾队伍，每个人都经过了精心的梳妆打扮，个个腰杆挺直精神焕发，尤其由我、燕、二弟、二弟媳、小弟、小弟媳组成的 6 人军官队伍格外引人注目。李县是小站，上下车的客人不多，接人的更不多。我们一家在站口一站，立刻成为一道亮丽的风景线。

列车准时到达，叔叔全家扬着手走出来。我带头迎上去和叔叔握手，除了婶子、强哥、环姐、山弟以外，我都不认识，但也能对上号，猜得出谁跟谁是什么关系。我把我统帅的队伍一一向叔叔介绍。军人在燕的指挥下向叔叔一家敬礼，叔叔从口袋掏出手帕背过脸去擦了擦。这一场面，被我提前安排的摄像师拍了下来，这是一次别开生面的历史性会晤。

在大弟的疏导下，前来迎接的轿车一字排开，叔叔一家享受了专人开车门的特殊礼遇。

车队到达宾馆门口，噼噼啪啪鞭炮的声响和弥漫的烟尘把迎宾气氛推向高潮。父亲、母亲早就等候在宾馆门口，还没进门，父亲就抱住叔叔抽噎不止，母亲和婶子也相互擦泪，屈指算来叔叔和父亲10多年、母亲和婶子30多年没见了，他们几乎没说出一句完整的话就泣不成声了。然后，他们相互搀扶走进宽敞的餐厅依次坐下。

这是一间约50平米的大厅，服务小姐穿着旗袍站在门口，礼貌地向客人点头问候。室内富丽堂皇，4台彩电屏幕上晃示着卡拉OK的字幕和播放着《真的好想你》的乐曲，为客人营造出和谐舒展而热烈的气氛。

宴会由我主持，我拿起话筒走上舞台。首先，我提议让父亲上台讲话。

父亲走上舞台，拿过话筒像支部书记在大喇叭里喊抓猪抓羊搞好计划生育一样地吹了几下，接着又吹了两声，才开始讲：怎么说呢，我今天像是做梦一样……我早就盼着这一天，这一天让我盼了30多年啊我……父亲说不下去了，哽噎了。我接过话筒放下，搀父亲下台入座，父亲不住地擦眼泪。父亲从当生产队长到大队支书，发表讲话每次都出口成章，今天他却语无伦次。

接下来我让叔叔上台讲话，叔叔无论如何也不上台，我下去拽叔叔，叔叔用手扒着桌子死活不离开座位，我就说强哥你代表叔叔讲两句吧。

穿一身皮夹克的强哥风度翩翩地走上舞台，操起话筒极其娴熟地打开开关，然后理了一下头发，说：30多年没回老家了，这趟回来我觉得很惭愧，很不是个滋味。在天津，经常有人问我你老家是哪儿的，家里有什么人？我都红着脸不作回答。今天，我们终于回到老家了。大伯大娘还有弟弟妹妹们，我代表我父母亲向你们问好，同时道声，您们辛苦啦！

强哥的话极为煽情，包括我在内的人都眼睛酸酸的，姐姐、环姐都哭出了声。燕悄悄对我说：看不出哪像忤逆之子，这不很像白家的后代吗？

我也被强哥的真诚表露所感动，一时间，30多年的恩恩怨怨云消雾散，包括他离开柳条庄前违背送我小人书的承诺，在心里记了多半辈子今天也该画上句号了。人怕见面，见了面肺窝子的话一掏，还有什么过不去的，何况是曾在一个锅里抡过马勺的兄弟姐妹，还有什么不能够原谅呢！

我激动地说：强哥，不说了，咱喝酒，来！为我们的团圆干杯！

干杯！干杯！四桌的人都起立，端起酒杯互相碰撞，干得痛快淋漓。

各桌上开始自由活动，父亲和叔叔一连干了5杯，父亲的脸开始变红，说：我高兴。叔叔也说：让我们哥俩喝个痛快。我说：多说点话，少喝点酒，你们毕竟都七八十岁的人了，保重身体要紧。父亲说：你甭管了。

喝酒显然我不是强哥的对手，当他提议干第16杯的时候，我说我不能喝了。

强哥抓住我的手说：不行？咱俩可是光屁股在一块长大的，他们……他们不行。你忘了？我去赶集，你非要跟着，我不让，你就向奶奶告状。奶奶说：驮着他去，不就30多斤吗。你蹿不上自行车，我也不下来，你就抓着车架子，一直跑到集上。强哥说起我们在一起度过的峥嵘岁月，脸上充满自豪。我也趁机以怀旧的方式控诉他：强哥，还记得嘛？有一回，奶奶让咱俩去红薯窖里钩红薯，我还没下到窖底呢，你"咚"的一下把桶系下去了，我一抬头，"当"一声，桶沿正好磕在我脑门上，到现在还有个疤，你看……你看，这就是你的罪证。强哥果然扒开我的头发找他当年的得意之作，随后非常友好地给我一拳。

大伙儿喝得迷迷瞪瞪，话筒却让人吹了两下，我眯着眼睛一看是环姐。环姐很瘦很憔悴，穿戴也极朴实，跟其他人形成强烈反差，不知是环姐的家境所致还是天生不爱打扮，按说这个年龄又在大城市生活，应该注意自己的形象，尤其是回到阔别30多年的老家。

环姐开始讲话了，声音委婉而柔和，充满了老大姐的气息：本来，我不想说什么，但坐在这儿，我心里很不自在。我是白家的长女，离开柳条庄的时候就十五六岁了，这些年虽然没回过老家，但我常给自己的孩子讲老家的故事，讲老家的人怎么做人，怎么吃苦，怎么团结。我忘不了，大伯当年为我拿了生产队的甜疙瘩丝，要没有大伯，我根本活不到今天……大伯，侄女给你鞠躬了……

环姐这番话，让父亲泪如泉涌。他哽咽着说：那时咱家穷，让你们也吃了不少苦，大伯对不住你们……

我一看，父亲又要痛说革命家史，这场宴会的气氛又要沉浸在泪水之中，赶紧打断父亲的话，大声喊：喝酒，喝酒！吃菜，吃菜！

不知什么时候，大弟把卡拉OK打开了。这几年富了，歌舞厅、酒吧、夜总会他常出常进，一见话筒嗓子就痒痒，他在唱歌之前，还来了句开唱白：我觉得咱今天这场宴会就像香港回归一样，百年不遇，盛况空前，我就来首《东方之珠》吧，献丑了，谢谢。

小河弯弯向南流，
流到香江去看一看
东方之珠拥抱着我
……

大弟的嗓子像破锣一样，是款爷们在歌厅里面搂着小姐发出来的那种音调，但节奏唱得很准确。

我的表演欲望一点儿也不比大弟弱，我翻了翻歌单，很快就逮住了《浑身是胆雄赳赳》。音乐一起，我就浑身是胆热血沸腾了。

临行喝妈一碗酒
浑身是胆雄赳赳
鸠山设宴和我交朋友
千杯万盏会应酬
……

我正唱得有板有眼，声情并茂，强哥走上舞台，我以为他要跟我合唱，就把话筒递给了他，然而他没接话筒，却猛地把电视机关了。强哥这一出人意料的举动，使宴会的气氛骤然凝固起来。

强哥插着腰，喘着酒气，瞪着红眼泡子，吐字不清地指着我说，你唱的是什么歌？又指着大弟问，你刚才唱的什么……什么歌？强哥火了：你们哥俩选唱这两首歌是什么意思？我们一家回老家续家谱是清算家史清洗家耻吗？开始我一看这阵势就猜到你们要摆鸿门宴，果不其然……

叔叔站起来夺过强哥的话筒：滚下去，灌两口猫尿你就犯浑！强哥挣脱了一下，趔趔趄趄地入了座，但他的高论还未发完：大伙儿都听着，白家能有今天，我爹也是功不可没的，那时候，柳条庄有几个在外边当工人的，外姓人高看咱一眼，不就是我爹在外边给咱家撑着门面吗？看来这些年，你们是混好了，底气足了，可你们上天津卫打听打听去，我们哥几个也不比你们逊色到哪儿。别忘了，以后老白家的门面还得靠我们撑着，知道不？

叔叔过去抡起巴掌狠狠地扇在强哥的脸上，扇得所有的人都一激灵。叔叔破口大骂：你他妈混蛋，你他妈混蛋透了！

强哥摸了摸被叔叔扇过的那半拉脸，嘴里哆嗦了几下，举起一杯啤酒仰脖灌下去了。

大弟不是省油的灯，这几年让钱给拱的，更是天不怕地不怕，他跟强哥压根儿就没见过面，但对叔叔家的成见比我还大得多。强哥这堆话把大弟惹急了：怎么着，强哥？要来理论的，我大哥在这儿呢，让他给你讲；论别的，冲我来吧！在李县街上白道黑道你兄弟没不通的！

父亲把手一挥，说：老二，你也犯浑哪！

大弟大概也是因为有酒了，居然不听父亲的，也像父亲一样地把手挥了一下：强哥，你有多少钱，掏出来亮亮！

强哥经不住大弟这么激他，蹭一下又站起来，从口袋里掏出一叠 100 元的钞票往桌上一摔：拿去吧，今儿我买单！

大弟最不吃的就是这一套，把“牡丹取款卡”掏出来拍在桌上，指着强哥说：你买单，你有资格吗？说实话，你那点儿玩意连我的零头也没有。跟你说，这几年，你兄弟穷得就剩下钱了。但有钱归有钱,舍不舍得为别人花可是另外一回事。强哥,我问你,咱爷爷去世买不起棺材的时候,你的钱干什么去了?咱为老祖宗立碑修祖坟的时候,你的钱干什么去了?这些年,老白家这么多生老病死的事,你的钱又干什么去了?

父亲站起来也像叔叔扇强哥一样扇了大弟一巴掌:有俩钱儿烧的你,胡说什么?

大弟也像强哥一样地捂了一下被父亲扇疼的半拉脸,嘴里嘟哝:凭什么你们一家都在天津卫,是你们闯的天下吗?

父亲一巴掌拍得整个转桌都颤起来,他指着强哥说:小强,你们哥几个,你是大的,你这么说话我听不下去!什么你们我们的,什么你撑门面我撑门面的?你们都给我听着,别忘了你们都是白家的血脉,走到天涯海角都改变不了,到了阴曹地府也改变不了!你们在外边闯了这么多年,比我们这些老不死的出息了,可只要有我们在着,就不许你们口出狂言,败坏家风!

叔叔接过话茬说:听见你大伯说了没有,记住,没有你大伯,就没有咱白家的今天,你大伯这些年是怎么熬过来的……

没等叔叔说完,娘放声哭起来。这些年她肚子里积攒了多少冤屈从没向人诉说过,她把泪水往肚子里咽,把一个良家妇女难以承受的委屈一口一口地嚼碎又慢慢地消化掉。但是今天,当大伙儿把话说到这份儿上,她控制不住了,她声泪俱下地诉说起来:

你们这是干什么?你们折磨着俺们心里好受还是怎么的?他叔,孩子们都小,他们说什么咱不计较,可这30多年你做得怎么样,你心里不明白嘛?你们一家没离开柳条庄那段儿咱就不提,就说那两间破坯房吧,连你亲哥你都要心眼,不就为那几千块钱吗?到最后你离开柳条庄连你哥的面都不见,他叔,你够做得出来的!你知道吗?你走了以后,你哥一病就是两仨月,给水不喝,煎药不吃,瘦得成了纸人儿,差一点儿就找他爷爷奶奶去了……他叔,你在柳条庄的大街上走走,看看谁不戳你脊梁骨,俺一家子都跟着你脸红啊……

父亲拽了娘一把:你别抖落这些老掉牙的穷事儿了,他叔回来咱该高兴……

娘捂住脸点着头:俺高兴,俺高兴啊。

燕过来给娘擦泪。

大伙儿都劝娘。叔叔扑通一声跪在爹面前:哥,原谅我吧。

叔叔在父亲面前长跪不起。父亲急了:你给我站起来!都70多岁的人了,在儿女们面前也不怕他们笑话,站起来!

叔叔战战兢兢地站起来了。

父亲长叹一口气:咳。兄弟之间用得着这样吗?说实话,我既然给你写信回来续家谱,就说明白家族的人这么些年心底都惦念着你,你们回来了,说明就已经回心转意了。这话说远了，咱们的老祖宗蔺相如能“退而让颇，名重太山”，廉颇能“负荆知俱，屈节推心”，咱自家兄弟还有什么解不开的疙瘩呢？

我一直保持沉默的态度，因为有父亲叔叔们在，我没多大发言权，尽管以父亲为首的我们这一家正义在手积怨在胸，尽管我有一张雄辩的嘴。相比之下，娘比我更有权力和资格说出那些我想说出的话。这场“斗争”宴会，虽然没人导演，但都各自扮演了不同的角色，应该说是很精彩的。

我把酒拿过来，挨个倒满，端起杯来说：爹，叔，环姐，强哥，谁也不说了，咱们向前看吧！一壶浊酒喜相逢，古今多少事，都付笑谈中吧，来！为咱白家族的团结凝聚干杯！

大家正要干，父亲说：慢。他颤巍巍地走上舞台。我一瞧父亲非同寻常的神色，心中像被重锤撞了一下，不知父亲要说什么。大家也都凝神静息起来，望着父亲。

父亲喘息一会儿，终于开口了：有句话，我得说出来心里才好过。从给天津写信让他叔回来的那天起，我就时刻盼望着这一天。爹、娘都过世以后，我这个长兄就是家长了，不管他叔有什么不对之处，我都不该到今年才和他们联系，不然前几年大家伙儿可能就早些团聚了。他叔、他婶子，我这个当哥的也没有完全尽到责任啊……

父亲还没说完，叔叔就踉踉跄跄地扑上舞台抱住他哭声雷动，一发不可收拾，惹得服务小姐们都跟着掉泪。父亲把叔叔扶住，帮他擦眼泪，可叔叔的眼泪怎么也擦不干，而且越擦越奔流不息，滔滔不止。父亲摇着叔叔，叔叔抱着父亲，老哥俩扭成一团……

我蓦然双膝发软，父亲的话使我想跪下来。我知道强哥和大弟此刻受到的震动一定比我更强烈。与父亲宽阔仁慈的胸襟和醇厚质朴的人格相比，我们显得如此渺小委琐。一股滚烫的冲动要自肺腑喷射而出，我想长跪不起地大喊一声：父亲！

（选自《清明》1999年第4期）

李西岳

1959年出生于河北献县，1976年12月入伍，1991年毕业于解放军艺术学院文学系。当兵前当过河工、工地报道员，入伍后曾干过仓库保管员、文化干事等，现在北京军区文化工作站任编辑。1988年开始搞业余创作，曾与人合作出版长篇报告文学两部，发表中短篇小说40多部，获过数次奖。同时还参与电视剧、电视片的创作，并写些文学、影视评论。

一头花奶牛

王新军

平川小学的花奶牛病了。

校长王方林早上一起来就发现了这件事。那时候太阳刚刚从东面的天边露出脸来。天边的云被染得红洼洼一片。王方林像往常一样,长长地伸了个懒腰,就去教室后面的牛棚边撒尿。昨晚吃的是玉米粥,这泡尿几乎憋了他多半夜,哗啦啦一阵之后,他浑身便沁透了一种舒爽的感觉。三月的天气虽然还凉飕飕地带着一种霸气,但那种春寒料峭中的温暖,已经能够体会得到了,晨风吹到脸上,再不像小刀子一样厉害了,吸到肚子里,也不那么饿了。看了看天,又看了看风,一转眼,王方林就看见花奶牛定定地在牛棚中央站着,放在它嘴边的青草还好好的,看样子夜里它一口也没吃。看见王方林走过来,花奶牛连动也没有动。

于是王方林想,花奶牛是不是病了?

王方林走过去拉牛缰,牛懒懒地向前走了两小步,又停下了。花奶牛的眼睛里,往日清晨所能见到的光彩,今天一丝也看不到了,像隔了一层灰灰的雾。牛的肚子也瘪瘪的,像一架瘦山,这种现象在花奶牛身上发生,它不是病了又会是咋了呢?王方林赶忙去宿舍端来半碗油渣拌豆饼,放到花奶牛嘴边,它也只是闻了闻,然后就把整个头都移开了,样子依旧懒得很。

这样一来,王方林的脑袋就开始发懵,但也只是一会儿,王方林头脑就清醒过来了。他又去屋里提来半桶水,倒进牛棚的大木盆里,花奶牛也只是歪过头看了看,并没有喝,王方林又拉了缰绳,花奶牛无力地伸了伸脖子,脸上露出人一样忧愁的模样来。

平川小学的花奶牛真的病了。

花奶牛不吃不喝,乳房里当然没有奶了。往日红润丰硕的乳房,看上去也小了许多。这时候几个住校的学生也起床了,他们和王方林一样急匆匆跑到教室后面牛棚旁边的空地上来撒尿,看见王方林呆呆地在牛棚前站着,步子都一下子放慢了。他们叫了一声王老师，却没有听见王方林回答，他们的心一下子凉了半截。

一会儿，撒完尿的学生就在王方林身边站了一圈儿，他们又叫了一声王老师。

王方林的目光从花奶牛身上移过来，他压低声音说，同学们，花奶牛病了，它不吃也不喝，肯定是病了。刚刚说完，他就发现有个学生没有穿鞋就跑出来小便，就抬高声音说，你为什么不穿鞋，难道不知道这样会感冒吗？快回宿舍把鞋给我穿上。

话没说完，这个学生就兔子一样跳着跑回去了，王方林知道，这个学生肯定也是一泡尿憋了大半夜。天还冷，学校又没有火煤了，要不是憋到九分九厘，他们是不会起床的，这方面王方林自己也深有体会。这倒不是懒，而是对那一点点晚来的温暖太过迷恋罢了。

听说花奶牛病了，又看到王方林这样难过的表情，同学们也纷纷露出伤心的样子，有的说牛眼睛好像哭过了；有的说牛乳房变小了；有的说牛的毛也不顺了。这都是一夜之间的事。七嘴八舌地这样一说，倒把王方林的眼泪说了下来，他抹了抹眼睛，对学生们说，你们快去洗脸上早读，今天早上的牛奶你们大概是喝不到了。

学生们很听老师的话，他们马上异口同声地说，我们今天不喝牛奶了，老师。

王方林又向他们挥了下手，说外校生都快到了，你们快去洗脸吧。说完他就回过头来，把目光移向花奶牛。几颗眼泪骨碌碌就从他脸上滚落下来。

平川村是北山深处的一个小地方，据说是因为这山里有一条溪水，才有了人。但这样偏远的地方，究竟是来不了几个人的。五六十户人家追逐着溪水蜿蜿蜒蜒地排下去，竟有十来里。明明沟沟坎坎之地，却取了平川二字做村名，大约也是向往平川之地的愿望使然吧。王方林是平川村第一个进了县城读过高中的人。那时，所有平川人都认为王方林能进大学。但那一年一连发生了两件事，就把王方林从县城给牵了回来。

那是他上高二那一年，刚入夏，先是父亲病倒了，为了攒够王方林下一年的学费，父亲一直隐瞒着自己的病情，等村人发现已经有好些日子没看见老王了，推门进去，老王已经奄奄一息，只给来人手里塞了个小布包，说是给方林的学费，说完就咽了气。

埋了父亲不久，平川小学的刘校长又瘫了，嘴里流着哈喇子，说不出一句囫囵话。刘校长一倒，平川小学就要倒了。平川小学很小，一间教室两间宿舍一块牌子，就老刘一个老师，便兼了校长名分。一间教室，三十来个学生娃娃，十来张长条小木桌，完了。这都是村里攒了几十年才弄下的家当，刘校长一倒，村长老万急了，学校一时没人管不说，连娃娃们的学习也没人管了，忙借了头毛驴骑着去了趟乡里。结果乡里也是一肚子苦水，凡是识字能教书的没有一个愿意到平川这个山旮旯里来。谁叫平川那么远哩，路不好走，连车也不通，进出要么坐马车，要么骑驴。

最后还是把话头落在了平川，乡上要老万在平川本土挖掘一下，看有没有自己的人才。薪水么，好说，乡上村上各负担一半。

老万抽着莫合烟一挖掘，就挖掘到王方林头上了。他花八块钱直接坐车去了县城，找到了奔丧返校不久的大学生坯子王方林。没想到老万一张口，王方林就爽快地答应了。

老万说，为了平川的明天，我老万代表全村人民求你了。

王方林说，为了咱平川的明天，我，我回去。

老万听到骨瘦如柴的王方林这么说，眼窝里一下子热热地滚出几颗泪疙瘩，硬是拉王方林去馆子里吃了一碗牛肉面，还加了两个茶鸡蛋，吃得两人一头一脸都是热腾腾的汗水。

王方林觉得自己去县城两年最大的收获，就是为自己熬了副眼镜。当然，这在平川人眼里，显然是一种有知识的象征。王方林从刘校长手里接过那几把黄灿灿的铜钥匙的时候，刘校长不仅流了很多哈喇子，眼睛里还流出了眼泪。王方林握着刘校长鸡爪一样的手使劲地点了点头，做出些一切尽在不言中的样子，就去了坐落在村头一处缓坡上的学校。

学生们散了差不多已经一个星期了，教室里布满了灰尘。当天下午，王方林就把行李搬到了刘校长住过的那间宿舍里，反正父亲去世了，母亲又走得早，姐姐早已远嫁他乡，家里他也是孤身一人。老万说，不如就把学校当家算了。王方林不置可否地点了点头，算是给了老万和平川人民一个满意的回答。

村长老万喊来一个会泥瓦手艺的村民帮他垒了炉灶，搭好了床铺，王方林的家就算安好了。晚上老万又提了瓶酒，拎只老母鸡来剁了，说要为新上任的王校长接接风，洗洗尘。

一只老母鸡，炖了老半天也不烂，老万有些等不及似的说，吃吧，一边吃它一边煮着。王方林全听村长安排，啃着半生不熟的老母鸡肉，小口小口地抿着火辣辣的高粱酒。喝到中间，老万举起酒碗说，来，王校长，咱们干一杯。王方林突然就感到自己真在这几口白酒下肚的当儿长大了，便端起酒碗，慷慨地和老万碰了一下。这一碗下去，王方林就什么也不知道了。

王方林没有想到，自己长大的过程，竟然这样顺利。

第二天，不管头怎么疼，王方林还是按时起来敲响了挂在门前柳树上的铁钟。钟声没有把学生招来，却惊醒了睡梦中的村长老万。老万慌慌张张地跑来说，忘了跟你说了，刘校长一病，学生都散了，现在得挨家挨户去找。要不，人家还以为是哪个放羊娃敲着钟玩哩。

找了一天，通知第二天开始正式上课。到第二天老万来讲话的时候，还有三个学生没有来。

学校一共在籍学生三十五名，其中一年级五名，二年级六名，三年级九名，四年级八名，五年级七名。他们都坐在一间教室里，分别面对着四面墙。教室的四堵墙上各有一个黑板，一二年级合用一块，三四五年级各用一块。于是三十五个学生就被这四块黑板分成四个小小的方阵。对这样的格局，王方林是熟悉的，他就是在这个方阵里，望着东南西北四块黑板，走出平川，去乡里上了初中，又去县城读了高中的。

七点钟，所有的走读生都到了，一进教室，大家就开始议论奶牛生病的事。王方林本来已经一筹莫展了，见早读时间大家又说奶牛的事，不知怎么，心底就生出一团火，走进教室拍了几把桌子，叫五个年级的学生各自把前一天学的课文背下来，谁背不下来，不准吃中午饭。

王方林刚刚说完，五年级的万小芳就站起来说，报告老师，陈家去年娶回来的新媳妇前天生了，她人瘦，奶少，要不要把学校的牛奶卖给他们一斤？

万小芳是村长老万的孙女，和她爷爷一个样，心直口快，说话大嗓门。

万小芳刚刚说完，好几个同学就嚷嚷说，万小芳，你不知道吗？奶牛病了，已经没有奶了。

一说奶牛病了，没有奶了，几个同学就从书包里取出打奶的瓶子对王方林说，王校长，奶牛没有奶了，咋办？

王方林说，你们先背课文，我这就去找人给奶牛看病，说不定一会儿就好了。说完就指定班长、五年级的王小丫把课堂秩序维持好，如果到放学的时候他还不来，就由她查查背诵情况，背不下去一律不准吃饭。王方林刚出教室，身后就响起一片哇哇的诵读声。

去年“六一”，乡上搞迎新世纪大庆，各小学都去参加。王方林也领着平川小学的学生去乡里待了两天。回来的时候，王方林向教委主任张嘴，问能不能给几张课桌板凳什么的。主任正为乡上奶牛场给“六一”活动赞助的一头奶牛没法饲养的事发愁呢，杀不忍心，王方林这么一说，主任就顺水推舟把奶牛送给了平川小学。

一头奶牛搁在乡教委是个累赘，到了平川小学，就成了个宝贝。尽管这是一头被奶牛场认为是残疾的奶牛。村长老万当时摸着黑白相间的花奶牛说，这牛虽然是一头母牛，但它的后胯太小了，生牛犊十有八九都活不了。结果一打听，果然这头牛一连生两只牛犊都死了，是奶牛场在确诊它是残疾牛后才赞助给教委的，要不然，一头母牛五六千哩，能舍得？

奶牛刚刚生过牛犊，乳房虽然小一点儿，但一天也能挤出十来斤牛奶，几个住校生的早点就由开水泡馍变成了牛奶泡馍。奶牛在平川得到了前所未有的精心照料，不几天，奶水就多了，一天挤二十斤都不止。学生喝不完，又无法保存，王方林就去村里一些条件好一点和有老人有小孩的人家，一斤六毛钱订出去好几斤，每天由学校的学生负责取送，年底结账。去年底，王方林用这笔钱新打了两张课桌，钉了八只小板凳，买了两箱粉笔，开春还交了两个贫困生的学费，订了两份报纸。平川小学的日子，真的因为一头奶牛的到来而活泛起来了。

王方林出了学校篱笆扎成的围墙，去找村长老万。

老万是平川村的能人，谁家有个什么事，都喜欢找他拿拿主意。王方林来到老万家的时候，老万正拉着三头羊出门，王方林也顾不上跟他客套，就直截了当地说，万村长，学校的奶牛病了，你快帮我去看看吧。

老万也知道一头奶牛在平川小学的分量，穷村办学，一根针都得当大梁一样珍惜。老万在平川干了几十年村长，这个学校从无到有，差不多就是一根针一根针这样积攒起来的。好容易盼到上面给了一头奶牛，王方林又可着劲地把它变成了一个小银行，这下奶牛病了，在平川当然不是小事。他是村长，这事村长不管谁管?

老万把羊交给老伴，自己去屋里拿了两包碾细的，据说是包治百病的草药和给牲口喂药的灌角，便跟着王方林快步向学校走去。太阳亮晃晃地照着，地上已经返潮，每一脚下去都留下一个深深的脚窝，像踩在女人肚皮上，给人的感觉是大地软绵绵的，向前迈了一步，仿佛又给退回半步来。这样，他们跑到教室后面牛棚里的时候，额头上都渗出密密麻麻的汗珠。

奶牛看见老万过来，仰了下头，似乎是深深吸了一口气，眼睛里也有了光彩。老万握住牛缰拉了拉，奶牛又向前走了两步。老万又伸手在牛头上拍拍，奶牛温顺地伸出舌头舔了舔自己滑腻的鼻头和嘴唇。老万让王方林拉住牛缰，他自己掰开牛嘴唇看，看完了，又摸了摸牛的耳朵，摸完牛耳朵又分开牛的眼皮细细地看。做完这一切，老万望着王方林焦急的眼神，喃喃地说，这牛不像是有什么病的样子呀?

王方林说，肯定病了，要不它晚上连一口草也没有吃，也不喝水，连料也不吃，它往常可不是这个样子的。

老万自己也纳闷，说让我再仔细看一看。

老万又转到牛屁股后面，扯起牛尾，这时候王方林听见老万呵呵呵地笑了。老万说，王校长呵，怪道你说牛病了哩，原来是这回事。王校长，你得给花奶牛找头公牛了，人家是想婆家啦。

王方林脸腾地一热，走过去看时，奶牛下身果然有些红肿的迹象，高高悬起的那颗心才慢慢落了下去。这时候正好是课间十分钟，学生们也都围了过来。万小芳听爷爷说要给奶牛找婆家，就不高兴地跑过去拉住老万的手说，奶牛都病了，还给奶牛找婆家呀?

老万摸了摸小芳的头说，傻女子，找到婆家，它的病就自己好了。

万小芳却嘟起嘴巴说，我就不相信，爷爷就会骗人。

五年级的张磊听说要给花奶牛找婆家，他知道给牲口找婆家就是配种，自告奋勇地大声说，陈三才家有匹马，我爹给我们家的草驴找婆家时，就是找那匹马配的种，要不要把花奶牛也拉过去，说不定配一配就好了。

另一个男生马上说，马可以配驴，马配了驴能下骡子，可马不能配牛。

眼看着两个男生就要为马能不能配牛的事嚷起来了，恰好王小丫把上课钟敲响了，王方林吼了一嗓子，学生们就一下散了。

王方林冲跑散的学生喊，背不下课文，小心饿你们肚子。

花奶牛的问题清楚了，不是病，是发了情了。可村里没有人家养公牛，老万抽着莫合烟说，王校长，你得去乡里一趟，畜牧站上能搞人工授精，种子纯度高，生下牛犊品种好，可一颗精子要一百多块哩。要不就找找奶牛场，人家的公牛配一次也要八十哩，不过是不是纯种就说不上了。

王方林说，万村长，我这里课紧，要不麻烦你跑一趟，再说配种的事我也不大懂。王方林的确是对配种这样的事感到难为情，他一个老师，拉着一头发情的母牛去配种，这算什么事？

老万呵呵笑着说，你只管拉去就是了，又没有你啥事，跟你懂不懂没关系。说着老万就转身往回走，说还有两亩洋芋没有下种哩，春天的时间不敢耽误呢。

再难为情，这一趟王方林也得跑了。老万说了，牛的发情期短，要是耽误了，花奶牛空一年肚子，平川小学损失可就大了，一头牛犊就是一千多哩，要是母的，两千也挡不住。这些钱，学校能办多少事？

王方林去宿舍收拾了一下，从教室把班长王小丫叫出来，让王小丫通知各年级，把前两天学的课文全部抄一遍，叫王小丫中午不要回去了，把住校生的饭做上。要是下午放学他还回不来，也把住校生的晚饭做上。王小丫嗯了一声，王方林刚要走，王小丫又问，中午放学背诵课文的情况，检查不检查了？

王方林说，算了吧，就按时放学吧。

花奶牛出了村，走起路来竟然洋溢出无限的兴奋来。

太阳已经升高了，风中已经有了一丝潮湿的气味。王方林甩着一只手，一只手里攥着牛缰绳，但花奶牛是用不着牵引的，它的四只蹄子敲打着路面上的石子，和王方林的步子完全地统一起来，它和他行走所发出的声音，都达到了近乎完美和谐的程度。通过近一年的接触，花奶牛已经很看重王方林这个两条腿走路的朋友了。在王方林喂草或者挤奶的时候，它会伸出满是刺钩儿的舌头，舔舔他的手或者他的脸，表示一下它的友好。他那样地对它好，它就要多多地为他产奶，一个人和一头牛，就这样轻而易举地沟通了。

花奶牛吃的草，挤出的却是牛奶，这给了王方林莫大的慰藉。他没有想到奶会从花奶牛的四只乳房里源源不断地流出来，并且显出无限丰沛的样子。王方林看着这个几乎是家徒四壁的平川小学，看着那排历经了无数风雨的土坯房子，渐渐地从这头黑白相间的花奶牛身上看到了希望。这是一头怎样的牛啊，它的两边脸是黑色的，从鼻梁向上又变得雪白无比，身体的大部分都是白色的，但中间却有大大小小十来个不规则的黑斑，像白色的绫罗上又缀上了黑色绸缎。它的四只蹄子也是黑色的，配上四条白腿，宛如城里女人穿上了白色的紧身裤和黑色的高跟鞋。这样一想，花奶牛再悠闲地嚼着青草的时候，王方林就能从它的眼睛里看出几分女性的妖媚之气来。比如爱美，它总是在吃饱喝足之后用它那长长的带刺钩儿的舌头梳理自己的皮毛，而它的嘴巴鼻头，总是湿漉漉的，看上去像涂了无色的唇膏。还比如虚荣，它会在它认为最寂寥的时候仰起头长哞几声，等有人围过来了，它就兴高采烈地吃草。你挤完奶了，用手摸一摸它的头，它脸上就露出趾高气扬的神色来，它把摸它的头当作是主人对它的嘉奖，因此骄傲了。

出了山，就是无垠的戈壁。太阳光像水一样从高空上泼洒下来，光芒被溅得四分五裂。那些阳光的碎片溅到石头上，那些黝黑的石头也开始发光了，一条小路被车轮和马蹄碾压得坑坑洼洼，那些沟沟坎坎仿佛人精心设计过一般。这一切在王方林的眼中，已经没有什么稀奇的了，他面对戈壁，如同南方的渔人面对无边无际的大海，大海在渔人眼里是神秘的，也是美的。戈壁也同样以它的深邃和广袤在西北人心里深深地扎下了根。它是西北人心中的一个伤口，一处魂牵梦萦的痛。王方林的眼睛在一对镜片后面闪烁着，五年来，他仿佛就是在这样一次次面对戈壁的时候，由一个孱弱的少年郎变成一个硬邦邦的青年的。他没有想到自己这副瘦削的肩膀，竟然能将平川小学这副并不轻松的担子挑了五个年头。

只有在面对这空旷戈壁的时候，王方林才有机会来重新思考自己。自己每月百十元的薪水和每天面对的五个年级三十几名学生，还有一大堆杂七杂八的事，这笔账应该怎样来算，连王方林自己也越来越糊涂了。或许这五年来，这道题王方林就压根儿没有算过，或者说是他无暇顾及。王方林甚至默认了村长老万的一句口头禅："平川就是这么一个地方嘛！"是啊，平川就是这么一个地方嘛，地薄，能活人，但不富人，像当年曹操碗里的那块鸡肋，食之无味，弃之可惜。王方林很自然地秉承了刘校长的兢兢业业，但他任劳，却不任怨。他不想让平川小学就这样半死不活地维持下去。这几年，平川学生的成绩已经一年一个台阶地上去了，去年在全乡十二个小学中，排在了第五名，结束了平川自有学校以来总是倒数一二名的历史，双科合格率也首次达到了百分之百，但校舍的现状却是王方林的一块心病。五个年级一间教室，全县也是绝无仅有啊。劳累、报酬都还在其次，长此以往，是要误人子弟的呀。有了花奶牛，王方林似乎看到了一个亮点，如果花奶牛再能怀上牛犊，那对于平川小学来说，又将是一个天大的喜讯。

戈壁风擦着地面刮过来，碰到石头草墩什么的，整片的大风就给撕出几道口子，呼呼的风声中便掺入几声尖厉的呼啸，似乎是因为疼痛而发出来的。被撕开了口子的风开始在空中飘舞，一些细小的沙粒也给带了起来。远远看去，天地间浑黄一片。花奶牛大概已经感觉到饿了，王方林也觉得肚皮贴到了后背上，嘴里也因为渴而变得黏黏糊糊的，甚至嘴唇上也泛起了一层干皮。戈壁行路最怕红日头，最怕刮风，然而，这又是没有办法的事。

快走出戈壁的时候，有一段草坡，王方林就停下来，自己想躺着休息，叫花奶牛吃草，平日里无人问津的黄芦苇，这时候也成了花奶牛的美食。躺在高坡上，不远处的村庄已经能够看见了，看见了村庄，就有一股温暖袭上心头，到了那里，至少可以讨一碗水喝了。往常王方林出山，要么是坐别人家的马车，要么是骑自行车，都没有感觉到这条路这样远过，再不好走，也不就三十里路么。可今天，他却觉得这三十多里是一个不小的数字，放在两只脚下，是一段不短的距离。

进了村庄，王方林反而不怎么渴也不怎么饿了。他拉着牛从村街上走过，有人认出是平川小学的王校长，都跟他说话，哟，是王校长哇，你拉一头牛去做什么？王方林不能回答是去配种，他说不出口的。但又不能不回答，于是他灵机一动，说牛病了，去给牛看医生。人们一听说去给牛看医生，而不是去看病，都觉得新奇，等准备再问些什么的时候，王方林已经拉着牛走过去了。王方林拉着牛快步向前走着，哪里还有讨水喝的心思。走进畜牧站那处僻静小院的时候，他已经一身一脸都是汗水了，看了看天色，太阳也已经挂在了西边的杨树枝丫上，时间差不多是下午五点了。

畜牧站的技术员是个女的，大约三十岁，脸看上去很白很细腻，一件白大褂从肩上罩下来，但依然能看出她不俗的身材来。女技术员让王方林把花奶牛拉到一个木架里，并用绳索将牛的四条腿在四根木柱上捆了个结实。花奶牛没有想到主人会这样对它，等它想起来要挣扎几下的时候，已经迟了，眼睛里便有了要流泪的意思。做完了这些，技术员把王方林叫到一间屋子里，要王方林办手续。办手续就是交钱，果然如老万所说，一颗精子一百五哩。王方林在几只口袋里摸索了半天，一数，才八十多，就对技术员说，可以到教委领工资，遂下意识地抬头看了看西去的太阳。女技术员笑笑说，你是老师？没有关系，再说牛当天配了种，不能跑路，我们还要观察几天，等胎坐稳了，你才能拉回去。这样吧，过一星期你来拉牛，可别忘了把钱带足。

王方林试探着问，能不能再便宜一点儿？女技术员露出一口米粒样的碎牙笑着说，这是进口纯种，不贵，国家已经补贴了，小牛犊生下来能卖三四千呢，其他品种的一千也卖不到，不会亏你的。王方林提醒说，这牛不是自己的，这是平川小学的牛。女技术员说，哟，你是平川的，这么老远，谁敢亏了你呀，那不亏心吗。王方林出门的时候又说，别忘了每天两次挤奶，要不奶憋干了可就完蛋了。

女技术员也从屋里跟出来，她走过去捏了捏花奶牛的乳房，笑嘻嘻地说，好大的乳房呀，一天挤三五十斤不成问题，这样吧，我挤了你的牛奶，它这几天的饲养费我就不朝你要了。王方林又说，那你可给它吃饱喝足。女技术员说，放心吧，年轻人。她这么说，仿佛自己已经不年轻了似的，王方林又看了一眼女技术员，在心里再次判断，她最多超不过三十五岁，不算老呀！

王方林出畜牧站大门的时候，眼窝里猛地酸了一下，他听见花奶牛在木架那边无能为力地挣扎着，还长长地哞了两声。他竟觉得这样做很对不起花奶牛，好像是自己把它送到了一个不该来的地方了，他想走过去向花奶牛解释一下，转念一想，牛又不是人，解释了它能听懂么？就在眼睛上抹了一把，快步走远了。

乡街是一条铺满石子的街道，各家店铺门前，都有倾倒过污水的痕迹。太阳已经不高了，王方林便小跑着去了乡教委的小院。会计老陈正准备锁门回家，王方林腾腾跑来的声音吓了他一跳，眼镜也滑到了鼻尖上，忙抽出一只手扶正一看，说，哟，王校长呀，你怎么现在才来，再迟一点儿我都要下班啦。说着重新打开门，两人走了进去。老陈提壶要给王方林倒水，王方林起身推辞。老陈说，你这么远这么辛苦地来了，能连杯水也不喝吗，教委再穷能少了你王校长一杯水吗？倒了半天，却没有倒出水来，壶是空的。老陈脸色看上去有些尴尬，说，的确连水也没有了，王校长，你看这多不好意思呀。

王方林说我不渴，我真的不渴。

老陈看了看表，说现在已经迟了，我手里又没有现金，开了支票你也取不到钱，银行已经下班了，你就在乡上住一宿吧，明儿领了工资再走。王方林说，我是给奶牛看医生顺便来的，所以迟了。索性就迟几天吧，反正过几天我还要来牵牛回去的。说完就把几张表格放下，与老陈告别，老陈叫王方林去家吃了饭再走，王方林说不了不了，就出去了。老陈因为刚才倒水的尴尬，也没有再挽留。

天说黑就黑了，走到街口上，星星也能数出几颗了。王方林的胃里好像有一百只手在胡抓乱扯，有一家看样子是新开的馆子，招牌里晃着个灯泡，里面亮着灯，能看见吃饭的桌凳，王方林眼睛里都饿出绿光来了，他快走了几步，几乎是跌坐在了那张木凳上。

一盘炒面，王方林用足气力说，再来一瓶啤酒。

不多时，操作间一小窗口传出一个男中音，好嘞，来啦，一瓶啤酒。

王方林接过打开的啤酒瓶吹了一口，听见面前的矮胖子叫了一声，王方林，是你呀他妈的。王方林定睛一看，也不觉叫出了声音，李小龙呀，好小子，你不是在县城抡大勺吗，怎么？自己给自己当老板啦。李小龙朝操作间的小窗口喊了一声，炒面不要了，小琴，上红焖羊肉，咱老同学好好叙叙。说着他又去里间提来两瓶啤酒放在桌子上。李小龙是王方林中学时候的同桌，初三毕业王方林去上高中，他跟着一个大师傅去学厨子，在县城的时候他们还见过几次面。李小龙学数理化不行，学厨子抡大勺却进步挺快，跟了两年就学会了配菜，三年工夫听说就能独当一面了。

两杯啤酒下肚，李小龙叹出一声说，外面受气呀，不如自己干，自在。

吃完了两盘子红焖羊肉，拉扯完了这三年五年的过去，喝掉三瓶啤酒，已经十点钟了。王方林起身要付钱走人，被李小龙一把推开了。李小龙说现在是自己的店自己做主，再客气就是你这个校长看不起我这个老同学了。两人拉拉扯扯的，免不了又说了些有情后补之类的话。出了门，街上的夜色已经很浓了。李小龙看了半天，惊慌失措地问，你的摩托车哩？王方林打了个酒嗝说，我是跑着来的，还跑着回去。李小龙吆了一声说，看把我吓的，我以为你骑摩托车来的哩，最近这条街上丢了好几辆摩托车哩。王方林说，我这两条腿不怕丢。李小龙说，你不是校长吗，咋还跑着来乡里，摩托车哩？王方林不好意思说啥，支吾道，平川嘛，穷嘛。

王方林还没有拐出乡街，李小龙又从后面骑摩托车追来，要王方林骑着他的摩托车回去。跨上摩托车，车灯一下就将远远近近的路照得白洼洼一溜子，尽管王方林不敢开快，但还是有了一种飘飘然的感觉。他甚至想，如果花奶牛能变成一辆摩托车，又能骑，又能挤出牛奶来，那该多好哇！

早上住校的学生起床去牛棚那里撒尿，没有看见花奶牛，知道今天早上的牛奶又喝不到了，失措得很，就去敲王方林的房门，问老师奶牛怎么样了。看见王方林门前放着一辆红色摩托车，都感到好奇。学生们的举动吵醒了睡梦中的王方林，一看表果然不早了，就慌慌地起来，一边去伙房点着了火，再迟学生们早点就吃不到了。今天的早点是玉米糁子稀饭，同学们皱着眉头喝，都只喝了小半碗，最后还是剩下半锅。倒是王方林自己美美地喝了两大碗，额头上还冒出了一层汗珠子。

七点钟上早操，钟声过后，王方林的哨子就响了，在教室门前的空地上，学生们按年级排成歪歪扭扭的两排。今天王方林加大了学生的运动量，喊了齐步走一二一后，只走了一圈就喊了跑步跑，一二一，一二三……四。别看是乡里娃，一刻钟下来，有一半已经吃不住了，坐在教室里动也不想动。上完早自习，王方林问谁的肚子现在饿了，举手，结果八九个住校生都举了手，说肚子饿得坐都坐不住了。课间十分钟，他们就风卷残云般将剩下的那半锅玉米糁子稀饭喝了个精光，有两个男生还为喝多喝少争执起来。

上课的时候，王方林向全校学生训了话，他说，牛奶是比玉米糁子稀饭好喝，但在没有牛奶的时候，还必须吃玉米糁子，不然就得饿着。因为牛奶在平川不可能是经常有的，不要喝了几天牛奶就嫌玉米刷嗓子，甚至说不要到新社会，就忘了旧社会的苦。说完了，又发现旧社会的苦是啥样的，连他自己也不知道。就这样上上下下地说了十来分钟，王方林像惯常一样对学生们发问，你们听懂了吗？

同学们立刻回答说，懂了。

王方林觉得这样的发问有些奇怪，而学生们的回答更叫他哭笑不得。于是便再问，你们听懂了什么？

学生们回答说，在没有牛奶喝的时候，玉米糁子稀饭也要全部喝光。

学生们说完，王方林就哈哈哈地笑了，接着教室里便响起了一片哄笑声。早上第三节课的时候，万小芳从教室后面跑过来对王方林说，王校长，王小丫可能是病了，她流了好多血，她现在在牛棚那里哭哩。万小芳这么一咋呼，同学们都往门外拥，被王方林一声吼了回来，自己急匆匆向教室后面走去。

王小丫靠着牛棚后面的一截矮墙站着，脸上挂着两行眼泪，见王方林走过来，她就抽噎着哭起来，头也深深地埋在了胸前。

走近王小丫，王方林压低声音问，王小丫，你哪里不舒服呀？没想到这一问，竟然把王小丫给问哭了，眼泪哗哗地掉在了地上，一串一串的。王小丫一哭，王方林心里就一阵难受，便不再说什么，开始仔细端详起眼前的这个女孩子。王小丫是王方林刚从县城高中回来那一年动员来上学的，因为是女孩，她爹本不打算让她上学的，王方林白天黑夜地跑了七八次，王老贵才放女儿来上学，快十岁了才上了一年级。到了五年级，王小丫看上去已经差不多和王方林一样高了，只是身子单薄一些。这样一想，王方林脑海里即刻掠过一丝什么，他马上想到了上初中学过的生理卫生课。眼前的王小丫，莫不是来那个了吗？再看王小丫的裤腿根部，果然洇出一些隐隐约约的血渍，很显然这都是因为王小丫没有经验毫无准备所致。王方林这才放心了，女孩来这个不算什么病嘛！

王方林拍拍王小丫的肩头说，你不要害怕王小丫，你这不是病，这是你长大了，姑娘家长大都是这个样子，你不要害怕，哈！

王小丫的哭声渐渐停了。王方林说，这节课你就不要上了，但也不能待在风地里，你到我的屋里去吧，你要记住，这几天你千万不能受凉吹风，也不能动凉水，要不然会肚子疼的。

王小丫迈着小步跟王方林来到他的屋子里，王方林又飞快地从床下的纸箱里找出那本生理卫生的小册子，要王小丫自个儿在屋里翻一翻，说完就出门上课去了。

中午放学，王方林叫王小丫给住校生煮糁子饭，自己骑上摩托车去邻村的一个供销店，先买了两包卫生巾，想了想，又买了两条女孩子穿的紧身短裤。他知道，乡里孩子小时候是很少穿短裤的，有时候穿，也是那种宽宽大大的旧裤子改做的，根本不适合放卫生巾。买回来，王方林就让王小丫把短裤和卫生巾都换上了。

当王小丫从王方林屋里走出来的时候，他自己却有些不好意思起来。王小丫脸上明显地涌动着兴奋的神情，王方林问好了么，王小丫垂下头小声说好了。王方林又说，你每天早上起来都要换片卫生巾，过上三四天就好了。过了一会儿，他又说，这几天的早操，你就不要上了，你这几天除了不能动凉水，不能受凉，还不能干重活。王小丫喃喃说，老师，我记住了。

从这天起，王小丫好像真的长大了一样，有时候天还没亮，她就来学校了，等王方林起来，她差不多已经帮他把住校生的早饭煮好了。学校有什么事，能看到的，她都抢着干。

过了一个星期，花奶牛又被王方林牵回来了。牵回来的花奶牛还和原来一样能吃能喝，乳房跟着丰硕起来，奶挤得比先前更多了，早晚各一次，居然能挤出六十斤来。村民订的和学生早上喝的加起来也用不了一半，王方林就想到了李小龙。于是李小龙餐馆的早点就由稀饭变成了牛奶。一斤五毛批过去，李小龙也有赚头，每天下午叫人骑摩托车来取。这样一来，平川小学的牛奶问题就算解决了，王方林和学生们都非常高兴。

三月过去，四月的平川就绿了。

学校的工作说忙就忙了，五年级的学生要升中学，四年级的要升五年级，以此类推，下学期又要招新生，并且教委通知说，这一学期要进行全省统一考试，还要搞评比，这样就更不能马虎，王方林一个人忙得团团转。

一个星期天，老万让万小芳带话给王方林，要他中午去村上磨坊去拉面。中午吃过饭，王方林就骑着自行车去了村里。

村民们日子过得紧，村上提留款也没法缴，但又不能长久拖着，因为提留款差不多就是发给王方林的教学补助，不缴太亏人心。反正王方林也要吃粮，老万就想了个折中的办法，村民们谁家磨面的时候，就给王校长一袋面，算是抵了村上的提留。王方林的补助，村上也就这样有一搭没一搭地算是发着了。从磨坊弄了一袋面回来，王方林发现宿舍门前的晾衣绳上晒满了衣服，走近了，才看清是王小丫在帮他洗衣服。开学到现在快两个月了，他的脏衣服都堆在床上，这件脏了就穿那件，将所有的衣服都穿过了，再从头拣干净一点的穿起。王小丫的大辫子垂在后背上，搓衣服的时候，辫子就在阳光下闪着黑瓷一样耀眼的光芒。

过了一会儿，王小丫回过头来，说了一声，王老师你回来了。

王小丫说今天家里没有什么事，她妈叫她送些菜过来，看见他满床的脏衣服，就动手洗了。王方林看时，地上果然放着两个塑料袋，一袋水萝卜，一袋小油菜。说着王小丫又打开桌上的两只扣在一起的盘子，里面是两张葱花油饼，说是她早上自己烙的，要王方林尝尝香不香，说完她就一扭头出去了。

平川是个山洼洼，四月的天气，中午就热得叫人有些招架不住。冬天结了白冰的小河汊子，现在已经绿茵茵的了。狼吞虎咽地吃完了两张葱花饼，王方林决定拉着花奶牛去踏青。这时候王小丫已经把衣服洗完了，王方林就用小桶打了半桶牛奶，叫她拿回去给她妈补身子。王小丫不拿，说你用卖牛奶的钱为我缴学费书费已经很不容易了，我哪能还再往家提牛奶。王方林说，学校不也常常叫你帮忙吗，又是帮住校生煮饭，又看学生的。王小丫说，我不是班长么。王方林说，反正你做的贡献远远比这半桶牛奶多。王方林知道，王小丫的母亲是个病身子，一到冬天就要死要活的，家里一年下来弄几个钱，也全花在她吃药上了，要不是王方林跑得紧，王老贵去年就不让王小丫读书了。

王小丫提着奶桶，王方林拉着奶牛，他们并排向河汊子走去。春天的气息已经很浓了，河泥的腥味和青草的味道一缕一缕地钻进鼻孔里，远处的田里，麦苗已经

出齐，大地上滚动着无始无终的迷人清香。北面的大山露出褐色的脊背，这些耸立在西部大地上的山脉，与别处的山是不同的，山上没有树，也没有草，只有光秃秃的山丘一座连着一座，显出连绵起伏的样子来。因此北面这座山，就被平川人唤作胛瘦山，意思是显而易见的了。不长树不长草的山，必定瘦嘛。

花奶牛面对青草的冲动仿佛乞丐见到了金元宝，恨不能再长出几张嘴来。王方林要王小丫回去，今天天热，牛奶不赶快煮熟，就会变质的。王小丫犹豫再三，欲言又止，什么也没说出来。王方林似乎感到王小丫是有话要说的样子，见王小丫转了身，便不好再开口。

平川小学就那么一排矮矮的房子，算起来一共有四间，一间是王方林的宿舍，一间是住校生宿舍，一间小伙房，一间稍微大一点的就是教室。自从去年乡教委给了平川小学一头牛，王方林又带着学生在教室后面搭了间牛棚，牛棚旁边用小河边的老芦苇架了几道篱笆，坐北朝南男左女右算是有了厕所。冬天再不会被风吹得屁股生疼了。

下学期入学的一年级学生，大约有十五个，而这学期五年级只能出去七个，这样一来，入学新生的课桌板凳都成了问题，更要命的是，这一间小小的教室已经无法再容下一张课桌了。再说这排房子吧，也因年久失修，露出一些将要倒塌的迹象来，从房子的年份看，要不是平川这地方干燥，怕早倒了几十回了。这是平川村大集体时候的大队部，村长老万不止一次地感叹说，要不是把大队部变成学校，平川村也不至于连一张村长坐屁股的板凳也没有哇。王方林就说，那好，你给我修一座新学校，我把你的老窝还给你。老万就呵呵地笑着说，村里这么穷，连你的补助都兑付不了，哪里有闲钱修衙门哩，再说要是修了，我难道不知道挪个新地儿？喜鹊还知道一年换一个新窝哩。

乡上对平川村一直没有村委会办公室很不满意，一级政权哩，什么样子。几次催着要老万修几间，没钱就从农户头上摊着收，老万死活不干，说平川百姓日子过得苦焦，不比山外人，地里能打粮，农闲还能挣两个活钱。最后没办法，上面拨给了老万两万块钱，叫他把村委会修起来。可老万却用这两万块钱打了一眼深机井，修起了自来水塔，各家又出了几个钱，自来水就通到了一家一户，结束了平川人一年四季吃咸水、五冬六夏拉稀屎的历史。

把上面的钱没花到地方上，不好交差，老万就装模作样地骑着毛驴去辞职，被乡长骂了回来。老万说，再能从上面弄点钱，我就打算把学校修一修。王方林盼了几年，老万连一分钱也没有弄来。一句话，现在上面的钱，也不容易要上。老万说，得拿钱要钱，这世道，㞞。这一声说得意味深长。

这几年就这么凑合过来了，眼下是再也凑合不成了，再说这样五个年级用一间教室，教学质量也上不去，课堂秩序再好，还是有点乱，这边听老师讲课，那边做作业，学生们年龄小，肯定免不了要心猿意马。

自从修了水塔，老万就在水塔边的小井房里摆了一张桌子一把白木椅，开始在那里办公，连带着一天两次三次地开电闸给水塔上水，村里谁有什么事，就去那里找老万，一找一个准儿。

王方林去找老万的时候天色已经黑下来了。老万刚刚给水塔上满了水，准备锁门回家，一回头看见身后立着个人影，吓了一跳，老万眼睛不大好，一到晚上不用手电就寸步难行。老万问了一声谁，王方林答了一声，老万已经从声音里听出来了，说，哦，原来是王校长，天这么黑你怎么来啦？

王方林走近了说，不是白天忙么。

老万又重新把门打开，摸索着拉开电灯，招呼王方林在木椅里坐下，自己半躺在旁边的一张小床上，摸出一张报纸条，撒上些烟丝开始卷烟。王方林把提来的半桶牛奶放在桌子上说，万村长，学校的事，得放到您的议事日程上了，要不然下学期一开学，学生可在哪儿上课呢？老万卷好了烟，哧地划着火柴点上，深深地吸了一口。王方林看见老万的眉头锁得紧紧的，眼睛也眯成一条缝，脸上的皱纹拉得一道比一道长。王方林看着老万咂了一口烟，不说话，又咂了一口烟，还是不说话，就有些急了，屁股在木椅里哪里还能坐得稳，两腿一伸就站在了老万面前。

再这么弄这学我也没法教了，要啥没啥，连教室都不够了，你让我咋个教法？王方林一急，竟然跟老万气上了，戗了老万几句。

老万把烟从紫黑的嘴唇上挪开，抬起眼皮说，王校长，你先不要急么，我这不是也在想办法嘛。

王方林停了一会儿，重新坐到椅子里说，你这不言不喘的样子，我看了能不急吗，上面要抓入学，学校又没有地方容纳学生，你叫我一个穷教书的怎么办？

老万说，这事我也想过了，村上没有钱，可以想想没有钱的办法，动员村民们出点力，弄些土坯。可墙基上得用砖，砖得从山外拉，就是用牲口拉，砖也得拿钱买，还有水泥、木料这些哩。说完老万又咂了一口，烟就剩下个短笨的屁股了，老万还是不肯扔掉，硬是又咂了两口。烟火在嘴唇皮肉上呲的一声，他才惊慌失措地朝地上呸呸几下，身子也跟着坐了起来。吐完了，用手抹一抹，又摸出一张报纸条，撒上烟丝，再卷。

小屋里弥漫了呛人的莫合烟味，是辣，是苦，王方林一时难以分辨清楚。

老万把烟卷好了，才又说，王校长，你再到教委那里跑一跑，让他们从乡上的角度也给平川支援一下，众人拾柴火焰高嘛。平川的穷是全县都挂了号的，我这个村长当了几十年，连纸烟棒棒都抽不上，也就是办了修水塔这一件好事，眼看着我也是土埋脖子的人了，我早就想，把学校修好了，这个村长我也不干了，老啦，得有个年轻人出来扛平川这杆旗。我老了，不行了。

王方林说，上面我抽时间跑，别的办法，你我都得想一想，总的预算我拿出来了，咱们再扯一扯。

老万说，好，我先在村民中间吹吹风，过些日子咱就开会做动员。

两个人出了水塔小屋，锁上门，夜已经黑得伸手不见五指了，好一会儿王方林才适应。走路的时候老万打开了手电筒，到了稍微平一些的路面，老万怕费电，就关掉了。到家门口，老万要王方林进屋，王方林说不早了，改天吧。老万说你等一会儿，进去倒了奶你把桶拿上。

出来的时候老万给王方林提了一桶鸡蛋，王方林说啥也不好意思拿。老万有些动情地说，拿上吧，要不是我把你硬从县城弄回来，你这会儿早在城里大机关坐着了，哪里用得了受这份儿苦。说起来，是我对不起老王兄弟呀！

一说起父亲，王方林心里也酸酸的，他怕眼泪流出来，就说，万村长，你什么也不要说了，我做的一切我愿意。说着接过老万手里的小桶，扭头走进黑暗里。

走不多远，王方林就发现自己的眼泪正像房檐上的雨珠子一样，接二连三地往下落。

因为打算要去一趟乡上，是去递报告说事情，要花一点儿时间，这就得赶课，连星期天也用上了。

王小丫好像一夜之间长大了，听说王方林在着手兴修学校的事，她就把一天两次挤奶的任务主动承担了下来。每天下午活动课，全班同学都提着筐子去给牛割草。五年级四筐，四年级三筐，三年级和二年级各两筐，一年级能割多少是多少。自从配过种以后，花奶牛越来越能吃了。它吃得多，奶水也挤得多，这个关系是成正比的。因为平川小学喂牛的饲料中没有加添加剂，奶水质量好，李小龙那里的牛奶也增加了订量。每天活动课，王小丫就开始挤奶，她的两只手各握住一只奶穗，一上一下，一捅一挤，动作协调一致，看上去倒比王方林娴熟。等挤干花奶牛那只巨大的乳房，她往往也要热出一头一脸的汗来。那时候的花奶牛，总是一副很惬意的样子，像个功臣，眯起眼睛嚼着草，一脸幸福的神情。

王方林去乡上这一天，让五年级到校复习，其他年级放假。一是因为五年级今年就要小学毕业了，不能松；二是要有人割草喂牛，还要挤奶。现在五年级的学生在王小丫的带动下差不多都学会挤奶了，这帮了王方林不少的忙。

一谈起钱，几乎所有的人都会皱眉头。当王方林把那个关于平川小学新增校舍的报告递给教委主任的时候，胖主任刚刚还阳光灿烂的脸一下子就阴云密布，眼睛不是眼睛鼻子不是鼻子的，难看得很。刚刚还有说有笑的，一下子就严肃得没有了声气，肚子里还憋了一口气，胸膛那里看上去也是鼓鼓的。这时候王方林应该知道事情已经很不妙了，但王方林却还在眼巴巴地等待着一个结果。

教委主任憋了半天，开口道，钱钱钱，教委哪里有钱？老师工资都已经五个月没有着落了，这些日子一提钱我就烦，顿了顿，又说，不是去年刚刚给了你们一头花奶牛么，一头奶牛四五千还修不了一间教室？村小是以村办为主，人家老万怎么不着急？老万怎么不来？村上怎么不出钱？胖主任一连问了几句，王方林知道人家已经生气了，就不好再说什么了，只好起身告辞。

到了李小龙的店里，王方林不免流露出一些垂头丧气的样子，李小龙一眼就看明白了，用手指敲着桌面说，你这个校长咋当的，有你这样空着两只手要钱的呀？你这样子去十次吹十次灰。王方林无话，做出无计的样子。李小龙说，这么吧，中午你在我这里摆一桌，把教委的头头都叫过来，叫他们开个圆桌会议研究研究。记着，去请主任的时候带两条好烟，不然你请人家喝酒，人家都不一定赏脸呢。人家有钱给谁不是给？为啥偏偏给你，全凭这个。说着李小龙把三个指头捏在一块儿搓了搓，做了个装进口袋的动作。

一桌吃掉了三百块，差不多就是卖花奶牛一个月的奶挣的钱。不过果然不出李小龙所料，饭没有白吃，酒没有白喝，胖主任答应考虑考虑平川小学的困难，如果资金上不行，就从实物上支持一些。这样王方林已经很高兴了，人家毕竟是答应了嘛，况且还说如果可能的话，还要把王方林的工资再增加一些。平川小学就王方林一个撑着，辛苦呀。

李小龙告诉王方林说，现在的上下级关系别看平时有说有笑的，你可别以为那就是领导和你关系好，错了，握上十次手，不如喝上一次酒；陪着领导走一走，不如给个小姐搂一搂。王方林说，李小龙，你都是从哪里学来的，一套一套的，你把这新的世纪都说成什么样子了。李小龙说，还用去哪里学，我这馆子差不多就是乡上大小头头的一个会议室，我什么听不到？别看乡里小，麻雀虽小五脏俱全，官场嘛，大小一个样，不过就是档次上有个区别罢了。听得王方林一头雾水，李小龙却拍着王方林的肩膀说，浅了，兄弟，这方面你浅了。

王方林算了一笔账，如果再扩两间教室的话，除去土坯和人工，砖石木料这些下来得五千多，牛奶款收齐也差不多够两千了。如果按花奶牛现在的产奶量，到七月份工程结束，还能收入两千，材料如果能赊一些的话，问题是不会太大的。教委那里只要能给调剂些桌凳就行了。然而事实要比王方林的预料糟糕得多，“五一”刚过，一场雨把王方林已经盘算好的一切全都打乱了。

那是一场小雨，像丝一样，从天空的高处密密地织下来，大概用一个上午才把地上的干土渗湿。远处的山、近处的树木庄稼和草，都被雨水冲刷得干干净净，是那种少有的一尘不染的样子，一切都是清清爽爽的，看了都叫人长精神生力气。平川的这种样子是少有的，严格地说，平川是旱地，进了夏天，水和油一样贵。老天爷这样地开恩，是应该好好思量思量的，但那一天几乎所有平川人都是一脸的得意忘形，久旱逢甘霖，老天爷的冷脸恰恰对到了平川人的热屁股上。有了这一场雨，平川人脸上和心里都觉得舒坦。这种舒坦是能够一眼就看得到的。

毛毛雨下了一夜，早晨起来天依旧灰得瓷实，雨丝儿如情人的眼泪缠绵不绝。

吸饱了水的地面上，脚一下去就把鞋弄脏了。人们猛地醒悟过来，去翻早年的牛毛窝窝和雨靴，走在路上，一片叭叽叭叽的声音。毛毛雨到了中午，就做出将要停歇下来的样子，一层一层粉一样地从天空飘落，只有人的皮肤能够感觉得到。但雨实在是没有停下来的样子，从西面天边嘎叭叭滚过一片雷声，一道闪电从云层里闪出来，天好像给撕开了一道口子，又过了一刻钟，嘎叭叭又是一片雷声，这一次是接二连三地响，像谁在天上点燃了鞭炮。好家伙，平川人可没有听到过这样的雷声，他们都感到一丝心悸，但很快就被丰收的幻影给迷惑住了，有了丰沛的雨水，粮食还不丰收？他们没有人认为这是不可能的事。

雷声滚过去，指头蛋大的雨点就跟着落了下来，湿漉漉的泥土上立刻被砸出了密密麻麻的小坑。一场小雨所酝酿成的大雨就这样初步定局了，时而大时而小，也只能从雨点的大小上分辨出个一二来。黄昏时分雨又小了，但地上已经有了一条条小小溪流，小河里的水第一次漫上了河岸，到了下游，整个草滩上都是泥汤一样的洪水。

半夜时分，熟睡中的王方林被一串串冰凉的眼泪惊醒了，他感到眼泪正从自己的双颊上滑下，那分明是一串串浑浊的眼泪，里面还有泥沙，这难道就是自己的眼泪吗？不，不是的，那一定是父亲的眼泪，只有人老了眼泪才可能是浑浊的。王方林恍恍惚惚，似在梦中，又仿佛醒着，父亲的脸在他眼前晃动不止，像在看一场模模糊糊的老电影。接着他又感到自己浑身已经湿淋淋的了，像是出了一身冰凉的大汗，他猛地一激灵，在床上坐直了身子。眼前的黑暗紧紧地包围着他，但他能听到滴滴答答的流水声，他一把拿过床头边的手电筒，打开一看，地上已经有积水了，房顶上雨水正在一挂一挂地流下来。王方林感到一丝恐惧从心底沿着后背升了起来，他的心被裹得紧紧的。

王方林跳下床冲出门，外面的雨下得正急，他什么也顾不上，一把推开住校生的宿舍，手电一照，铺排开来的大炕上，学生们一个个裹着被子蹲在炕上，哪里不漏雨，他们就往哪里挪一挪。看样子他们已经早就知道房子漏雨了，王方林喘了几口粗气，心里稍稍平顺了一些，没有出事就好。他定了定神，说，你们知道房子漏为什么不叫我？学生们看见老师来了，有几个一二年级的就呜呜地哭上了。五年级男生张磊说，王校长，我们害怕，外面雨这么大我们都不敢出去。刚刚说完，那两个低年级的学生又把哭声升格了，差不多提高了八度，号啕大哭起来。就在这当口，屋顶上有碗大一块泥巴掉在了王方林脚下，王方林将手电移向房顶，房顶上还有许多地方都显出狰狞可怖的模样来，王方林像被什么击了一下似的对学生们吼道，快穿上衣服披上被子到外面去，快，快。一边喊一边给几个一二年级的学生穿衣服。外面雨大，房顶漏雨不说，墙上也有了不小的裂缝，看样子，这房子随时都有倒塌的危险。王方林又跑到教室里看了看，房顶已经塌了一角，这样一来，将学生转移到教室是不可能的了。思忖再三，只有一个地方是最安全的，那就是牛棚，它虽然简陋，但不会有被雨水泡塌的危险。

学生们被全部安置到牛棚里后，王方林又去自己屋里找了块塑料布披在身上，用铁锨去挖排水沟，雨瓢泼一般从天上泻下来，借着手电微弱的亮光，可以看到那排房子的地基已经有几处陷落下去了。不多会儿，张磊不知道从哪里找了条编织袋披在身上，过来帮王方林打手电。王方林心里生出一股暖流的同时，还有了一些感激涕零的冲动。他的衣服差不多已经湿透了，紧紧地贴在身上，汗水和着雨水不住地从身上流下来。就在这时候，突然听到身后轰隆一声，教室的一角从上到下向里塌了下去。王方林有些慌了，教室里那么多课桌板凳哩，教室一塌不是全完了吗？王方林扔掉锨，叫张磊拿着手电站在距离门口三米远的地方，自己进去往外抢搬桌凳，张磊拿着手电，左右移动着，尽量把光线照到王方林跟前。

课桌和板凳很快被王方林一张一张地搬出来了，码在门前的空地上。还有最后一张桌子了，王方林借着微弱的光线又冲进门去，几乎同时，伴随着一声巨响，张磊撕心裂肺地哭喊起来：

王校长……

王校长……

张磊的哭喊声把牛圈里的学生都惊了过来，眼前刚刚还立着的教室已经完全倒塌了，张磊手中的手电已经不知去向，他双手吃力地搬动着那片废墟上的土块和棍棒，嘴里不停地喊着王校长、王校长。学生们已经从张磊的哭喊声里知道了一切，都跟着张磊用手挖刨起来。好长时间，他们都听不到王方林的回答。他们像一只只被雨淋湿的小兽，无助地奋斗在灾难已经降临的家园上，雨和黑暗将他们罩得严严实实。

王小丫几乎是一路小跑来到学校的。那时候雨已经小了，但地上的积水和泥泞却差不多没过了脚踝，还没到学校，远远的她就听到一片哭声。脚下一滑，她摔了一跤，很快她又爬了起来，蹚着泥水继续跑，朦胧中出现在眼前的一切又把她惊呆了：教室完全倒塌了，宿舍和伙房也塌了一半，在教室倒塌后的废墟上，七八个学生正在用手吃力地扒着草席和土块。同学们嘴里不住地叫着王校长、王校长，王小丫嗓子眼一噎，一团什么东西便从眼睛里叭叭掉了下来。她尖尖地叫了一声王校长，疯了般冲了过去。张磊回头看了一眼，哭着说，班长来啦，大家不要再哭了。

王方林的两条腿被一根大梁从大腿那儿齐齐地压住了，同学们已经将细小的木棒土块草席什么全挪开了，但那根大梁他们说什么也挪不动。王方林的额头上也在流血，血和泥水混杂在脸上。王小丫哇的一声扑了过去，把王方林的头放到自己的腿上，一边用衣袖擦着王方林脸上的血水，一边抽噎着说，王校长，你这是咋的了呀，王校长，你说话呀。

王方林的眼睛睁开了一道缝，嘴角露出一丝笑来，忍着疼艰难地说，王小丫，快叫同学们到牛棚里去，雨水淋久了可不得了。同学们也都围过来，哭着说，王校长，我们一定想办法把你救出来。王小丫把自己身上的小褂子脱下来,垫在王方林的头下面,然后和张磊他们一起抬大梁,但他们努力了几次,都没有成功,反而把王方林又弄得痛叫了几声。王方林一叫,拴在牛棚里的花奶牛也接二连三地叫起来,还一个劲地要往外跑,缰绳扯得草棚哗哗响。正无计可施的王小丫突然从泥水里跳了起来,看到救星似的朝花奶牛跑了过去。王小丫搂住花奶牛的头,脸贴着花奶牛的脸哭着说,花奶牛,你救一救我们的王校长吧,啊?他平时对你那么好,现在只有你能救他出来了。花奶牛听懂了似的伸出舌头舔了舔王小丫的脸,王小丫解开牛缰绳,花奶牛几步就跑到了废墟上。王小丫叫张磊牵住牛,自己从牛棚里取出一根长绳子,一头拴住那根大梁,一头拴到了花奶牛的脖子上,然后她跑过去抱住王方林的上半身,要张磊牵着花奶牛往前走,其他同学也跟着一起拉绳子。

花奶牛的四只蹄子深深地陷进泥泞里,整个身体都在努力地向前倾着,绳子也勒进了它的皮肉里,只听花奶牛粗粗地吼出一声,两条前腿向前一撑,跪进泥泞里,大梁终于给拉起来了。王小丫在大梁离开王方林大腿的瞬间,将他的身体从泥泞里拉了出来。

……

灾难终于过去了,平川小学一夜之间成了一片废墟。王方林的两条腿从大腿那里被齐齐地砸断了,给送到了县医院,裹上了石膏打上了夹板,一动也不能动地躺在白色的病床上。乡教委的胖主任来过了;乡长来过了;县教委的主任也来过了,送了不多一些钱,还送了一些水果。但他们谁也没有开口说起平川小学以后的事。有一天老万来了,用砂锅提了只炖好的母鸡。王方林忍不住问,学校现在咋样了,我的学生呢?老万说,上面给了几顶军用帐篷,学生是可以上课了,可就是老师,上面一直派不下来,我找了乡上,还是那句话,叫咱平川自己想办法,挖掘一下自己的人才。我找了几个读初中高中的咱平川的娃,都是你的学生,我给不出一月六百块钱工资,人家都不愿意,还要笑我,我这老脸哇,都给丢尽了。

王方林住院这些天,都是王小丫给他端吃喂喝的。老万看见王小丫从外面提水进来,就对她说,小丫,你就在这里好好伺候王校长,我已经给你爹说了,免了你们家今年的提留款。王小丫给老万倒了杯水,说,我保证把王校长伺候好。听到王小丫这么说,王方林眼睛里热热的,他沉思一阵说,万村长,要不我还是回去吧,在医院是养着,回去也是养着。回去叫王小丫给低年级上课,我再把五年级的课先讲给王小丫,王小丫再讲给同学们。老万说这怎么行,你伤得这么重。王小丫也说,王校长你还是好好养病吧,等病好了再说。王方林挣扎着坐起身子说,可是学生的课咋办呢?这可是关系到几十个娃娃前程的事情啊。老万有些动情地说,我、我,王校长,你叫我咋说哇……

僵持到下午,王方林还是坚持出院了。老万租一辆天津大发,一直把他们送回了平川。

一个月以后，王方林才知道，花奶牛为了拉起那根大梁把他从下面救出来，用力过猛已经流产了。这时候王方林已经能拄着一双拐杖从床上下地了，他站在帐篷前面的空地上，远远地看着拴在河滩上吃草的花奶牛，心里有一种说不出来的滋味。河边的空地上，已经陆陆续续有一些村民在和泥抹土坯，看样子，老万已经着手学校的重建事宜了。

这天下午，通往平川的进山路口处驶来了辆摩托车，到了村口，停了下来，一会儿又向学校这边驶过来。那时候王方林正在床上躺着，天气刚刚凉下来，他一侧身就看见一辆红色的小摩托驶进了学校停在篱笆墙的大门前。很快他就听见王小丫迎出去和来人说话了。这是一个十分耳熟而又久违了的声音，是谁？难道是她？果然不一会儿王小丫便引着一身白衣裤的关彬彬进了敞开门的小帐篷。关彬彬叫了一声王方林，眼泪就从她俏丽的脸上滚下来了。关彬彬是王方林的高中同学，王方林从学校回平川教书的第二年，她考上了省城的一所师范学院，去年秋天毕业，现在在县城母校当老师。她是从报纸上得知王方林为抢救学校财产受伤一事的，她知道王方林在平川小学当校长，她也和他通过信，王方林却从来没有把平川小学这么多的难处告诉她。后来王方林就不怎么和她通信了，她一直以为平川是一个很不错的地方，没想到她从报纸上看到的平川那么穷，王方林在平川那么苦。太阳很快下山了，平川的傍晚变得无限美丽。太阳从山后射出万道金光，整个天空都被染红了，像罩了一层红色的幕布。关彬彬搀着王方林从帐篷里走出来，站在学校的小院里，眺望远山近水。突然，两人又劫后重逢似的把对方的身体紧紧搂在自己怀中，红色的霞光留给了他们一个无比美丽的剪影。

这一切都被从河边拉花奶牛回来的王小丫那双躲在帐篷后边的眼睛看见了，她用力地咬住了嘴唇，憋着气，眼睛里还是涌出了两汪清澈的眼泪，她的手指甲抠着绿色的帐篷，有一只指甲已经劈开了，她也没有感觉到。

简单地吃了晚饭，关彬彬就走了，再迟她就回不了县城了。

送走关彬彬，王方林拄着双拐怅然地回到帐篷，觉得有点儿口渴，端起桌上的水壶便喝，王小丫一把抢过去说，这水你不能喝。王方林说，为啥？王小丫一边往外倒着壶里的开水一边说，这是河水。王方林睁大眼睛说，你给关老师喝河水了，你不知道河水喝了要拉肚子啊。王小丫硬邦邦地说，知道。王方林心里呼地蹿上一股火苗来，他吼道，知道你还给她喝呀，你这不是成心害人么。王方林一吼，小丫便垂下了头，哭声也出来了。她仰起头看着王方林，说，我讨厌城里人，他们穿得那么洋气，又那么有钱，她跑到我们农村来干什么啊？让我们过我们的穷日子好了，他们待在城里难道还不够吗，跑到我们乡里来干什么哇，呜呜呜……呜……

王方林嗓门子里涌出一股酸水，他看着蹲在他面前泪流如注的王小丫，她的两条辫子已经好几天没有梳了，裤角上破了两个洞，两只布鞋，大脚趾差不多都快钻出来了。小丫，一个多好的女孩子啊，她要是生在城里，不比电视上的哪个靓妹子更靓呢？王方林的眼泪情不自禁地流了下来，他伸出手将王小丫一绺散落到额前的头发抿到脑后，轻轻地说，对不起，小丫，我没有怪你，真的没有怪你，都是老师不好，不要哭了，啊？

王小丫仰起满是泪水的脸，哽咽着说，是我错了，王老师。

王方林躺在床上，一手摘下眼镜，一手去擦眼睛。小丫起身移到床边，喃喃地说，王老师，你……能像抱关老师那样……抱一抱我么？王方林下意识地拧过脸来，眼睛盯住小丫泪水涟涟的脸庞，叫了一声小丫，说，你这是怎么了？王小丫猛地蹲下身，头抵着王方林的脖子，又呜呜地哭起来，泪水从她脸上滑下去，落在他衬衫的胸襟上。

一连三天王小丫都没有来学校，王方林先是觉得蹊跷，到了第三天下午，他就实在有些忍不住了。活动课上，打发张磊去王小丫家问问，看是不是王小丫病了。张磊刚走，万小芳就来报告，说前天中午她看见王小丫坐着一辆吉普车进山了，手里还提着一个蓝包袱。

张磊回来说的情况和万小芳说的差不多，王老贵让王小丫进山给一个煤矿老板做饭去了，人家答应一月给开一百块钱哩，钱虽不多，总比给学校干这干那一分钱落不着强。

王方林心里一下子变得空落落的，好像五脏六腑都给无端地抛了出来。他拄着双拐从小帐篷里蹒跚着走出来，迎着红艳艳的夕阳，向西边进山的小路望过去，在一个拐弯处，一座黄灰色山包把他的目光给挡了回来，一股山风吹来，他的眼睛就被泪水迷住了。

晚上，王方林躺在床上，发现枕头下压着一块崭新的花手绢，打开一看，里面有一只白瓷小对吻，用一根红色的丝线拴着，看样子，是应该挂到脖子上的。下面还有一封信，信不长，只有一页。

王老师：

从明天开始，我就再不能来上学了。我妈的病又加重了，因为没钱看病，我爹要我进山去一个煤矿做饭挣钱。我再也不能照顾你了，你要好好照顾自己。这对小瓷人和这块手绢，是你住院时我在县城买的，本来想等你病好了再送给你，我明天就走了，他们来车接我，就留下做个纪念吧。等我挣了很多很多的钱，一定为咱平川修一座漂漂亮亮的学校，用水泥和砖修，就再也不怕下雨了，到时候我还来学校帮你挤牛奶，给住校生做饭。

此致

敬礼！

班长：王小丫

读完王小丫的短信，王方林拄着双拐走出帐篷。夜已经深了，高远而深邃的天幕上，星星眨着亮晶晶的眼睛，一个女孩子五彩的生活，就这样结束了。她应该还有许多梦吧！王方林在心里一遍又一遍地呼唤着王小丫的名字，他想对着这宁静的夜空大声地喊叫，发出雄狮般的咆哮，但他没有做到，他的嗓子里好像挂满了干枯的树叶，他喊了几下，也只是发出了一些沙沙的声响。

山村的夜晚，很黑，但远处又能看到星光无限。

（选自《朔方》2002 年第 1 期）

王新军

1970 年出生于甘肃省玉门。曾在甘肃玉门市黄闸湾乡文化中心工作。1988 年开始发表文学作品。现为中国作家协会会员，甘肃省文学院签约作家。已发表出版长篇小说 1 部，中篇小说 20 部，短篇小说 60 余篇，及诗歌、散文百余万字。近年来，中短篇小说《文化专干》《农民》《大草滩》《民教小香》《一头花奶牛》《乡长故事》《好人王大业》《远去的麦香》《俗世》《两个男人和两头毛驴》先后被多家杂志转载评价，作品曾获首届“黄河文学奖”中短篇小说一等奖，第四届敦煌文艺奖等。

民 选

梁晓声

正月十五一过,翟村的大人们,心里便都有些躁动不安起来,像雷雨前的燕子,或蚂蚁。他们难以掩饰的,即将面临严峻事件的紧张感,也当然地影响到了孩子们。孩子们的表现则是——这几户人家的见了那几户人家的,岸上的獾见了水里的狸似的,双方面的眼中都流露着无畏的敌意。一方的表情仿佛是——只要你下水,我就咬死你;另一方的表情仿佛是——只要你敢上岸,我对你不客气!

其实,入冬以后,甚至在春节期间,村里的孩子们已经东一帮西一伙地打过几架了。双方各有受了皮肉之伤鼻青脸肿的。大人们却难能可贵地豁达,没谁因孩子们之间的反目而急赤白脸兴师问罪。

是的,大人们的难能可贵,在以往的日子里是少有的。以往,因点儿鸡毛蒜皮的小事儿,女人们会指桑骂槐,男人们会相向捋胳膊绾袖子……

自九十年代以后,翟村就不再是一个和睦的村了。

于是,大人们之间异乎寻常的客气和忍让,在孩子们看来,便是明摆着的虚伪了。同时也向孩子们暗示了,即将发生的事件,的的确确是严峻的。

结果也使孩子们的心理空前地紧张起来。他们通过打架宣泄他们的紧张。

正如大人们企图通过客气和忍让掩饰他们的紧张。

致使翟村的大人们和孩子们如此这般的事件,在中国别处的许多农村早已发生过,并且是遂了农民们的意愿,按农民们的强烈要求才发生的。它像一种新的剧种,在中国别处的许多农村曾演得相当精彩。

那剧种的名称就是“民选”。就是农民采取无记名投票的真正由自己当家做主一把的方式,来选出他们信得过的村干部,并组成他们信得过的村委会。

按理,“民选”不该是使翟村的农民们紧张的事才对。

但他们几乎人人空前地紧张。

这一天的上午,确切地说,是三月的一天上午,农民翟老栓驾着牛车往自家地里送肥。从村里到地里,需路过一座百余米长的石桥。那桥是村民们集资30万元建的。桥下是条河的尸床。因山里筑起了水库,截断了从山里下来的雨水和泉水,所以它死了。在它有生命的时候,每逢春季易于形成山洪的日子,或多雨的夏季,它曾是条凶猛的河。从山里卷带而来的锐石,年复一年的,将河底刮得很深。尽管现在已经只剩河床了,但那桥却不得不架得特别高,看去有四层楼那么高。是县水利部门指示的高度。因水库减压的时候是要开闸放水的。桥桩低了,库水泻来,就淹没桥面了……

翟老栓驾着牛车行至桥的中段,发现那儿桥一侧的石栏缺了几米。结冰的桥面上,有卡车急刹时的轮胎印子。他不敢让牛往前走了,怕牛蹄一打滑,牛车一失重,连车带牛掉下桥去。那他的损失可就惨重了。他勒住牛,下了车,小心翼翼地走近缺了石栏的豁口,想要对石栏所以会那样的原因察看个究竟。三月上午的阳光,已经能使人感觉到些微暖意的阳光,那时候挺腼腆似的照耀在牛身上,也照耀在翟老栓的脸上、手上。牛一动不动,仿佛要在阳光的照耀之下站着睡着了。夏季的阳光是热烈的,如同渴望男人的年轻寡妇的目光。冬日的阳光是悭吝的,无论它高挂着还是低悬着,即使在天空明朗的正午,它也只发射光芒,而不赐给大地暖意。哪怕它像火一样红,光芒刺人的眼睛,人的脸和手还是会在凛冽的严寒之中被冻伤。冬季的太阳是否在某一天的天空出现,并不决定那一天的气温如何。有时恰恰相反,也许有太阳的某一天比没有太阳的某一天更寒冷。一年四季里,数三月的阳光最特别了。它的暖意,像在冷屋子里,由于温柔的女人的存在所能使男人感受到的那一种,是需要心怀几分感激去体会的。那时女人能使男人感受到的暖意,超过了她们的实际体温所能给予男人的。而且,一年四季里只有三月的阳光是显得腼腆的,仿佛它和大地已经生分了,彼此需要重新建立友爱的关系似的。它怯怯的,如第一次到小伙子家里串门的内向的淑女,来去悄然,正如它腼腆地升起来,腼腆地落下去。到了四月,它才又变得明媚了,因为它觉得它又跟我们熟稔了。三月的阳光最早宣布春天的开始,之后才是草啦,树啦,冬眠的小虫们形形色色的表现……

翟老栓起先闭了双眼,仰起脸,为的是让自己整张粗糙的脸能更全面地享受一下三月的阳光的照耀。离开了村子,他内心里多日来越积越重的紧张感,分明减少了许多。

从山里传来了一声轰响——是村长韩彪家的私矿有人上班了。

受惊的牛猛地往前一冲,似欲狂奔。

翟老栓赶紧睁开眼睛,双手使劲儿勒住缰绳。

“莫怕,莫怕,老伙计,炸不着你,有什么可怕的嘛!”他安抚着牛。突然脚底一滑,险些摔了个仰八叉。他正站在一大片冰上。那片冰有的地方很晶莹,有的地方很脏,呈现着不能结冻的黄的黑的或黑中有青绿色的油污。旁边有烟蒂,空烟盒,一只显然用以擦过油污的双手的线手套，像一只死耗子，看去很丑陋。还有几个螺帽……

翟老栓明白了——是村长韩彪家运矿石的卡车在这儿熄过火。并且毁坏了桥的石栏。并且流过水箱里的水。究竟是由于卡车撞了桥栏才熄火，还是由于熄火才撞了桥栏，他就难以做出判断了……

离那片冰一米多远处，桥面上布满了拳头大小的矿块。

翟老栓知道，那些矿块里有银的成分。因为村长韩彪在山里拥有三口属于私家的银矿，总共雇佣着六十几名外省的采矿工。

他还是第一次见到银矿石。尽管韩彪开银矿已经开了八年了。当一村之长也已经当了同样多的年头。在三月的阳光下，那些银矿石闪耀着斑斑点点的银光，它们足以装满两土篮。

翟老栓也知道，村长韩彪家的矿上采出的银矿石，成色极好，据说含银量在百分之五以上，品位很是罕见。村长韩彪，也由此而成了全县的大富豪。有人猜他的个人资产已经超过了一千万。有人认为岂止一千万，两千万也不止。

那些银矿石，对于翟老栓其实是没有丝毫意义的。尽管它们的含银量那么高，尽管银子就是钱。但是他翟老栓家里并没开着炼银厂啊！银子只能在炼银厂里才能被从银矿石里提炼出来啊！银子只有被从银矿石里提炼出来了才能卖钱啊！当然，含银量那么高的银矿石本身也是能卖钱的。县里的炼银厂就进行过零散收购。但那只是短短一个时期内的事儿。不，用“一个时期”来说太长了，其实才是短短几天内的事儿。之后县里炼银厂的头头脑脑轮番向村长韩彪当面认错；县公安局将那些曾卖过银矿石的人一个个逮捕了起来；有的被判了刑，有的被罚了款；没钱的，被判到韩彪的矿上以工抵罚，白干一个月两个月不等。县公安局还为村长韩彪的矿四处张贴过一份布告——大意是卖银矿石者按盗窃罪论。号召人们相互监督，揭发检举。检举有功，有奖。奖金对于普通的人们来说是一大笔钱——两千元，由村长韩彪的矿上发。因邻县也有炼银厂，为防止本县的人偷了韩氏银矿的矿石卖给邻县的炼银厂，村长韩彪的谋士们替他想出了那一主意。村长韩彪周围，永远不乏时刻准备着向他献计献策的人。往往的，不待这一拨被彻底冷淡了，那一拨早已巴结上去了。而且都引以为荣，引以为幸。

翟老栓明知那些含银的矿块对自己毫无用处。若收拢了，是必得送交到村长的矿上去的。那么做了，只怕连声谢也得不到。若带回家里去呢，一旦被别人发现，一旦被别人密告给村长，肯定会使自己陷入是是非非。他是翟村的老实人，想来村长不至于把他怎么样。但村长也绝不会给他解释的机会啊！那么，究竟是在这儿捡的，还是夜里去矿上偷盗的，不是只有任人议论，跳进黄河也洗不清了么？何况，村长手下还有一帮狐假虎威的亲信哪！他们若成心冤屈他，指罪他是偷盗的，那么他们的指罪就肯定是事实了。村长会空抛给他个人情，说尽管是他偷盗的，但念他是翟村人，宽恕了他不予追究了吧。是的，是的，村长手下的人会那样的，村长也会那样的，于是，他的偷盗之名，不就等于经法院裁决了一样了么？翟老栓还晓得，以往几个被判了刑，被罚了款，被强制在村长的矿上干活的人中，就有明明是被冤屈的。只不过也和他一样，是在路上捡了些矿块罢了。但谁替他们申辩过呢？谁又敢替他们申辩呢？即使有那种侠肝义胆的好汉挺身而出，又会有什么结果呢？公安局和法院不站在那样的好汉一边，而站在村长一边，那样的好汉的侠肝义胆，相对于村长而言，意义也就跟二百五要光棍差不多了……

业已蹲将下去的翟老栓，心中一阵阵寻思着，却禁不住伸出手摸那些矿块。他是翟村少数几个从没被村长雇佣过的人之一。他虽老实，但骨子里挺高傲，不屑于与村长的势力范围有什么沾染。他宁肯做辛劳的农民，也不肯为了钱，而做明明被村长剥削却又似乎受村长恩赐着的一个人。所以他是第一次有机会这么近距离地观看那些使村长腰缠万贯飞黄腾达的东西。他摸过了这块摸那块，心想多好多宝贵的东西啊！虽然它们所含有的不是金子，而是银子。但一个人若像村长一样拥有可以源源不断从山里往外运的这一种东西，不是也等于拥有了成堆的金子似的么？又想，幸亏它们所含的不是金子，而是银子。若是金子，村长的势力不就大得一手遮天了么？那么翟村的男人女人，不就只有成为村长的奴婢的份儿了么？……

矿块冰凉。多数冻在冰上，少数没有。他捡起一块拳头大小的掂了掂，很重。他直起身，从车上取下担过粪的柳条篮，捡了几块放在篮中。

他打算带回家几块让老婆和儿女们见识见识。但是这一种最初的源于好奇的打算，在一块一块捡起来往篮子里装的过程中，不知为什么，像一盆揉进了太多酵母的发面似的，渐渐地膨胀了，从人心这只无形无状的“盆”里发出来了——于是一种贪欲充满他的胸间。已然捡了满满一篮子了还不能住手。是的，不是不想住手，而是根本无法住手。他在心里对自己说：行了老栓，够了够了，捡这么多有啥用处哩，不就是打算带回家几块让家人见识见识银矿石是什么样儿的一种东西嘛！……然而他的手，似乎不是自己的手了，仿佛已经是别人的手了，不听自己的支配了。那手大块的捡，小块的也捡；没冻住的捡，冻住的也要从冰上敲下来，捡起放在篮子里。尤其在用手中的矿块从冰上往下敲另一矿块的时候，他的手更加显得不是自己的手了。他甚至很生自己的气了。他在心里制止自己：老栓，老栓，你今天可是咋了呢？这东西对你到底有什么用呢？半点儿用处都没有嘛！你这是何苦的呢？你贪得多么的可笑嘛！然而制止也白制止，自己做不了主了的手，仍不停地敲、敲、敲；捡、捡、捡……

篮子是再也装不下了。他憋足了劲儿，甚至发了一声喊，才算将满满一篮子矿块提到车上。车上突然加了重量，老牛不乐意地一甩头，倔倔地朝前走了。牛一走，轮一滑，车更向桥栏的豁缺处偏过去。他赶紧喝住牛。车一稳，他的目光又向地上望去——地上还有一篮子多的矿块……

那时候，老实又高傲的农民翟老栓的心窍是完全彻底地被那些闪烁着斑斑点点的银光的矿块所迷住了。他明明知道它们对他没有任何用处，不能当煤烧，甚至也不能垫猪圈。它们的锐利的棱角，会硌伤猪的蹄子猪的身子。但他还是特别贪心那些对他没有任何用处的东西。像一切人一样，对于某物的贪心，是时常会产生的。但以往他不难克制住它，使它不至变得过分强烈。而三月的那一天，那一个上午的那一个时刻，他却根本没法儿克制住自己对那些银矿块的贪心了。

他将满满一篮子矿块倒在车上，又蹲下身去，一块接一块从冰上往下敲，一块接一块捡了往篮子里装……敲着捡着，头脑中便过电影似的，掠过村长家的深宅大院、豪华的轿车、村长器宇轩昂的样子以及听人们讲述的、村长在某些享乐场合一掷千金的富豪派头……也许，正因为那些矿块与他头脑中的联想有不可分割的关系，它们才完全彻底地迷住了他的心窍……

忽而，他的手捡起一块刚从冰上敲下来的矿块，僵住在那里。因为他的眼睛，不经意间瞥见了一双靴子。一双高腰的、揩擦得锃亮的战地靴。一双特大号的战地靴。它们微微分开着，呈八字站在离他两尺远的地方——翟老栓的头缓缓地抬起，目光由下而上随之仰望，于是看到了韩小帅年轻而又凝聚着酒色财气的脸。

韩小帅是村长韩彪的侄子，自然也是叔叔一伙亲信中的亲信，负责矿上的保安。一米八几的大个子，虎背熊腰的。无论矿上的雇工还是村里的人，没谁不怕他的。村里的大姑娘小媳妇远远望见他，无不绕道躲着走的。他瞪她们片刻，她们则心惊肉跳几天。他喜欢女人的粗暴方式常常令她们谈虎色变。此时他将双臂交抱胸前，目光阴冷地俯视着翟老栓。

翟老栓暗吃一惊，对方阴冷的目光使他觉得不怀好意。他正蹲在桥的护栏的豁缺处。对方的脚离他的身子不足二尺远。只要对方飞起一脚，不管左脚还是右脚，他瞬间便会从桥上消失，被踢落到桥下去。他惴惴不安地往桥下瞄了一眼——乱石成堆。那么他准一命呜呼了。恐怕一分钟后便有许多人围向这儿了，对方也是可以指着桥下他翟老栓脑浆四溅的尸体镇定地说——看，老栓一不留神，从桥上摔下去了。那么对方的话也就是事实了。对方的叔叔是韩彪，对方的话不是事实也可以变成事实。翟老栓心里清楚，韩家叔侄，已是将他视为叛逆了。因为在就要进行的全村“民选”中，翟老栓已决定了不投韩彪的票，而改投复员兵翟学礼的票。他的决定，对韩彪而言，是一个坏榜样。不管他自己是否愿做榜样，他都会影响某些人也改投翟学礼的票。而他实际上并不曾想做什么榜样，只不过认为，既然有了“民选”的机会，自己干嘛还不光明正大地选自己信任的人当村长？管他翟学礼最终能否选上，自己这辈子也总算真正地享受到了一次民主的权利啊！不成想他仅仅向几个亲戚私下里透露过的决定，竟被韩彪的耳目们在春节前刺探了去——结果是春节他家没过好。三十夜里麦秸垛起火了；初一灶里就没烧的了；初三他家的狗又被爆竹炸断了腿，狗是多么机灵的东西，没人将爆竹绑在狗腿上，能出爆竹炸断狗腿那么离奇的事儿么？……

翟老栓心里害怕极了。他不敢站起，唯恐在想站而没有站起来前，早已被一脚踢下桥去了；他也不敢蹲在那儿不动，因为那简直等于是在期待着对方的狠狠一脚。他不能不仰望着对方。因为他不愿死了还被认为是怪自己不小心。而一直仰望着的结果，是对方阴冷的目光使他心里更加发毛。他还不知该主动说什么好。因为，分明的，对方并不打算听他说什么。处在那么一种顷刻便会送命的凶险境地，他也根本没话跟对方说。他想佯装笑脸以示镇定，却只不过咧了咧嘴角，笑不成。他像一个手无寸铁连姿势都处于绝对劣势的人，而面前是一头随时会向自己进攻的凶恶的大猩猩，或一只狂獒……

他就那么蹲着，就那么一脸古怪地仰望着韩小帅，一点儿一点儿地向后，也就是向有护栏的桥面移动。移动的速度，比某些高层建筑旋转餐厅旋转的速度快不了多少。等他向后移动了够一大步的距离，韩小帅那双特大号的战靴，横跨一步，就又使他没了安全感，又处于凶险的境地了……

他的牛，倒没有丝毫的不安全感，也看不见身后两个人之间的紧张态势，优哉游哉地甩着尾巴。

翟老栓终于移到有护栏的桥面了。他猛地往起一站，竟没能立刻站起来。蹲的时间太久了，双腿麻了，站不大住了。他一只手撑地，一只手扶着护栏才算费劲儿地站稳。于是他能笑了。笑得很欣慰。有一种获胜的感觉。

韩小帅也笑了，笑得意味深长而又邪性。仿佛要以自己那一种笑告诉翟老栓明白，获胜的是他韩小帅。他那张胖脸看去有些浮肿。显然，昨夜对于他又是一个酒色之夜。

尽管已经站稳在有护栏的桥面了，翟老栓的安全感也只不过是转瞬即逝的事。桥的护栏不高，仅到他的腰那儿。倘韩小帅要将他扔下桥去，仍是举手之劳。于是他紧走了几步，绕过牛车，站到了桥中央。他前后望望，桥的两端都不见个人影儿。即使已站到了桥中央，他依然觉得那一份儿安全感似有若无。

“翟老栓，你用装过粪的篮子，装我们韩家的银矿石，你什么意思？认为我们韩家的银矿石和粪是一样的东西？”韩小帅开口说话了。

“我没你说的那个意思……”翟老栓低声替自己辩护。

“你不知道偷我们韩家的矿石将会落个什么下场么？”

“我没偷。你亲眼看见了，我是在这儿捡的……”

“你偷了又有什么用处呢？你又没办法把银子提炼出来……”

“我没偷。我说我没偷……”

“你没办法把银子提炼出来，不是偷了也白偷么？”

“我没偷！”翟老栓终于忍不住大喊起来。

“是你偷的！老子说是你偷的，就是你偷的！到哪儿也变不成是你捡的！”

韩小帅一步跨到他跟前，嘴逼近他的脸，也冲他大喊起来。韩小帅的喊声可比他的喊声高多了，底气十足，使他感到震耳欲聋。混着酒气的浊臭的胃气，一阵阵喷在他脸上。显然由于他竟敢大喊，韩小帅已经光火到快要暴怒的程度了。

身材瘦小，老实而又从不在人前低三下四的翟老栓；六十多岁的翟老栓；已经有了十几岁的孙子的翟老栓，由于惧怕，由于孤立无援，不得不明智地在二十四五岁的村长侄子的面前屈辱万状了。

他腰抵着牛车边沿，身子朝后仰着，结结巴巴地说：“小帅，大侄子，别生气……我……我这不是……其实我打算捡了给你们矿上送去……”

“还敢说捡的！”

韩小帅吼着，表情可怖的脸，又逼近了翟老栓的脸。

“大侄子，大侄子，有话好说……”

“谁是你大侄子？你他妈算什么东西！自己说偷的！”

“……”

“不承认偷的，我坐地弄死你！”

“我……偷的……”

从不在人前低三下四的翟老栓，那会儿全没了不低三下四的勇气。

韩小帅又邪性地笑了。他退开一步，研究地瞧着翟老栓说：“贼都像你这样，偷了东西，被人赃俱获了，就狡辩是捡了人家的，正打算给人家送去。是不？”

“是么！”

“是……”

翟老栓的眼角，溢出了一滴老泪。

“过些日子就要‘民选’了，你仍不改主意么？”

“我……我还没拿定主意……”

“撒谎！你早就拿定主意了，要选翟学礼那小子是不是？还四处鼓动别人选他是不是？……”

“我没四处鼓动过别人。我只对自己的一票负责任……”

“负责任？放你妈的屁！负责任你不选我叔叔？我叔叔哪点儿对你不好了？”

“不是因为你叔叔对我好不好……他……他已经是县政协的副主席了，已经是县委委员了，何必还要争一个村长的身份呢？”

翟老栓的表情、口吻，一时地又有点儿不卑不亢起来——他猛地想到了他的车上放着一柄镰刀，而且磨得锋快。三月正是柳条变柔的时候，他本打算顺便割捆柳条编几只新篮子新筐的。在和韩小帅说话那会儿，他撑在身后的一只手暗中在车上摸。一摸着镰刀，胆子有那么点儿壮了。他横下一条心——必要时和对方拼命。

“放你妈的屁！”韩小帅又立眉竖目破口大骂，“你个老东西懂什么？你以为我叔叔只会赚钱啊？他老人家还懂政治！为了他的政治前途，他在乎是不是村长！他必须是村长！……”

韩小帅越说越气。他的目光忽然发现了什么吸引他的东西，往地上瞅。于是翟老栓的目光也往地上瞅。地上什么值得人注意的东西也没有。矿块全被翟老栓捡到篮子里和倒在车上了。不，地上还剩着一块，唯一的一块，用以卡住车轮……

韩小帅的目光是在盯着它瞅。他再次笑了，笑得尤其的邪性了。邪性的笑刚一从他浮肿的胖脸上收敛，他就开始踢那矿块。

翟老栓急欲推他，没将他推开，反被他一胳膊搪得连退数步。

“大侄子，别……别……千万别啊！……”

翟老栓的一颗心提到了嗓子眼，声音抖抖地哀求。

牛不晓得自己性命攸关了，扭头望它的主人，那样子仿佛是在问主人：咱们闲待在这桥上干嘛呢？该往哪儿去往哪儿去吧！……

韩小帅却说：“别叫我大侄子！你也配有我这样身份的大侄子？……”

他一只穿了特大号战地靴的脚朝后收了一下，随即用力踢出。卡住车轮的矿块被踢开了，在冰面上滑了一段，落到桥下去了……

于是车也像那矿块一样在冰上朝后斜滑。老牛不明白怎么回事儿，抬起一只蹄，梗着脖子，企图稳住那股不期然的后拖力，并将车向前拉去。

但是它没办到。它抬起的那只蹄刚一落在冰面上就打了个滑，使那条前腿跪倒了。紧接着它的另一条前腿也跪倒了……

它哞地叫了一声。叫声刚发，车已从缺失桥栏的地方滑下了桥……翟老栓看到他的老牛的头高扬了一次，而身子却猫似的趴在了桥面。还看到牛身被从半截水泥护栏桩里刺出来的钢筋刮了一下，于是有什么黏糊糊的腥热的东西飞溅了他一脸。牛的一只角也被那半截水泥护栏桩别住了一下……

那一切都发生在短短的几秒钟内。牛的叫声是在桥下中断的。继之是牛车撞石的折裂声，牛身重坠的沉闷的响声。再继之，一个硬性的物件啪嗒自空落在他的脚旁……

翟老栓一时骇然得张大了嘴。那时三月的太阳已经升在了他的头顶。它暖意微微的阳光开始将桥面上的旧雪溶化。从牛车坠下的地方，向一边扇状地呈现着一片密集的红色的点子，是血滴。他本能地抚了一把脸，手也红了。溅到脸上的也是牛血。他朝村子的方向望望，仍不见有人影走来。只有少数几户人家的烟囱冒起了青烟。三月，北方农民们劳作的精神头，还没被季节彻底唤醒……

韩小帅走到桥栏旁，一手放在桥栏上往下看了会儿。随后他走到翟老栓跟前，掏出了烟。

他叼上一支烟，看翟老栓一眼，又将那支烟夹在手指间了，以训孩子般的口吻呵斥道：“你哭个什么劲儿？不就一头老牛一辆破车么？赔你就是，不让你受损失。

我不是成心欺辱你，我就是图看一遭刺激……"

翟老栓已泪流满面，既心疼他的牛，也怕韩小帅伤害他。当然，他的泪中也有恨的成分。倘若镰刀依然握在他手里，他也许会挥舞着与对方玩命的。

但镰刀已随车掉下桥去了。

其实，韩小帅是来察看桥栏损坏的情况的。昨夜是他亲自押送的卡车在桥上出了故障。他叔叔，也就是村长韩彪，命他找几个工人修好，不得拖延。在"民选"前，村长韩彪可不愿因些不足论道的小事儿使自己的竞选形象受损……

韩小帅将手中的烟塞在翟老栓嘴上了，接着掏出打火机替翟老栓点烟……

"你他妈的倒是吸一口呀！还得老子替你吸着哇？"

翟老栓已变得孩子似的听话，遵命吸了一口。

韩小帅又从衣内兜里掏出了一捆钱。是的，是一捆，崭新的，用纸条扎着的一捆钱。他像夏季里手不离纸扇的人用收拢的扇子拍手心似的，一手捏着那捆钱，往另一只手的手心拍击了几下，然后毫不在意地将那捆钱揣入了翟老栓的袄兜……

钱是他昨夜聚赌刚赢到手的，或者说，是别人成心输给他的。每年的春节期间，他都能小赢那么四万五万的。而且，赢的不是新钱还不行呢。那些成心又巴不得输给他钱的人，春节前就得将崭新的钱四处托关系换好……

韩小帅自己也叼上了一支烟。他吸了几口，望着呆呆木木的翟老栓，缓和了语气说："老栓大伯，别生气。刚才的事儿，那是我跟你闹着玩儿呢，别往心里去。现在我要跟你说正经的了，两件事儿，你给我听好——第一，护桥栏是你的牛车撞坏的。你就对人说牛在桥上毛了。牛肉牛皮，你还能卖不少钱。护桥栏我们矿上雇人修。你得实惠，好名声归我们矿上……"

翟老栓嘟哝："什么实惠？我那牛，我那车，怎么也值……"

韩小帅打断他道："行啦行啦，我不是已经揣你兜里一万了么？'民选'以后，你找我，我保证再给你一万。我小帅一言既出，那也是讲信誉的！……"

翟老栓的老泪，从眼角流到嘴角，湿了烟。他就那么叼着已经湿灭的烟点了点头……

"你同意了，很好。咱不啰嗦第一件事儿了。"翟老栓的帽子不知何时掉在地上了。韩小帅的手放在他后脑勺上，在他的短头发上抚捋了几下，那意思是对他的态度已经有点儿开始朝友善的方面转化了。然而翟老栓却并没化悲为喜，更没暗暗地受宠若惊。他更加觉得自己一个六十多岁的人，被一个二十多岁的人由着性子威胁一阵又如此这般放肆地对待，实在是他的奇耻大辱……

"老栓，第二件事儿你可尤其要听明白了，那就是关于'民选'的事儿。我再强调一遍，我叔他老人家，对这一次能不能当上村长特别在乎。这关系到他老人家的形象问题，面子问题。'民选'嘛，民主方式嘛！他前两届都顺顺利利地当上了村长，如果偏偏在我们村被定为'民选'试点村的这一次竟把他给选掉了，让他老人家以后的面子往哪儿搁？那不是成心往他脸上抹黑，成心拆他老人家的台么？所以他老人家不惜任何代价也是要当上这一届村长的！所以，你翟老栓要是带头不选他，那你就是他老人家的仇敌了！你想想吧，是他老人家的仇敌有你什么好果子吃？唵？我劝你还是别做这个坏榜样！六十多岁的人了，还浑身起的什么刺儿？那光荣么？只要你这一次选他，我答应你，把你儿子媳妇都安排到矿上去！你儿子可以在我手下当保安。每月三百元，不粘泥不湿水的，不强过于和你终年在地里辛劳么？至于你儿媳妇么，我更会给她安排种轻闲的事儿做……”

翟老栓一边默默听韩小帅说着，心里一边想——你手下那些保安员尽是些什么东西？不就是些成天吃喝嫖赌的杂种么？好人家会让自己的儿子在你手下当保安员？他又想到，因为对方曾几次在路上拦住他模样俊俏的儿媳妇进行调戏，他的儿子几次想杀了对方。倘让儿媳妇到矿上去，那还不等于送上虎口哇？……

他忍不住流着泪顶撞道：“就是我投了你叔一票也没用，我又不能代表所有不打算投他票的人……”

韩小帅又瞪起了眼睛。他吼：“别人怎么样关你屁事？现在说的是你自己！别人我们有别的办法去对付！你给个痛快，到时候你那一票究竟选谁?！……”

被目光咄咄逼着的翟老栓不吭声。

韩小帅期待了几秒钟，没耐心了。他摔掉烟，倏地高举起手，分明的是想一巴掌扇向翟老栓的老脸……

翟老栓撩起目光，眼神儿近乎迟钝地望着韩小帅那只手。

韩小帅的手竟没扇将下去。他邪性又宽恕似的笑了。他那只手，又抚捋孩子的头似的，照前次那样抚捋了翟老栓的头一下。

“咱们好说好商量，行不？我不逼你开口，那多过分。你要是改变了，到时候准选我叔一票了，你点一下头。要是还不呢？那你就摇一下头。我也不为难你了。民主嘛，那是要自愿的。或点头，或摇头，那完完全全是你的自由嘛！你给我个痛快的态度，我转身就走，行不？还有好多要紧事儿等着我办呢。”

韩小帅显出一副诚心诚意，又耐心可嘉的样子。

翟老栓本是不想点头的。确切地说，本是想摇头的。然而，在他们双方几秒钟的沉默之后，他竟点了一下头。虽只点了一下，但那也是点头，不是摇头啊！正如他的手，在贪婪地捡那些对自己毫无用处的银矿块时，违背他的意识的支配一样……

韩小帅这一次的笑，全没了邪性劲儿，笑得那么的由衷。

他笑着说：“老栓，你可不许当面一套，背后一套。那就叫耍两面派了。不论谁，要是在‘民选’这种倡导民主的事儿中耍两面派，那可都是可耻的行为。你是不是耍两面派了，过后我们也能调查清楚。有我叔他老人家想调查清楚居然调查不清楚的事儿么？没有过吧？”

翟老栓的头，又违背意识地点了一下。

于是，在瘦小的翟老栓面前，韩小帅缓缓将他高大的身子弯下去，从地上捡起了翟老栓的帽子和另一样东西。他替翟老栓戴上帽子，将另一样东西塞在翟老栓手里……

“拿着，留个纪念。快别心疼你的牛你的车了。人还经常有死于非命的哪。旧的不去新的不来嘛！我不是保证了嘛，‘民选’后我会赔你一头壮牛一辆新车的……”

韩小帅说罢，拍了拍翟老栓的肩，扬长而去。

翟老栓望着他的背影走到桥的尽头，低头看时，见自己手中是一只牛角。生生地从牛头上别下来的，是根血淋淋的一只牛角……

翟老栓梦游似的回到了家里。他的样子令全家人大骇。老伴儿惊问他怎么一脸的血星子？他说不是自己的血，是牛血溅在脸上了。老伴儿这才瞧见他手中的牛角，目瞪口呆再说不出一句话。儿媳妇闻声从另一间屋走过来，问牛怎么了？

他将手中的牛角朝儿媳妇一示：“这不……”

儿媳妇尖叫一声，喊来了儿子。

儿子也连连跺脚，一迭声急问他牛怎么了？

他还是那句话：“这不……”

儿子火了：“爹你这不这不的什么呀？我们都看到了你手里拿着咱家的牛……牛的角！可咱家的牛究竟怎么了啊？……”

老牛是家里的大宗财产之一，同时是家里的功臣。

翟老栓又屈辱又生气。他的屈辱自是不必再细述了。他气的是——在他看来，全家人关心牛似乎大大地超过了关心他这位一家之主……

他突然往地上一蹲，捂面痛哭。等他哭够了，将在桥上遇到韩小帅的情况前前后后讲了一遍，全家人都沉默了。一时你望我，我望你。

孙子却又号啕大哭起来。他家的牛是头母牛，并且，已怀了犊，过几个月就该生小牛了。孙子哭的是自己看不到小牛了。

儿子狠狠扇了孙子一巴掌。

他以为儿子会怒发冲冠，操起锹啦镐啦的冲出家门去找韩小帅拼命，儿子却分明的没恨到那种程度。扇了孙子一巴掌之后，儿子已变得相当平静。

儿子又问：“钱呢？”

他就从兜里掏出了那一捆崭新的钱。老伴儿和儿媳妇的两只手同时伸向了钱。老伴儿离他近，儿媳妇的手还没触到钱，钱已被老伴儿一把掠了去……

老伴儿眼看着钱，嘴里问：“你刚才说是多少？一万是吧？这钱可真新！……”

接着就手指抹了唾沫，一百二百三百地出声点数……

“妈你烦不烦啊！再说你点得慢劲儿的！……”

钱随着儿子的话，又被儿子从妈手中掠了过去。

儿子不理妈在以怎样的一种目光瞪视自己，将钱朝自己的女人递了过去："你去数清楚是不是一万！"

于是媳妇接了钱转身便走；于是当妈的后脚紧跟着媳妇便也走……

只剩父子俩了。他们相互注视着，似乎都希望进行一场开诚布公的长谈；又似乎都觉得其实已没什么可再说的了。

"咱家那头牛太老了，是不爹？"

翟老栓神情麻木地点头。

"咱家那辆车也太破了，都快散架了。"

"……"

"按说，他也够大方的。赔一万，不算少。"

"……"

"他说得也对，旧的不去，新的不来。何况牛皮牛肉归咱们。一万够再买头壮实的牛再买辆新车了……"

"……"

"这几天我总反复地寻思，什么'民选'不'民选'的？民主和咱们家有什么关系？咱们何必跟韩家过不去？他不是讲了让我到矿上去么？我去！爹你以为我一年到头跟你在地里辛苦我没烦啊？再辛苦从地里能弄出几个钱？我早烦了……"

翟老栓猛地站起，指着儿子大吼："你滚一边去！"

此时他的血性终于是恢复了一些。

儿子眨眨眼，不明白他为什么突然发作。

"滚啊！"

翟老栓跺了下脚。

"爹你冲我发的什么火啊？你有主张，在桥上怎么不冲韩小帅表现？怎么眼瞅着自家的牛和车被毁了？"

儿子嘟嘟哝哝地转身走了。在门口，一脚门里一脚门外地回过头，平静又坚定地说："那么，咱们父子俩，你也别代表我，我也别代表你。到时候我出面要求给咱家两张选票。你选你信任的人吧。我还选韩彪。总而言之是那句话——'民选'啦民主啦关我屁事？谁带给我好处我选谁！"

翟老栓盯着儿子，仿佛不认识自己的儿子了。

但，儿子的话，彻底地推倒了他心里曾产生过的一种愿望——企图在"民选"的机会中，证明自己是一个有政治觉悟，有正义感，不但对自己一家的利益负责，而且对全村的利益负责的愿望。

是的，韩小帅的凶恶只不过动摇了它。

儿子平静又坚定的一番话，却彻底地推倒了它。并且像把大扫帚一样，将那愿望的残余也从他头脑中清除干净了。

当天晚上翟老栓出现在复员兵翟学礼家门口。

踌躇满志一心要竞选村长、为全村人竭诚服务的复员兵家里，聚着几个他的鼓励者和支持者，正群情激昂地议论着“民选”的事。

“他韩彪为啥当了县委委员、县政协副主席，却还想占着村长的位子继续当下去？还不是要牢牢地将咱全村几百口子人的命运长久地控制在他手掌心里么！……”

“那是！好让全村人的儿女辈辈当他韩家矿上的劳工嘛！……”

“也是咱们翟村人贱，为了自己儿女每月挣他矿上的二三百元钱，争着巴结他！”

“矿上的安全条件那么差，还不给上保险。去年塌方，翟福平家老大被砸死了，一条年轻轻的人命不就只赔了两万元么？”

翟老栓闪在门旁的黑暗中，悄然伫立，耳听着屋里人们愤愤地议论，没有勇气迈进屋去。翟福平和他沾着亲，是五服以内的兄弟关系。福平家老大发送了以后，村长韩彪假惺惺地主动提出，可以接受福平的儿媳妇到他家当佣人。似乎是出于对死者的积德行善的考虑，可不久便与那小女子明铺暗盖起来。于是村里有了风言风语，说他早就和那小女子勾搭成奸了，说她丈夫死得可疑种种。福平自然也听到了风言风语，一纸诉状告到法院，要求调查儿子的死因。法院还真立了案，还真来村里进行了调查，结果却是替韩彪召开了一次维护名誉、警告诽谤者的“普法教育大会”。翟福平痛失了儿子，儿媳被占，白告了一场，还花了笔诉讼费，既觉窝囊，又没面子，气得大病一月，某夜上吊了。而那些传过风言风语的人，女的被威胁过，男的被打过，都是韩小帅出面干的。翟老栓由福平的儿子媳妇联想到自己的儿子媳妇，联想到儿子对他说的那些话，周身一阵冷。他觉得儿子说的那些话，虽然听来平平静静，分明的，却有着与他这位不识时务的父亲划清界限的意味。甚至，有着当面宣布起义投诚似的意味儿。他不禁相信有钱能使鬼推磨的话了。韩彪有钱，结果连他的儿子都被收买了去！而且，似乎是间接地通过他这位父亲进行收买的。可不么，因为那一万元是由他的衣兜揣回家的啊！老伴儿和媳妇已由于那一万元相互对骂势不两立了。老伴儿要掌管那一万元，媳妇也要掌管那一万元。而儿子立场鲜明又坚定地站在媳妇一边，并辱斥母亲：“你个见钱眼开的老东西！病病歪歪的不定哪天就被无常一链条锁走了，你还要掌管着那么大一笔钱干什么?!”唉，唉，是啊是啊，一万元，对于他翟老栓这一户农民人家，确实是一大笔钱啊！他打出生后就没见过一捆一万元那么多的钱，儿子也是的。一百元都可能促使儿子与人拼搏一场，何况一百张一百元。令儿子辱斥母亲并咒母亲早死，岂不成了自然而然之事么？老伴儿当时一屁股颓坐于地，哭闹不休。这使他预感到，不久分家是在所难免的了……可一万元在韩彪那儿还算个数么？在韩小帅那儿也不算回子事儿啊！听说韩小帅有次在县里，只因一名三陪小姐肯当众嗲声嗲气地叫他几声干爹，他便眉开眼笑地掀起她裙裾，将一捆一万元崭新的钱塞进了她的粉色裤头里。也是当众……可自己站在翟学礼家门旁的黑影里为的又是哪般呢？难道不也是来声明划清界限的么？不也是因为那一万元钱对自己起了作用么？如果，上午韩小帅只将他的车他的牛弄下桥去了，而不曾塞在他兜里一万元钱，而不曾当面亲口地向他许下对他和他的儿子都另有补偿和关照的承诺，这会儿他还会站在翟学礼家门旁的黑影里么？不，不会的。那么这会儿他内心里肯定会充满了仇恨。其仇恨反而能使他对韩彪的权势无所畏惧，暗发誓不两立鱼死网破的誓言。即使来了，也断不会隐蔽在门旁的黑影里不进屋。是的是的，那么他早已一步进入屋去，与屋里的几个人一起历数韩彪的罪状种种，并同仇敌忾地谋划如何在“民选”中发挥自己的正义力量了。人家复员兵翟学礼，从部队回到村里才半年，三个月前才成婚。人家在县里开了爿修摩托和汽车的小小车行。人家每月的收入还可以。比上不足，比下有余，凭本事吃饭，不招山不惹水，夫唱妇随，小两口日子过得收支有度，和和美美的。是自己暗中怂恿和鼓动人家与韩彪竞选的啊！最终说服了人家，小伙子靠的是什么呢？还不是“你得为全村人撇开私心”之类的话语么？屋里的几个人，又有哪一个不是经自己暗中串联了，才义无反顾地甘当翟村正义核心力量的一分子的呢？……

自己却首先要来宣布退出了！

退出的话可叫自己怎么说才好呢？再巧舌如簧地张嘴，出尔反尔，背信弃义，也无法将“民选”在节骨眼儿上的退出说成是种勇退而不是缩退啊！

唉，唉，翟老栓翟老栓，你可耻呀你，你这一步迈出去，今后在全村可怎么有脸做人呢？倘韩彪们此后仍鄙视你，你就落得个两方面都不是人的下场了呀！而韩彪们此后仍鄙视你，那几乎是预料之中的事啊！不迈这一步呢？不迈不行了呀！已然收下了韩小帅的一万元钱了呀！没法解释了啊，跳进黄河也洗不清了啊！唉，唉，你个窝囊的翟老栓啊！你既有暗中串联一把子人企图对抗韩彪在翟村一手遮天的势力的胆儿，当时在桥上怎么就没有将一万元钱扔在韩小帅这个杂种脸上的勇气呢？……

唉，唉，当时没敢那样，现在多么后悔也是迟了啊！

当时自己是被吓傻了呀！

现在连将那一万元钱再当面还给韩小帅的可能性都没有了——因为那一万元已经属于儿子和媳妇了，是休想从他们手中要回来了。他往这儿来之前，听他们关在自己的屋里窃窃私议，不买牛不买车了，而要用以放高利贷了。既然他们已决意投往韩彪村长的矿上去获荫庇，还买牛和车干什么呢？如今银行利息太低，炒股他们不敢冒那份儿险，放高利贷，自然是一种死钱变活钱的方式。何况，私放高利贷，在如今的农村，已是很普遍的事。他还偷听到了儿子担心将钱放出去收不回来结果没影了的话。而媳妇劝道，怕个什么劲啊，只要是韩家大院势力上的人，只要紧紧抱住韩小帅的大腿不放，无须靠韩彪村长亲自撑腰，只要往外一抬韩小帅的名字，谁人吃了熊心豹子胆敢赖债不还？儿子是个对儿媳妇言听计从的家里软外头横的男人。肯定的，那一万元，将使儿子在媳妇面前更加的唯唯诺诺，百依百顺了。他们一口一句“韩彪村长”，显然的，韩彪的村长地位，在儿子和儿媳妇心里，那是不可动摇也不该被动摇的了……

与韩家大院的势力相比，屋里的几个人，尽管一个个斗志昂扬，坚定不移，可阵容上是多么的渺小啊！而且，只不过是在背后才如此这般啊！倘他们也同样有了今天上午自己的遭遇，不知他们都还会不会出现在翟学礼的家里？倘韩彪在韩小帅们的簇拥之下一步迈入了屋里，不知他们这会儿一个个又是什么表情和形状？倘韩彪一一塞给他们每人一万元钱，不知他们接不接？若不一个个喜出望外低眉顺眼地当着翟学礼的面双手相接才怪了呢！“民选”之前就不许当村长的周济穷困村民么？法律何曾规定过这一条？他韩彪有的是钱，他想给谁，以及什么时候在什么场合之下给，法律干涉得了他么？连法律也奈何不了他啊！何况，屋里的几个人，确实是翟村的穷困村民呀！法律若干涉，岂不显得法律多么的荒唐可笑了么？……

在翟学礼家门旁的黑影里，翟老栓的头脑，前思后想，如一架摇动的纺车转个不停，根性之线越抻越长，绕成团，剪不断，理还乱了……

他的双脚，不由自主地走动了。不是反身往回走，也不是往屋里去，而是经门口从屋外走过，走向对面的猪圈那儿。仿佛像手中没有探棍的瞎子，不碰南墙不回头……

屋内有人厉喝：“那是谁?!”

紧接着翟学礼跨出了门，见是翟老栓，困惑地问：“老栓叔？……”

翟老栓怔怔地，甚而显得很懵懂地站在翟学礼面前了。他张了张嘴，一时不知如何回答才是。

翟学礼又问：“老栓叔你什么时候来的?”翟老栓只有一味儿地沉默。

“你去厕所?”

翟老栓摇头。他不禁扭头朝屋里望了一眼，见屋里的几个人，也都正望着他。每人脸上的表情，皆呈现着狐疑。

“那，进屋吧！”

翟学礼从门口闪开一步，翟老栓犹豫片刻，终于举步迈进了屋。

于是，一屋子人都松了口气。翟老栓觉得他们是那样——在他没迈进屋之前，他们从屋里望向他的目光，如同是在望一个韩彪派遣来的特务似的。

翟学礼紧随其后也进了屋。门帘一挑，他年轻的妻子端了一碗茶出来。那是一只大号的粗瓷碗。少妇将碗放在桌边，冲翟老栓笑盈盈地点点头，意思是告诉他，那碗茶是为他沏的。翟学礼冲妻子使了个眼色，她领会地离开屋子，脚步轻轻地走到院外去了。她不是本村人，是翟学礼当兵时在别省处的对象，复员时领回本村了，也是农村人。她对翟老栓，已比对聚会家中的每一个男人都熟了。而翟老栓此次见她，觉得那少妇脸上分明地有着以前不曾有过的忧虑了。那甚至不仅是忧虑，更是某种隐约的惴惴不安。他望着那少妇悄没声响走出去的背影，心中暗想，可不是么，学礼难道不是用眼色指使她到院子外边放哨的么？仿佛，这些个男人们是在密谋造反似的；仿佛，年代一下子退回到了解放前，会有国民党的特务突然前来搜查和逮捕人似的。可明明是政府把选举村长的权力，最大自由程度地给予了农民的好事情啊！怎么，竟只有偷偷摸摸的才能实现愿望了似的呢？

翟老栓内心里一时充满自我谴责，感到非常对不起翟学礼，更对不起那少妇。人家小两口的日子原本是与世无争无忧无虑的呀！

翟学礼一跃坐到了窗台上，不无敬意地请翟老栓坐他坐过的椅子。

翟老栓没坐。

他两眼翻起，望着屋顶说："学礼，我来是……我想告诉你，我……退出了……"

顿时一阵肃静。所有人的目光都投射到他身上。翟学礼还没在窗台上坐舒服，听了他的话，双脚仿佛被铅砣一坠，又站在地上了。

他问："老栓叔，你……什么意思？"

"没什么别的意思。就是来告诉你，让你心里有个数儿——'民选'我不投你的票了，我要改投韩彪的票了……"

屋里的气氛不但肃静，而且，快接近凝固了。

翟老栓一时反倒觉得无比轻松了，如释重负，如同刚刚完成了一项极为艰巨的事情。他的目光也敢于环视其他男人了。他嘴角微微一动，似乎还企图举重若轻地笑一下。

"你混蛋！"有个男人大吼起来。

翟老栓缓缓朝他转过脸去，心平气和地说："我承认。不过，我倒要问一问了——如果韩彪这会儿来了，大大方方地说，开春了，知道几位仍是老老实实种地的庄稼人，我韩彪给你们点儿钱，买买化肥种子修修农机具什么的用，说完就给了你们每人一万元钱，'民选'的时候你们还会选他么？……"

翟老栓的手矛似的朝翟学礼一指。

又是一阵肃静。

"放屁！怎么会有那种好事！"

"韩彪他多么的为富不仁，难道你还不清楚么?!"

"不算你，不算学礼，我们总共七个人，他韩彪怎么会把七万元花在我们身上？在他眼里，我们不配他那么仁义对待啊！"

几分钟的肃静过后，七个男人激昂慷慨。

翟老栓冷笑道："你们嚷嚷吼叫个什么劲儿啊？怎么你们谁都不直截了当地说——韩彪他就是肯给我也不要，还会把钱摔在他脸上，教训他少来临时收买人心这一套？"

再次的一阵肃静。

三个冲动地站起来，并急赤白脸地跨向翟老栓，看架势恨不得揍他一顿的男人，相互瞧着，默默地退后，坐将下去了……

翟学礼这时开口了。他不知何时将脸转向窗外，背对着众人了。

但听他说："老栓叔，你，已经接了韩彪一万元了吧？……"

翟老栓看不到学礼的表情，只觉他的语调极冷。尽管比自己的话说得还心平气和。

他想替自己解释从牛和车的事件说起。却又没那样。连自己也不清楚为什么不替自己辩护一番。

他竟低低地吐出两个字是："接了……"

屋里的气氛真的由肃静而凝固了。凝固得如同板结了，也将众人一总儿板结了。

他问："我可以走了么？"

翟学礼说："怎么不可以？谁也没打算扣押你啊。"

于是他一低头，拔脚往外便走，一副溜之乎也的样子。

啪！——在他背后，谁将一只粗瓷大碗摔了。

啪！——又摔了一只……

"大伙别这样。这多不好。再说摔的是我家的碗啊！就是大伙都不投我的票了，而要投韩彪的票了，我翟学礼也还是要竞选的。部队教育了我多年，我知道什么是公民权。我也看明白了一些咱们翟村的事。我不是冲着哪几个人，是冲着'民选'两个字才决定竞选的……"

翟老栓成心慢慢地走，希望在走出院子之前，将翟学礼的话听全了。听全倒是听全了，却特别失望。他倒很愿听翟学礼骂他。翟学礼非但不骂他，连半个字也不提到他，仿佛他根本没来声明过什么，也根本不是个正往外走的人似的——这使翟老栓感到比被辱骂一顿还难受……

一出院门，差点儿和翟学礼媳妇撞个满怀。那少妇大约是听到了屋里男人们的吼嚷和摔碗的声音，想回屋里看个究竟。

她忐忑不安地问翟老栓："叔，怎么才来就走呢？屋里大伙怎么了啊？"

翟老栓装聋作哑，哪里还有脸面抬头看那少妇一眼，绕过她身子，偷了人家东西似的，加快脚步衔羞而去……

第二天，在省委，在省委书记的办公室里，三个月前刚从别的省调来的省委书记，正在与省报的记者王晓阳单独交谈。不是由王晓阳求见，而是由省委书记召见。

省委书记问："王记者，到省报几年了？"

王晓阳谦虚地说时间不算长，才十一年。说着双手呈递给省委书记一张名片。

省委书记说："十一年，那不算短了，也称得上是老记者了。"

低头看着名片又说："已经是主任记者了嘛。还是民盟省委的委员啊！"

省委书记刮目相看似的将目光又望向了王晓阳。

王晓阳笑笑。笑得意味深长。潜台词是——省委书记大人，咱们就别兜圈子了，开门见山吧！既然是您抬举我，召见我，还能不预先把我的底细摸个透透的呀？

省委书记也无声地笑笑。

他说："好，咱们直奔主题。你写给省委的信，我认认真真地看了。在翟村的事情上，再具体地说，在韩彪这个人物的事情上，我代表执政党，你代表友党，咱们坦诚沟通一下情况，行不？"

王晓阳点点头。沉吟片刻，又补充道："我只能权且代表一下罢了。"

于是二人你问我答或我问你答地交谈起来。彼此彬彬有礼。既不因相互之间地位的差别而一方摆出优越一方故作卑微，也不因三十来岁的年龄差距，一方以长者自居一方由于是晚辈而局促。就像两位学术资格不分高下的学者在探讨什么学术问题。

省委书记说："民选"早已是全国广大农民的强烈要求和迫切愿望，在别的省份进行"民选"的情况证明，效果是良好的，农民们是具有相当可喜的民主热忱和较为成熟的民主意识的。本省将在几个县里树立第一批十个村，作为"民选"样板村，翟村是逐级上报逐级审议通过的十个村之一……

省报年轻的老记者说，自己是常年跑农村新闻的。因为韩彪不但是他那个县里举足轻重的人物，在地区和省里也是位经常出席各种会议，姓名经常见诸媒体的人物，所以，他曾隐了记者的真实身份，长期在翟村"调研"过连续两任的村长韩彪……

省委书记问："那么，你究竟对韩彪有怎样一种与众不同的看法呢？"

省报记者反问："您呢？"

省委书记微微一笑，从茶几上抓起了烟盒："你吸么？"

省报记者不客气地抓过了一支。

两人都吸着烟以后，省委书记说："还是先听你的看法吧。"

省报记者说："他是某些贵党官员不遗余力大树特树起来的人物，您在召见我之前，当然已经听过他们的介绍了，所以我要先听听您对他有几分了解。"

省委书记说："还不是报上电台电视台宣传的那些。"

省报记者说："您信？"

“那些宣传要是虚假不实，责任也有你们记者一份。”

“另一部分责任应由某些官员来负，因为我们记者大多数情况之下不可能不遵他们的命而宣传，主要责任在一些领导。”

省委书记将这位言语近乎肆无忌惮的民主党派省委委员的记者足足注视了有五秒钟，又是微微一笑，以调侃的口吻道：“你来者不善呢。”

省报记者也笑道：“善者不来。我虽然口无遮掩，但并无危险。”

最后，在省委书记的一再“敦促”之下，还是省报记者先谈了，他介绍说，韩彪非翟村人。也不是本省本县的人。究竟原籍是哪里人，连他也没了解清楚。只知道翟村曾有个叫翟传贵的农民，和儿子在外地当了几年小包工头，积攒下了一笔钱后，回到翟村承包了几座山。经高人指点，说山里也许有银矿脉，于是开起矿来。韩彪便是父子经人介绍、高薪从外地聘来的找矿师傅。然而钱花了十几万，却一块银矿石也没采出来。接着蹊跷之事接连发生。先是介绍人黑夜在公路上被车碾死，肇事车辆至今没有查到。接着翟传贵父子俩双双死于矿井塌方之事，只撇下儿媳妇一个小寡妇。不幸的日子里，韩彪跑前跑后，帮着小寡妇处理后事。翟村人都议论说，看不出那姓韩的外地人还挺仁义。再接着韩彪与小寡妇登记结婚。翟村人虽感出乎意外，却仍认为，对那小寡妇可算是不幸后的一幸了。更加奇怪的事总是发生在最后的——不久韩彪四处招来了几十号雇工，不到半个月就有一车车银矿石源源不断地运出了山，从此韩彪一年比一年发达……

省委书记说：“情节还怪曲折的，有意思。可是敢问大记者，能说明些什么呢？”

省报记者绵长地深吸了一口烟，缓缓吐尽之后，以从容不迫又颇自信的口吻说：“探案学方面，有一种分析方法，叫‘后逆推理’。我认为，也许是这样的——韩彪凭他的经验，早已找到了矿脉，一经掘近，便停止了，另行采掘。所以，几处矿脉，对他而言早已了如指掌。雇主父子却由于毫无经验，全然蒙在鼓里。否则，怎么可能在不到半个月的时间里，几处同时出事？……”

“你的‘后逆推理’，有什么事实根据支持么？”

“有，我的暗访记录。某些老雇工说，当年，在韩彪胸有成竹的指点之下，那几处地方一掘就现出矿层了……”

省委书记不禁“噢”了一声。

省报记者又说：“那么，矿主父子的死，介绍人的死，就不但蹊跷，而且，而且……”

他不再说下去，一味儿吸烟了。

省委书记站了起来，踱着，踱着，不停地踱……

他终于又落座了，问：“你还了解到些什么？”

“从几年前起，县公检法三部门，就不断收到匿名举报信，信中都指出了我刚才悟到的疑点……”

“立案侦查的结果呢?”

“从没立过案,所以也就从未有过什么侦察结果。”

“噢?”

“不太正常吧? 一般情况,怎么也会派人去翟村了解了解吧? 哪怕是象征性的。”

“那时韩村长已是人物了?”

“对。”

省委书记又起身踱步。他踱过来,踱过去,也不知在思考些什么。忽然地,他站住了,一转身,省报记者却已不坐在沙发上了,背朝他,正在他的书架那儿看一本书。

他说:“讲啊,你怎么不讲了?”

省报记者说:“还想听,我以为咱俩话不投机了呢!”

“当然! 我爱听与我不投机的话。何况我也没觉得咱俩话不投机。”省委书记走到省报记者身旁,将省报记者拿在手里那本书夺下,又说:“借你了。不,给你了! 一会儿你看我这儿有什么你感兴趣的书,只管带走。”说着,替省报记者将那本书塞入拎包,并将省报记者推至沙发前,按坐下去。

“中午我陪你吃饭。”他看了一眼手表,“现在才十点多,离吃午饭早着呢! 我不能白留你吃一顿午饭,所以我现在对你的要求是,知无不言,言无不尽,把你了解的情况全都讲出来,我保证洗耳恭听。”

于是王晓阳说,韩彪在连任两届翟村村长的年头里,招雇的采矿工不但越来越多,而且给他们中许多人落下了正式的翟村户籍,使他们成了些个有双重户籍的人,也成了些个有两份身份证的人……

“这当然是严重违反行政管理法规的。起码会干扰以后的人口普查。他替他们造假身份证么?”

“不,不是假的,是真的,完全合乎法律手续的。”

“此话怎讲?”

“因为盖有县公安局的大印。”

“对他有什么好处?”

“翟村人口的成分被他改变了。有许多人,包括来历不明之人,摇身一变成了合法的翟村人口。他们的人数,已比翟村原本的人数少不到哪儿去。加上还有些翟村农民,甚至一家子父子兄弟几个,也都成了韩彪矿上的雇佣工。这两种人,由于切身利益的牵制,凡事不可能不惟韩彪的马首是瞻。可想而知,翟村的大事小事,都可以假绝对民主的方式,亦即少数服从多数的方式,随韩彪之心所欲。这就是为什么,他已连任了两任村长,此次‘民选’在即,仍要连任下去的根本原因。”

“如果,翟村此次没列入‘民选’的样板村……比如,像从前,由县里宣布一份任命状了事，那会怎样？”

“村长是他。”

“这么肯定？”

“对。因为县里的官员们，据我想来，十之八九怕是都已经被他喂熟了。”

“有何事实根据？”

“某些事实根据是需要某些刚正不阿的人去调查和收集的，我又没有此种特权。”

“照你这么说，只有下令市里成立专案组？”

“那又怎样？我很熟悉他们，亲耳听他们谈起韩彪，像谈起他们最赏识的人。”

“……”

“我们某些领导干部，几乎已经天经地义地将屁股坐在中国的富人一边了！他们急富人之所急，想富人之所想，乐富人之所乐，忧富人之所忧，一开口，句句听来都像是在专门替富人代言。说起老百姓，倒像是在说令他们嫌恶的贱民了！”

“那样的干部是少数。”

“少到多少？”

“总之你得承认是少数。”

“我也没说是多数啊。我用了‘某些’这个词，对吧？看，我们开始话不投机了吧？我还是明智点儿，趁你没翻脸之前走的好……”

王晓阳站了起来。

“坐下，坐下。别那么目中无人。我不同意，你说走就走未免太耍大牌了吧？我毕竟是位省委书记吧。”

省委书记抓住省报记者一只手腕不放，省报记者只得又乖乖坐下了。

“来，吸支烟……”

于是两人都获得了各自沉默一会儿的机会。

“如果还按解放以后一向的方式呢？”

“也就是由贵党乡里县里的干部提几位候选人名单，群众认可一下，那当然肯定是韩彪了！在贵党某些官员心目中，韩彪优秀得不得了。在翟村，只要他再收买几个人，他就成了大多数群众举双手拥护的人。”

“那么你对‘民选’的结果有何预见？”

“韩彪。”

“照你说来，没治了？”

“贵党……”

“大记者！”

省委书记表情极为严肃起来。

于是，轮到省报记者张口结舌了一下，愣住了。

“我们共产党有什么非常对不起你个人的地方吗?”

“这倒没有。”

省报记者脸红了。

“你亲人中有人曾被打成过右派?”

省报记者摇头。

“有人曾在‘文革’中受迫害?”

省报记者摇头。

“有人失业?”

“我的亲人们,生活过得还都可以。”

“我想也是。省报鼎鼎大名的王记者嘛! 除了我这位外来的和尚,谁人不知? 谁人不晓? 你的某些亲人是因为沾了你的光,生活才过得还可以吧? 为了他们和你自己生活过得还可以,你与敝党的某些科长啦,处长啦,甚至局长啦什么的,不是也一向的关系密切,甚至称兄道弟,经常地搞点礼尚往来么?”

“人难以与现实为敌。”

省报记者答对得倒也坦荡。

“咱们不谈你了,让咱们来先谈谈中国。对于中国的现实,无非有三种人持三种观点——糟得很。越改革越糟。简直一无是处。你持的不会是这一种观点吧?”

省报记者点了点头。

“成就是有点儿的。但是问题严峻。那点儿已经取得的改革成就,相对于严峻的问题,根本无济于事。”

省报记者开诚布公地说:“我曾经持第二种观点。”

省委书记步步为营地问:“那么现在呢?”

“成就不小,有目共睹;问题不少,按倒葫芦起了瓢。”

“这也差不多就是第三种人的第三种观点。这还接近些客观。而我们执政的中国共产党,心里是很着急的。对那些严峻的问题是重视的。既不是掉以轻心更不是包庇怂恿的,这也该是一个事实吧?”

省报记者低声回答:“这我承认。”

“所以需要对中国有责任感使命感的一切人,首先是你这位民盟省委委员先生……”

“你再叫我先生,我们就没必要谈下去了。”

王晓阳皱起了双眉。

“那么你刚才贵党长贵党短的,我们就更能坦诚相见地谈下去了? ……”

省委书记第三次从沙发上站了起来,走到办公桌后,从桌上翻找到几份文件,一手拿着,一手指着,眼望着王晓阳继续说:“‘民选’的事,是我来之前,在前任省委书记主持之下,开了多次常委会议定的事。而且早就将文件逐级发下去了,我不可以轻易改变它，也没有什么理由将翟村从文件中划掉，取消它已被逐级批准的‘民选’资格。虽然，你使我了解了一些韩彪和翟村的有价值的情况，但在我们的谈话中，你还一直没有确凿的证据，证明韩彪其人为富不仁，坑害乡里，犯法作乱吧？你举出的那些事，别人还有替韩彪的那种振振有词的解释，专等着堵你的嘴啊！”

“仅仅是堵我的嘴？”

王晓阳问得语气冰冷。显然，他对两人之间的交谈大为失望。

“我希望由我将问题提出来时，那些也想转弯抹角堵住我嘴的人，心里虽想而不敢那样了。所以，民盟省委王委员先生，我要求您的帮助。”

王晓阳沉吟着，不知该不该将省委书记的话当成戏言。因为对方的表情是更加的严肃了。最后一句话尽管用词颇调侃，但是郑郑重重的，听来毫无玩笑的意味。

他只有一言不发地期待省委书记还说什么。

他期待到了这样一句话：“我聘请你为省委特派记者。不过你的公开身份应该是翟村‘民选’工作宣传组普通成员之一。你对你所了解到的情况，只要你认为有价值的，直接向我汇报，直接对我负责。”

吃过午饭，临分手时，王晓阳似乎漫不经心地问：“您喜欢看书么？”

省委书记回答：“共产党官员，也并非全是靠书架装点知识化门面的人。”

王晓阳又说：“我指小说。”

省委书记回答：“我在大学是学中文的。”

“有一本从美国翻译过来的小说《教父》，您读过么？”

“读过。1982年前后翻译过来的。当时我任省委宣传部长，有责任判断它该不该被封杀。”

“结果呢？”

“我暗示如果加上一篇导读性前言，我可以睁一只眼闭一只眼。”

“我建议您这位执政党的省委书记，再读一遍《教父》，对美国教父维托·考利昂这一人物，做二十年后的今天的再分析和再思考。”

王晓阳的话语说得很凝重。

省委书记回答：“我们谈话时，我已联想到了《教父》，我再读一遍后会告诉你。”

王晓阳说：“那倒不必。我已经再读过一遍了。我认为，中国目前已很有了一些维托·考利昂。起码很有了一些一心想成为中国式的维托·考利昂的人。他们今天极善于成为使中国共产党感到亲爱的人。而明天，他们也许是中国共产党极危险的敌人。”

省委书记对他的话不动声色，只说：“我再读，我一定再读。咱们会有机会交流读后感的……”

“民选”在翟村按期举行。离预定日子预定时间还有一个多钟头，翟村的农民们，皆已入场，安安静静地坐着了，气氛是十年来少有的肃穆。农民们脸上的表情，一个个也都那么的肃穆，仿佛是学生一次毕业考试，关系重大得与每一个人以后的人生轨迹紧密相连。他们互相不交谈，甚至谁也不看谁。即使平日嘻嘻哈哈胡闹惯了的两个人坐在一起，彼此也没话说，形同陌生人。

翟村人，无论原本的翟村人，亦或后来落户于翟村的人，亦或两种人之间，在那一天，在那一时刻，心理上都变得拒人千里方觉安全了似的。仿佛虽然长期生活在一个村子里，却不曾有过任何往来，以后也打算老死不相往来似的。

他们的脸，都一律地朝向正前方，都目不转睛地望着台上的投票箱。那是专为此番“民选”做的一只投票箱。相对于一个村的投票，它未免显得太大了。油成了抢眼的红色。不消说，它是韩彪命他矿上的人做的。农民们望着它的目光，都有那么几分怪异。怪异之中充满着祈祷。好像它是一只彩票箱，将会产生一种大奖。选举场地自然也是韩彪矿上提供的，是矿上的娱乐室，以往雇佣的采掘工们打麻将聚赌的地方。赌是他们一向的娱乐方式，再不就是嫖。赌嫖自由，他们就都是唯命是从的好雇佣工了。他们以唯命是从感激韩彪给予他们的两种自由。县里的官员也因此向韩彪颁过奖状，表彰他对他的雇工调教有方，管理得法。奖状正是在这同一个地方颁发给韩彪的……

离投票还有十几分钟时，韩彪来了，披件貂领大衣，来得行色匆匆，风风火火。身后跟随着秘书及韩小帅一干人等。

于是一切人的目光全都望向了他们，包括充当监票员角色的王晓阳。

韩彪看一眼手表，连说：“差点儿晚了，差点儿晚了，真晚了就该有人背后议论我态度不佳了！”

工作组的人从各个角落走向他。人还没到他跟前，招呼先到了，都满脸笑容。也不知他们的高兴为哪般。仿佛这是他们各自的大喜之日，而韩彪却只不过是位应邀前来贺喜的嘉宾。

王晓阳嫌恶地将目光转移开了。

韩彪与工作组的人一一握手。那完全是不情愿的，不得已的，应付式的握手。显得在他是多此一举，怪麻烦因而心里怪腻歪的事。握时，眼都不看对方，几只手先后乃至同时伸向他，他握不过来了。

他紧皱着眉，一副烦乱不堪的表情，以令人同情的口吻说：“省里的一位领导来矿上视察，我不在场陪着不好。时间就要到了吧？一到马上开始吧！我是投完我这一票就得走的。唉，唉，我想要什么荣誉要不到哇？当村长我哪里会是情愿的呢？可各级领导们……可翟村全体群众……大家听了，下一届可千万别选我当村长了啊！下一届我无论如何得让贤了……”

于是周围围绕的人都体恤地摇头，叹气，说“理解，理解”，并且都做出一副又同情又爱莫能助的样子……

于是韩彪向翟村的农民们抱拳，作揖，鞠躬，也说："理解万岁，理解万岁，请诸位多多理解……"

听来，仿佛"民选"已结束，仿佛他已全票当选，仿佛那对他是大不幸。

翟村的农民们，斯时一个个紧闭双唇，表情矜持，莫测高深。

韩彪一眼发现了翟学礼——那复员兵，那唯一与他展开竞选的人，坐在中间一排的最边上。他似乎早已料到了注定的失败，也似乎早有心理准备，还没开始投票，却已超前流露出了失败英雄的悲壮神态。

韩彪两步跨到他跟前，主动伸出了一只手。翟学礼意外又犹豫地站起，不自然地笑笑，与之手手相握。

韩彪并没有马上放开复员兵的手，而是紧握复员兵的手不放，大声说："学礼，修车行开得好吗？有什么困难只管找我。缺资金了也找我。十万二十万的，拿去用就是！"

把个复员兵搞得别提多么尴尬，只有不自然地笑，站也不是，坐也不是；抽回手不自然，任凭被握着手也不自然。

韩彪双肩一耸，抖落了大衣。早有韩小帅从后及时接住，搭在自己臂上。

于是韩彪竟拥抱翟学礼，一手轻拍复员兵后背，俯其耳样子很是机密地说："我将投你一票！下一届我非让贤不可。别这么沮丧。在今后的几年里要多接触群众，争取让群众了解你，信任你嘛……"

俯耳又机密的话本是应该小声说的。他似乎也是那么说的，怕他的话被第三者听了去似的。然而他的声音却"小"得每一个人都听得一清二楚。

二十八岁的复员兵，被搞得面红耳赤，倍感羞辱。在大他二十来岁的人物韩彪面前，他一时显得那么的嫩，那么的不成熟，那么的没有自信，那么的……根本不配是韩彪的竞选对手……

工作组的人又讲了一番注意事项，投票终于开始……

韩彪果如其言，一投完票，便率众离去。来也匆匆，去也匆匆。韩小帅们各自怀着有功之臣的轻松愉快，你东他西，或寻花折柳，或豪饮相庆去了。

他们是都心中明镜似的专等着韩彪日后对他们的论功行赏了。

当然没有什么省里的领导到矿上来视察。

韩彪自己也回他的一处行宫，享受按摩去了。女按摩医师漂亮可人，风情百种，是他从省城某大宾馆高薪"撬"来的。

自己控制着的人们占有着将近一半的选票，侄子韩小帅们责任包干，又使钱贿赂了些人。他断定，百分之八十以上的选票，那是早已铁定归属在他的名下了。他是亦喜亦恨。喜的是大功告成，而且易如反掌。"民选"后的村长，将证明着他毫无疑义的群众基础和威望。这么好的社会效果和政治效果，他韩彪岂能坐失不要？

不久他又将是新闻焦点人物了！锦上添花，好上加好！恨的是翟学礼。不识时务的毛头小子，什么东西！杂种！和自己竞选，也他妈配！什么时候得细细调教他一番，让那小子领教冒犯自己的下场！还要让他有苦说不出来，干往肚子里咽。什么他妈的“民选”不“民选”！在本县的地盘里，凡自己想要的，各方面就他妈的该选自己，就叫“民主”。否则，不管什么方式，都他妈的不是“民主”！……

他猛一翻身，将骑在他身上的女人翻在下边了，接着就凶狠地干起了那种事儿。仿佛身下是翟学礼的淑妻，怀着股大恨在进行强奸似的。那女人见他表情异常，动作野蛮恶劣，不知他是怎么了，特别害怕，竟不敢像以往那么浪那么淫……

突然韩小帅不敲门便闯了进来，明明看清了他正干着那种事儿也不赶紧退出，却反而跨到床边，慌慌张张结结巴巴地报告：“叔，坏，坏了！选举结果出来了……”

他扯线毯将那女人一盖，便赤身裸体地站起来，一时不明白侄子何以慌张何以结巴……

“村长不……不……不是你……是翟学礼那小子！……”

“胡说！我不信！怎么会！”

“千真万确！百分之八十以上的选票在那小子名下！……”

在“民选”中落选了的前任村长呆住了。

“叔，咋办？……”

他狠狠地扇了侄子一个大嘴巴子。韩小帅脸上顿时出现五道紫红的指印。接着他朝侄子踹了一脚。人高马大的韩小帅竟被踹得捂着肚子蹲下了。他双手举起一只大钧瓷花瓶要往侄子头上砸，幸而被那女人一拦，韩小帅才没头破血流。

花瓶碎在地上。

韩小帅也吓傻眼了，他从没见他的叔叔韩彪如此大发雷霆过。

韩彪几乎将屋里能摔碎的东西全摔碎了……

翟村的选民，以农民特有的，经常用愚怯巧妙“包装”了的城府（几乎只有某些农民才具备那一种城府，而且往往表现为较高级的一种），以及孩子般的狡黠，彻底将韩彪这位在翟村说一不二，甚至跺一下脚就会惊动整个县里四面八方的势力人物耍弄了。他们收他的钱。钱是多好的东西啊！对于他们，尤其是多多益善的东西。何况他们明知韩彪有的是钱，收下时丝毫也不感到有什么不妥，更不感到有什么不安。他们如是想，你要收买我的选票，你当然得出点儿血。现如今什么都讲价值，那么我的选票也是我的无形资产，一年一个行情。他们自然不敢当面对韩小帅们这么说。但是他们嫌钱少时，可以什么都不说。什么都不说而又显出顾虑重重的样子，韩小帅们就不得不加钱了。结果使韩小帅们替韩彪拉选票的“成本”大大超出预算。超出得太多，韩小帅们就都不便向韩彪如实汇报了，怕韩彪骂他们花他的钱不心痛，更怕韩彪怀疑他们有贪污行为。所以他们宁肯用自己的钱往“成本”里贴，指望日后韩彪被选上了村长一高兴，奖赏他们的钱比他们“无私”地贴入“成本”的钱多得多。

翟村的农民选民们，收下韩小帅们的钱时，都是当面信誓旦旦地保证了他们那一票一定投在韩彪名下的。都曾虔诚之至地表示，不拥护韩村长继续当村长，那么还有另外的谁值得拥护呢？翟学礼？他有过什么权威？他有过什么德望？他怎么能与韩村长相提并论？……

但是，真在选票上画“√”、画“×”或者画“○”时，他们就都成了自己的意愿的主人了。印制的选票、发的笔，选票统计出结果以后，直接封了，带回省里，由地方最高部门即“省‘海选’办”存档。这使他们可以放心大胆地耍弄韩彪一次。耍弄了他不是也白耍弄么？无论他多么想知道都是谁耍弄了他，也是根本无法知道的。那为什么不耍弄他一次？从前两次可不是这样——第一次是由乡里的干部们来宣布他韩彪是唯一的候选人，然后举手表决，当众点数举起的手超过半数。谁敢不举手？第二次真“民主”些了，发统一的白纸条，自带笔，写被选人姓名。理由是“尊重人权”——候选人有姓有名，不拥护可以写别人的姓名，在候选人姓名后画“√”、画“×”，有辱候选人之人格。这是韩彪手下的人振振有词地提出的，他们一起哄，方式便被采取了。那样的选票，选后都将落在他们手里，谁有胆量不写韩彪二字。只要一对笔迹，哪张选票是谁的，铁证如山啊！……

而此次“民选”，翟村的农民选民们想——韩彪你没辙了吧？老子收了你的钱，老子当面发誓选你了，可老子实际上选的是翟学礼，把你韩彪当猴耍一遭吧！

大多数翟村的农民选民们都那么想，也都是照他们的想法做的；大多数经由韩彪的安排才拥有了双重居民身份，也就是那些落户在翟村，已事实上成为翟村合法选民，而实际上仍只不过是韩彪矿上的外地雇佣工的人们，也都是那么想那么做的。他们不是傻瓜，他们受剥削心里是清楚的。在韩彪眼里，他们只不过是牛马，他们心里是明白的。小恩小惠能给予他们的只是一时的小高兴，却并不能整个儿收买了他们的心。现如今，要收买一个人的心，即使农民的心，价位也是相当高的。零售是一回子事，整卖是另一回子事。而且，普遍的人，只零售，不整卖。好比卖血，一二百 CC 是惯常的卖法，三四百 CC 也可以豁出去一次，但绝没有谁甘愿将自己的血液一总卖光……

妈的韩彪，对不起啰！现如今，有些个当官的，还有收了人家的钱，向人家保证了，而并不替人家着实办事儿的呢！——选举时人们内心里这么想着，在韩彪的姓名后狠狠画“×”，在翟学礼的姓名后认认真真地画“√”……

那时他们内心里别提有多痛快。

然而，选举结果也是大大出乎他们预料的。他们人人以为，那么想那么做的，只不过是自己，根本影响不了大局的。于是几乎人人那么想，几乎人人那么做。但似乎难以动摇的大局，彻底地被翻局了……

选举结果公布以后，竟无人鼓掌。人们离去时，皆一脸的沉重。谁也不看谁，谁也不和谁说话，低垂了头各走各的。仿佛他们的心情不但沉重，还十分忧伤。仿佛那结果，并不代表他们的意愿，是什么鬼搞的鬼……

了解他们的王晓阳看出——他们都想哈哈大笑而又强自忍住，当时对他们是多不容易的事啊！

他料定他们许多人一回到家里就会高兴地甚而幸灾乐祸地喝酒。

他们许多人正如他所料……

只有翟学礼一人坐着发呆许久——结果也是他绝没想到的。百分之八十以上的拥护者和无一人为选举结果鼓掌的冷场情形，使他陷入了平生空前的大糊涂……

乡里县里的几名干部，面面相觑，一个个犯了严重的渎职罪似的，都显出罪责难逃的不安模样。

其中一人望着发呆的翟学礼，晕头转向找不着北地嘟哝："这可咋整，这可咋整，怎么会这样呢？怎么会这样呢？……"

王晓阳却哼起了歌：

种瓜的得瓜呀种豆的得豆，
谁种下仇恨他自己遭殃……

下午，王晓阳去往村外，用手机与省委书记通了一次电话。

省委书记听了选举结果，以欣慰的口吻说："有时候，我们某些自以为顶善于分析、绝不会犯判断性错误的同志，却往往犯了判断性错误。为什么？这是很值得我们自省和反思的……"

王晓阳由衷地说："我接受您的批评……"

省委书记在电话那端又说："一般的经验是，相信人民大众，总比不相信人民大众好。他们有他们的民间原则，正如我们执政的共产党有我们的党内原则。倘我们的意识居然落后于他们的意识，在这种情况之下，还要用我们的原则去压制他们的原则，那么实际上不完全是他们的悲哀，更是我们的悲哀……"

在村外四野无人之地，王晓阳手机贴耳，聚精会神地听着省委书记的每一句话，竟有些听呆了。自己反倒不知讲什么好了。想说些"深刻"之类的话，很快又打消了念头。觉得那时那刻，倘那么对一位共产党的省委书记说，是俗不可耐的。

"'某些表面看起来最微不足道的人，若决心对某些仿佛不可一世的人的气焰实行打击，只要他们在时刻寻找机会，往往总是会达到一下目的的……'这是哪本书里的话？"

省委书记在电话那端考王晓阳了——王晓阳想了半天，回答了几次回答不对。

省委书记告诉他——是《教父》中的话。省委书记还告诉他，自己正在按他的建议重读那一本十几年前引起风波、而如今已无人谈起的小说……

那时候韩彪正在县医院里量血压，查心脏，生命垂危似的。仿佛一个刚刚遭到残酷的私刑折磨的人。是的，他觉得自己在精神上施加了私刑。县里的头头脑脑怀着内疚去看他，一个个被他骂出了高级病房……

翟村的那一个晚上，异乎寻常的寂静。没有一个人去翟学礼家。似乎他不是被选为村长了，而是被宣布为“艾滋病”患者了；似乎谁都成心与他保持安全的距离……

这也是那一种农民们特有的城府和狡黠的表现。

至夜，小两口突闻院里黄犬狂吠。擂砸院门之声令他们心惊。

复员兵披衣跃起，疾出卧房，摸黑从堂屋墙上摘下了双筒猎枪。一边往枪膛上子弹一边喝问：“什么人?!”

院门却已被撞开，一群人影闯入了院子，各个手持刀斧或其他利器。又听黄犬哀号一声，想必已遭砍杀……

翟学礼刚欲推桌子堵住家门，家门也被撞开，来者闯入了堂屋。他们手中的利器，在月光下其刃森森。

复员兵慌忙持枪退回卧房——因为他是复员兵，被县林业局选为义务护林员，那双筒猎枪是发给他用以护林时自卫的。本县的盗伐者们猖獗又凶恶，除了这复员兵，没第二个人肯当什么义务护林员……

闯入者们以韩小帅为首，其中竟有才入伙的翟老栓的儿子！他们一个个喝醉了，皆失去了起码的理智，同仇敌忾地要来取翟学礼小两口的性命。不就是醉后杀两个人么？韩彪有的是钱，会出面替他们私了抹平的。韩小帅也保证了这一点。来者都企图通过杀死翟学礼小两口，向韩彪证明无限的忠诚……

他们猛撞卧房的薄门，疯狂地用利斧劈它……

复员兵的妻子吓得缩在床角呜呜哭；复员兵决心誓死保卫他的妻子，一再高声警告。

但韩小帅们哪里会把他的警告当回事儿呢？

门倒了……

枪响了……

一条黑影高伸胳膊，双手在空中抓挠了一下，扑于床上……

“他先开枪了，砍死他！砍死他！也砍死他老婆！……”

是韩小帅歇斯底里的声音。

他举刀扑向复员兵——复员兵不得已，第二次勾动了扳机……

韩小帅也扑于床上……

复员兵被激怒了，扔了猎枪，抓起两名死者的刀斧，大吼大叫，左右挥舞，将暴徒们逼出卧房，逼出堂屋，逼出了院子……

恰巧王晓阳和一些村里的男人们听到枪声，各操家伙奔跑而来……

另一名死者是翟老栓的儿子……

一小时后县公安局的警车呼啸而至，还有一卡车荷枪实弹头戴钢盔的武警——他们当众用铐子将翟学礼小两口铐上了。

复员兵那时说："不关我妻子的事儿……"

率队的副局长扇了复员兵一耳光，恶狠狠地吼："你他妈吃了熊心豹胆了！……"

那少妇被往警车上押时绊了一脚，跌倒于地，于是竟被两人各拉着一条腿往警车那儿拖……

王晓阳上前制止："她还不是罪犯，你们不可以这样对待她！……"

连他也挨了一警棍，黑暗混乱之中，也没看清打自己的是哪一个……

他大声抗议道："我是省报记者！……"

"滚，别妨碍公务！……"

那位副局长一掌将他推得朝后趔趄数步……

"我还是'民选'工作的省委特派员！"

"那你在这儿乱掺和什么?!"

又被推了一掌，又朝后趔趄数步……

当那副局长坐进他的小车，王晓阳抢前几步，奔过去拦住车，拉开车门大声质问："那些人为什么不带走?！他们……"

他指的是韩小帅的帮凶们，他们已被村人一一制服，捆住了，静等着移交县公安局发落。见县公安局的人在那位副局长率领之下全要走，村人一时皆茫然不知所措……

他的话没有说完。因为他发现韩彪也坐在车内，目光阴冷地朝外观望。

那位副局长狠狠瞪他一眼，嘭地将车门关上。

车呼地从他身旁开走了……

帮凶们一个个领会了什么，皆喊叫："放开我们！放开我们！……"

村人的目光全都落在王晓阳身上，而他也一时茫然不知所措。

在帮凶们喊叫过后的一阵肃寂中，翟老栓开口了。

他说："大家都在等着谁来带个头是吧？那么，我带这个头吧……虽然，我只一个儿子……学礼他是咱们选的，对不？他开枪是被逼的，对不？咱们第一遭由自己替自己做主选了一个村长，对不？……那咱们去保他吧，现在就去。谁愿意，跟上我……"

斯时天已拂晓。

微明的天光下，翟老栓脸上旧泪未干，新泪继淌……

他一说完，独自转身向村外走去。

于是，村人一个个，一伙伙，最后，一百多人全跟在他身后了。

当然，也用绳子牵走了那些帮凶。他们皆从翟老栓的话中预感到了什么，不再喊叫，全蔫了，懊悔莫及地垂下了头……

王晓阳想阻拦他们。心里这么想，嘴却张不开。呆望一会儿，他也紧跑几步跟上了他们……

省委书记在床上接到了王晓阳从县里第二次拨到他家里的电话。

他将自己亲眼所见一一汇报后，义无反顾地说："对不起了省委书记同志，我已经决定站在翟村的选民们一边了。如果他们到省城去向您请愿，您将会发现他们中也有我……"

省委书记在半个多小时内始终一言未发。甚至，既没"嗯"一声，也没"啊"一声。

他不知自己何时放下的电话。

他耳边响起了自己曾以循循善诱的教诲口吻对王晓阳说的话："有时候，我们某些自以为顶善于分析、绝不会犯判断性错误的同志，却往往犯了判断性错误。为什么？这是很值得我们自省和反思的……"

省委书记觉得，自己那话，仿佛是别人的声音了。仿佛是别人们为提醒自己才诤诤言说的了。且具有对自己因翟村的"民选"是那么的顺利而一夜高枕无忧的讽刺意味……

他的目光不禁瞥向床头柜——上面放着一本翻开的书，用隔页品隔着。恍然间好像看到从书页上，从字里行间缓缓地凸显出什么东西，遂成一个小人儿。如同美国电影《终极杀手》中那倏忽地便能液态般而现的杀手般的小人儿。那小人儿丑陋、猥琐、狰狞，冲着他狗面狒狒似的龇牙不止。

那小人儿嚣张地说："我，维托·考利昂！纯中国种的维托·考利昂！……"

那小人儿渐说渐长，越加丑陋，越加猥琐，越加狰狞。

他联想到了《教父》中老维托·考利昂的女儿结婚的场面——一千多人的场面啊！

他不禁地暗问自己——倘十年以后，中国的维托·考利昂们举办什么喜事，那该会有多少官员们驱车前往送礼、祝贺呢？

"我，纯中国种的维托·考利昂……"

省委书记一掌朝那书页，也朝那张牙舞爪的小人儿拍将下去——隔页品硌疼了他的手。

那东西是银的，很精美，具有高级工艺品的观赏性。也凹印着韩彪的银矿的标识——微缩了的韩彪的手印……

每年，韩彪都出钱制作那么一大批，与其他几件精美的东西组合在一起，放在同样精美的盒子里，作为微不足道的办公用品，送往乡、县、市、省各级党的或政府的机关部门……

省委书记研究地拿起它看，陷入良久良久的严肃沉思……

一小时后，一辆“奥迪”开出省委大院，向翟村疾驶而去……

梁晓声

1949年出生，原名梁绍生。哈尔滨人，祖籍山东荣成。中国作家协会全国委员会委员。著有长篇小说《一个红卫兵的自白》《从复旦到北影》《雪城》等，中篇小说集《人间烟火》，短篇小说集《天若有情》《白桦树皮灯罩》《死神》等。短篇小说《这是一片神奇的土地》获1982年全国短篇小说奖，中篇小说《今夜有暴风雪》、短篇小说《父亲》分获1984年全国中短篇小说奖。

1958 年的唐吉诃德

艾 伟

关于“唐吉诃德”这个词，我们村的人以前没听说过，也不知道是个什么意思。这个词出自那个叫蒋光钿的右派之口，我们村的人听到蒋光钿说我们唐吉诃德，还以为他在骂我们，因此，不管三七二十一，狠狠地批了他一回。让我们从头说起。

1958 年，我们村在“三面红旗”照耀下，决定在天柱造一个水库。我们村的支书冯思有，把这个决定呈报上级，希望得到上级支持。上级很重视，给我们派来一个叫蒋光钿的工程师，帮我们搞水库设计。蒋光钿来之前，上级已同冯思有支书通了气，说蒋乃一右派，派他来是让他向贫下中农学习，要我们好好地改造他。由于这个背景，蒋光钿虽是来支援我们搞建设的，但我们对蒋的态度就不像对待别的上级派来的人那样恭敬。蒋光钿来我们村的那天，我们也不会去欢迎他。

我们虽没组织人去欢迎蒋光钿，但实际效果好像有人在夹道欢迎，因为我们在蒋光钿身上找到了不少乐子。首先是孩子们发现了蒋光钿的有趣。那天，孩子们在村头玩，看到有一个人一跳一跳朝我们村走来。那个人很瘦，大约四十岁。他的瘦脸上戴着一双像瓶底那般厚的近视镜。他的上身穿着中山装，下身穿黑色长裤。长裤裤脚用一根绳子吊着，露出一段又白又细的小腿肚子。小腿肚子下边是一双比一般男人小得多被我们村的人认为像女人的脚，脚上穿着一双草鞋。这样的打扮我们村的人没见识过，同我们想象中的知识分子大右派有距离，更不像贫下中农劳动人民，总之，我们认为他的样子有点不伦不类。当然，事后我们问过他为什么把自己打扮成这样，他说是为了表示“知识分子劳动化”。他这身打扮已让我们觉得好奇了，更让我们奇怪的是他走路的样子，像我们村的七姑装神弄鬼时跳的大神。原来知识分子穿惯了皮鞋，不会穿草鞋，穿着草鞋走在石子路上，免不了被石子刺痛，于是他走路就像跳大神。他摇摇晃晃地走着，孩子们跟在后面同样笑得摇摇晃晃。大人们不知道孩子们为什么笑得那么开心，也来看热闹，看到蒋光钿的样子，都笑得合不拢嘴。我们一笑，那个知识分子蒋光钿跳大神似乎跳得更欢了。

我们村的大人小孩跟着蒋光钿来到队部。冯思有已在里面。我们挤到队部门口，站着看热闹。蒋光钿踏进屋里，屋里的地板用水泥浇筑，他就感到舒服了一点，走路稳了不少。他站在冯思有面前，先不说话，而是从包中拿出一张介绍信，双手捧给冯思有，他说，你就是冯支书吧，我是蒋光钿，这是我的介绍信。冯思有是个老革命，解放前参加了游击队，打过国民党，解放后回村当了村的支书。照他的资格当个支书小了一点儿，但再大他也当不了，因为他不识几个字。他因为不识字，因此不喜欢别人拿纸条给他看。他见蒋光钿拿介绍信给他，皱了皱眉头，说，你收起来，收起来。他自上而下打量了眼前这个右派分子，接着说，听说你会搞设计？蒋光钿说，我学的是水利，清华毕业。冯思有不知道清华是什么玩意儿，他没听说过。他想了想说，你来了，好。你先安顿下来，明天就搞设计，好好干，呵。蒋光钿说，为了赶超英美，一天等于二十年，我马上工作。蒋光钿口号喊得很响，但脸上并不激动，眼睛直愣愣看冯思有，看得冯思有很不舒服。冯思有冷冷地说，随你好了。

果然，下午蒋光钿跳着大神去了天柱。他在天柱的山上转来转去，不知道他在干什么。他还不停地在笔记本上记些什么。我们村的孩子认为他有点儿装神弄鬼。他们在天柱的山下高喊：打倒蒋光头。天柱这地方山多，孩子们一叫回声四起。孩子们已经知道蒋光钿是个大右派，是个反面角色。孩子们认为蒋光钿这个名字同大右派很相称，一看这个名字就知道他不是个好东西，因为这个名字让他们想起臭名昭著的蒋介石，而蒋介石头上没毛，我们一般称他为蒋光头，蒋光头和蒋光钿听起来相差无几。于是孩子们不再叫右派分子为蒋光钿，而是叫他蒋光头。这个右派比较认真，他听到山下孩子们叫他蒋光头，就爬了下来。他来到孩子们跟前说，我不是蒋光头，我头上有头发，我的头发又黑又粗，估计还不会脱落。我叫蒋光钿，我起这个名字是有意思的，我的蒙馆老师参加过太平天国，太平天国失败后他隐居起来了，他给我起了这个名，是希望光复金田的意思。太平天国是农民起义，是正义的进步的。太平天国，孩子们听说过，但孩子们说，大右派想沾农民起义的光，我们坚决不答应。孩子们依然叫他蒋光头。

经过几天的踏勘，蒋光钿拿出了水库设计方案。但他提出的方案让冯思有支书很生气。因为这个右派分子把设计搞得太保守。蒋光钿向冯思有这样汇报：根据地形，水库集水面积八百平方米，按历史文献推算，每百平方米可集七十万方，这样水库造好后能集五百六十万方水，能灌溉一千亩粮田。这个方案显然不能体现大跃进精神，也没有一点儿跑步进入共产主义的气魄。冯思有当即向蒋光钿发布两条指示：一、水库造得必须足够大，要灌溉一万亩粮田，不但本村粮田要受益，还要支援别村；二、水库还要发电，发电的指标也定了，共计五千瓦。我们村一共一百一十户人家，这么多电用不完，但考虑到即将到来的共产主义，我们要实现机械化和电器化，因此五千度电不能算多。蒋光钿听了，当即把头摇得像货郎的摇鼓，说，这是不可能的，水库造得那么大，到时候不但集不了那么多水，还灌溉不了粮田，更别谈发得了电。冯思有想,怪不得这个人被划成了右派,原来是个书呆子。他训道,资产阶级知识分子就是迷信书本,崇拜他娘的文献,不敢到人民群众中去找根据。蒋光钿说,科学就是科学,你要造那么大的水库,你就是唐吉诃德。冯思有不知道唐吉诃德是什么话,听不懂。不过他猜想不会是好话。冯思有就找到守仁,问他唐吉诃德是什么意思。守仁虽然只有二十岁,见识不见得有冯思有广,但他读过初中,是我们村最有学问的人。他要求进步,冯思有正在培养他。守仁也不懂唐吉诃德是什么个意思。守仁就对冯思有支书说,资产阶级知识分子愚弄贫下中农,这样的人应该好好地批斗。冯思有也早已对蒋光钿不耐烦了,他想索性抛开书呆子,破除迷信,解放思想,自己设计。

冯思有听了守仁的话,决定批斗蒋光钿。批斗大会由冯思有主持,守仁负责批斗。守仁平时看点儿报纸,虽然他看不起知识分子,但在批斗时他还是想露点儿知识出来。他说,蒋光钿,我问你,去冬今春,我国大搞水利,新增灌溉面积四亿多亩,这个在清华大学水利系书本上有吗?没有。蒋光钿,我再问你,你不向群众学习,还要做大跃进的促退派,你居心何在?守仁这样问的时候,蒋光钿心里在冷笑,如果一冬可以新增灌区四个亿,那么地球就会向西转,水还会往高处流。但蒋光钿不能说,他是来改造的,是来向群众学习的,群众的批评他该虚心接受。因此,守仁不停地问,他不停地点头。守仁接着说(下面的话他也是从报上看来的,他是好不容易才背熟的),资产阶级知识分子认为土改、农业生产可以搞群众运动,走群众路线,但他们认为搞农业科学、搞水利设计就不行,搞这些只能冷冷清清,不能轰轰烈烈。这是唯心主义谬论,这是不承认人民群众是历史的创造者。他们脱离群众,脱离实际,迷信书本,留恋实验室,必须坚决地予以批判!守仁的批斗发言结束,冯思有支书宣布:不再让资产阶级知识分子搞水库设计,蒋光钿从此以后必须参加体力劳动。

我们村自己设计水库就等于再也不用什么设计了,就等于冯思有脑子一拍,他让怎么干就怎么干。既然不用设计了,那就马上开工。开工典礼搞得很热闹。工地上贴满了标语,这些标语都是守仁想出来的。标语写道:苦战一百天,幸福万万年;三面红旗东风吹,天柱水库拿下来;一天等于二十年,共产主义在眼前;女的争当花木兰,男的个个赵子龙;等等。标语一贴,工地就像个工地了,我们村的男女老少都来到工地。人马分成两队,一队开山筑埂,另一队挖塘取泥。筑埂队由梅龙负责,取泥队则由守仁掌握。水库建设总指挥部由冯思有和另一个老革命老高法组成,冯思有为正,老高法为副。开工前,两队的队长,上台表了决心。守仁因为事先做了充分的准备,发言起来就有点滔滔不绝,他不但在台上向筑埂队提出挑战,宣读了一份挑战书,还单方面公布了竞赛计划,并保证按指挥部的命令,一百天内完工。守仁一边说,他手下的人就欢呼,像是对筑埂队示威似的。筑埂队很不服气,等筑埂队的梅龙讲话了,梅龙已憋了一肚子气。梅龙这个人有点儿梗,头脑比较简单，也不怎么会说话，他不会搞守仁这样的花拳绣腿。他来到台上，就气鼓鼓地说，竞赛就竞赛，不竞赛是婊子养的。他一说完，台下笑成一片。台下一笑，梅龙的气也消了，自己也憨笑起来。冯思有觉得梅龙干活可以，但就是要乱讲，为了不让他再说出上不了台面的话，冯思有站起来说，好，好，两位队长都表了态，很好，下面，我宣布，天柱水库工程正式开工。

右派蒋光钿被分到取泥队。蒋光钿人很瘦，走路也走不稳，现在让他挑泥，简直要了他的命。他挑着的泥，加起来不足五十斤，但他却双脚发抖，摇摇晃晃往上爬时就像在打醉拳，又像是在抽风。我们村的人刚开始干活，劳动热情普遍高涨，同他们比起来，蒋光钿挑泥的速度就像蚂蚁在爬。但我们村的人不计较蒋光钿的劳动效率低，每回空着担子往回走，碰到蒋光钿都会开心地笑，笑容当然还比较友善。但挑了几天，我们村的人就感到累，人一累，心情不好，就想找点乐子解闷。最现成的乐子就是出右派分子蒋光钿的洋相。蒋光钿只能挑五十斤土，多了他就挑不起来。我们村的人就是要看他挑不起来的样子，让他挑趴下。他们站在一边，看蒋光钿做动作。蒋光钿躬着背，开始使力气。他全身发着抖，眼睛可怜巴巴地看我们，后来咬了咬牙，欲挑起来。结果双脚一滑，爬在烂泥地上。我们村的人找到了乐趣以后，就感到不那么吃力了。他们继续干活。

蒋光钿想，如果他这样挑下去，那他一定会死掉。他虽然活得很窝囊，但他还不想死。为了让自己从繁重的体力劳动中解放出来，他决定发挥一下自己的脑力，帮冯思有想些科学的办法。当然这办法一定是村里人不懂的，但又是简单的，实用的，他们喜欢的，又是一学就会的。蒋光钿一边在劳动，一边在观察。后来他找到了一个方法。他找到冯思有，说出了自己的方法。

他的办法不是为取泥队想的，他讨厌挑泥，他挑泥的时候，老看那些挖山筑埂的人，对挖山筑埂的人很羡慕（实际上筑埂和挑泥一样累），他因为羡慕他们，他就希望和他们一起干，于是他就替他们想更轻松的办法。他想出的办法就是造土炸药。当时，我们国家炸药很紧张，仅有的一点儿炸药都造炮弹去了，这当然是出于备战的需要。没有炸药，开山筑埂队的进度很慢，山表面那层松软土还好解决，碰到石头，只好用铁钻凿，土方量太少。冯思有听右派蒋光钿说他会造土炸药，将信将疑，不过想起炸药把山炸开那样的美好前景，他立即拍板，让蒋光钿从筑埂队中选几个人同他一起制炸药。

土炸药的配方蒋光钿早已心中有数，即由硫黄、硝、木炭三种原料配制而成。硫磺是有卖的，木炭当然更容易办到，每户人家都有。问题是硝从哪里来。这当然难不倒蒋光钿。蒋光钿来到我们村他已经发现我们村子特别古老，房子大都陈旧，他还发现我们村还很潮湿。在潮湿的房子的墙上一般会生一层白色的像霜那样的粉末，这就是可以做炸药的硝。现成的硝不是很多，右派蒋光钿在政治运动中也学会了走群众路线，他向冯思有做了汇报，希望能群策群力，每人都搞点硝来。虽然这样搞，硝也不是很多，但还是制造了一批炸药。

首批炸药做成后，冯思有急着想试验一下。试验当然在挖山筑埂工地。试验由蒋光钿负责。试验时，大家都停了手中的活，围着看。右派蒋光钿，看到那么多人看着他，不免有点得意，知识分子老毛病又犯了。他指挥起人来有点颐指气使，叫人干什么也语言坚决，好像他是个领导。一般人让他这么说说也就算了，因为人家虽是右派，但冯思有正重用他，可蒋光钿指挥梅龙时，梅龙就有点受不了。梅龙当即训蒋光钿，如果试验不成，看我怎么收拾你！听了这话，蒋光钿才有所收敛。

点火前，我们村的人都躲到一百米之外。爆炸处只留下蒋光钿一个人。只见蒋光钿点上火后，一颠一颠朝我们跑来，大概是他的脚被什么东西刺了一下，他的一只脚离了地，另一只脚一跳一跳的，惹得我们不停地笑。但冯思有没有笑，他好像有点紧张，一直看着那导火索嗞嗞地吐着火舌。大概我们的笑声让冯思有感到很烦，他回过头来愤怒地喊了一声：肃静！就在这时，只听得轰的一声，山被炸开一个大坑。同时，我们村的人见爆炸成功了，也被炸开了心花，高呼起来。只有那个蒋光钿，因为还没奔到我们这里，半道上就炸开了，所以捧着头躺在地上，一动也没动。他大概被炸破了胆。我们高兴地朝山奔去时，还踢了他几脚。

土炸药制作成功，那挖山筑埂的队生产力大大解放，进度比挑泥队更快。这样守仁就感到风头被梅龙压了，很生蒋光钿的气。特别是冯思有在一次群众大会上表扬了筑埂队，他就更生气了。不但守仁生气，所有的取泥队队员也生气了。他们见到蒋光钿就骂，你这个叛徒，反革命分子大右派，我们坚决不答应。

蒋光钿虽给筑埂队制作了炸药，但这份功劳并没记在他账上。特别是他制炸药时好为人师，趾高气扬的样子，让梅龙很反感。梅龙这个人，很梗，气量也很小，蒋光钿制作炸药时，他插不进手，觉得筑埂队不是自己领导，让右派分子夺了权似的，心中常常涌出一股无名火。但经过右派分子的指点，现在我们村的人已经学会了做炸药，已不需要右派分子碍手碍脚了，于是梅龙决定一脚踢开蒋光钿。梅龙向冯思有做了汇报，征得了冯支书的同意后，就让蒋光钿回到了挑泥队。

蒋光钿一走，炸药班就由梅龙负责。梅龙碰到的最大问题是硝不够，但劳动人民比资产阶级知识分子更有想象力。梅龙想，这种白霜似的硝是从砖头里生出来的，这说明砖头里面有硝，问题是怎样把砖头里的硝弄出来。他想到老婆煮猪肉的情景。猪肉一煮，鲜味会从肉里跑到汤中，凭感觉，他认为只要把这些砖头拿来，用热水一煮，就会把硝煮出来。这是个天才的想法，他拿了砖头来一煮，果然煮出了硝来。当然开始时，因为水温高，他没有看到水中有白硝，以为失败了。第二天早上，水冷却后他才见到结晶硝。他的这个创举又受到冯思有支书的表扬。实验成功了，梅龙一声令下，让手下人去拆有硝的墙。我们村已搞了大食堂，正在奔向共产主义，私有制已批臭了，我们的住房也是统一调配的，拆墙不用房主本人同意，如果发现含硝的墙就整堵拆去。煎煮硝的工场就设在河边的一间平房里面。因为炸

药开山效率高,大家拆墙的积极性比较高,没多久炸药班就制作了三千斤炸药,堆放在平房里。

梅龙一般待在挖山筑埂的工地上,但偶尔也会到炸药班来看看。比如他感到干活干得有点累的时候。领导在这方面总归占点便宜,比如冯思有只需动口不用动手。梅龙只是个队长,而且是临时的,不但要动口还得动手。虽然这样,还是比队员们轻松一些。这天中午,梅龙叼着烟,来到炸药班平房。平房里只有一个人在值班。梅龙是造水库才开始当队长的,以前不会说话,现在他当了一段时间的官也会几句官话了。他端着架子,问那人,别的人到哪里去了。那人说,去找有硝的砖了。梅龙点点头说,好好。他坐下来,准备和那人聊聊家常。他的前面放着一石臼,是用来拌和炸药的。梅龙发现,石臼底部凹处有黑黑的一块,不大,大约小指甲那么大,他想用手擦干净,但黑迹粘得很牢,轻易不能擦尽。梅龙就用香烟火去引燃。呲的一声,火药引着了。谁知地上也有落下的火药,也燃着了。周围的工具,如盛火药的袋子、撮火药的勺子,还有石锥等等,都留下火药迹,这些东西都着了起来。那个队员见状,知道大祸临头,反身就逃。梅龙一时没有反应过来,等反应过来时已经晚了。火苗跑得很快,像蛇一样钻进那堆放炸药的仓库,只听得轰的一声巨响,三千斤炸药一起爆炸。整幢平房被炸得粉碎。梅龙已被炸药爆炸时冲过来的风力吹入十米之外的江水中。那个队员虽然跑得快,但被一块石块击中,当即毙命。

梅龙被弹到水中,被冷水一浸,醒了过来。这时,我们村的人听到巨响后也纷纷赶了过来。我们看见梅龙本能地站起来,他的耳朵、鼻子全没有了,上眼帘也弹飞了。从水中起来时,他的脸上身上还一片白,过了一会儿,血像红蜡烛油一样,从他的脸上渗出来。又过了一会儿,脸上的血像泡泡糖似的吹出一个一个大气泡。他身上的棉袄、棉裤都被烧得所存无几。最初,我们还以为挂在他的手臂上大腿上的一条一条一丝一丝的东西是被炸碎的布片,过了会儿,我们才明白那是从他身上炸开的肉丝。我们还看到,他的身上有的地方能见到又红又白的骨头,样子十分可怕。我们当即把梅龙送进了城里的医院。也是梅龙命大,这个医院不久前刚抢救了一名叫邱财康的被烧伤的全国劳模,那班医生对这类病已有经验,他们把梅龙救活了。梅龙从医院里出来,已面目全非,脸上是没有毛孔的内层肉,如前所述,他的耳朵鼻子已经被炸也不会再长出来,他的样子就像传说中的鬼。他因为没了上眼帘,睡觉不会闭上眼睛,吓得老婆不敢同他睡觉。后来,老婆因为受不了他的丑相,同他离了婚。这当然是后话。

炸药房爆炸案自然要立案侦查。冯思有平时阶级斗争的弦也不算绷得很紧,对村里的四类分子有温良恭俭让的倾向(所以他在“文革”当中被人赶下了台,当然这也是后话),但在爆炸案中冯思有却显得很敏感。他认为这个爆炸案一定同右派分子蒋光钿有点关系。他这样推理:梅龙把右派从炸药班赶了出来,让右派去取泥班挑泥，右派怀恨在心，于是报复。因为爆炸那天为12月1日，守仁就替冯思有出主意，说把案子命名为"12·1反革命爆炸案"。冯思有还把破案的任务交给了守仁。守仁因为蒋光钿替梅龙造炸药，让梅龙出足了风头，早就想教训教训蒋光钿了。他命人把蒋光钿抓起来，关在队部。他让蒋光钿交代"12·1反革命爆炸案"的经过。蒋光钿一听，早已吓破了胆，他连话也说不清了，像虾米一样一跳一跳地在守仁面前窜，说，没没没没有，我没没没没。守仁见他似乎不想招供，就说，你要是不老实交代，就不让你吃东西，饿死你。守仁这个人说得到做得到，果真不给蒋光钿饭吃。蒋光钿在旧社会替资本家当工程师，手里有点钱，又懂得享受，从不肯委屈自己的嘴。他这个人长得瘦，但食欲却惊人的好，在城里时，只要听说哪里新开了一家饭店，有什么特别的美味，就会像没头苍蝇似的赶去。自从被下放到这里，他老是有一种吃不饱的感觉。这也是最让人苦恼的地方。现在他晚上唯一可做的梦是自己在吃美肴，而不会梦见别的，比如美女。这说明资产阶级知识分子已经没有更高层次的精神要求了。对于蒋光钿来说，美女可以不想，尊严可以不要，但肚子不可以不饱。他饿了一天，就感到惊恐不安。到了第二天中午，就实在受不了啦。他向门外看守他的人喊道，我交代，都是我的阴谋呀，那反革命爆炸案是我干的呀，我饿死了，给我吃点东西呀。守仁知道了蒋光钿的这个态度，冷笑一声，命人把饭送去。但右派蒋光钿吃完饭就把原先招供的事儿赖掉了。于是守仁就又让右派饿肚子。这样折腾了几次，那梅龙也出院了。梅龙虽然很梗，气量也不大，可他本质上是个老实人，他见右派蒋光钿被当成爆炸案罪魁祸首，就把事情的前因后果说了出来。他说，不是右派报复，是他不小心把火药点着了，是一起事故。支书冯思有听梅龙一说，就让守仁把蒋光钿放了。但队部已立了案，也搞得轰轰烈烈了，现在说抓错了当然面子上说不过去，因此决定开一个群众大会，狠狠批一批右派分子的狼子野心。这样，蒋光钿饿着肚子，站在工地上，任我们村的人批斗。还是梅龙批得实在，梅龙说，蒋光头，你这个大右派，教我们造炸药，不教我们安全，你就是想炸死我们贫下中农，你居心何在！但蒋光钿因为肚子太饿，我们村的人对他的批判他一句也没有听进去，脑子里全是香喷喷的米饭和猪肉。顺便说一句，蒋光钿已有半年没吃猪肉了。

批斗完后，右派蒋光钿又回到取泥队挑泥。蒋光钿心情绝望，他知道这次回来没好果子吃，挑泥队的队员一定会加倍捉弄他的。捉弄自己倒也罢了，他习惯了，他害怕的还是让他挑重担泥，他觉得他会累死的。当然他对自己如此害怕劳动这事在心里作检讨，他对自己说，你这个人就是好逸恶劳，怪不得人家说你是资产阶级知识分子，这不是没有道理的。他狠狠地批了自己一通后，决心好好劳动，好好改造，争取早日和贫下中农打成一片。

但是，没挑几天，蒋光钿受不了啦。他一受不了，就希望自己能从这种原始劳动中解放出来。他旧病复发，又想用科学技术解放生产力。这回他当然不会见异思迁为筑埂队想办法了，他总结经验认为不能身在曹营心在汉，他要做个扎根派，在取泥队干到底。他想出的办法是用机械化代替人工挑泥。他知道如今守仁操着他的生杀大权，因此，这回他想出的方案没先向冯思有汇报，而是直接向守仁提了出来。他向守仁提方案时，脸上满是讨好的表情。

蒋光钿小心翼翼地对守仁说，人工挑泥，太累，他已设计出一种简易木头车，可大大减轻劳动强度。图纸当然蒋光钿已经画好，他画的是立体图，看起来比较清楚。原来这是一辆木头轮的车子，木头轮装在两根人字形的木头中间，轮子两边还制作了一个木头车斗。据蒋光钿说，这样的木头车可运送二百斤泥。守仁看了看图纸，但没有表态。他黑着脸把蒋光钿的图纸拿了过来，说，你他娘的不老实，又想搞什么破坏，还不好好劳动去。蒋光钿听了守仁的话，心凉了半截，垂头丧气地走了。

其实守仁对蒋光钿的发明是感兴趣的，他认为这是个好办法，可以使自己在开工前宣读的挑战书上的目标基本上能达到。守仁开工时，牛皮吹得大，要和筑埂队试比高，但自从可恶的右派蒋光头替他们发明了土制炸药，筑埂队的进度大大超过取泥队，为此，筑埂队的社员碰到守仁都会挖苦他，嘲笑守仁的卫星落了地。他们说说倒罢了，连冯思有支书看他的眼光也不一样了，好像他是个不可靠的人似的。守仁当然很恼火，但除了把气撒到右派蒋光钿身上外没任何办法。他很想把本队的进度抓上去，但原定一天一个工挑二十方土的计划根本实现不了，不要说社员，就是他这个队长也挑不了那么多。开始几天拼一拼尚可，但日子一长，实在累死个人。现在右派又想出个办法，守仁觉得挽回面子的机会来了。当然守仁不会自己拍板，拍板的事总归要让支书干的。守仁把这事同冯思有一讲，冯思有很有兴趣，命令守仁马上去干。

这样，蒋光钿又从繁重的体力劳动中解放了出来，开始指导我们村的木工做他设计的木头车。蒋光钿不免有点得意，他想，知识还是有用的啊，只要自己有本事，不管是国民党掌权还是共产党的天下，都可以发挥作用啊。他指导木工干活时，就同他们讲起这个设计的来源。他说这个车来自《三国志》，原是诸葛亮发明用来在山路上运送粮草的。我们村的木工知道《三国》故事，他们以前在戏文里看过曹操、刘备、关云长什么的，但戏文里没有造车这样的事，他们就要求蒋光钿仔细讲讲。他们说，右派，你就给我们讲讲《三国》吧。开始的时候，蒋光钿还收敛一点儿，讲得不太敢声情并茂，但时间一长，他就像个说书先生一样，说得一板一眼，威势十足，听得木工大呼过瘾。蒋光钿这个右派确实有点儿多才多艺，学一样精一样。说书这项他当然是自学成才，因为解放前，他手中有钱，常去书场听书，听多了，他也就全记在心上了。《三国》讲完后，蒋光钿又讲《水浒》，讲到武松和潘金莲的故事，蒋光钿讲得声色味俱全。害得那些做木工的，晚上回家就想干自己的女人。可怜那些女人白天干活已经累得不行，晚上还要侍候男人，就骂自己男人下流。后来，她们才知道男人的下流来自右派讲的下流故事,就骂右派。

木头车造好后拉到工地一试,效果果然不错。取泥队进度大大提高,守仁很高兴。这回,冯思有表扬取泥队了,号召筑埂队向取泥队学习。梅龙病已康复,还当筑埂队的队长。但自从梅龙受伤后,进取心不像从前那么强。虽然他样子比从前更可怕,人不人鬼不鬼的,面孔的肉不会笑,不会任何表情,但他的队员现在反而不怕他了。他也愿意和队员开一些床上的玩笑。有时候,梅龙还喜欢对队上的妇女动手动脚,当然,他也有所控制,不做过头的事,纯粹是占点小便宜。那些妇女因为可以在和梅龙调笑时趁机休息一会儿,也不生气。梅龙之所以变成现在这个样子同他的老婆有关。自从他烧伤后,他老婆就不同他上床,还要同他离婚,他已有几个月没碰女人了,因此,见到女人双手就有点忍不住。这样,筑埂队的劳动效率就下降了,筑埂队受到了冯思有的批评。

但没过多久,取泥队又遇到了麻烦。过了元旦,天气骤变,整日下雨。雨一下,水库工地就像沼泽地,脚踏下去,小脚踝就陷入污泥之中。蒋光钿发明的那些木制车载上泥后一拉,半个车轮陷在污泥里,怎么拉都拉不动。车拉不动,挑也很困难(尝过机械化的滋味后,社员对挑泥的积极性普遍不高),眼看着取泥队要停工。如果停工,水库就不能在农闲这样大搞水利的黄金时期完成,冯思有很着急。他来到取泥队,动员大家想办法。大家没有办法。其实办法冯思有支书早就想好了,就是:用木头铺一条拉车用的车道。问题是木头哪里来?冯思有决定发动群众,把自己家里藏着的用来做家具的木板捐献出来。我们村已办了大食堂,正在向共产主义社会迈进,木头这样的私有财产看来也没有什么大用。社员是准备捐的,这个他们有心理准备,不过他们捐之前还得看看干部的表现,如果干部捐得多,他们也相应地多捐一些。

守仁是干部,当然得带头。他家没做家具的木头,但他想起来了,他的父亲藏着一些寿方。所谓寿方,就是活着的人为自己准备做棺材的木料。在我们村,这样的木料比较神圣,一般不能动用它。这当然是迷信。守仁为了表现积极一点儿,在冯思有那里讨个好彩,他打算把父亲的寿方捐出来。守仁回到家,同父亲说了这个事。守仁以为父亲是苦出身,会答应他的进步要求的,他想得太单纯了。他父亲不但不答应,火气还大得惊人。他的父亲七十多岁了,耳朵已聋眼睛也花,行动亦十分迟钝,但这天,却惊人地敏捷。他听到守仁想把他的寿方捐出去,就破口大骂。他骂道,好一个末代子孙,我养你这么大,你为我做过什么,你给过我一个零用钱没有?你现在竟打我的寿方的主意。你娘死得早,我这一生只有两个心愿,一个是把你们五个兄弟从苦水里泡大,一个是省吃俭用买口寿方,我来日不多,你这个末代子孙竟不让我实现这个小小的心愿。你如果想打我寿方的主意,我就用柴刀劈了你。说着,老头真的拿起柴刀去砍守仁,吓得守仁连忙逃出屋子。老头儿见追不上儿子,就跑到儿子屋里,把儿子睡的木头床砍了个粉碎。守仁看到父亲发那么大脾气,头皮发麻,不敢再向父亲提捐寿方的事。冯思有碰到守仁,拍拍守仁的肩,好言相劝,守仁你是干部,得带头,干部要首先说服家属嘛,否则怎么教育群众呢。守仁感到很为难。

一部分人捐出了木头。木头一铺,又可以拉车了。水库工程照常进行。这段日子,我们村造水库也算轰轰烈烈,但水库的进度却不那么令人满意。原定工期百天,现在差不多快三个月了,离完成差得很远。指挥部,特别是冯思有支书最着急。一天,他给我们村的社员开了个全体会议。会议的报告是守仁起草的。冯思有在报告中把水库的进度问题提高到是拥护"大跃进三面红旗"还是举"右倾保守的白旗"的高度。他振聋发聩地向我们发问:是做"促进派"还是做"促退派"? 是"知难而上"还是"畏缩退却"? 是"力争上游"还是"甘居下游"? 他说,我们应做前者而不是后者。最后,他提出,我们现在的工作是以水利建设为中心。为了这个中心顺利实施,他建议,工地实行军事化管理,从今天起所有工地上的社员都要吃在工地,睡在工地,不能回家。我们村的人这天发现冯思有的腰间佩着那支驳壳枪。我们都知道冯思有有一支驳壳枪,他过去参加过游击队,是老革命,有一支驳壳枪也是正常的。他一般不轻易佩枪,也不让我们看他的枪,因此,有关他的驳壳枪就显得有点神秘,各种各样的说法都有。冯思有因为藏着这样一支驳壳枪在我们村的威信很高。今天,冯思有做报告时佩着枪,说明今天这个会这个决定很重要,表明他为了这个决定是下了大决心的。我们都知道冯支书只有在非常时期才佩他的枪。我们还能有什么选择呢,我们只能听冯思有的话,生产军事化,把床铺搬到工地上来,吃喝拉撒都在工地。

水库工程刚开始时,我们村无论筑埂队还是取泥队都是认真的,筑的埂基也比较稳固。但现在工期太紧,土方量又太大,有人想出了一个办法,就是筑埂队从山上开挖出来的山渣和取泥队挑来的烂泥混合用来筑埂,这样,取泥队可减少一半工作量,筑埂队也可减少一半工作量。这样干,两家都很欢喜,水库建造速度加快了不少。但右派蒋光钿却反对这么干。本来,蒋光钿在村里面造车,但全体军事化以后,蒋光钿也被叫到工地指导木工干活。也许是这几天,蒋光钿讲潘金莲讲得太投入,太得意,有点不知今夕是何年了,有点自以为自己是个人物了,有点忘记无产阶级专政了,他见到我们村的人用挑来的烂泥筑埂,木头车也不想做了,他跑过去拦住往埂上倒烂泥的人,说,这个不能干啊,这是砂质黏土啊,倒上去以后埂基要滑动的啊。蒋光钿这一举动,实际上得罪了我们村所有的人。这个右派竟然这么讨厌,两个队刚刚相互合作共同作战尝到一些甜头,他却不让我们干,他算老几,他算个什么东西,只不过是个右派嘛。特别是守仁,见到右派这样,恨之入骨。如果取泥队不把泥倒到埂上,那就要翻过一座小山,倒到山脚下去。守仁正拉着一辆车,见右派分子这个样子,就放下车赶过来,揪住右派,把右派放在一辆木头车上,向埂下一推,木头车载着蒋光钿沿着刚用木板铺就的木板路向水库底下滚去。蒋光钿坐在车上，吓得早已没了魂。他想起刚才自己的行为，有种奇怪的感觉。他没想到自己看到他们把烂泥倒到埂上会如此激动。他想，他这个右派分子还没改造好，他依然不相信群众的创造力。

车滚到水库底部停了下来。蒋光钿从车斗里爬出来，他拍拍身上的泥土，刚想往木工车间走时，守仁拦住了他。守仁说，你不用去指导木工了，从今天起，你的任务就是拉泥。蒋光钿一脸的懊丧，他想，忠言逆耳呀，这不，我马上就遭“逆”了。这是没有办法的，他只得拉车。每次他把烂泥拉到埂上，他都很难受。他在心里大声说，这是犯罪啊，这水库的埂迟早会坍塌的啊，这种砂质是会流动的啊。他心里这么说的时候，脑子里有这样一个画面：他站在人群前，勇敢地对工地上的队员说掺和这种烂泥的害处。他的脑子中，他这样的表现当然算个英雄。他每倒一车烂泥，脑子里这样的画面就要过一遍。这样，他就有点心安理得了，他想他作为一个工程师，履行了自己的职责。实际上，这当然只不过是他的幻觉，只不过是自欺欺人。实际上他是一个屁都没敢放出来的。

实行军事化全天候管理以后，我们村的人晚上不能回家，全都睡在工地上。但不久就出了一件事情。说起来这件事情还有点流氓。这件事情同梅龙有关。如前所述，梅龙因为被烧伤后，他老婆看不上他，已有三个月不同他睡了。梅龙不知怎么搞的，手老发痒，见到妇女就想抓一把。后来，又有了发展，晚上一个人睡不着，就爬起来去看工地上躺着的妇女。有一天，他看到大香香一个人睡在一个帐篷里，不知怎么的，梅龙踅了进去。看着大香香躺着的样子，他很想摸一把。大香香这个人，平时比较浪，很会说粗话，梅龙认为他摸她一把，她不会有意见。梅龙就壮着胆子向大香香的身子摸去。他刚碰到她，就听到大香香高声地惨叫起来。大香香喊，有流氓啊，抓流氓啊！梅龙吓一跳，知道自己闯了祸，就屁滚尿流地逃走了。当时天很黑，大香香没看清摸她的人是谁。但不管是谁，反正有人摸了她，她因此感到很兴奋，并且还有点得意，这至少说明她虽有点年纪但还是有点吸引力的呀。她为了让人家知道她的吸引力，她就爬出帐篷大叫起来。我们村的人都醒了过来，知道出了一桩流氓事件，脸上的表情十分复杂。我们村的妇女围住大香香，好言相劝。

这件事情最激动的要数冯思有。原来，冯思有和大香香有一腿子，见有人竟向大香香耍流氓，醋意就涌了上来。当晚，他就把守仁找来，嘱咐守仁一定要把流氓分子找出来。他要守仁好好调查，查出来后，在工地开现场会，让社员们批他个臭。

守仁接了任务，迅即开始调查。他一查，却查到右派蒋光钿的头上。守仁认为蒋光钿最可疑。因为，守仁了解到前段日子，右派分子在做木头车时，总是给木工们讲潘金莲这种下流故事，这说明蒋光钿内心很肮脏，老想着同妇女来一下子。另外，我们村的男人们都有女人，而蒋光钿光棍一条，来我们村也有三个多月，肯定憋得慌，于是狗急了跳墙，就偷偷地耍流氓。守仁当即把蒋光钿抓了起来，关到队部。蒋光钿被关到队部时他还不知道自己又犯了什么错，想起上次被关起来后饿肚子的事，他害怕起来，他害怕他们再让他饿肚子。这回，他总结经验，不管是什么罪行，他都招了算了，反正他已是一只在猫嘴边供猫玩的耗子，猫想怎么着就怎么着。他认为只要能保住性命就行了。

但守仁说出的罪名吓了蒋光钿一跳。这怎么可能呀，我怎么会去调戏妇女呀。并且这个罪名蒋光钿也难以担当呀。如果说蒋光钿是特务、反革命倒也罢了，因为这样的罪名比较抽象；如果说蒋光钿破坏水库建设，策划爆炸案，他也不去计较了，这样的罪名也不算沾污他的清白，反正他已不清白了；但他们说他调戏妇女，这可是天大的冤枉啊，他是坚决不会承认这个事情的。可叹啊，他这辈子还没碰过女人呢，他做了一辈子光棍啊。这不是说他娶不了老婆，是他不想娶女人，因为，因为他对女人没兴趣。他一辈子没碰过女人一根手指头，现在却成了调戏妇女的流氓案主角，荒唐啊。蒋光钿这样对守仁说，守仁死也不相信。守仁认为蒋光钿这是狡辩，根据自己的经验，守仁认为没有男人不对女人感兴趣的，蒋光钿说自己对女人没兴趣明显是说谎。守仁就想好好剥右派的皮，抽右派的筋。守仁还没结婚，对女人很向往，晚上不免做一些桃花梦，但他觉悟高，对自己做这些下流的梦不能原谅。当他查到右派蒋光钿居然调戏妇女，原来心里压抑着的对自己的不满总算有了发泄之处。他想，原来还有人比他更流氓啊。他决定好好教训教训流氓。他施出浑身解数，让蒋光钿坦白。在他镇压四类分子的生涯中，这一回是表现得最为卖力的一次。他见蒋光钿不肯招供，就动了大刑，用细竹棍打蒋光钿的身子。蒋光钿熬了一阵子，但终究没有熬住。蒋光钿大声哭泣起来。蒋光钿说，真的呀，我没调戏妇女，我调戏妇女干什么呀。我不是个男人呀！守仁听到蒋光钿说他不是个男人，冷笑起来，说，你不是个男人，笑话，难道你是个女人。蒋光钿说，我也不是个女人。他说这话时，脸也红了，身子不停地扭动，好像浑身难受的样子。守仁听了更加搞不懂，说，不是男人又不是女人那你是什么人？你这个大右派再耍花腔，当心我揍死你。说着，他举起手中的竹棍又想抽蒋光钿。蒋光钿的身子一阵一阵抽搐。他哭得更响了，他的脸上慢慢升起庄严的神情，他一把把自己的裤子脱去，站在守仁面前，痛苦地颤抖着说，你看，我没那个东西啊，我对女人没兴趣啊。我那个东西在小时候不小心被狗叼走了呀。现在你总归可以相信我了吧，不是我耍的流氓啊！守仁被蒋光钿一系列动作吓了一跳，他开始不知道右派为什么要脱裤子，后来才明白右派的用意。他看到右派那东西只有一粒黄豆那样大，下面的蛋果然没有了。当然，那地方也没有毛。守仁的心头突然涌上一种他自己也搞不清的情感，只觉得眼睛胀胀的，想流泪的样子。他转身走出了队部。

冯思有听守仁汇报说蒋光钿是太监，醋意消了大半。他想，让一个太监摸摸大香香也没什么了不起的。也许是想起这个流氓案心里要犯酸，很烦，他就不打算再查下去了。蒋光钿就被放了出来。蒋光钿是太监的事，我们村的人都知道了。我们就问他，见到女人究竟是怎么个感觉，难道真的一点儿也不想摸女人吗？这个时候，蒋光钿的脸就会变得通红通红，很像一个情窦初开的纯真少年。他的身子总是不停地扭动，像是要把自己弄成麻花油条。我们知道，这是右派分子最难受的时候。

水库工程到了最关键的阶段。冯思有、老高法、守仁、梅龙等几个人为了在雨季之前把水库造好，做出了一系列决定。一、取泥队和筑埂队下面各分成三个小组，三个小组划分土方范围，实行小组承包制。二、小组之间开展竞赛活动，并进行物质刺激。具体来说，最先干完的组，得卫星奖，奖猪两头，现杀；第二名得火箭奖，奖猪一头，现杀；第三名得飞机奖，奖鹅四只，现杀。自宣布之日起实施。

指挥部的决定一宣布，各小组当夜就开工。有了物质刺激，加上搞承包，效果果然不一样，队员的积极性提高了不少。取泥队下面的第二小组，心特别齐，劲往一处使，说出来你不相信，他们为了吃到两头猪，连续三十一个小时没睡觉。他们这样的干劲，上级也知道了，结果上级派来一个记者，要报道我们村大干社会主义的生动场面。但这个记者要求有点古怪。因为是冬天，天很冷，我们村的人干活当然穿得很厚，记者对此不满意。他说，这个样子拍出来的照片不好，穿得那么厚，拍出来的样子就懒洋洋的，没有精神。陪记者来工地的是冯思有，他听了觉得有道理。他很想记者在报上登一登我们的水库，他怕记者因为拍不好照片不拍了，但他也想不出办法。其实人家记者早已想好了。记者对冯支书说，为了表现我们村大干社会主义的生动局面，为了表达工地热气腾腾的精神风貌，我想是不是这样拍，你派个身强力壮的社员，让他赤膊拉车，让我拍几张，这样效果一定会好。冯思有马上答应。冯思有觉得守仁做这个样板比较适合，一是守仁比较积极，平时要求进步；二是守仁长得很健壮，上得了台面。他找到守仁，把任务交给了他。守仁接到这个任务，感到既光荣，又有点害怕。因为天实在太冷，河水都结了厚厚的冰。他们取泥的时候，因为结了冰还是用铁钻凿开来的。这么冷的天，要打赤膊，够他受的。守仁本来以为拍张照片是简单的事，一会儿就好，虽然天冷，冻一会儿也没什么了不起的。等到实地拍起来，他才知道原先的想法太天真。这个记者，整整一个上午没完没了，要他摆各种姿势，有董存瑞舍身炸碉堡式；有宣传画中意气风发手执毛巾擦汗式，还有工间休息喝茶休闲式。守仁被记者搞得没有思维，脑子里只剩下一个冷字。没多久，他的光身上出现一块一块的红晕。又过一会儿，上身全是鸡皮。后来，守仁的脸全黑了。守仁本来就黑，如果他的脸色只是一点点变化是看不出来的，实在是这天，守仁的脸黑得像黑夜那么黑，像黑人那么黑，所以我们才发觉的。我们本来很想笑，但那个记者的表情很严肃，我们不好意思笑出来。结果可以想到，这天，守仁拍完照后，大病一场。

取泥队第二小组创造了三十一个小时没睡的记录，功夫不负有心人，他们夺得了卫星奖。水库指挥部果真兑现，当即奖给他们两头肥猪。

猪是在工地杀的，也是在工地烧的。第二小组准备在工地会餐。肉在大锅中烧，诱人的肉香开始在工地上飘散。肉还没有完全烧熟，各级干部都来庆功了。不但干部来祝贺，连我们村小学的学生也来工地庆贺了。村小的小学生，在一个叫小老虎的男孩的带领下，敲着锣，打着鼓，向工地奔来。他们在路上就闻到了美妙的肉香。闻到这香味，他们路走不稳，只觉得腿发软。二组的人见到小学生来了，在心里骂，他娘的，干部来吃倒也罢了，因为他们有经验，没想到小学生也懂得这一套了。

蒋光钿在取泥队三组，他们这一组进度最慢，猪是吃不到了，大概他们组只能奖四只鹅。就是奖四只鹅他也吃不到，小组那么多人，轮不到他这个大右派。第二组的社员猪肉一烧，肉香四溢。这可要了蒋光钿的命，他顿感浑身无力，肚子发烧。蒋光钿这辈子，下面被狗吃了，不求色，但对食却特别敏感。在旧社会，他手里有点钱，吃得也讲究。可以说，凡是想得出的东西他都尝过。自被打成右派，他被控制使用，吃得水平也下降了。就是有钱也吃不到，因为吃什么东西都凭票。他已有半年没碰过肉味了。为了使自己好受一些，他一边闻着香气，一边想从前吃过的美味，所谓望梅止渴，过把干瘾。

二组的猪肉烧好时天已黑了。二组的人和领导、小学生一起坐下来吃肉。天一黑，蒋光钿所在的三组再没劲干。看到人家在吃肉，干活的人老觉得又回到解放前，成了被人剥削的劳苦大众。一些人为了使自己的胃好受一些，早早躲到帐篷里面，眼不见心不烦。蒋光钿和一个叫步年的孩子待在一个帐篷里。但蒋光钿的鼻子比一般人灵，即使躲在帐篷里他依然很烦恼。虽然这个烦恼过分物质化，但对蒋光钿来说依旧有种蚀骨的痛感。这是因为蒋光钿对女人没兴趣，人生的乐趣都放在满足嘴巴上了，因此，食欲对他来说不仅仅是物质层面上的事儿，而是一种精神现象。为了减轻这份痛苦，他就给步年讲起他吃过的山珍海味。他说，这么好的肉，就这么大锅地红烧真是可惜了。猪肉有好多种烧法，常见的有东坡肉、白切肉、回锅肉，不去提它。我给你说说几种特别的烧法。你可知道猪哪部分肉最好，你不知道吧？是屁股上的肉，这里的肉是活动的，特别鲜嫩，这里的肉里面，还有一颗一颗圆圆的肌肉群，就像鸡蛋那么大，割出来用清水煮熟后，用冬天的梅花、酒、茴香浸泡，一个月以后，切成片，就是一道精美的凉菜。如果用来下酒，真是滋味深长。这道菜吃起来有点像牛肉，又有点像狗肉，还有点像蟹肉。我再给你说一道好小菜。你知道猪下水中哪一部分最有味道？是肛门。那东西割下来，茄子那么粗，是好东西呀。吃这东西要耐心，因为洗起来比较麻烦，因为那地方是粪便出口。首先要用盐洗，后再酒洗，接着用清水煮。然后放上洋葱，食用酱，用砂锅煲。煲的时候那种香味，十里之外都可以闻到，吃起来不但嘴里舒服，整个胃，你的五脏六腑都会感到浸满香气。这道菜我这辈子只吃过两次，那还是解放前。那时候，饭店里的菜烧得比较讲究，不像现在，饭店里只有大众菜。蒋光钿只顾自己说，只顾自己意淫，全然不顾帐篷里步年的反应。步年听了蒋光钿的描述，口水像泉水似的从嘴角上流下来。可怜步年,长这么大了还没吃过几顿肉,除了偶尔偷鸡摸狗弄点吃的解解馋,肚子里常常缺少油水,被蒋光钿这样一描述,于是欲火攻心,恨不得吃一块肉聊以安慰。但一时办不到,他就哭丧着脸对蒋光钿说,蒋光头,你饶了我吧,你不要说了好不好,你再说我受不了啦。蒋光钿说,不瞒你说,步年,我不说的话我也会受不了,你让我过过干瘾吧。步年来到帐篷边,往他们吃肉的地方望,不知该怎么办。这时,右派的脸上涌出一丝坏笑,他对步年说,步年,我有办法让你吃到肉,不知你想不想照我说的做。步年说,什么办法。蒋光钿说,步年,我知道你偷过鸡打过狗,俗话说得好,小偷不算偷,现在,你看,他们那边都快喝醉了。他们杀了两头猪,一定吃不完,你就可以偷偷地溜过去,去偷一点儿肉来。步年,这是解馋的机会呀。步年听蒋光钿这么花言巧语一说,昏了头,动了心,就朝那边溜过去。

但蒋光钿估计错了,他们那边的人并没有喝醉,个个很清醒。原来,这天晚上,前来偷肉的人不少,他们早有防范。因此,步年刚伸手就被抓了起来。他们见是一小孩儿,就想寻点开心。他们抱起步年,佯装要把步年投到大锅里和猪肉一起煮。步年见自己不但吃不到猪肉,反而要受些皮肉之苦,就急忙说,不是我要来偷的啊,是大右派蒋光头让我来偷的啊。二组的人听到是蒋光钿让步年来偷的,个个眼睛发亮。他们突然想起可以从蒋光钿身上找一些乐子。他们喝了酒,正寻思着寻点开心的事,经步年一提醒,才想起他们可以逗右派蒋光钿玩玩。

自从我们村的人知道蒋光钿的下面被狗叼走了以后,已经不把蒋光钿当反动分子了。为什么不把他当成反动分子的心情可能是十分复杂的。我们村的人看到蒋光钿常常有一种见到一只自己豢养的宠狗一样的心情,放松了警惕。我们村的男人见到他,就问他想不想找个老婆,想的话可以帮他介绍对象。不但男人开他玩笑,我们村那些胆子大的女人还往他那地方摸,一边摸一边说,反正你也不是个男人,让我摸摸没关系。又说,你想摸摸我吗?每当这时,蒋光钿的眼睛就像一只挨了主人打的狗那样惊觉而敏感。现在,他们吃了肉,肚子很瓷实,喝了酒,情绪也不错,想找蒋光钿玩一把,助个兴。于是,就把步年放下来,叫步年赶快把蒋光钿叫过来。

可怜蒋光钿,听步年说二组的人让他过去,吓得差点尿裤子。他想,这下子糟啦,他们一定不会放过我,平时他们没喝醉酒对我都那么凶,现在喝醉了他们不知会干出些什么来。他骂自己,怎么那么馋,都是这张嘴巴给害的。他就狠狠地打了自己一嘴巴。他几乎是爬着来到他们喝酒的地方,说,你们找我什么事?二组的人看到蒋光钿开心地笑起来,他们中一部分人还在用火柴棍剔牙,典型的酒足饭饱的样子。蒋光钿不知道他们为什么笑,以为自己身上出了什么差错,就看自己的身子,找出差错的地方。他没有找到。二组的人笑过之后,从大锅里盛了一大碗肉,端到蒋光钿面前,说,你吃,你吃。蒋光钿哪里敢吃,他认为这是革命群众识破了他的险恶用心,是群众对他的一种反讽。他就扑通跪了下来,说,我该死,我不是人,是小偷，是教唆犯。他这么说的时候，革命群众都笑翻了天，但因为吃得太饱，他们也不敢笑得太厉害，怕吃进去的东西都吐掉，因此笑得很压抑，看上去有点神经质。他们在笑，蒋光钿却不敢笑，要笑也只能尴尬地笑。蒋光钿看看香喷喷的肉，很想吃一块，可就是不敢吃。他们说，你为什么不吃啊，你难道不想吃吗？蒋光钿咽了一口口水，说，想吃，但不敢吃。他们说，为什么不敢吃，难道怕我们在肉中放毒，把你毒死？蒋光钿说，人民群众给右派放毒不犯罪。二组的人听了高兴得要命，他们认为蒋光钿能说会道，句句让他们心花怒放。后来，蒋光钿也弄清楚了，他们是真让他吃肉。蒋光钿就吃起来，一边吃一边歉意地说，你们的肉让我吃了，我蒋某何德何能，何德何能。他们听不懂，问，何德何能是什么意思。蒋光钿因为嘴中有肉，含含糊糊说了几句，但他们一句也没有听明白。

顺便说一句，这天，蒋光钿吃了整整一碗红烧肉。也许是因为他已经半年没吃肉了，他的胃不够强大，晚上，他的肚子就痛了。结果，他拉了一夜的肚子，拉得他第二天不能动弹。

在我们的艰苦努力下，天柱水库终于在雨季到来之前造好了。造好的第二天，天就下起了少见的大雨。后来，我们村的人听说，这次降雨在我们地区属于百年不遇。这雨让我们高兴。因为雨一下，山上的水就会下来，我们的水库就会变成真正的水库。我们每天都去看。但让我们着急的是，水库里的水总也不多，那水库底下积的水，就像狗儿在泥地的脚印处撒了一泡尿，就这么一点点。这让我们深深地失望。后来雨停了下来，水还只有那么多。我们都明白，水永远只能这么多了，也就是说，我们把蓄水量估计的大了一点儿，水库挖得深了一点儿，结果水平面比预期低了一点儿。由于水平面比我们估计的低得太多，结果，发电机组竟在水平面之上，这意味着，别说五千度，就是一度也发不了。这事急得冯思有支书想跳楼。但这也难不倒我们。有人想出了一个好主意，认为发不出电的主要矛盾是我们把水库挖得太深，要解决问题很简单，只要把水库填高一点儿就可以了。想出这个办法的是守仁。守仁想出这个办法就屁颠颠跑到冯思有那儿，献计献策。冯思有问，这个办法行？守仁拍拍胸脯说行。于是冯思有再次发动群众，开展一个名为“赶水发电”的歼灭战。于是发生了让我们村的人一辈子也想不明白的事情。

第一件怪事是这样的：填水库要土方石料，我们村的人决定在天柱山脚下取。我们用土制炸药像爆米花那样炸了几次，有了足够的土石方以后，我们就填水库。但是很奇怪，水就是不往上浮。水平面还在原来的位置，像一面镜子一样，一点儿表情也没有。如果说有表情，那就是对我们的嘲笑。我们感到很奇怪，好像那水库是个无底洞。于是发生了第二件怪事。

第二件怪事是这样的：水老不往上涨，我们的支书冯思有同志就问守仁，这是怎么一回事。守仁答不出。但守仁有主意，他提议哪个水性好的潜到水库底下去看一看，弄清为什么填下去像没填一样。冯思有说，守仁你下去。守仁一边摇头摇手，一边倒退，说，我不会游泳，我不会游泳。虽然我们目前只不过是在公社化阶段，还远没到共产主义，但思想境界离共产主义相差无几。一时，有不少人主动向冯支书请战，要求下水。冯思有就挑了三个人，选了三个地方，让他们下水去看看。我们不信这水库还是个无底洞来着。但真的奇怪，我们等到太阳下山，下去的三个人也没浮到水面上来。下去的三个人水性都很好，可就是再也没有上来过。我们都知道那三个青年光荣牺牲了。

因为牺牲了三个青年，事情就严重了。其家属闹了起来，他们围住冯思有，要冯思有把他们找回来。冯思有哪里去找，难道叫他也潜到水下去？最头痛的事就是死人这种事。人家家属死了人当然会闹，合情合理。当然冯思有知道，他们闹一方面确实悲痛（死了亲人谁不悲痛），另一方面也有别的目的：人死了不能复活，没完没了闹下去也没多大意思，关键是让死者的家属得到一些实惠。因此，冯思有当即决定，三名青年被追认为村级烈士，其家属就是烈士家属。这样在村里的地位有了。经济上当然也要适当照顾。烈属每年可以从我们村里得一百元抚恤金。这个决定一宣布，家属就顾全大局了。但他们还有一个小小的要求：虽然烈士的尸体找不到了，但他们还是想为烈士搞个出殡仪式。仪式要隆重，最好请几个会吹会打的乐手，让烈士在天之灵有个安慰。冯思有答应了家属的这个要求。他命人造三口好棺材，造三座好坟。他决定把坟造在烈士们战斗过的筑埂工地上。

所有的事情准备好了，但我们村的人找不出一个会吹唢呐的。过去，我们村死了人，请的锣鼓队都是别的村的人。我们去请了那村的人，但那村中会吹唢呐的那个人因为被定为新生反革命自杀了。这样，我们一时找不到一个像样的吹拉班子。锣鼓我们是会敲的，就是唢呐不会吹。这事急得冯思有团团转。

正当冯支书挠着头皮不知怎么办的时候，一个孩子跑到他跟前向他提供了一个信息。这个孩子就是步年。原来，他和右派蒋光钿住在同一个帐篷里的时候，他曾听蒋光钿吹过牛。蒋光钿说他琴棋书画样样都精，特别是琴这项，几乎样样乐器都可以对付一下子。步年把这事同冯思有一说，冯思有当即派人去找蒋光钿。

蒋光钿听说冯思有叫他去吹唢呐，吓得发抖。这不是说他不会吹唢呐，不是的，他吹唢呐可以说很拿手。他怕什么呢？他怕我们筑的水库的埂。如前所述，水库的埂里掺和了砂质泥，这砂质泥只要一浸泡就会滑动。如果浸泡时间一久，埂堤就会坍塌。我们造好水库之后，就进入了雨季，成天下雨，埂堤浸泡难免。他曾去看过一次。看了一次后，他是再也不想去看了。因为，他感到站在埂堤上是件危险的事情，说不定什么时候埂堤会塌，人就会被滚滚泥沙卷走。虽说蒋光钿活着也是受难，但他这辈子最怕的就是死。他去了一次就再没去过。他很想把去埂堤的危险告诉村里人，可他不敢说，他虽是知识分子有告诉人们真相的责任，但他又是个右派，人微言轻，他认为没有人会相信他。不但不相信他，他们还会认为他是在造谣，在破坏大跃进三面红旗。于是，他走在村子里，如果碰到一个村民，他就在心里说，喂，你可不要去天柱水库啊，埂堤可不安全啊。他心里一说，以为村民们都听到了他的忠告，于是他也心安理得了。因为有这个心思，当冯思有派人要他替出殡的队伍吹唢呐时，他吓得要死。因为，坟就造在水库的埂上，他们一行要爬上埂堤，也就是说要走过危险地带。他觉得那等于让他走过地雷阵，随时有危险。但他又不敢说不，他是右派没有对贫下中农说不的权力。他只得乖乖地去吹唢呐。

一切就绪，我们村历史上最大的葬礼开始了。蒋光钿吹着唢呐走在队伍的最前面。他吹的调子是《社会主义好》，速度放慢一半，听起来就不那么喜庆了，就有那么一点儿悲凉的味道了。他的后面是和他一起敲锣打鼓那一伙。离开他们身后大约二十米远处是抬着棺材的队伍，每具棺材由八个人抬，他们还齐声喊着劳动号子，只是他们喊得比较哀伤。三具棺材的后面跟着的就是家属和我们村里的全体社员，还包括孩子。家属个个哭得死去活来。社员中男人显得比较轻松，一些人还有说有笑，但妇女们因为看着家属哭得这么伤心，心肠一软，也跟着哭起来，而孩子们则根本不把葬礼当回事，他们基本上把葬礼当成一个节日，可以自由自在地撒撒野的节日。队伍在前进。

快到天柱水库了。这时，我们见到领头的蒋光钿走得越来越快，他几乎是跑着向埂上爬去的。他的动作无比轻灵，灵活得像一只猫。他没有停止吹，但他跑得越来越快，他的速度非常惊人，让我们吃惊，我们认为他如果以这样的速度去参加运动会一定可以拿冠军。我们村的人见他跑，不知道他想干什么。抬棺材的人不能把棺材放下来去追他。冯思有就让守仁去追。蒋光钿已爬上了天柱山，守仁还在山脚下。

我们已来到埂堤上。就在这时，悲惨的事情发生了。我们感到，我们脚下的埂运动起来，我们在慢慢矮去。我们最初还以为地震了，抱着头四处逃窜。抬棺材的人也感觉到了，他们愣了一会儿才反应过来出了什么事情。他们就把棺材放下，撒腿向天柱山上跑去，速度和蒋光钿一样快。埂基还在运动，泥土像波浪一样翻滚。我们看到三口棺材顷刻间被泥土吞噬。我们看到，我们花了一个冬天筑的埂堤顷刻间成为一摊烂泥，流向水库外的田野。我们刚刚种上去的早稻也被烂泥似的洪流无情地盖住了。

看到这一切，我们村的人个个都目瞪口呆。只有守仁因为一门心思在抓蒋光钿，所以不知道这个事情。等他捉到蒋光钿并把他带到村里，才知道水库的埂坍塌了。他看到冯思有支书眉头不展，心情紧张，好像犯了什么大罪。冯思有确实有一种犯罪的感觉。眼看着新造的水库成为一个废墟，他完全呆了，没了思维了。他首先觉得对不起上级，他已把我们村造水库的事当成卫星放了出去，上级都知道的，现在卫星还没上天就不幸坠落了，他不知道怎样向上级交代。另外他还觉得对不起他的社员，辛辛苦苦一个冬天，到头来一场空，所有的力气都付之东流了。冯思有顿时感到无脸见人。他想不明白怎么会这样的呢，真的奇怪呀。下了那么大的雨，水库里却只有一泡尿那么多的水；水库里填了那么多土石方下去却不见水上升；派三个人下去却一去不复返了；好好的一座埂堤却突然坍塌了。他想来想去想不明白，他想了半天，就有点疑神疑鬼起来，就唯心主义起来，就觉得有什么大头鬼同他过不去，同大跃进过不去，甚至很想去庙里烧一炷高香呢。

守仁看出冯思有的心思了。他懂得冯思有此刻的失败感和挫折感。守仁不愧为聪明人，他很快想出一个把冯思有从失败感和挫折感中解放出来的办法。

守仁来到队部，见冯思有双眼茫然六神无主的样子，就小心地走上前去，说，冯支书，我们这事怪呢。冯思有说，对呀，我总觉得什么地方不对头，好像碰到大头鬼。我寻思着我们造水库淹没了一大片坟，是不是坟里的鬼生气了，使什么法道把埂推倒了。守仁摇摇头说，冯支书，不是这样的，共产党人是唯物主义者，唯物主义者不怕鬼神。真正的鬼神是右派分子蒋光钿。一切都是他搞的鬼。冯思有因为长时间对发生的事想不明白，脑子也浑了，他目前最需要的是找到一个合理的依据，只要能让他自己骗得了自己那就什么理由都可以。他听守仁说是蒋光钿搞的鬼，就竖起耳朵听守仁解释。守仁说，所有的事情都是蒋光钿在捣鬼。冯支书，你想想，蒋光钿没来前，我们村好好的，什么事也没发生，自从他来了以后，怪事不断。先是发生了炸药爆炸案，把我们村梅龙炸得人不像人鬼不像鬼；接着发生了流氓案，我们村以前发生过这种事吗？没有。就是右派来了，才有这种丑事。水库造好了却一度电也发不出；派三个人到水下去看看可他们却不见了，连尸首都没找到；最后，连水库的埂也塌了，奇怪的是右派分子还知道这个事，你看他那天跑得多快，他跑过后埂就塌了。不正常啊。要说有鬼，冯支书，那右派分子蒋光钿就是鬼。

震惊我们地区的右派反革命报复案就这样被确定下来。守仁连夜向上级写了一个关于我们村发生反革命报复案的报告。守仁在报告中罗列了右派蒋光钿如下罪状：一、利用错误的设计愚弄贫下中农，由于我们过分地相信资产阶级知识分子，按他的设计施工，结果，工程失败，使我们村劳民伤财；二、蒋光钿制造了12·1反革命爆炸案；三、蒋光钿还是个流氓成性的色情狂；四、妄图把我们村所有的人引到事发现场，欲置劳动人民于死地。这个案子马上引起了上级的重视。城里的报纸还以《右派死不悔改，疯狂向大跃进反扑》为题报道了这起案子。一度这个案子因为其典型性被当作教育材料在全社会广泛传阅。

我们村的人不会忘记两个公安骑着侧三轮摩托来我们村抓蒋光钿的情景。我们村的男女老少都从屋里出来看热闹。是守仁把蒋光钿从他关着的队部带出来的。我们本来认为，蒋光钿胆子小，看到警察一定会昏过去的。我们错了，那天，蒋光钿看上去神色镇定。不知为什么，守仁并没有把他绑起来，大概守仁认为蒋光钿不会逃跑。蒋光钿走过我们身边的时候，竟伸出手来同我们一一握手告别。他还对我们说，后会有期，后会有期。说实话，我们村的大多数人都挺同情他的，都不相信埂的倒塌同蒋光钿有什么关系，但我们也只能心里这样想想，而不能说出来，因为说出来的话要犯错误，要被打成四类分子的。我们看到，蒋光钿终于走到了公安面前。公安拿出锃亮的手铐，把蒋光钿铐了个结实。面无表情的公安让蒋光钿坐在车斗上。一会儿，侧三轮在我们的村头消失了。这之后，我们村的人再没见到过蒋光钿。后来，我们听守仁说蒋光钿被发配到新疆劳改去了。

天柱的水库因为埂坍塌了，因此，看上去不像个水库，更像个自然形成的湖泊。埂坍塌后成了一块平地。平地很大，比我们村的晒谷场还大。后来，这块平地上还召开过几次公判大会，顺便还枪毙过几个流氓。有一天，我们大家聚在一起时突然想起右派分子蒋光钿在我们村的经历。我们说起他的一些趣事时，想起他曾骂过我们"唐吉诃德"，我们居然一下子明白了这个词的含义，有点恍然大悟的意思。一个人说，"唐吉诃德"原来是这个意思，原来是吹牛皮的意思，原来是干不好某事却还要干的意思。说来你不信，从此以后，这个词成为我们村日常词汇中出现频率颇高的一个词。你如果来我们村，总可以听到这样的话：你算了吧，你别唐吉诃德啦。或者：你他娘的看上老高法的女儿，你是一个唐吉诃德。你听了后不要感到奇怪，也不要以为我们村的人知道西班牙的塞万提斯。他们不知道，他们识不了几个字，就算识字，我猜他们也不会对塞万提斯的著作感兴趣。

（选自《江南》1999年第4期）

艾 伟

原名竹雄伟。1966年出生，浙江上虞人。2001年加入中国作家协会。现供职于宁波《文学港》杂志社，宁波市作协副主席。

1996年开始发表小说。著有长篇小说《越野赛跑》《爱人同志》《爱人有罪》《风和日丽》，中短篇小说集《乡村电影》《水上的声音》《小姐们》《水中花》等。

怀念一个没有去过的地方

邓一光

一

远子问推子："你拿定主意了？"

推子说："嗯。"

远子问："真不去？"

推子说："不去。"

远子说："真不去啊？"

推子摇头，脸上的神色很坚定。

远子就很失望，但很快地，他又恢复了兴奋，扬了长长的胳膊说："昨晚我把柄子爷灌醉了。我把柄子爷灌醉了，柄子爷就胡说。柄子爷说他已经看见七爷启子的魂了，柄子爷还说，七爷启子回来了，东冲镇当年出去的三十八个人，就全回来了。柄子爷喜欢胡说，他一喝醉酒就胡说，你叫我怎么不把他往死里灌。"

推子不言语，埋了头，用一根细细的漆包线，努了嘴下力扎他的鹿刀刀鞘。

远子站在屋子中央，撸了一下柔软的边分头。远子的边分头是他无比的骄傲。远子因为有这样的边分头，镇上的女孩子们对他刮目相看，有好几个女孩子一看见远子柔软的边分头就眼睛发直，身子发软，这使远子十分得意。远子曾经对他的跟屁虫大尘说，你知不知道，我为什么会那么聪明绝顶？我主要是把力气全都用在脑袋瓜子里面了，我一点儿也没有浪费下什么，这在科学上叫作优质集中，不像你，长一头刺猪似的毛，再加上一身横肉，唯一一点儿脑水全用到不该用的地方去了。

远子撸过了他的边分头，兴奋地抒情说："啊，我要去武汉了！我要去征服武汉！谁也不能阻止我！"

小米推门走了进来。小米进来的时候，兄弟俩都打了个寒噤。不是夜风冷，是小米。也不全是小米，小米是个一时半会儿猜测不透的谜语，但是谜语是由人来猜的，要是谜语猜测不透，小米这个谜底有一半的原因，猜谜的人老是停在谜面上也是一个重要原因。何况小米就是有那样的本事，你热乎的时候，她让你死冷，等你冷了,她又把你煽动起来,让你坐也不是,站也不是。最关键的问题是小米不能看,小米你只能去想象,尤其在人想念着一些事情的时候,越发是不能看,这就有点像是真正的猜谜。小米狐媚狐媚的,让人想入非非。

小米往床沿上一坐,大大咧咧地说:"嗨,你们俩,到底定下来没有?你们谁去?还是你们都去?"

远子说:"谁去又怎么样?都去又怎么样?"

小米嘻嘻地笑。小米一笑,屋里的灯一下子亮了一百倍,像是接了高压。小米也不能笑,小米一笑百媚生。

远子有些坐不住了,远子说:"小米你笑什么?"

小米说:"我笑怎么了?"

远子说:"你笑我难受。"

小米说:"你凭什么难受?"

远子说:"你的样子让我难受。"

小米用嘴做了个漏斗,呲远子说:"你难受管我什么事?"

远子老实交代说:"我难受我就要干坏事。"

小米一点儿也不担这个心,她知道远子只是说说而已,至少推子在场的时候,他只能是说说而已。小米喜欢远子说说而已,也喜欢推子在场,这两样她都喜欢。她坐在床沿上,晃动着两条长腿,有些得意地说:"推子在,你什么也干不成。"

远子看推子一眼。推子硕大的脑袋在强烈的灯光下晃来晃去,让人难以捕捉。远子不明白推子怎么会生成这种样子,推子尧眉八彩,舜目重瞳,筋骨健美,英姿勃发,让人看着眼累。远子不看推子了,转了头再看小米,小米千变万化,已经是让人冷却的样子了。

远子松了一口气说:"这样就好了。"

小米把她稀疏的黄毛往一边扒拉了一下,就像狐子甩毛,把推子和远子甩得心里一跳。

小米说:"我可是当真的啊,我不想和你们两个人玩捉迷藏,我把话先说在这儿,你们两个谁去我就跟谁,我上天下地也跟着。"

远子问:"跟去又怎么样?"

小米说:"还能怎么着?一个女人跟着一个男人,你想还能怎么样?"

远子说:"睡觉不睡觉?"

小米说:"睡觉算什么,你哪天不睡?"

远子说:"我说的不是这个意思。"

小米说:"我说的就是这个意思。"

远子说:"那就没有意思了。"

小米说:"意思再说。"

远子说:“那,要是我们两个都去呢?”

小米又嘻嘻笑了,说:“那我就跟你们两个。”

远子说:“美得你抽筋,你还跟我们两个,你练出了多大的本事? 你就是本事上了天,我们哥俩还不一定要干呢。”

小米抬了手,再去扒拉她稀疏的黄毛,一扬下颏,说:“你试试?”

远子一时没弄懂,不知道小米说你试试,是指她真的跟着他们哥俩去了,他哥俩不要她的话靠不住,还是指她拥有绝对能够应付他哥俩的本事。远子想了想说:“操,小米我告诉你,你这个人从来不来真的。”

小米被说中了,把头低下去,半天才抬起头说:“你们两个要都去,我就动真的。这次我说什么也动真的了,我豁出去了。我跟推子。”

远子疼得一抽搐,哼哼着说:“我早晓得。”

小米冷笑了一下,把狐子似妖媚的脸抬了起来,拿目光罩住推子那一头说:“还是那句话,他要不去,我跟你。”

说话工夫,推子已经把他的鹿刀刀鞘扎好了。推子龇了雪白的牙,把余出来的铜丝铮的一声咬断,举了刀鞘在灯下眯了眼看。推子眯眼看刀鞘的时候,远子感到一股凛凛的杀气飞快地向他逼过来,他感到他脖子上的汗毛一片片无声地飘落下去。他下意识地缩了缩头。

远子转了头看小米。小米停下荡漾着的腿,盯着推子,狐子似的媚眼泪光闪烁。

二

远子和推子是哥俩。

远子比推子小一岁。

镇上的人都说远子和推子不像哥俩。远子瘦瘦条条,推子壮壮实实;远子好动,推子好静;远子太狡猾,推子心眼实。远子要是土狼变的,推子一准该属马。

说远子和推子不像哥俩,还有一个原因,就是他们俩若是哥俩,就是弄颠倒了的哥俩,远子虽说比推子矮一个头,又是弟弟,却老爱指使当哥哥的推子。远子眼睛一眨就是一个主意,眼睛一眨又是一个主意。远子想出主意来,守不住,再坏出水的主意,他钻天打洞瞒天过海也去做,做成了,他得意得不行,做不成,做砸了,他就找推子,要推子给收拾残局,他自己躲到一边玩,推子听远子的。推子总是护着远子。远子说推子把你的李宁牌运动服借给我,推子就把衣服丢给远子。远子说推子你帮我把蒜头叔结果了,我没钱给他,推子就去银行里取了钱,替远子还上赌账。远子说推子你把火山口堵上,我看着眼累,推子就扛一柄铲去堵火山口,一句多余的话也不会有。

大尘有一次说远子，说远子，我原来一直很佩服你，你在咱们东冲镇上，做什么事都能做成，你天生是个青年领袖人物，现在我终于想明白了，那些事，没一件是你做成的，全是推子做成的。

远子白一眼大尘，说："你明白什么，你屁也不明白，古人都说了，兄弟既翕，花萼相辉，兄弟联芳，棠棣竞秀，我和推子是一个娘胎里钻出来的，我用脑袋，推子用力气，我们这叫珠联璧合，我们这才叫哥俩呢。"

大尘弄不懂花萼相辉和棠棣竞秀是什么意思，大尘只知道那是两个好词，远子从古人那里借了来歌颂自己的。大尘对远子老是在各种场合歌颂自己的做法已经熟视无睹了，见怪不怪，只是有些替推子不服气，就说："我又不明白了，上学的时候，推子的成绩比你好，推子是地理课的科代表，推子基本上已经考上大学了，要是他再努一把力，现在就是大学生了。你呢，语文基本上不及格，数理化也不怎么样，高考时你都没敢去考场，推子一空下来就看书，推子整天看书，看了书就坐在门前看天上的云彩，一看一半天，谁都知道，看书是学习文化，看云彩是琢磨问题，两样都和脑子有密切的关系。你呢，一睁眼就东奔西跑，整天车轱辘似的转，没见你闲下半分钟来，怎么就是你用脑袋，推子用力气？"

远子朝地上吐一口口水，双手操在兜里，说："大尘，你就只能跟着我干了，你这种猪脑袋，无论如何是想不明白这个道理的。我和推子都是琢磨的人，只不过我们琢磨的方法不同。我是鬼谷子，精通卜筮兵法，是领导者；推子是董狐，只能做记怪史官，是实干家，我们这样的分工，正好是兄弟的最佳分工，情况就是这样。"

远子六岁推子七岁那年，哥俩被人贩子给拐骗了。一个河南女人用一包劣质巧克力做诱饵，把小哥俩骗上了一辆开往广西的长途车。哥俩先是以分别卖给十万大山里的两家人。推子红着眼睛护着自己的弟弟，谁要来牵远子，他就扑上去抱了人家的脚死劲地咬，咬得人家嘶嘶地用大耳光抽他。远子会来巧的，小眼珠子一转，对人说，你们不能把我们俩分开，家里请高人给我们算过命，我俩谁离了谁都养不活。人家一听，不敢分别收养两个孩子了，要一起收养两个孩子呢，又拿不出钱来，就让人贩子退定金，气得人贩子直拿脚踹远子。后来小哥俩乘人贩子去找买主的时候偷偷地从旅社里溜出来。两个人辗转数千里，走了好几个省份，最终被人发现，送回了鄂东老家。送两个孩子回家的人一个劲地夸孩子，说他们那么小，又身无分文，却知道往家乡的方向走，特别是那个小的，知道沿着铁路走，又迷不了路，又能弄到吃的，瞅准了还能爬上一辆货车，让车带上一段路。家里人就问远子，问他怎么就知道沿着铁路走。远子想了想，说，是推子。推子说，他能闻到家乡的味道。家里人就笑骂道，胡说什么呀，家乡是什么味道？牛屎味道？苦艾味道？梨花味道？就算家乡有味道，隔着几千公里，拿什么去闻？骂过以后又抱着小哥俩，哭一阵、笑一阵，亲得不行。

远子和推子哥俩关系好得要命，好得谁也离不了谁，长到二十岁的人了，还在一张床上睡觉，不肯分了床睡，连小米都妒忌。小米说："生你们哥俩时，你妈肯定没留心，时辰给弄错了，远子该早生一年。要不推子就晚生一年，你们俩该是双胞胎。"

远子嘻嘻笑，说："事情到了这个份儿上，就别再折腾了，推子就该早我一年，推子不早我一年，我们在一个胎里待着，我要一不小心，早推子几分钟钻出来，推子做了弟弟，我做了哥，上学我得替推子背书包，洗澡我得替推子擦背，吃梨我得当孔融，降妖我得做悟空，哪有如今这个弟弟当得舒服？"

小米就骂远子，说远子难怪你个子长成了这样，要想看清楚，得买个放大镜来，你都长心眼去了。

远子说："用什么放大镜，你站近了看就行。"远子说了就伸手去搂小米。远子把小米拽一段云似的往怀里拽。小米推远子一把，差点儿没把远子推到地上。小米就咯咯地捂了嘴笑。

远子说："不行，小米你必须让我亲一口！"

小米说："凭什么必须让你亲一口？"

远子说："你又不是没让我亲过。"

小米说："那是小时候，你骗我，你说亲嘴就像喝蜂蜜，你把我骗过去的。"

远子说："是不是像喝蜂蜜？"

小米老实说："是。"

远子总结说："那就不叫骗。"

小米说："现在不是小时候。"

远子说："有什么不同？你嘴长大了，丰满了，我衔不住？"

小米啐远子，说："谁不知道你，你还不是想干坏事。"

远子说："我要暂时不干坏事呢？我要只亲亲呢？"

小米说："那你就等着，等我心情好的时候。"

远子说："小米你说老实话，你到底是跟我还是跟推子，你不能老是让我和推子在半空中悬着。"

小米说："我还没想好，我还在想。"

远子说："你不要老是想，这种事，想是想不出结果来的，你要行动，先试一试。你先试试我，再试试推子，看我们中间，谁最适合你的口味，然后你再决定取舍。"

小米说："呸，远子你越说越没有谱了，你当我是那种城里的女人呀，你当我跟谁都可以上床睡觉呀，你错了。"

远子说："小米你不要把自己说得那么严重，你也不要把自己说得春风无事，那次你不是往推子怀里钻过吗？你扣子都解开了，就差一阵风，你就光光地蚕儿褪茧了，你那不是上床睡觉是什么？按照法律上的话说，至少你是有上床睡觉的动机吧?”

小米一听这个,眼圈就红了,掩了长睫毛,半天不说话,是在想自己的耻辱。

远子看小米一眼,在一旁噘了嘴吹口哨。远子吹的是《冬天里的一把火》。远子吹了一会儿,看不得小米那个真难过的样子,就把《冬天里的一把火》熄灭了,说:“算了算了,用不着那样悲伤,其实推子也不是不近女色,那次你走以后,推子跳进府河里游了半天,怎么叫都叫不上来,活像北极熊。大冬天的,一个男人,水结着冰,你想想问题的实质性吧。”

三

正月二十八一过,远子就带了几个伙伴走了,像他说的那样,去武汉了,去征服城市了。

远子走之前,特意到镇上的发廊里吹了个头。远子把他那一绺柔软的头发吹得像刚出胎的羊羔毛,风一吹,撩得人看了心里痒痒的。远子在吹头的时候不老实,捉了发廊女孩子拿吹风机的手,一边嘴里吹着口哨,一边对着镜子里的自己在头上画圈儿。发廊的女孩子喜欢远子,自觉自愿让远子捉了手,哧哧地笑,说,你这是干什么呀?远子说,这叫牵手,歌里和电视里都专门解释过。女孩子说,你真要想牵手,等晚上打烊了,你到店里来,我让你慢慢牵。远子严肃地说,对不起,我不能牵你的手,我就是想牵也来不及了,我要去征服武汉了,路漫漫其修远兮,吾将上下而求索。

镇上去武汉的人不少,也有去麻城市的,也有去更远地方的,都是过了春节返回城里的打工仔,或者新加入打工仔队伍的人。每年春节一过,通往城市的班车就超载,让市客运站高兴得要命,客运站现在承包了,这样大家都有好处。

远子带了他的人,大尘、多多、飞娃、菜包子和共生,这些人都是他的喽啰,其中大尘和多多先前已经跟他去过武汉。大尘是小头目,领着人把行李卷往长途车顶上捆。行李捆完了,又在那里和司机吵架,不准司机放《我今天有点烦》,要司机放《对面的女孩看过来》,还要司机把音乐放响点。

小米很早就上车去坐下了,人靠在车窗边,一句话不说。雪还没化,厚厚地堆在那里,太阳一出来,阳光照耀在雪地上,把雪映成了粉红色。小米也穿了一身红,但小米盖过了阳光,是人眼里最耀眼的那一点,这就是小米的特点。

远子要走了还闲不住,一个人跑到路边上,拿一根火腿肠逗推子的狗。大尘从车上下来,走到远子身边,小声对远子说,远子,葫芦他们在车上,他们有五个人,都带了家伙。远子朝车上看了一眼,继续逗狗,逗一会儿,把手里剩余的香肠头丢给狗,从地上抓一把雪洗了手,拍拍雪粉,上了车。

葫芦在车上已经观察远子很长时间了，远子一上车，葫芦就站起来，丢给远子一支烟。葫芦说，远子，出去呀？远子看了看烟牌子，把烟点上，用力抽一口，说，葫芦，你还是和你的人一起下车。葫芦说，为什么要下车？远子说，因为我在车上。我在车上，你下不了手。你下不了手留在车上干什么？你总不能陪我到武汉去吧？葫芦笑着说，我看过了，你的位置是十六排以后的，我只动十六排以前的，十六排之后我不动。远子说，你不动也不行，你不动我相反觉得别扭。葫芦说，你可以装睡。远子说，我不是装睡，我是真想睡，我想一路安静地睡到武汉，我到武汉以后还要干大事业，你不能打扰我睡觉。葫芦摇摇头，说，远子你成心坏我的事。远子说，怎么办呢？今天你只能这样，你回去打条狗煮来吃，明天你再出来。葫芦就悻悻地带着人下车了。

推子来送远子。推子一直站在车下，也不说话。车开的时候，远子坐到了小米身边，拉开车窗，把脑袋探出来。远子对推子说，推子，我走了。推子点头，说，不要瞎胡来。远子说，你放心，我不会瞎胡来的。推子就带了狗，退到一边，车摇摇晃晃地转了一个弯，车轮甩起一片雪泥。那条吃过了香肠的狗不喜欢这样，冲着车叫，车有点害怕的样子，往前一冲，加快了速度。推子和狗渐渐地远了。远子把车窗关上。小米谁也不看，恨恨地咬着牙，半天说了一句，有什么了不起！远子关了窗户，回过头来问小米，你嘀咕什么？小米脾气很坏，冲远子嚷道，我又没跟你说话，你长了狗耳朵呀？一旁的大尘等人就背过身去哧哧地笑。

四

推子从鹿场回来。母亲说，推子，屋里有你的信。推子说，远子来信了？母亲说，远子有汇款单来，信不是，远子写字一啄一啄的，写不好那样的字。

推子把鹿刀放下，去院子里洗了手，冲了头，掸了身上的土，一路滴答着水进到屋里，看见桌子上自己正读的《世界地图》旁边，放着母亲说的那封信。推子甩了甩手上的水，把那封信拿起来，歪了头看。信封的落款上写着“内详”，字迹飘飘扬扬，果然不是远子的那一手鸡扒拉字。推子把信封拆开，里面薄薄的只有一页纸，孤零零的两行字。推子好一阵没有看明白那两行字的意思。他看了一遍，又看了一遍，直到看过三遍才明白。推子把那页纸折起来，放回信封里，再把信折起来，揣进口袋里面。

母亲和父亲进屋来了。母亲说，推子，早上市里来人了，问我们今年能不能多割些鹿茸，他们今年想多收一些。父亲接话说，割多少也不卖给市里了，今年我们自己卖，我们去武汉卖。母亲说，你知道推子不肯去武汉，你脚又不好，哪个去？父亲说，哪个去武汉也不卖给市里，总不能老让市里欺负我们吧？母亲说，市里是国家，国家需要，我们没有道理讲。父亲说，要认国家，只能认北京，别的地方都不能认。母亲说，葛振青你还是少说一些，你说话骇人。父亲说，我骇哪个？我谁也不骇。

推子说，妈，吃饭吧。母亲说，好好，我去端饭来。母亲就进厨房去端了饭出来，三个人坐下来吃饭。

吃着饭，父亲、母亲在那里说着鹿茸的事，推子大口往嘴里填着饼，大口喝着汤，一会儿就吃得满头大汗。推子喝完一碗汤，再添一碗，突然抬了头说，爸，妈，我明天去武汉。父亲和母亲一下子就住了声，停下来，看推子。推子又在那里咬饼了。父亲和母亲交换了一下眼色。母亲说，推子，你不是说过你这辈子决不去武汉吗？你不是说武汉不能看，只能想念吗？推子不说话，继续咬他的饼，喝他的汤。母亲又和父亲交换了一下目光。父亲咳一声，说，去就去吧，去顺便看看远子，这个东西，走了快两年了，电话不打一个，上个春节也不肯回，养他十九年，只两年就成了别人的人。推子你去了武汉，你就对远子说，他要不回来，干脆永远不回来，就做他狗日的武汉人。母亲拿眼横父亲，说，远子不回来，远子总在寄钱。父亲说，我要钱干什么？我又不卖儿子。母亲说，你不要说得那么难听，哪个我也不卖。然后母亲转了头对推子说，推子你不要听你爸的，你见了远子，你把事情办完了，就带远子回来，他要喜欢做武汉人，过了年再走。

推子点点头，往嘴里塞进最后一口饼，放下空碗，进屋去收拾东西。推子把两件换洗衣服装进旅行包里，又在包里放进那本《世界地图》，再从口袋里掏出那封信，小心翼翼地放进包里，然后在床边坐了下来，想着心思。

推子高中毕业后从市里回到镇上，养鹿。推子读麻城市一中，那是全省有名的中学，升学率非常高。推子的同班同学中有三个考进了省城武汉的大学，两个考到更远的地方。推子学习成绩是全班最好的，期考从来没有落下过前三名，还在中南地区数学奥林匹克竞赛中拿过名次，可他却在高考时落榜了。有一个女孩子叫顺藤，是班上长得最甜的女孩子，她被推子迷得神魂颠倒，她亲过推子，她还让推子摸过她的小胸脯，她说推子我爱你。顺藤考进了武汉大学。顺藤考进武汉大学以后再也不理推子了。顺藤对推子说，你知道，爱情不是想象里的事，我不能总是坐在美丽的樱花树下给你写信并且想念你。顺藤还说，你总不可能跑到武汉来找我扯皮吧？

所有的人都替推子遗憾，只有班主任李老师明白推子。李老师对推子说，推子，你不该害怕。世界地图你都滚瓜烂熟，你有什么可怕的？

那封信其实不是一封信，是一张纸条，纸条上是这样写的：

推子快来！推子，远子出事了！快来救他！小米××年×月×日

又及：你来武汉后，到武昌紫阳路上的红楼宾馆找我。

五

推子瞪着眼，一眨不眨地看着窗外。那是他想念中的城市。城市上空飞扬着一些漂亮的充气气球，还有一架红蜻蜓似的直升机，直升机从花蕊般的高楼大厦间穿过，好像是它顶起了那些花粉似的气球。推子坐在落满尘土的长途汽车上，有一些眩晕，有一种激动得想呕吐的感觉。车子从长江二桥上开过的时候，推子朝桥下看，他看见很多轮船划开江水从桥下驶过，让他有一种想从桥上跳下去的欲望。车子从连绵不断的立交桥上飞驰而过的时候，推子觉得自己好像是飞起来了似的。路上的行人很多，他们全都穿得漂亮而干净，脸上是一种自信的神色，还有一种满不在乎的神色。推子一下子就觉得他们和自己不一样，他们好像是历经沧桑的样子，好像是古人类的样子。推子有时候觉得人们说的现代人和古人类差不多是一种样子，没有太大的区别。推子知道自己已经到武汉了，但他有些惶惶的，觉得那不是他心目中的武汉。

推子拎着旅行包，在武昌紫阳路上找到红楼宾馆。那是一个很漂亮的大宾馆，幕墙玻璃上蝴蝶结似的飘挂着彩色旗帜，宾馆前停着几辆甲壳虫一样漂亮的汽车，有个子高高的红衣门童在旋转大门外替人开车门。推子不用谁来替他开车门，他是自己搭了车去的，还走了两站路。

推子问一个大堂服务员小姐，杜小米在不在。服务员小姐看推子，眸子闪烁着，她看了推子好一会儿，脸蛋儿渐渐红了。推子又问过一遍，服务员小姐才省过神来，说你等等，我替你去叫。服务员小姐去了好一会儿，小米没来，来的是另外几个服务员小姐，她们在大堂员工通道口探着头，指指点点地看推子。过了一会儿小米跑来了。小米和那些服务员小姐一样，穿着海蓝色的套装，稀疏的黄毛辫子剪掉了，留了短发，有点像男孩儿。但小米不是男孩儿，而且小米比两年前出落得更漂亮了，简直让推子吃了一惊。

小米把推子带到自己的宿舍里。小米的宿舍不是她一个人的宿舍，是12个像小米一样打工小姐的宿舍。推子一进门就打了个喷嚏。小米问，你感冒了？推子说没有。小米问，没感冒你打什么喷嚏？推子说屋子里香水味太熏人。小米拿笑眼瞟推子一下，说你怎么是这样的人。

宿舍里有两个女孩，是上夜班的，刚睡起来，躺在床上一人抱了一本《幸福》杂志看，一边看一边唏嘘着抹眼泪。小米冲她们喊：喂，都什么时候了，快接班了，还赖在床上呀？我有客人，你们快起来。一个女孩说，有客人我们又不妨碍你，你最多把帐子放下来，声音放轻点。小米叉了腰骂道：我不撕烂你的嘴！两个女孩嘻嘻笑着，丢开杂志，爬起来，先要套外套，看一眼推子，再看一眼推子，不套了，露着两条光光的长腿，抱着衣服，拿了洗漱用具，扭着腰跑出去。小米在后面骂，狐狸精呀！小米那么骂一点儿也不公平，小米自己的样子才像狐狸精。

小米让推子在她床上坐了，说别到处乱坐，脏，又问："吃饭了没有？"

推子说："路上吃过了。"

小米问："吃什么了？"

推子说："面条。"

小米再问："什么面条？"

推子看一眼小米，小米的眼睛正在那里等着他。推子有些不知所措。推子心想，小米她问面条是什么意思？小米她怎么有些通了电的样子？

小米看出推子的冷漠，也不管，说："我这里有饼干，你再垫一垫。"

推子拦住小米说："远子到底出了什么事？你快说事情，饼干等着。"

小米白推子一眼，恨恨地说："人家关心你，不知好歹！饿死你算了！"

推子就知道自己太急了，笑了笑，说："算我得罪你了，行不行？"

小米眼圈一下子就红了："你还得罪少了呀？"

小米说完那话，知道再说下去就是任性了，就不应该了，小米就丢开饼干，过来坐在推子身边，把事情的原委从头到尾说给推子听。

原来，远子带着小米、大尘等人来到武汉，先在一个建筑队里打工，后来建筑队散了，他们又换了一个建筑队，再后来又凑了工钱的份子，在汉正街租了一个摊位，卖福建石狮产的鞋子。远子带大尘和多多专门管跑货，飞娃、菜包子和共生照管摊子，小米在租下的民房里守家，洗衣做饭，管大家的生活。汉正街百川纳江，生意红火，虽然竞争激烈，机会却多得很，只要肯做。远子脑瓜子灵，又有几个贴了命跟着他干的伙伴，鞋摊的生意不错，日子也还过得下去。远子带人干了一段时间，嫌人手多了，一个巴掌大的小店，用了八个菜园子张青来开，不划算，又张罗着在长青乡包了两个鱼塘，让大尘牵头，分出菜包子和飞娃去养鱼。远子特别叮嘱大尘，鱼塘里专养鲫鱼，不打鱼卖，作钓场用，收公款请客的钱。大尘按照远子的话去做，果然收入颇丰。

本来这样很好，大家都有活干，大家都有钱分，两摊子生意，其实是一家。大尘等人拼命干了一段时间，全都置上了羊皮夹克，远子还添置了一辆木兰轻骑，戴上墨镜，风驰电掣去长青乡看鱼塘里的情况，威风得很；晚上收了工，大尘带菜包子和飞娃从江岸回来，大家聚了堆，喝酒打牌、逛江汉路、听何祚欢的评书，快活得像神仙。远子放了话说，你们是我带出来的，你们要是翅膀硬了，除了小米不许离开我，别的人都可以走，挑单另干，你们自己选择。大尘等人一听就急了，说远子你是不是嫌弃我们？是不是觉得我们还不够卖力气？你要嫌弃我们，要觉得我们不卖力气，就直截了当地说，不要拿选择这种话来杀我们。远子呵呵地笑，说，古人说，二人同心，其利断金；同心之言，其臭如兰。大尘问什么意思。远子说，意思是说，兄弟要同心，同心了就没有什么可以把他们分开了，同心了就可以说不好听的话，再不好听的话，听起来都是香的。大尘等人把远子佩服得不得了，说，远子你简直了不起，就凭你其臭如兰的话，打死我们也不会离开你单挑。

事情先出在鞋摊上。到武汉的第二年，远子要把摊子往汉正街鞋城里挪，鞋城里生意好，一双石狮产的胶鞋能卖出一双泉州产的皮鞋的价。远子在汉正街干了一年，他讲义气，脑子活泛，会来事，人缘不错，汉口话说得越来越炉火纯青，也算是汉正街里一个不大不小的人物了，最主要的是他不想蹉跎年华，他想加快他征服城市的步伐，他要加快步伐就必须进鞋城。远子花了几万块钱在鞋城里租了一个摊位。生意真的很好，日进斗金不敢说，总之远子每天都要共生往信用社里跑一次，去存钱。但是好日子不长，很快麻烦就来了。远子在鞋城的摊位旁是一帮潮州人租下的摊位，潮州人觉得远子的摊位占了好地方，挡了他们的财路，要把远子撵走。远子当然不肯走。远子不但不肯走，远子还想把潮州人撵走，这样两下就闹起来了。远子到打了包裹滚出鞋城时才明白过来，这个世界上不是靠着脑瓜子灵光就能干出一番大事业来的，不是靠着肯吃苦能算计就能过上好日子的，是有强势弱势主宰被主宰之分的；这个世界上也不光是由着一些戴了大盖帽的人说了算，还有一种人，他们在这个世界上建立了另外的一个社会，他们在某种程度上比戴了大盖帽的人还要厉害，如果说大盖帽是社会上的血管，他们就是血管里活跃着的红细胞，是说了算的人物。远子正是被这样的人物撵出鞋城的。

紧接着出事是鱼塘。大尘把鱼塘经营得很好。大尘有力气，肯吃苦，不在客人来之前往塘子里倒粪，让鱼吃饱了不咬钩。别人塘里的鱼，要是专钓鲫鱼（武汉人叫喜头），茶水不管，饵子不管，十八块钱一斤，大尘只收十五块，还饶上茶水饵子，还饶上乡下笑话。大尘塘里一天能出百十斤鱼去，出得隔壁鱼塘的塘主看了恨不得眼睛里生出一双爪子来抢钱。

有一天，一个疤瘌眼儿领着一伙人来了，找大尘。疤瘌眼儿对大尘说，他要接管塘子。大尘说塘子是自己承包的，租子是按时交的，一分没拖欠过，合同没到期，凭什么要接管？疤瘌眼儿说，凭他刚从号子里出来，他从号子里出来，要吃饭，要穿衣，要养伢，还要打个一块两块钱的小牌，他已经是悔过自新的人了，他不能去偷去抢，那样影响武汉市的大都市形象，他只能养鱼。大尘说，你要养鱼到处都是塘子，你可以到别的塘里养。疤瘌眼儿说，别的塘子都是生塘子，不如你屋里的塘子好，我调查过，你屋里的塘子出鱼。大尘气坏了，说，你这不是强打恶要吗？疤瘌眼儿笑了，回头看看他带来的那帮人，那帮人也笑。疤瘌眼儿笑过，转过头来，撩开怀，露出胸前一条尺半长的刀把，冷脸说，伙计，老子真的不是非要你的塘子，老子们正愁没处混环境，你递条子是抽合老子，老子们晓得不能让鱼吃肉吃顺了嘴，你要再犯犟，老子们也管不得那多，一刀捅你下塘去，充其量换一道汤重蓄一盘水！

远子骑了他的轻骑赶到鱼塘，发包的塘主愁眉苦脸对远子说，兄弟，不是我跟你扯野棉花，老疤这个人惹不起，他进号子是因为杀了他嫂子，他嫂子只顺口说了一句，老疤你领带没打正，他就一刀捅过去，把他嫂子捅得肠子直流，他连嫂子都杀，还有么道理可讲？我有老婆伢，我是不讲这个道理的。

鱼塘的事没落定，又出了菜包子和飞娃的事。菜包子和飞娃鬼迷心窍，跑去钓人家的鱼。这里说的钓鱼不是真钓鱼，是三伏天，人家没有空调的里巷人家开了窗户睡觉，他们跑去用刀子划开人家的纱窗，用带钩的竹竿往外钓衣服，被发现了，捉住痛打一顿，然后送到派出所。远子闻讯后赶到派出所，交了五千块钱罚款，两个人在收容所里关满三天，留下案底，按了手印，交远子带走。

远子回到家，关上门，一脚踢飞一只板凳，劈头盖脸把菜包子和飞娃一顿臭骂，说，一件休闲西服就把你们的心钓走了呀？就把你们的眼睛打瞎了呀？商场里就没有卖的了呀？菜包子吸一下鼻子，说，商场里当然有卖的，商场里要钱。远子从兜里掏出钱夹来，往地上一甩，说，这不是钱？你们拿钱去买，加上那五千罚金，看能买出什么样子的西服来！菜包子蹲在地上抱了头说，我们晓得现在生活不好，鞋摊子被人挤掉了，鱼塘又被人吃了黑，钱没有出处，我们才出此下策的。远子冷笑道，你们什么时候出过上策？你们也争口气，出个上策来给我看看！菜包子说，上策也不是没有，上策你只是不干。远子乜一眼菜包子，鼻子里哼了一声，说，给我收起你的上策，你的上策只配做猪饲料！

接着就是共生得阑尾炎。共生忍了两天。共生跑到药店去买止痛药来吃。共生后来实在忍不住了，叫出声来。小米说，大尘你们还打牌，你们眼睛瞎了呀，没看到共生人都变形了？医生说共生的阑尾已经穿孔了，要是再送晚点，共生就成尸体了。共生手术后被推出来，麻药还没有过，人迷迷糊糊的，认不出人来，抓住大尘的手说，远子，我晓得我们钱不多了，我想忍一忍就过去了，我不争气，没忍住，我下一回一定忍住。小米当时眼泪就下来了，扑在共生身上喊：共生你傻，你说什么忍？钱重要还是命重要？你还说下一回，你能经得起几个下一回？远子咬着牙铁青了脸吼："都把嘴给我封上！这是医院晓不晓得！"

远子终于吃上了黑道的饭。

远子先帮人干收租子的活。

黑道上有一种营生是收自家地盘上门面的保护费，有哪家新店开张了，黑道就去打招呼，说恭喜发财，说有饭大家吃，谈好一个价，店家按时交租子，有什么食客要蛮青痞扯歪的麻烦事，黑道揭了单子出面解决，相当于小区管委会的角色。有的老板会来事，说个价，只要合理就给了；有的老板装傻，要不就扯理由，拖泥带水；有的老板不吃那一套，场面上的话说到天上去了也不肯谈钱的事。对会来事的，人家乖乖地交租子，没有什么活可干；对不吃那一套的，那要动家伙，轻则砸了店铺，重则剁指挑筋，黑道叫卖走；而那些扯理由拖泥带水一类的老板，就是远子要负责的活路了。

远子组织大尘一应人，装扮成乞丐，或者手腕上缠了脏纱布，泼上猪血，去人家门面上讨饭。讨不是真讨，有技术，一要胡搅蛮缠，别人若给了饭要嫌没有肉，饭太寒酸，别人给了钱要嫌钱给得太少，没有整票子。二要掌握时间，是饭馆的，要在开席的时候上门；是卖货的，要等有顾客的时候上门，总之一句话，要人做不成生意，要把老板惹毛。老板惹毛了，定会出手，只要一出手，远子等人就躺在地上耍赖，说心脏病打出来了，腰子打掉了，打出癌症来了，只管往死亡的边缘上说。黑道上的人这时就远远地过来，手掌心里滴溜转着两粒霰弹枪子弹，找老板谈判，说你们打的是我的亲戚，你们把我的亲戚打残疾了，你们出个价吧……活就算干完了，剩下的事就与远子等人没关系了。

远子带着大尘等人干了一段时间，看出门道来，积累了经验，就开始自己挑了门户干。远子看中了江岸货场，那里盲流多，棚户多，各种帮派也多，远子带着大尘等人在那里干了一阵，虽然是外来的强龙，难得缠赢地头蛇，毕竟几兄弟没有出路，也没有武汉人那种懒惰，要混出前途来，只能提着脑袋拼命。远子又有头脑，会算计，尤其远子重信誉，一言九鼎，几个月下来，居然让远子干出名声来，在江湖上有了牌子。

有一次，一家企业在江岸货场丢了十几桶氰化物。氰化物是剧毒工业用品，这家企业正在搞企业年终考评，害怕事情被捅出来，媒介一宣传，满世界沸沸扬扬，企业先进的牌子弄毛了不说，说不定牵出其他的事情来，事情反而多出来，就托人找到远子，说好事情若有个圆满结果，企业出五万元做酬劳。远子放出耳目，三天以后，在仙桃把做那件活的主子找到了。远子带了大尘几兄弟去，行李包里装着上了膛的五连发霰弹枪和猎刀。远子要做那件活的主子把货交出来，做活的主子不肯交。远子很耐心地解释，说要是别的货，我要你交，你不交，我也不勉强你，只听你一个不字，就手抽刀，当场砍翻，下你一只耳朵，回去交差。问题是氰化物，氰化物不是一般的货，这就不好办了，现在货家没报案，货家一报案，事情就成了死案，你手头的东西就算出了手，人家死追下去，迟早会牵出你来，你钱没拿到，人进去了，杀头不杀头，你先去翻翻刑法书，何苦来？不如你把货交给我，我送回货家，与你再无干系。当然你干了活，也不能白干，我这里给你一万块钱，你就算撞了一次霉运，下次先学学英文，看清楚说明书，莫再把这种啃不下去的东西背回来做了宝贝。

做那件活的人听远子说得有道理，不是哄他的，答应了远子的条件。远子把事情交代好，回到武汉，通知那家企业，于某日某时到某地取货。那家企业照时间、地点去了，果然货都好好的在那儿，一件没少，还给盖了一层石棉瓦，防日晒雨淋。企业本来取回了货去，事情算是完结了，不知是怎么想的，又报了案，要把盗物的人抓住。派出所的人找远子，远子说不认识干活的人。派出所举出例子来，都是企业提供的，一样样有人证、物证，都证明远子不但认识人，还和那个人见过面。派出所申明事情和远子没关系，只要远子交出盗窃嫌疑人就行。远子咬定了不认识盗窃嫌疑人，也不认识什么企业。

远子眼睛盯着派出所的人，一眨都不眨，一脸天真无邪地说，你把企业的老板找来，我可以对质，他要说是我舅舅，明天我就结婚，要他送一份厚礼，还要他给我安排工作，最起码安排我做材料科副科长，股长我都不干。后来案子不了了之，事情传出去，江湖上都夸远子做事干净，信得住。

小米在远子换了行当帮人收租子时就拼命反对远子这么干。小米说，远子，你又不是没有一双手，你又不是不可以从头做起，你把猪血往手上泼，你那是作践自己。小米和远子吵过许多架，小米还找黑道上的人吵架。黑道上的人很喜欢小米的性格，说远子，你妹妹是个角色，这样的角色整个武汉难找出十个来，你妹妹要肯干，我们出资开家餐馆，要她当老板娘。远子硬把小米拽回家。小米踢蹬着腿喊，远子你是找死！远子阴着脸说，我不能在武汉一辈子挂眼科！我也不会在武汉一辈子做马仔！小米没法说服远子，一赌气，要离开远子。小米把身上的钱全掏出来，连零币一起甩在地上，把远子给她买的衣服，还有远子给她买的一条金项链，全翻了出来，也丢在地上，拎了自己的包往屋外走。远子在身后吼，你给我站住！小米瞪了远子一眼，人没停下来。远子冲到门口，一下子揪住小米，把小米揪得龇牙咧嘴，眼泪都快疼出来了。远子咬牙切齿地说，你走你就是背叛我！小米疼是疼，人却不怵，扬了头说，我又不是你的女人！我又没有卖给你！背叛了又怎么样？远子黑了脸，拳头捏得咯咯响，慢慢移向腰间的刀柄边，一字一句说，那就别怪我不客气了！小米吓坏了，但她还是强作镇定，说，远子，你要杀要剐你动手，但你要记住，你要是坏了我，推子不会答应你！远子盯着小米，他盯了她老半天，然后他松开手，吼道，你给老子滚！你滚去做鸡吧！

小米离开远子后，到了红楼宾馆。小米没有做鸡，她先在一家洗头屋找工时，洗头屋的老板说你晓得行情啵，我这里的小姐是要从事全套优质服务的，像你这样的条件，怕是闲不下来，要承担满负荷工作。小米狐眼圆瞪说，放你妈的屁！洗头屋的老板一耳光把小米打出来，小米从地上爬起来，拾了自己装换洗衣服的包转身就走，最后到了紫阳路上的红楼宾馆，在宾馆餐厅里做服务员。

不久前，小米从一个老乡那里听说，远子和另一路黑道火拼，伤了人，把对方一个老大的膝盖打碎了。小米一下子就急了，她下班以后从武昌赶到汉口，去江岸货场打听情况。等她找到远子住的地方时，人家告诉她，远子已经搬走了，走了好长时间了，还说有公安局的人来过，也是问远子的事。小米不知道远子去了什么地方，老话说，紧走慢走，三天走不出汉口，武汉太大，大成了中国的肚子，她在武汉没亲没故，是个没人理睬的外乡人，能去哪里打听？她只好给推子发了一封信，要推子赶快来武汉救远子。

六

小米给推子讲远子的事，一直讲到天黑，这中间不断有同屋的女孩回宿舍来，取东西什么的。有人进来时小米就不说话，拿了饼干出来让推子吃，问推子一些镇上的事情，等人走了以后她再接着说。推子不吃饼干，身子也不动，坐在那里，眼睛盯着小米，听她从头讲到尾。

小米讲完远子的事后，端起茶缸来一气喝了半杯水，然后要推子在宿舍里等她，她出去了一会儿，很快回来了，对推子说："我找餐厅经理请了假，我说我哥来了，餐厅经理对我很好，他说我今晚可以不上班，陪陪你。我们先出去吃饭。"

小米出门前要换衣服。小米大方地对推子说，你不用出去，你给我把门守住了就行，莫让那些疯姑娘进来，那些疯姑娘非要缠着看我的胸，她们说，小米，你看你挺拔的样子，你都可以去做广告了。小米换了一套休闲装，不施粉黛，人鲜鲜亮亮的，出门时她要挽推子的胳膊，推子不让，小米嘟了嘴说，你是我哥，出门人家一看，是哥连胳膊都不让挽，那叫什么哥？推子就没有办法了，只好让小米挽上。小米得意忘形，把胸脯挺得老高。小米也不老是得意忘形，真出了门，她就把推子的手松开了。推子知道小米还是懂事的，但他不会掩饰，松弛下来，出了一口长气。小米看他的样子，又恨起来，说，我怎么脏了你了？我就那么脏吗？

小米把推子领到一家名叫"好再来"的洪湖人开的餐馆，叫了菜，还要了啤酒。推子说，菜别叫太多了，多了吃不完。小米还记着刚才的事，白推子一眼，赌气说，我愿意，我把全世界的菜都叫满了也是我自己，要你担什么冤枉心。

等菜上来，两个人吃饭的时候，小米突然笑起来，扑哧一声，嘴里的米饭喷了一桌。

推子停下来，不明白地看小米，问："你笑什么？"

小米说："我想起刚才的事情。你记不记得，刚才你来时，我们宾馆的小姐们围在员工通道口，巴心巴肚地看，后来我们在宿舍里说话，不断有人进进出出？你知不知道她们那是在干什么？告诉你，她们全都是在看你。"

推子脸红了，有些不适应。他把啤酒瓶子拿起来，给自己斟酒，酒斟得太快，啤酒泡溢了一桌。小米看推子那个样子，越发地乐，乐得前仰后合。

小米乐过以后又说："你今天把我们宾馆震了。你主要是把我们的小姐们震了。我去请假的时候，好几个小姐问我，你是我什么人。我晓得她们是什么意思。我告诉她们你是我哥。我只能告诉她们你是我哥。我要告诉她们你是我别的什么，她们就算忍气吞声，不在半夜里爬起来撕了我，也会把我孤立起来，那我就是孤家寡人了。推子你不知道，你让人不放心。"

推子用啤酒顺过嗓子，镇定下来了，说："你不要说得那么过分，你也不要说得那么夸张。"

小米说："我怎么过分了？怎么夸张了？我杜小米长到十七岁，眼睛从来不往上下望的，就算黎明哥哥来了，刘德华叔叔来了，还要看我高不高兴见他们呢！"

推子平时不大喝酒，喝了大半瓶啤酒，有些晕晕乎乎的，话也多了些，说："你刚才说，你告诉别人我是你哥，你没告诉别人我是你别的什么，是什么意思？"

小米拿眼睛瞟了推子一眼。小米的眼睛媚媚的，关键是小米的眼睛带着电，火花四射，而且小米已经出落得水色无限了，很难让人不动心了，幸亏推子那时盯着自己面前的啤酒杯子，担心杯子里的啤酒泡泡会不会继续长高，没看小米，否则推子就会有麻烦。

推子接着问："你还说我让人不放心，我让人不放什么心？我让谁不放心？"

小米冷冷地盯着推子，不说话。推子伸出筷子去拈一块牛脯，牛脯拈起来又落下去。推子抬了头朝小米傻笑，没笑出来。

推子说："怎么了？我说了不该说的话么？"

小米伸出胳膊去，把推子面前的啤酒瓶子拎开，把饭端到推子面前，再把桌上的菜一盘盘都推过去，把推子围个水泄不通，自己低下头去扒了一口饭在嘴里，嚼了几下，平静地说："推子，我知道你，要不是远子有事，我给你写了信，你是不会到武汉来的，你会永远待在东冲镇，怀念武汉。我还知道你是喝了啤酒，有些把握不住了，要不也不会拿这样的话来问我。我都知道，推子。"

推子直起身子来，看小米。小米已经低下头去，吃她的饭，再不理他。推子再看看面前的那些饭和菜，它们人多势众，把他包围了，让他一时不知该往哪里突围才好，推子就在那里发愣。

推子后来愣头愣脑地说："我一定要找到远子。"

小米抬起头来看了他一眼，淡淡地点了点头。

七

推子去了江岸货场，在那里打听远子的去向，一连几天，一点儿结果也没有。远子好像从来没有在江岸货场出现过。推子知道远子他当然出现过，他不但出现过，他还在这里做下过很多事，多得推子找人打听远子，人家都用一种奇怪的眼光来看他，人家是把他和那个冉冉上升的远子联系上了。有一次，推子还差点儿惹上了事。推子找几个收荒货的河南人打听远子，等推子离开河南人的棚子时，他发现那几个河南人小声地议论着什么，然后一个河南人匆忙地走了。推子想，也许他打听远子打听到远子的冤家头上了，他们派人去通知他们的老板去了。

远子失踪了。远子无踪无影。

推子找远子，小米要陪推子，推子不让。推子说，小米你上你的班，我不用你陪。小米说，我可以请假。推子说，你的老板会不高兴。小米说，我管他高不高兴，我又没有卖给他。推子说你吃人家的饭，你等于是卖给人家了。小米眼睛亮亮地，盯着推子看，推子就知道自己说错了话。

推子知道自己说错了话，但他坚决不要小米陪，他只是答应小米，他去汉口、江岸找远子，每天晚上仍然回到武昌紫阳路来，告诉小米他找远子的情况。推子在紫阳路上找到一家私人旅社，房租不贵，床单也干净，四人间，包一餐饭，一天十五块。小米本来已经把推子安排在宾馆男服务员宿舍里住了，小米在宾馆里已经有了很多好朋友，那些好朋友情愿自己睡到大马路上，也不肯让小米的哥哥没有地方睡，但是小米看推子很坚决地拎了他的旅行包，知道他是那种不肯商量的人，就不再提别的话。

推子每天早上起来，洗了漱了，拎着旅行包，先去红楼宾馆，把旅行包存在小米那里。小米在餐厅工作，中午和晚上上班，早上一般都起得晚。小米知道推子不肯进宾馆，每天很早就等在宾馆门口。推子来了，小米从推子手里接过旅行包，换了用食品袋装好的面窝小笼包和袋装奶给推子，叮嘱推子几句，无非是小心一点儿之类的话，然后站在那里，看着推子结结实实不慌不忙地朝车站走去，直到看不见人影，小米才回宾馆。

很快一个月时间过去了，推子不但跑遍了江岸货场，他差不多跑遍了整个江岸区，有关远子的事打听到不少，大多以讹传讹，让推子听了觉得那不像是远子，而是别的什么人。远子本人的影子始终没露面，他好像是真的消失了。

推子在这期间见到了好些麻城人，他甚至还见到了东冲镇的两个熟人。他们也是来武汉挣生活的，因为来了好几年，已经扎下营盘，带了老婆、孩子来。两个熟人都认识葛副镇长的大儿子，热情地邀推子去他们家里坐坐。他们的家是租来的民房，属于待拆建筑。两个熟人一个做水果生意，一个做装饰材料生意，租来的房子，前店后库，逼仄得像个鸡笼子，连下脚都得小心翼翼，人和水果、水泥混住在一起，分不出谁是主人。推子侧了身子坐在那里，看熟人的孩子脏兮兮地从他腿弯下爬过去，再爬过来，他手里捧着软绵绵的一次性茶杯，心里想着东冲镇开满白花的桃林和挂了几条溪涧的乌子山，推子就不想说话。

那一天，推子像往常一样，早早地起床，从武昌到了汉口，找远子。推子路过工农兵路时，从路边上一个白墙粉瓦的幼儿园里蹿出一个邋遢不堪的汉子。汉子一脸胡须，高大魁梧，眼睛瞪得像牛铃铛，怀里抱婴儿似的抱着一台小王子洗衣机。一个年轻女孩子在他后面追赶，一边追赶一边喊，抓强盗呀！抓强盗呀！路边的行人都站下来，朝这边看，马路边小食摊上吃早饭的人纷纷端了碗，朝这边拥来，人们的脸上露出看热闹的兴奋，还有人呵呵笑着，但没有人上前去拦那个汉子，眼看那个汉子就蹿过马路奔进一条巷子了。

推子在那个汉子奔到他身边的时候往前跨了两步，堵住了他。汉子喘着气，瞪着牛铃铛眼睛吼道，走开！不然我捅死你！推子不走开。推子说，我不是警察，我不捉你人，东西不是你的，你把东西放下，还给别人，我就放你走。汉子气急了，他要不是气急了，有可能就会为推子刚才那番郑重其事的话笑出声来的。汉子朝后面看了一眼，把怀里的洗衣机往胳膊肘下一夹，空出一只手，从怀里掏出一只磨出了尖头的红把大起子，指着推子的脸，咬牙切齿地说，是你自己找的，莫怪我！说了就朝推子刺过来。推子躲开刺来的起子。汉子再刺来，推子又躲开了。一边就有人兴高采烈地喊：搞！搞！往死里搞！搞出一个新世界！汉子见刺不中推子，而且他看推子毫无惧色，是即使刺中了也不会让开的样子，后面那个女孩子又追近了，就把胳膊肘下的洗衣机抡起来，砸向推子，然后掉头蹿进巷子里。推子被洗衣机砸了个结结实实，他去抱洗衣机的时候又被洗衣机剐了一下，人被砸得坐在地上，洗衣机却好好地抱住了。一边两个小年轻说，伙计，你可以去球场把区楚良替下来，你保证不会让国人失望，我们也不会被气死了。

那个女孩子气喘吁吁地跑到了，帮助推子把他怀里的洗衣机挪到地上放好，再拉起推子。推子很沉，不好拉，女孩子差点儿没把自己拉跌进推子怀里。推子不要别人拉，自己从地上爬起来。女孩子说，谢谢，谢谢你！推子说，没关系。推子说着拍了拍身上的泥土，就要走。女孩子掩了嘴说，呀，你的手流血了！推子低头看，真的流血了，是刚才被洗衣机剐的，破了很大一块皮。女孩子苍白了脸说，你快跟我来，我有消毒药水和纱布，我给你包一包。推子摔摔手上的血珠子，说不要紧，一下子就干了。女孩子拉住推子，说，这怎么行呢？你帮我追回了洗衣机，负了伤，我不能看着你就这么走。推子说，真的没关系。女孩子说，那，洗衣机我抱不动，你帮我抱回幼儿园好不好？

推子帮女孩子把洗衣机抱回幼儿园。女孩子已经拿了药箱子过来，把推子按在椅子上。几个苹果似的饱满的孩子跑过来。女孩子说，你们的画画完没有？孩子们又嘻嘻笑着跑走了。女孩子先用酒精给推子洗伤口。推子的手颤抖了一下。女孩子也颤抖了一下。女孩子的眉毛很好看，绒绒的，像两抹细细的黛色淡云，她颤抖的时候，好看的眉毛涌动了一下，好像要掉下来。推子有些担心，但是推子的担心没有过多久，女孩子手脚很轻，如柳枝儿拂动，又很利索，是干惯了这类活的，一会儿工夫，就替推子处理完伤口，漂漂亮亮包扎好了。

推子谢过女孩子。女孩子说，怎么是你谢我，该我谢你才对。推子看清了女孩子，是纤纤细细秀气十足的样子。推子站在那里，不知该再说什么，站一会儿，往外走，手上缠了绷带，多出了什么，有些不自然。女孩子送出来，送到门口，推子转身，说，我走了。推子看见停在院子里的一辆万山面包车，朝他们滑过来。推子抢上一步，把女孩子往边上一推，回了头，就手撑住车头。推子像熊一样，两吨半重的面包车，乖乖地停下来了。女孩子大惊，说，朱大屏你干什么？！说了跑过去，拉开车门，从车里抱出一个小男孩，再上车，手忙脚乱地熄了火，摘了钥匙。小男孩嘻嘻地笑，说我开车。女孩子脸都白了，闭了眼捂胸口，捂半天，睁开眼时差点儿没流出眼泪来，说，谁叫你去碰车子的？你差点儿没把自己撞死，你差点儿没把我们撞死！

女孩子后来给推子解释，说车子是幼儿园接送孩子的，平时看得紧，今天刚接了孩子回来，不知怎么就忘了收钥匙，差点儿惹出大祸来，亏了推子。女孩子说那话时还余悸未退，脸蛋儿红红的，把胸口按着。

推子走出几步，女孩子站在幼儿园门口看他，女孩子突然追了过来，喊住他，说，我听你是黄冈口音，冒昧地问一句，你是不是来武汉找工作的？推子说，我不找工作，我找弟弟。女孩子有些失望，说，哦，是这样，我这幼儿园是自己办的，我和姑妈两个人，请了两个朋友当老师，有五十多个孩子，忙不过来。我一直想请一个帮手，打打粗，原想你要是找工作，不知会不会瞧得起我们这样的地方，你不找工作，打搅你了。

推子往黄浦路车站走，一边走一边想，我怎么会告诉一个陌生人，说我找弟弟呢？

八

推子在武汉找远子，一连找了一个月，连远子的影子也没见着。推子找不到远子，但他不放弃。推子一定要找到远子，一定要把远子带回家去。

推子给父母打电话，告诉父母他已经找到远子了，远子在一所职业学校里读书，远子想在武汉找一份好工作，武汉是个重视知识的大城市，远子必须经过职业学校的学习才能找到好工作，他决定先在武汉等远子，顺便考察一下武汉的鹿茸销售情况，等远子读完职业学校里的课程，他就带远子回家。

爸爸在电话里说，武汉是什么好地方？我六几年参加工作的时候，到武汉学习，住在招待所里，招待所里还用马桶，自己提下楼来倒，每天早晨倒马桶的排成长队，一街臭，不就是个大？要比繁华，比不上当年的东冲镇，远子要爱，干脆让他不回来。

妈妈抢过电话去，对推子说，推子你莫听他的，他是说气话。推子你还是让远子回来，他要喜欢武汉，你让他过了春节再回去。

推子决心找到远子，但推子带的钱已经用完了，武汉再不好，武汉是要花钱的，一碗热干面一块五，一张车票一块，就算不睡觉，一天怎么也得十块钱开销，没有钱，吃住成了问题。

小米要给推子钱，推子不要小米的钱。小米恨得咬牙，说，就算你借我的行不

《怀念一个没有去过的地方》 邓一光

行？推子很平静地说，不行。

推子决定找一份工作，一边给人打工，一边找远子。小米说通了红楼宾馆，让推子做行李员，吃住包干，月薪二百八，小费归自己。推子英俊，推子结实，推子沉沉甸甸的，没有什么言语，这样的推子很适应做行李员。可是推子不肯。不是推子不肯做行李员，是推子不肯在红楼宾馆做行李员。这回小米什么话都没有。小米后来搂了自己的两只胳膊，看了推子一眼，再低了头看自己的脚。小米脚上穿了一双布鞋。小米的布鞋是自家做的，很结实，绣了花，看着让人喜欢。

推子出去找工作。武汉果然是大商埠，商贾云集，客流成河，打工者多的是机会。可是推子去过好几个地方，都没谈成。没谈成不是人家的事，是推子的事。推子自己给自己设置了障碍。推子不在乎工钱，不在乎吃住条件，不在乎工作脏不脏，累不累，他只要半天工作制，而且说好，一旦找到弟弟，工就辞掉。人家花钱请工，买你的劳力，先是把你的时间买下来的，你先连时间都不能保证，说来就来，说走就走，这样的工，倒不是工了，是老板，连老板都做不到这个，谁还请你？

推子一连碰了几次壁，眼见身上只有两块钱了，推子已经从紫阳路上那家旅社里搬了出来，因为没有钱坐车，索性待在汉口，夜里就在汉口火车站候车室里抱着旅行包打个盹，有两次推子被车站的工作人员查出不是等车的，赶了出来。

推子那天半夜在建设大道上拎了旅行包没有着落地走，突然想起工农兵路上那家白墙粉瓦的幼儿园，想起那个纤纤细细眉毛如黛色淡云的女孩子，推子的心一下子平静下来。他走向一个卖水饺臭干子的夜食摊，掏出身上仅有的两块钱，对摊主说，水饺。摊主找给他五角钱。他不接，说，来两块钱的……

女孩子很吃惊地看着一身雾水的推子，说，你怎么不敲门呢？你就这么在外面站了一夜？

女孩子很快和推子谈好，推子负责锅炉和厨房里的杂活，每天两次去定点的食品厂拖食品，同时夜里在幼儿园里守夜，事情干完了，时间由自己掌握，不用在幼儿园里守点。当然，如果推子愿意，幼儿园里的桌椅板凳坏了，他要能修，也帮忙修修，那就谢谢了。报酬上，统一发工装，也就是白大褂，管吃管住，每月工资三百元。

女孩子对推子说，如果你觉得这样的条件不满意，你可说出来，我们再商量。

推子站在那里，说，没有不满意。

女孩子问，那你看你还有什么事？

推子说，我能不能先洗个澡？

女孩子笑了。她那么一笑，推子就看见她两颊上深深的洇出两个酒窝，不光秀气，而且秀丽了。

女孩子跑到后院去，一会儿回来，把推子领到后院卫生间。

澡盆很小，淋浴头很矮，分明是给孩子们预备的，但收拾得很干净，屋子里亮晃晃的，一尘不染，特别是澡盆子里，已经放满了热水，旁边放了沐浴液、洗发液和一方新浴巾。女孩子对推子说，衣服换下来丢进洗衣机里。女孩子说到洗衣机时笑了，这回她的笑有点顽皮。推子后来才看见，女孩子说的洗衣机，就是他前几天从大个子汉子手上夺回来的那个洗衣机。推子关上了卫生间的门，一个人在那里，也不由自主地咧开嘴笑了一下。

推子痛痛快快地洗了一个澡，把一个时间里的疲惫和麻木洗得一干二净。等他容光焕发地回到前院的时候，女孩子已经为他准备好了四个煮鸡蛋、一碟咸菜和一大碗黑米粥。

女孩子站在那里，背手撑了腰后的桌角，笑眯眯地看推子，把推子看得有些不好意思。

女孩子说，现在，我们可以正式认识一下了。我叫桑红，是武汉市江岸区红娃幼儿园园长。

推子说，我叫推子，姓葛，我是麻城市东冲镇人，我也是园长，不过我不带孩子，我养鹿，是鹿园园长。

桑红大大方方地伸了手出来，说，那好，鹿园园长同志，我们现在算是正式认识了，今后我们在一起工作，还希望得到你的帮助。

推子就伸了自己的手，和桑红握了。

桑红说，一会儿孩子们就要入园了，有十几个孩子是园里要负责接的。上午没有什么事，你先去后面教职工休息室睡一会儿，中午我叫你起来吃饭，下午我带你去食品厂。

桑红说了就出门去。一会儿就听她在院子里发动了面包车，听她细声细气地叫，姑妈，姑妈，我们走。

推子坐下来，咬了一口嫩生生的鸡蛋，心里想，她也没有问过我，她什么也不说，怎么会心细成这样呢？

推子往红楼宾馆打了电话，对小米说，我已经找到工作了。小米问什么工作。推子说，在工农兵路，叫红娃幼儿园，做杂工。小米问，也就是说你不打算回武昌这边来了？推子说，远子在江岸，我在这边容易打听到他的消息。小米冷冷地说，那好吧。小米说了就先挂了电话。

九

推子很快熟悉了幼儿园的情况，熟悉了自己该干的活。推子是那种很能干的人，会干的事情，他干得很出色，不会干的事情，他只要留心了学，也能很快上路。在东冲镇时他没有接触过锅炉，特别是用油的锅炉，他连听都没听说过，但他只让桑红教了一次，又摸索着干了两次，就很快学会了，而且很快摸索出一套省油的方法。过去红娃幼儿园去食品厂拖食品，因为要的是新鲜，每天两趟，都是桑红开了小货车去拖。推子来了以后，先认了食品厂的路，和发货的人接上了头，他看院子里有一辆三轮车，板子掉了两块，车轴坏了，他抽空修出来，不要桑红再开车去食品厂，自己骑了三轮车去厂里拖食品。头两天推子的车骑得歪歪扭扭的，人多的地方、路窄的地方、过马路时，得下来推着走，但很快的，他就学会了骑车，能把三轮车骑得玩杂技那么好了。这样推子不光省了锅炉和面包车的油，还省出了桑红每天跑食品厂的那两趟时间。

厨房里的杂活对推子来说比较困难一些。过去在家，他是从来不进厨房的，不光他不进，东冲镇的男人都不进，东冲镇的男人从小到大没有进厨房的习惯，一般情况下，只有两种男人才进厨房，一个是鳏夫，一个是孤儿。有一个故事是这样说的，一个女人生了孩子，她男人把她从医院接回家来，因为生的是个大胖儿子，男人高兴坏了，他先抱着儿子亲了一口，再抱着老婆亲了一口，说，老婆，你立了一大功，我今天要好好地犒劳犒劳你。男人去院子里捉了鸡，杀了，再去街上割了肉，打了酒，提回家里来，然后大声喊，老婆，东西都齐了，你快起来烧饭吧！

推子在家时没有进过厨房，红娃幼儿园不是他的家，他知道这个。推子进厨房，先用眼，再用心，然后一件事一件事，从容不迫地下手，生涩很快就不存在了。桑红的姑妈负责厨房里的事，桑红的姑妈很挑剔，哪儿不干净不整洁了，她都有意见，她开始也说过推子，说他这儿也不行那儿也不规矩，她后来仍然说推子，但背后里姑妈悄悄对桑红说，这个乡下伢灵醒，比前两次请的强多了，这伢眼里有活，手又巧，莫看不爱说话，心里头有数，这伢莫辞了，留下。

推子把自己该干的活都干了，又帮忙做一些分外的事情。他用两个晚上，把两间休息室、三间教室兼游戏室从上到下打扫了一遍，要桑红买了石灰和颜料，先粉了墙，等墙干了，再在墙上五颜六色地画了憨憨的熊猫、胖胖的大象、机灵的猴子、可爱的长颈鹿，剩下的材料，他用在院子里，在院子里的粉墙上画了孙悟空、哪吒、金刚葫芦娃、神笔马良、渔童。幼儿园里里外外一下子就变了样，变得生动活泼、情趣盎然，是真正孩子的乐园了。

桑红对推子的这一手显得很吃惊，她扬了她好看的眉毛，说："推子，我不晓得，你还有这样的本事呀?"

推子拿笔描着渔童脚下翡翠色的浪花，不好意思地说："我也是凑合，上小学时学过画，那时很喜欢，画了好几年，以后学习紧张，又丢了。"

桑红由衷地说："你这哪里是凑合，你这样的水平，要是会电脑设计，可以去做卡通，最起码能去广告公司吃白领饭。"过一会儿又说，"当然，我不希望你去那些地方，我还是希望你留在我们红娃幼儿园，你留在红娃幼儿园，我心里踏实一些。"过一会儿又说，"我这样想也许很自私，推子，我是不是很自私?"

桑红在那里和推子说话，推子有时候会回答她，有时候不，他画着他的渔童，他该干什么还干什么，桑红经历过几次后就习惯了。

推子来幼儿园这几天时间，已经和桑红熟悉了，也和幼儿园教音乐的张项老师、教英语的王樱老师以及姑妈熟悉了，大家都很喜欢推子，都觉得推子很懂事，有礼貌，肯干活，不像别的乡下人。武汉人对乡下人一贯没有好感，老是乡下人乡下人的挂在嘴上。张项、王樱和姑妈都是武汉人，不同的是她们一个是老武汉人，两个是小武汉人，她们是武汉人，当然也这么说。张项、王樱和姑妈私下也议论过对推子别的方面的印象。张项说，你们发没发现，推子长得蛮有味，又酷又有形。王樱说，不光有味，他还结实，你没看他的小腿肚子，像是练过健美的。张项说，他这种人不像广告，你一眼看不出来，需要仔细看。王樱说，你说得那么经验丰富，是不是仔细看过？张项站起来要去掐王樱，王樱嘻嘻笑着往姑妈后面躲。姑妈一边护着王樱一边说，可惜了是个乡下伢。张项放了王樱，转过身来说姑妈，姑妈又是你的故事，你老是讲这种故事，其实你的故事我后来都验证了，你说的那些人，都是黄陂、汉川孝感、仙桃人，并不是土生土长的武汉人，再说现在不是以前了，现在这个时代，最没有参考价值的就是出生这一条，或者说，最没有参考价值的就是传统上的出生观。相反，真正有钱有权有学识的人，十个里头有八个是乡下出来的。王樱在这个问题上和张项站在同一战线上，说，最关键的问题是，正宗武汉早就稀烂了，你看武汉的儿子伢们，豆芽大一点儿，复杂得超过奔腾 98，心深得一块石头丢下去，三年后才听得到响声，玩起来倒蛮能混点，遇到事情哪个又是可靠的？不像推子这样的乡下伢，一双泉水眼睛，一身青草气，一副太阳肠子，我说不虚伪的话，真的是让人想入非非。姑妈说，你们一个个说得天花乱坠，那好，你们就把推子带回去做你们屋里的女婿伢。张项一点儿不惧，摇一下辮子说，我要是没有刘东缠得紧，一时三刻不松手，我就把推子带回去。王樱从姑妈身后探出脑壳来说，也不一定非要做女婿伢，做别的也行，做别的并不影响刘东的最后归属权，张项，你要怯了，我上，我没有刘东我不怕。姑妈拿眼睛狠狠地白王樱，说，樱子，你越说越没得名堂了，你不要拿人家推子混点，人家伢老实，不该落得你混。王樱就做鬼脸，说，姑妈你这就是偏心了，说乡下伢的也是你，说老实伢的也是你，话都让你说完了，我们活该做哑巴。姑妈说，你能做哑巴？你要做了哑巴，天上就没得鸟儿飞了，总之你不要说人家推子的坏话。王樱笑，说，姑妈，你这么护着推子，干脆，我和张项就不打推子的主意了，我们向外发展，把推子让给桑红。

桑红不和其他几个人一起开这种玩笑。桑红知道推子话不多，他不说话，不等于他没有听见别人说话，也不等于他就对别人的话没有自己的意见，这样的人叫惜言如金，反倒是该赢得尊重。

幼儿园是租用居委会的房子，推子没有来的时候，几个人轮流着留宿，姑妈还好，三个女孩子轮上守夜，住六七间屋子，一个院子太大了，一个人不敢住，要拖另外两个人一起住，其实人都在，不是轮班，倒是集体守夜。推子来了以后，大家再不用守夜，特别是张项和王樱，她们两个人一个有了恋人，一个虽然还没有，但一大堆男朋友放在那里，连她自己都分不清楚，反正都是要应酬的。她们这种青春得一塌糊涂的女孩子，城市得一塌糊涂的女孩子，不能白天做了一天的孩子王，到晚上还得守着空空的屋子闻奶味，那等于是杀她们。现在推子来了，相当于把她们从牢房里放出来了，她们哪里有不高兴之理。

解放了的张项说，推子，我一定要请你吃梅子，我还要请你吃冰激凌，吃正宗和路雪的。解放了的王樱说，梅子就不吃了，冰激凌吃了发胖，两样都不符合健康生活标准，推子，我请你去打保龄，要不我干脆请你去JJ迪厅，那里有联邦止咳露卖，我们一个喝两瓶再去疯，我争取把你发展成我的男朋友之一，我觉得你这样的男孩子很适合做我的男朋友。姑妈就骂，说你们两个死丫头，你们积点德，莫盘人家伢好不好？推子并不恼，露出一排雪白的牙齿，笑一笑说，你们好好玩，你们吃梅子，打保龄，玩得高高兴兴的，我做你们大家的男朋友。王樱瞟一眼站在一旁一言不发的桑红，说，推子就是这点好，知道疼人，还知道平均，是新好男人的标准。但是推子我告诉你，你做我们大家的男朋友可以，不包括不表态的，不能叫不表态的人不劳而获啊。

那天下午，孩子们离园后，桑红领着张项、王樱和姑妈帮推子一起做完卫生，然后收拾一番各自回家。桑红出门走到街上后，突然想起什么，说，呀，我忘了东西，我回去拿。姑妈站下来说，你快去，我等你。桑红说，不用等，你们先走。王樱说，姑妈你想当灯泡呀？人家回去不光取东西，人家说不定还要布置工作，你等到天黑呀。姑妈笑，说，樱子，我看你油得不成样子了。王樱就冤屈地喊，怎么是我油，你没看你屋里桑红，我们这些憨子是螳螂捕蝉，她是黄雀在后，她老奸巨滑得都可以进经典排行榜了，你还嫌我们这些人梯做得不好呀？张项也笑，说，王樱你只是一颗红心，嘴还是讨人嫌。

桑红不理会几个人说什么，转头回了幼儿园。推子正在院子里收拾花坛边的砖头，见桑红回来，没起来。桑红走到花坛边，在推子身边站着，站一会儿，推子立起身来，抚着手上的泥土，说，你怎么没走？桑红说，先走了，又回来了。推子说，你有事？桑红说，没什么事。推子说，哦。说过以后又蹲下去，继续收拾他的花坛。桑红又站了一会儿，天渐渐黑了，桑红就走了。

推子去找远子，一般是利用白天时间。推子在幼儿园的工作是定时的，虽然事情不少，相比养鹿场里的活却并不重，推子应付自如，这样就能有不少时间去找远子。

推子找远子找得很苦，也很茫然。武汉三镇，七百万人口，要找一个在这座城市里没有任何记录的人，无异于大海捞针。推子经常被人呵斥，遭人白眼，还被人当作做笼子的，或者是为夜晚的行动探路的，遭到不断盘问。推子一般不在乎这些，他理解他们，理解这些武汉人，他知道他们那样做有他们的道理，武汉是他们的，他们有权利怀疑任何不是武汉人的人，他们也有权利盘问任何他们认为对武汉可能会造成破坏的人。这是一种热爱。一热爱就会产生保护的欲望。推子尊重这样的欲望。推子一般会很冷静地回答人们的盘问；别人白他的眼，他当别人眼睛不舒服，换个眼睛姿势；别人呵斥他，他也不还嘴，让呵斥他的人占尽武汉人的面子。只有一次例外，那一次，推子从黄浦路立交桥下过，立交桥下有两个年轻人在那里卖墨镜，两个年轻人缠着一个乡下人，要乡下人买他们的墨镜。乡下人说自己是种田的，用不着墨镜。两个年轻人硬把墨镜往乡下人手里塞。乡下人没来得及接，年轻人突然一松手，墨镜掉在地上摔坏了。年轻人变了脸，说乡下人摔坏了墨镜，要乡下人按出厂价赔五十块钱。乡下人吓坏了，说自己身上没有那么多钱。两个年轻人就拉住乡下人，又推又搡，不让他走。本来没有推子的事，但是推子没忍住，打抱不平地在旁边说了一句，人家说了不要，你们硬要塞给人家，你们故意往地上摔，这样做买卖毫无道理。两个年轻人说，嚯，出来个年轻的吴天祥来，你是不是看见是个机会，想要拿见义勇为奖？推子说，什么奖我也不拿，我只觉得你们这样对待人不对。两个年轻人放开乡下人，走过来，说，你个把妈养的活得不耐烦了。说着就给了推子两拳。推子在挨到第四拳的时候出了手，他像一头生气的熊，三拳两脚打倒其中一个，然后把另一个逼得直往后闪。被打倒的年轻人爬起来，从摊子下抽出一把铁尺。推子弯下腰，从地上捡起一块砖头。两个年轻人见推子端了拼命的架势出来，知道真要抡开了家什，自己未必是对手。两个年轻人收拾了摊子撤退，临走时，指了推子说，你给老子等着，正式通知你，你今天死定了。推子不能等，他要找远子，他还要回红娃幼儿园去干活。推子丢开砖头，抹一把鼻血，也走了。

晚上推子不出门，守在幼儿园。推子知道桑红相信自己，让自己住在幼儿园里，是把幼儿园交给他来照看，他要对得起这个相信。每天晚上，推子很早就洗了漱了，关了幼儿园的大门，检查一遍水、电、煤气，回到休息室，铺好床，然后在灯下翻开他带来的那册《世界地图》看。

推子很喜欢这册地图。他喜欢一页一页地翻动那些微黄的厚纸，沿着淡蓝色的海洋、褐色的高原、绿色的平原和灰色的盆地穿行，他的目光在这些地方穿行的时候，额角会有微微的汗水渗出来，好像他是真的在行走着，行走得毛孔舒张。有时候推子会在一个地方盘桓，他会在一个地方流连下去，有时候他很急。会走得很远，他甚至会穿越整个科迪勒拉山系，或者从马里亚托角出发，过土阿莫土群岛、社会群岛、萨摩亚群岛、埃利斯群岛、新赫布里斯底群岛、所罗门群岛，穿过托雷斯海峡，再过努沙登加拉群岛、爪哇岛、克罗泽群岛、好望角，穿过大西洋，驶过巴拿马运河，回到最先的出发地。推子不知道自己为什么会这样，为什么会喜欢看地图，并且在地图上行走，他自己也说不清楚。

推子耳朵尖，听见外面有人叫门，他披上衣服，去院子里，把门开了，桑红站在门口。

桑红洗漱了一番，换了一身宽松的休闲服，干净得有些过分，人本来削瘦，眉毛细细的，风揉碎的云丝一样，干干净净，又是这身打扮，就有点禁风不住的样子，让人有些担心。推子在黑暗中默默地看桑红。桑红问他弄过饭吃没有。推子说吃过了。桑红问推子在干什么。推子说没干什么，看地图。桑红问，是《世界地图》吗？推子说你怎么知道。桑红说我见过那本书，你来的时候就带着它。又问，你怎么会喜欢地图？现在没人看地图，现在大家都看电视，电视里装着世界。推子不说话。

两个人站在门口，一辆垃圾车从他们面前驰过去，然后又是一辆，这回不是垃圾车，是洒水车。不远处是空军161医院，医院大门两旁开了不少鲜花店，天黑着，花店里灯亮着，那些花小心翼翼地簇在灯光下，变了原先的样子，有点像云彩。桑红突然扑哧一声笑了，腰弯下去。推子不明白桑红笑什么。桑红说，我来这里，只我问你问题，你也不问我来干什么，你把我堵在门口，让我站在这儿，也不请我进去，倒好像这幼儿园不是我的了。推子一下子觉得很窘，把门扇开大了，侧过身子，让桑红进了幼儿园。

两个人到了教室里，推子开了灯，桑红先在板凳上坐下，推子也拉过一只板凳来坐下。板凳是孩子的，两个大人坐在上面，蜷着身子，有些怪怪的，尤其是推子，坐得很狼狈。桑红说，你别坐板凳，你坐桌子。推子说，我太重，再说那些孩子看见，他们会不喜欢。桑红说孩子不在，他们看不见。推子说，我自己能看见。桑红看他一眼，目光里有一种别样的成分，说，你这个人真怪。

两个人坐了一会儿，日光灯发出荧荧的振流声，像有无影的蜂儿在那里飞舞着。

桑红抬起头来看着推子，打破沉寂说："看来我要不说，你一晚上都不会问的，那我就告诉你，我来是专门看你的。"

推子也抬了头看桑红，仍是不说话。

桑红看推子没有说话的意思，就继续说："白天忙孩子，顾不上，我想下班了，不忙了，我就来看看。我还想你要是没吃饭就好了，你没吃饭，我就请你出去吃饭。"

推子说："我吃了。"

桑红说："我知道你吃了，你已经说过了。"

推子就又不说话。

桑红待了一会儿又说："推子你好像不太喜欢武汉，你在武汉整天没有一句话，我在想，你要不是来武汉找你弟弟，恐怕你永远都不会到武汉来。推子你给我说说，你们家乡是不是很好？"

推子低了头，他看见一粒红色的扣子躺在地上，不知是哪个孩子衣服上丢的。推子弯了腰，伸手把扣子拾起来，捏在手里。推子说："是。"

桑红没听懂。桑红想，是她没问清楚，她把两个不该一起问的问题一起问了。桑红还想说什么，外面院子里的大门敲响了，敲得像爵士鼓。

推子起身去了外面，把门打开。推子先没看清楚，后来他看清楚了。

推子说："小米？"

小米脸上汗漉漉的，头发沾了一绺在眉间，这就让她像一头刚从湖水里跃出来的梅花鹿，推子有一阵下意识地要往一边躲，是怕她一抖身上的水珠子，湿他一脸。

小米抱怨地说："鬼武汉，巷子又多，人又怪，问个路，好像问他家的钱柜，又好像问他家的祖坟，恨不得把你支到太平洋去转一圈。"

推子问："小米你怎么来了？"

小米说："你怕我来呀？问这话。"

推子就不说话。

小米看推子的样子，又好气又好笑，正打算说什么，桑红从教室里走出来，走到院子里站着。小米挑了一下狐眼，不说话了，看推子。

推子站在那里不说话。小米站在门口，桑红站在院子里，推子不说话，两个女孩子也不说话。站一会儿，桑红走过来，对推子说，推子我先回去，有话我们明天再说。桑红说过，从小米身旁走过。桑红像一棵藿草，小米像一株芙蓉树，两个人风格迥异。

小米等桑红走了后，转过头来，那时她脸上的汗珠已经干了，留下一片凉凉的夜光。

小米说："远子找了我。"

推子看着小米，过了好一会儿说："他在哪儿？"

十

远子派了大尘到红楼宾馆来接小米。

大尘戴一副水晶墨镜，穿一套美尔雅西服，头发和皮鞋一样锃亮，手里捏了一只西门子手机，小米见到他的头一眼，差点儿认不出他来。小米说，大尘，你怎么这一身打扮？活像个旧社会的打手。大尘端了架子笑，说，说打手对了，说旧社会，起码时间概念不对。大尘潇洒地招手叫小姐，要小姐上茶。

小米人没落座就着急地问远子。大尘说，你这么着急问远子，看来远子没说错，他知道你想他，他要我来接你。小米说，他接我干什么？大尘跷了二郎腿说，小米，现在我们算是混出来了，现在我们真正有了地盘，而且正在做大。小米说，到底怎么回事，远子现在在哪里，你快告诉我。大尘说，你先等我喝一口茶，我大老远地从唐家墩赶来，过了两座桥，打的头都打晕了，你不问问我累不累，你只问远子我真是伤心得很。

大尘喝过几口茶，然后告诉小米，江岸货场那件事出了以后，远子担心对方报复，带他们几个去南方躲了一段时间，再回到武汉，重新混环境，打地盘。经过一番努力拼搏，终于在杨汉湖吃掉了河南人方脑壳，做了一方老大。现在他们主要吃杨汉湖一带的安居工程建筑工地，在杨汉湖一带势力最大，不但有一支以麻城人为主的建筑队，还开了两家建筑材料加工厂，自己买了房，事业正在蓬勃发展。远子觉得这个时候已经安顿下来了，可以把小米接过去了，就打发大尘来接小米。

小米说："你们还在干这种事呀？你们怎么就不吸取教训，非要一条道走到黑？"

大尘不以为然地说："不干这种事干哪种事？你以为武汉是什么？武汉它让你干什么？我倒是想在武汉盖房子；想在武汉种地；想在武汉做生意；想在武汉当花工，你晓得我种花种得最好，我种的米兰还参加过全国花卉展览，可是武汉它不让我种米兰，武汉它连麻木都不让我踩，我不干这一行干哪一行？再说小米，你不要轻视这一行，你哪里晓得吃这碗饭的好处。这碗饭一端，对不起，我们凭霰弹枪说话，哪个枪快哪个是老大，管你是不是祖宗八代的武汉人。"

小米差一点儿就拿脚去踹大尘了。小米不是不想踹，她主要是考虑影响，老板不会管大尘是不是她的老乡，只要进了红楼宾馆，就算当儿子的也是客，儿子叫你上茶，你乖乖地跑都跑不赢，儿子对服务不满意，他要拿水瓢朝你脸上丢，你还得微笑着给他鞠躬，说对不起。

小米忍住没踹大尘，她说，你不消讲什么霰弹枪的事情，你把远子给我叫过来。

大尘晃着二郎腿，说："小米，远子已经不是当年的远子了，远子现在有身份，他如今出门都是我们几兄弟前呼后拥，一般人要见他，摆台子请他吃饭，都要看他愿不愿意。当然你不同，你是远子心目中的人，所以远子才要我来接你，我这样说对吧？你收拾一下，马上跟我走。"

小米说："我不会跟你走，我也不会到远子那里去，但是你要把远子叫来，推子要见他。"

大尘愣了一下，身子往前一欠，手中的茶碗和跷起的二郎腿一起放下了，问："怎么，推子来了？他在哪里？"

小米说："推子来了快两个月了，一直在找远子。推子说他要把远子带回去。"

大尘说："这是不可能的事，远子不可能丢下他的事业回去，我们不会答应。推子是不是知道了远子和我们的事？"

小米扬了扬眉毛，说："推子知道，是我告诉推子的，我写信把推子叫到武汉来的。"

大尘气坏了，说："小米，我老实告诉你，你这样做很不对，你这样做有点像是祸水的意思。我早就告诉远子，我说远子你不能这样，你不能太迷女人，你要喜欢女人，可以有很多方法喜欢，不客气地说，找鸡也是一种喜欢。找鸡还方便，又不拖泥带水，但你千万不要迷恋她们，你迷恋她们要坏大事的，果然让我说中了吧？"

小米不说话，站起来，飞起一脚，把大尘踢得仰八叉摔下去，茶水泼了一头一脸。远处的当班小姐看见，先吓得捂了嘴，再跑过来，捡了地上大尘的打火机，也不知道该不该把大尘扶起来，只能站在那里搓着手，一个劲地对大尘说，老板对不起，老板对不起。

大尘从地上爬起来，撸了一把脸上的茶叶，瞪了小米一眼，掏出皮夹子，摸出一张蓝精灵，往桌子一拍，恶狠狠说，连茶带杯子，算我的，零头不找，算小费，说罢拿了桌子上的手机和打火机，拎了拎衣襟，大步走出咖啡厅。小姐拿了那张大票子，脸还是白的，对小米说，小米这是怎么回事？他是什么人？你怎么敢踢他？他怎么惹了你了？他气势汹汹的，很生气，反正这个小费我是不要的，这哪个敢要？

当天晚上，远子就把电话打到红楼宾馆里，找到小米。

小米余怒未消，在电话里喊，远子，你告诉大尘，他做鸭都不配，我迟早会杀了他！

远子打断小米的话，干脆利索地问，推子在哪里？

小米说，你问我，我晓得他在哪里？我只晓得大尘他拿我当鸡来比，他死定了！

远子说，小米，你要杀大尘，我明白，你先等两秒钟，先告诉我推子在哪里。

小米说，推子在汉口，他在打工，他打工挣钱来找你。

远子问，具体在什么地方？

小米说，我只知道是一家幼儿园，在工农兵路上，别的事我也不知道。

远子说，小米，我留给你一个电话号码，你记下来，如果推子与你联系，你就把这个号码告诉推子。

远子说了那个号码，然后他问小米，你来不来？

小米说，不！

远子再不说什么，把电话挂断了。

……

远子派大尘到红娃幼儿园来接推子。

大尘在红娃幼儿园的每个教室走了一圈，和桑红、张项、王樱热火朝天地说了一阵话，还把自己的呼机号留给了她们。大尘的武汉话说得大有进步，很有欺骗性。王樱问大尘，你是不是年轻时在河南当过兵？大尘一面很得意，一面又有些沮丧，说，我要说我在河南当过兵那是在骗你，但我现在的身份，和当兵没有太大的区别。你是不是觉得我现在的样子有点老？王樱实事求是地说，是有点沧桑，不过男人就是要这样，男人沧桑了有魅力。大尘很大方地对王樱说，你要是想出去泡吧，算我的。

从幼儿园出来的时候，大尘说，推子，你完全是生活在鲜花丛中，你这个样子很风流。等上了出租车后他又补充了一句说，但是你白鲜花了，你没有远子潇洒。

推子和远子在建设大道电视台对面的“现代启示”酒吧见了面。

推子被大尘领上楼的时候看见菜包子、飞娃和共生坐在楼下的一个吧台前,他们是一样的黑色西服,看见推子进来时都朝推子点头,但他们没有离开吧台。推子有点认不出他们来了。

远子在酒吧楼上的一个角落里等着,一个人。推子去时,远子站起来,很亲热地过来拥抱推子。远子说,推子我想你。推子在远子拥抱他的时候感觉有些异样。远子在家时也常常抱他,有时候远子爱抱他的胳膊,有时候远子爱抱他的脖子,更多的时候,远子是从远处跑过来,像止不住飞的一只鸟儿,抱一棵大树一样地抱住他。远子虽然聪明,但推子是他的一棵大树,这一点儿谁都知道。那个时候推子的感觉不同,那个时候推子是一条鱼,远子是另外一条鱼,两条鱼拿他们各自的依赖来相互摩擦,搅起浪花来,感觉是很好的。现在远子拥抱推子,推子没有了那种感觉,推子觉得拥抱着他的不是鱼了,而是一只陆地上的动物。推子看远子,远子还是那个柔软的边分头,眼睛也是亮亮的,满是孩子气,除了服饰变了,别的似乎一点儿没变。推子就不大明白,是不是自己出了问题,是不是两个月的时间里,武汉让他失去了辨别能力。

等大尘离开以后,两兄弟落座,远子把桌子上的嘉士伯啤酒和各种各样的小吃推到推子面前。推子一看啤酒,就想起来武汉的那一天,小米请他吃饭,他喝多了啤酒的事。推子有些脸红,把面前的啤酒推开,抓竹篮子里的爆米花吃。两兄弟说了一会儿话,说东冲镇的事情和家里的事情。远子哈哈地笑,说爸怎么这样,是妈把他惯坏了。推子说,你要是在,爸就不找妈扯皮,他只会疼你,没有时间扯皮了。远子就很得意,说妈呢,妈不是一样疼你。两个人说着话,远子喝啤酒,推子吃爆米花。

远子喝光两瓶嘉士伯后说:“推子,我知道你,你从来不到武汉来,你从小就向往武汉,但你就是不来,你记不记得小时候你给我讲过多少武汉的故事?老实说,我很聪明,但我一直没有想通一个问题,你为什么不到武汉来。推子,我知道这一次你来武汉干什么,你不是终于想通了,你是要把我领回东冲镇去。我明白你的想法,推子,但是我不能跟你走。我的想法和你的想法完全不一样,我不能回东冲镇去,我不会像你那样一直做梦,我不喜欢在梦里头生活,我说过我要征服武汉,这就是我的想法,现在我正在按照自己的想法做,而且做得很好,而且能够做得更好,我相信这一点儿,所以我肯定不会跟你回东冲镇去的。”

推子坐在那里吃爆米花,他差不多一口气吃光了两篮爆米花。推子知道那是一个虚假的现象,他吃掉的不过是一把美国玉米,这样的玉米他能吃掉一大盆,而不是一把。远子叫小姐继续上爆米花的时候,推子隔了橡木栏杆朝楼下看,他看见大尘那几个人坐在吧台前,一边喝着啤酒一边大声地说笑,他们的声音很大,推子觉得他们是故意用那么大声音说话的。推子不明白他们怎么会坐在吧台前的,这是一个和爆米花同样奇怪的现象。推子知道道理不会是一样的,他和远子的道理不会是一样的，虽然他们是兄弟，虽然他们过去是两条亲密无间的鱼，他们在一片水域里游戏，共同搅起浪花来。推子还知道远子已经出息了，他在武汉的某一个角落里已经出息成一个人物了，这样的出息不是东冲镇的出息，这样的人物也不是推子鹿场里的一头鹿，远子拿着这样的出息是不会轻易放弃的。他不放弃，等于是一种宣布，宣布推子再没有保护他这个弟弟的权利了，没有疼怜他这个弟弟的权利了，没有在风来的时候、浪来的时候遮挡在前面的权利了。但是推子在小姐端上第三篮爆米花并且离去之后，仍然抬起头来，盯着远子。

推子说："远子，你得跟我走，你不能留在武汉。"

远子笑了笑，说："那是不可能的，推子，你知道那不可能。"

推子点点头，说："你如果不走，我就强迫你跟我走。"

远子脸上的笑容没有了，他把身子往椅背上一靠，让椅子前面的两只腿悬空起来，声音有些冷冷地说："推子，你不要过分。"

推子说："我是你哥，我不过分。"

远子说："哥也过分。"

推子说："那就过分。"

远子说："我不喜欢。"

推子说："我也不喜欢。"

远子从桌子上拿过烟，怂一支出来叼在嘴上，咔嚓一声打燃火机。

推子已经看出这样是不可能了。推子看见悬空在那里的两只椅子腿。推子看出来了，但推子并不认为那就是结局，并不认为悬空就是结局。推子把面前的爆米花推开，从桌子前站起来，立在远子面前。远子看推子的表情，他那样仰着头来看推子有些不方便，他也从桌子边站起来。两个人站在那里，脸离得很近，像两条生着气的鱼，敌视的鱼，彼此对视着，之间干涸得没有丝毫水分。

楼下大尘等人一直在注意这边的情况，他们就像一群警觉的虾子。他们一看见两个人站了起来，并且敌意地对视着，立刻停止了大声说笑，站了起来。菜包子朝门口走去，其他几个人昂了脖子朝楼上看。大尘在飞娃耳边小声说了一句什么，然后快步朝楼上走来。

远子和推子对视了一会儿，把目光移开了，在大尘走近前，他有些伤感地摇了摇头，把嘴角的烟准确地吐进烟碟里，离开桌子，朝大尘走去。

大尘迎住远子，朝推子看了一眼，他们一起下了楼，和其他几个人，猫儿出没似的离开了"现代启示"酒吧。

推子有些不太适应这种情况。他有点反应不过来。他在那里站了一会儿，然后坐下，坐一会儿。回过神来，从竹篮子里继续抓爆米花吃。等他快要吃完第三篮爆米花时，身边坐下一个人。推子扭过头来看了那个人一眼，把竹篮子里最后两粒爆米花塞进嘴里，说，你来干什么？

小米撸一下稀疏的黄毛短发，说："远子通知我你们要见面。远子要我带行李过来。我不想见远子，先在外面躲了一会儿。"

推子伸了伸脖子，把最后那两粒爆米花咽下去，问："酒吧贵不贵？"

小米说："这种酒吧比较贵。"

推子呆呆地看空无一物的竹篮，说："我身上没有带钱。"

小米看他一眼，脸上什么表情也没有，说："你可以回去拿。"

推子说："他们不会让我走。"

小米说："你把我押在这里。"

推子说："押在这里怎么样？"

小米说："你要不回来，他们可以把我卖了。我这样的女孩子一般可以卖一个好价钱。"

推子从竹篮上收回目光，看小米一眼。推子被小米如星的眸子刺了一下。推子觉得大家都在跟他捣乱。推子有些赌气，他伸了手去拿桌子那一头的嘉士伯。小米一下子捉住他的手。小米把短短的头发象征性地往肩后一撩，说推子你干什么？

推子说："我喝酒。"

小米说："我知道你喝酒。我知道你身上没有钱。我还知道你回去拿钱也没有用。两张台子，你一个月的工资根本不够付账，你还没有挣够这么多钱。但是你就没有想过我在这里，推子你从来不往这方面想，你就是山穷水尽了也不会往这方面想。你说他们不会让你走，如果他们要让你走呢？那会怎么样？你不用说什么，我知道，他们要让你走，你肯定会走，拔腿就走，你宁肯把我押在这里让他们把我卖了，也不肯让我付钱。推子你太黑！你是个铁石心肠的人！你其实比远子还要黑！推子，你干脆直截了当地承认，你根本就不会喝酒！"

小米说完那番话以后不再理推子，把小姐叫过来结账。小姐告诉小米，账已经结过了，是先头来的那几位先生结的，如果留下来的两位还需要什么，另外再算账，如果他们不要了，可以继续坐下去。

小米不需要了。小米不光不需要，也不坐，她不管推子怎么想，把推子从吧桌前拉起来，拉他离开了酒吧。小米领着推子上了806路公共汽车，在江汉大学路下了车，再领着推子往工农兵路走。她冲电动车喊，这是非机动车道你晓不晓得？你想吊销本子呀？她推开兜售黄碟的人，把推子拉过来，朝人家喊，昨天的《都市报》看了没有？扫黄打非第三战役开始了，警方全体出动，你不赶紧跑，想进何湾疗养呀？

小米一直把推子送到红娃幼儿园门口，在那里站下。小米一路上都在朝人大声喊，就是不和推子说话。小米知道推子这个人，推子心里要是有事了，只会自己和自己说，他不会告诉任何人，他也不会和任何人商量。

小米说:“推子,我过武昌了,我要回去接班。”

推子点点头。

小米说:“推子,有一句话我要对你说。”

推子看着小米。

小米说:“我很后悔给你写那封信。我写那封信一点儿作用也没有。你不可能把远子带回东冲镇去,远子他已经回不去了。你不知道武汉,你也不知道远子。推子,你应该忘记那封信,你也把远子忘掉,你就当远子他终于成了武汉人了。你自己回去,回到东冲镇去,养你的鹿,看你的地图,你留在武汉已经没有意义了。”

推子说:“你不进去坐一坐?”

小米说:“算了,我不喜欢进别人家里坐。”

小米说完就走了。

推子站在幼儿园门口看小米的背影。小米的两条长腿在武汉是个奇迹,她这样的长腿在武汉的大马路上交替迈进,比任何标志性建筑都光彩夺目,她躲避武汉车辆的样子也很灵巧,这当然不仅仅和长腿有关;有几个走在路上的武汉人转过头来看小米,他们看小米青春盎然和妩媚的样子,他们还嗅到了遥远的小米身上散发出来的森林的气息,他们木呆呆地,都不怎么会走路了,就好像一个从武汉之外来的美丽的动物从面前经过,他们完全被征服了。

当天晚上,桑红又来看推子。桑红依旧是洗漱过,干净得过分,头发散披在肩上,穿一套宽大的休闲装,让人必须留心她,否则她就会悄没声息地消失掉似的。

推子给桑红倒了一杯水,在桑红对面坐下。桑红这天晚上话很多。桑红主动讲了她办红娃幼儿园的事情。桑红高中毕业后没有考上大学,她的成绩很一般,属于那种离大学很遥远的大多数,她也没有什么家庭出身背景,父母是公用局普通的职员,前些年相继过世,来不及替她安排工作。桑红没有考上大学并不失望,这种事是一开始就预料到了的,不可能有什么打击,无非是提前几年走上社会罢了。桑红和大多数高中毕业生一样,自己给自己安排工作。她先在商场里做导购小姐,然后她学过美容。她还做过晚报和市场信息调查公司的投递员。桑红做这些工作收入都不高,有时候遇到单位效益不好,还要拖欠工资。桑红有一个哥哥,原先是商业贮运公司的司机,公司经济不景气,哥哥下岗了,自己贷款买了车开出租,跑了几年,贷款还清了,落下一台伤筋动骨老气横秋的破车,总算有个能养活家小的饭碗。哥哥想办法凑了一笔钱给桑红。哥哥说,小妹,如今截车吃黑的多,警察不耐烦的多,行里抢生意的也多,生活艰难,我吃这碗饭,也不知道今天早上出车,晚上能不能回来,我做哥哥一场,其实也顾不得你,是我这个哥哥没得用,这笔钱你拿着,自己想办法,做一件事,只要能顾生活,自己喜欢,哪天我没有回来,你能自己照顾自己就行了。桑红喜欢孩子,她觉得和孩子打交道不累。她原来就想考幼师当老师,可惜成绩不争气,现在哥哥给了一笔钱,她就辞了原来的工,请了同学王樱和朋友张项入伙，再拉了姑妈来帮忙。办起了红娃幼儿园。

推子说："原来你也不容易。"

桑红说："你是不是以为我办了这家幼儿园，大小是个老板，和你不一样？我给你说，我哥哥给我钱的时候，他说哪一天他没有回来，我自己能够照顾自己就行了，当着哥哥的面我什么都没有说，回家以后，关上门哭了一大场。其实大家都一样，都不容易。"

推子说："你有一个好哥哥。"

桑红看推子一眼，说："你也一样。"

推子沉默了一会儿，说："我不会开车，只会养鹿，鹿比人听话。"

桑红眼睛亮了，好看的眉毛往上一挑："推子，给我讲讲你的鹿。"

推子就活跃过来，给桑红讲他的鹿。推子讲他的鹿怎么听他的话，他一进鹿场，它们全都跑过来，拿嘴来拱他，拿身子来擦他，那些小鹿还会顽皮地和他的狗打闹一番，只有顶着美丽盘角的公鹿远远地站在一旁，庄严地看着他，不肯走近。他的狗名字叫肚脐，喜欢和鹿疯。疯得皮毛上都是汗，累得直咳嗽，每次从鹿场回去时都要叫好多遍，不肯走，回家待不了一会儿就嚷着要往鹿场去，好像它不是一条狗，而是一头鹿似的。

桑红笑："怎么起了个肚脐的名字？"

推子告诉桑红，狗的名字原来不叫肚脐。原来的名字很长，叫复活节岛石像，因为名字太长了，不好叫就改了。狗很聪明，它知道你为什么叫它，如果它不想理你，它就跑，你还没来得及叫完它的名字，它就跑不见影子了。

桑红笑得没有办法，差点儿没把杯子里的水泼了。笑过后，问怎么给狗起那么长的名字，为什么不起短一点儿的，比如黑豹，比如火。

推子说他喜欢这个名字，他喜欢这一类名字，他给他的每一头鹿都起了这样的名字，比如说喜马拉雅、东非大裂谷、罗布泊、马尾藻海、楼兰、南马特尔、波利尼西亚、撒哈拉、魔鬼三角，等等。狗的名字是从复活节岛石像这个典故上来的。那是智利的一个小岛，岛上遍布火山，居住在岛上的波利尼西亚人称其为"拉帕努伊岛"或"提毕托奥提赫纽"，意思是地球的肚脐。岛上矗立着600多尊巨人石像，千百年来，谁都不清楚美洲人在远离大陆3600多公里的南太平洋一个小岛上雕凿如此众多的巨人石像是为了什么，这是一个千古之谜。

东非大裂谷也是一个谜，它北起红海以北的约旦地沟，南到赞比亚河口，经过埃塞俄比亚和坦桑尼亚，穿越整个东非洲，全长5800公里，宽度从几公里到300公里，深度从1000米到3000多米，被地理学家称作"大地的伤疤"。在东非大裂谷布满了大小火山，乞力马扎罗山是其中最高的火山锥，海拔5895米，是非洲第一高峰，它虽然紧靠赤道，山顶却终年积雪。非洲大陆的最低点阿萨耳盐湖也在东非大裂谷，湖面在海平面以下155米，比吐鲁番盆地的艾丁湖还要低1米。在东非大裂谷曾经发掘出世界上数量最多的早期人类化石和石器遗址，考古学家普遍认为，东非至南亚一带是人类的发祥地。

桑红听推子讲那些遥远的事，眼睛直直地看着推子。

桑红突然问："推子，你找到你弟弟没有？"

推子本来兴致勃勃，桑红那么一问，兴奋就像一只漂亮的气泡，戛然爆开，消失掉了。他看桑红一眼，不说话了。

桑红发现自己犯了一个错误。她不该离开他，一个人从非洲大裂谷出来，回到现实中，问推子这样的问题。她也许是好意，也许她想要关心推子，关心他正在做的那些事，但她错了。推子开始一直在说话，这是他来到红娃幼儿园以后第一次说得那么多，她本来应该让他继续说下去，他说了复活节岛，说了非洲大裂谷，接下去他可以再说喜马拉雅、罗布泊、楼兰、马尾藻海、南马特尔、波利尼西亚、撒哈拉和魔鬼三角，他可以无休止地说下去，她甚至有可能让他说得更多。现在她失去了这个机会。

桑红后悔极了，她坐在那里，怆然若失。推子起来给桑红的杯子里斟满水，又坐下，还是那种不适应的样子。桑红叹息一声说，真的，倒像你是这里的主人，而我是客人了，推子，我知道你不想我再坐下去，你想一个人待着，那我回去了。

桑红站起来往外走，推子送她。桑红知道推子不是送她，推子是要关门，那是推子的任务，她布置给他的。桑红心想她还是老板，她没有让推子改变什么。但是桑红不甘心地想，难道推子在乡下，他在他的鹿场里，也是他那些美丽的鹿们的主人吗？他离开鹿场的时候，他的那些和他亲密无间的鹿们也会在他身后关上门吗？

在武汉一个极其平常的夜晚，武汉女孩桑红有些伤心。

十一

推子和远子又见了一次面。

推子按照远子先前留下来的号码，给远子拨通了电话。远子在电话里沉默了一会儿，然后约推子在台北路"明白人茶坊"见面。

推子不知道"明白人茶坊"在什么地方，问王樱。王樱问推子打听"明白人茶坊"做什么。推子说我去那里会一个人。王樱大惊小怪地说，推子，你是不是去约会？推子你这么快就有武汉的女朋友了？桑红从教室里出来，说，樱子，你莫盘问推子，推子是有事，你告诉他怎么走——推子要不我用车送你去？王樱看一眼推子，再看一眼桑红，说，看来我们的人没有戏。

推子没有要桑红送，他自己找到"明白人茶坊"。他去的时候，远子已经先到了，这一次远子只带了多多一个人。

两个人一落座，推子就问："大尘他们呢？他们不是总跟着你吗？"

远子说："他们有事做，泡茶馆泡不出天下来。"

推子问："什么天下？"

远子看推子一眼，说："这些事你不要问，问下去你也解决不了，那是我的事。"

推子说："什么事？这是不归路，你晓不晓得？"

远子不想提这一类问题，把话头岔开，说："你来武汉也有两个月了，你是怎么打算的？是打算在武汉长期待下去呢，还是怎么样？你要是打算在武汉长期待下去，打算朝哪方面发展？推子，我想好了，你这种人，是读书的材料，现在和过去不同了，现在读书只考钱，要不然你干脆读书，读大学读研究生都可以，你在华师读，在华工读，还可以读武汉大学，你要是愿意，这方面我可以去办。"

推子说："你不要把我的话转移了，我说的是你的事。"

远子用食指和中指夹住茶碗盖，轻轻拂去茶碗里的浮沫。多多在远处的一张桌子边坐着，埋着头聚精会神地打游戏机。推子觉得这种场面很奇怪。

远子拂过茶沫，把茶碗盖盖上，并不喝茶，说："推子，你是真的不明白，你也没有必要明白，你不明白又没有必要明白的事，何必一定要问。"

推子说："你是我弟弟。"

远子说："我是你弟弟，但我不是你，你能管我一辈子？"

推子说："我管你该做什么不该做什么，我能管你一辈子。"

远子说："推子，你和过去不一样了，过去总是你听我的。"

推子说："过去我是宠你。"

远子说："推子，我要怎么说你才不缠我？"

推子说："要就干正经事，如果你答应下来，你可以继续留在武汉，我回东冲镇去。如果你做不到，那就跟我走。"

远子盯着推子说："我不会跟你走，我不会再回到东冲镇那个地方去了，但是我也不能向你保证什么。推子你在这方面很幼稚，和你养的那些鹿一样。你要我干的所谓正经事，其实根本就不存在。你知不知道这是什么地方？这是城市。城市的意思是什么？是我们这种乡下人永远也不可能成为主人，永远也不允许进入，永远找不到位置放下自己的脚，城市就是这种地方。我不是不想干别的事，可你所谓的正经事，它们全都留给城市人了，城市人想不想干能不能干都是他们的，他们宁肯把那些事沤烂也不会让我来干，他们不光不让我干，他们中间的一个白痴都可以叫我滚。他们问我，你的户口呢？你的暂住证呢？你仔细听一听，暂——住——证，意思是停下来歇歇脚你就滚蛋，滚蛋以前还得把你弄脏了的地方收拾干净，因为你是乡下人，乡下人等于是城市垃圾。他们按照这个方式分出不同的人和人，然后他们就开始打包，把不同的人分别送到不同的地方去。我凭什么就该遵守这种秩序？凭什么要按照他们的规定生活？我就要按照我的方式来生活，按照我可以的方式来征服城市，我不会听天由命，我就是做恶人，也要咬城市一口！”

推子不知道他是怎么抬起手来的。推子的手很重，把远子抽得半天没有转过脸来，远子再转过脸来的时候，他的脸上清清晰晰地印着四条指印。

多多先是没有反应过来，等反应过来以后他扑了过来，从后面拦腰抱住推子。

远子冷静地说：“多多，松开他，这里没有你的事。”过一会儿他又补充一句，“你不是他的对手。”

多多把手松开了，有些不知所措地看着两个人。

远子站起来，盯着推子：“你打我。”

推子不说话。

远子说：“你从来没有打过我，这是第一次。”

推子还是没有说话，他被自己的行为搞蒙了。

远子抻了抻衣领，说：“就这样，你打了我，我们兄弟之间就算了结了，我也再不欠你了，以后的路，我们各走各的，你不要再管我。”说完，远子丢下推子，领着多多走出了茶坊。

推子在红娃幼儿园外面的公用电话亭给远子打电话。

推子说，远子你必须跟我回去。

远子冷冷地说，这是不可能的。

远子说，推子你要明白，我不再是东冲镇的远子了，再不是你的弟弟远子了。

远子还说，推子，你也不要再留在武汉，你不是武汉人，你永远也不可能成为武汉人，你还是回去吧。

远子说完就挂上了电话。推子再拨，他就不接了。推子每天都拨。至少拨几十遍，远子再也没有接过。

推子没有想到自己会动手打远子，他到最后都没有搞清楚他怎么会那样做。推子想想远子说的那些话，远子说他已经不是东冲镇的远子了，已经不是当弟弟的远子了，他不会再回去。推子还想远子对他说的另外的话，远子说他可以在武汉读书，他可以读武汉大学。推子一想到武汉大学就想起顺藤，他想那个班上最甜的女孩子，她亲过他，她还让他摸过她的胸脯，她后来说，你总不能跑到武汉来找我扯皮吧？推子不明白武汉怎么会是这种样子，让人改变原来。推子想武汉大学在武昌，他应该到武昌去一趟，他应该去看看小米。推子知道自己对不起小米，小米风来风去的，而他是不肯从头颅上割下来的鹿角，即使在风中，也永远不肯化解开。小米像跳跃着的火焰，她一直在烘烤着别人，有一次她差一点把他烤成一杯鹿血酒了，而他不喝酒，他一喝酒就出问题。小米是很好的酒，他为什么不喝酒呢？推子也说不清楚，反正他对不起小米。

推子那天干完了幼儿园的活，找桑红请假，说要去武昌。桑红看推子半天，突然说了一句，推子你不要太理想，理想是书上的事情，生活中是没有的，你不能老是在书上悬挂着，你要现实一些。推子不明白桑红的话是什么意思，拿眼睛看桑红。桑红就换了话题说，幼儿园要扩大，她和居委会谈好了，居委会再帮她腾两间房子，这两天签协议，协议一签下来就要动工装修。推子还是没有明白过来，但他点了点头。

推子坐车过武昌看小米，小米见到推子时有些意外，但她很快高兴起来，立刻去找经理请假。推子抱歉地说，我不该下午这种时候来。小米说有什么该不该，你想什么时候来就什么时候来，你要想深更半夜来，我就在门口等你，大不了我不做这份工，我又没有卖给哪一个。推子说，你怎么老说卖不卖的，这样不好。小米说哪样好？推子你就是这样，其实你根本就不知道哪样好，何必不懂装懂呢。小米也不听推子解释，拉了推子出去。小米先换衣服，仍然让推子在门口为她把门。小米稀疏的黄毛短发在衣领上晃荡着，就像一丛轻盈欲飞的松萝。推子就想这真是很奇怪，他穿衣服的时候是一棵松柏，怎么小米穿衣服的时候就成了一捧松萝呢？

推子要请小米吃饭。小米瞪了媚媚的狐眼看推子。推子连忙解释说，他刚拿到工钱，另外桑红还发给他 50 块钱奖金，他请小米吃饭不是还情，是真心要请小米。小米这才收了她的光彩，说，那好，我们去吃牛肉米粉。推子不同意，说你不能便宜我。小米说我喜欢牛肉米粉，我该便宜的时候便宜，不该便宜的时候自然不会便宜。推子说我不喜欢牛肉米粉。小米知道她从来没有拗过推子，只好依推子，两个人去了那家洪湖人的“好再来”餐馆。

坐下来以后，推子拿着菜单，从上依次往下点，一口气点了七八个菜。小米一把抢过推子手上的菜单，调侃说，老板，你挣的是美元还是德国马克？哪有你这种摆谱法？小米自己点菜，要了一个剁椒鱼头，一个红菜苔。小姐站在一边说，刚才要的菜都写在单子上了，要不画掉两个，剩下的照做，免得麻烦。小米说，要是你请客，一个都不用画掉，照原单子上。小姐白小米一眼。小米说，姐姐，你不用拿眼睛来白我，我眼睛比你大一倍，我白起人来比你威风。告诉你，我也干你这行，你要去我那里。你吃满汉全席还是一碗热干面，都是客，我都会搅一把热毛巾让你揩脸。这一点儿你要学会。小姐问，你是哪里人？小米说，麻城。小姐说，那我们是半个老乡，我是红安的。小米一摆手说，黄麻不分家。小姐就去下单子传菜。

小米等小姐走开后，把身子伏在桌子边上，笑吟吟地看着推子。推子说，刚才说了你不用眼睛威风，怎么又用眼睛威风。小米说，我是威风呀？我是看你。推子说，看就免了，有话直说。小米说，你请我吃饭，是真心请假心请？推子说，我都被你说成摆谱了，还能有假心？小米说，假心是我创造的词。我比较喜欢创造词，我给我们经理起了个绰号，我叫他花翅膀瓢虫，大家都说我这个绰号起得好。推子说，不说绰号的事，说刚才的事。小米说，你要真心请我吃饭，那今天我要喝酒。推子一听酒这个字就有些头晕。小米说，我不喝啤酒，我喝白酒。推子打了个冷战，挺住了气说，先说好，酒你喝，我是不喝的。小米冷了脸说，推子你这个人，看起来像个男人，其实一点男人味都没有，谁要嫁给你谁吃亏。小米也不管推子，把刚才那个红安小姐叫过来，要小姐给她拿一瓶黄鹤楼。小姐说，黄鹤楼辣口，北方人喜欢喝，南方人一般都不喝。小米说，那就换枝江大曲。小姐回头看一眼柜台，大声说，你不如来一瓶白云边，然后她飞快地附在小米耳朵旁边上小声说，你不要喝枝江大曲，我们这里枝江大曲都是水货，你何必帮我们老板销水货。干脆来一瓶沱牌，沱牌只 3 块 5，便宜，还没得水货。小米瞟一眼推子，对小姐说，你比他强百倍。

一会儿菜上来了，小米往一次性塑料杯子里倒满了酒，端起来一口喝了大半杯。推子担心地说，你瞎来。小米抽一口气，拿手扇口，快乐地说，推子晓得关心我了。推子说，我不是关心你，你要喝醉了还不是我背你。小米说，你要嫌背不方便，可以抱我。推子笑，说我还是背吧。小米说，你怕什么。怕我吃了你呀？你放心，我再不会像上次那样贴你了，我还不至于那么贱。推子知道小米拿他开玩笑，推子由她说，你吃两口菜，压一压。小米就取了筷子吃菜，说，推子请我吃饭，还是头一回。推子说，你的意思是我要经常请你吃饭？小米说，你最好顿顿请我吃饭，饭钱不用你掏，饭不用你做，饭碗不用你洗，你只出个名分，端了架子坐上首。我来伺候你，好不好？推子先没明白，后来明白过来，不搭腔，低了头吃菜。小米咯咯地笑，说，骇倒了吧？你不用那么紧张，我不会缠你。

剁椒鱼头又香又辣，味道很好，两个人吃得都红了脸。小米喝了酒，脸色白里透红，眼睛蒙蒙胧胧的，样子非常迷人。推子有些出神，拿着筷子在那里发愣。过一会儿推子说，小米你也不容易。

小米吃菜喝酒，快乐得很，一点儿不容易的样子也没有，她还讲笑话来给推子听。她嘴里衔了一根鱼刺，津津有味地舔着，问推子，我现在这个样子馋不馋？推子看她一眼，说馋。小米说，我这个样子是一句武汉话。推子问是什么。小米说，吮鱼刺。推子问什么意思。小米说，就是说一个人说话办事左右为难，好比你这种人。推子说，我怎么是这种人？小米摇摇头，把挂在唇边的鱼刺满腹心思地摇掉，端起杯子，撑了手肘在桌上，一口一口的，把杯子里的大半杯酒慢慢喝下去。放下空杯子，说，推子，我知道你很骄傲，你这个人的缺点就是太骄傲了。我不该把你叫到武汉来，我犯了一个致命的错误。不过推子我还是感谢你，你说我不容易，你终于说了一句知心话，我其实并不想不容易，我想过得轻松一点儿，快乐一点儿。我太理解远子了，我觉得他有他的道理。我有一回差一点儿就做了鸡，我还赌气地想，我就跟餐厅经理睡了又能怎么样，我失去了什么呢？这个世界就是这个样子的，你能把这个世界颠倒过来不成？你说我把自己珍惜下来留给谁？见它的鬼！

小米又抓过酒瓶子倒酒。小米已经喝了大半瓶子酒了，推子不想让小米再喝，去夺小米手中的酒瓶子。小米躲开了。小米说，你不要以为我喝醉了，我心里有数，一瓶酒，就算是酒精，我也喝不醉，餐厅经理就是这样以为的。我说你让我喝可以，你是经理，经理一般比打工的能干，我也不要求你太能干，要喝我们一人一杯。

他说好，我们就喝。等他喝趴下了，我就和几个姐妹去看录像。小米说完给自己倒上酒，一口又是半杯。

推子看小米不听招呼，急了，站起身来，硬从小米手中夺过酒瓶子，把瓶子里剩下的酒一口干了，然后把空瓶子亮给小米看，说你看，酒没有了。

推子仰了头灌酒的时候，小米没有拦他，笑眯眯地看他，等他坐下来喘粗气的时候，小米说："推子，你傻得让人不相信，你就不想想，你能拦住什么呢？你能让什么事情不发生呢？世界上不只一瓶酒，你把这瓶酒干了，其他的酒呢？未必你全都干了？"

推子红着眼睛俯了身子朝小米吼："我就是能拦住！你试一试！你敢再要酒，我先砸酒瓶子，再砸餐馆！"

小米趴在桌子上，一边一只手支了腮帮子，很痴迷地看推子，说："推子，你醉了。"

推子再吼："你给我老老实实地喝汤！"

小米仍然痴迷地看着推子，说："汤呢？"

推子就把红安小姐叫过来，要她再给他们加一碗酸辣汤。等汤上来，小米果然老老实实地喝汤，什么话也不说。推子见她那样，反倒觉得不安了，想自己过武昌来看小米，真心请小米吃饭，他是有感激的，他不光有感激，还有乡情，但是他也不是没有牵挂。推子牵挂小米，他不能对自己也掩饰这一点儿。

推子说："小米，你不要怪我粗鲁。"

小米说："你用不着给自己抹黑。"

推子说："我不是有意识要吼你的。"

小米说："你这就不光是抹黑了。"

推子说："你不知道，我读中学的时候有一个同学……"

小米说："她叫顺藤，上街郭裁缝的姑娘，现在在武汉大学读书。"

推子说："你怎么知道？"

小米说："她亲过你，她还让你摸过她的胸脯，她的胸脯小得要命。"

推子说："狗日的远子！"

小米说："算了推子，你真的醉了。"

两个人就再不说话。

吃过饭，推子结过账，两个人走出餐馆。红安小姐追出来，对小米说，妹妹你来玩啊？小米说，我就在前面的红楼宾馆餐厅打工，你有空来找我。

推子要赶回汉口去，他要回红娃幼儿园去守夜。推子把小米送到红楼宾馆门口，站下来，说，小米，我回江岸了。小米说，走吧，我送你上车。推子说，你不用送，我已经熟了。小米说，和熟不熟没有关系。推子只好让小米再转了头送他去车站。等车的时候，小米终于还是问了远子的事。推子沉默了一会儿说，我必须把远子带回去。小米说,带回去当然好,但是远子不会听你的,你怎么办呢?推子说,我找人帮忙,想办法。小米看推子,你是说找人把远子绑回去?推子不说话。小米说,推子你这样做没有用。你把远子绑架回去,你不能一天到晚看紧他,到过武汉就好比吃过了货(毒品),你戒不掉,远子一松绑还会回到武汉来。推子突然发作,朝小米喊,我不能让他待在这个地方!我不能让他在武汉当流氓!小米安静地看着推子,说,推子你不用喊,喊有什么用。推子沉默了一会儿,说,小米,你要帮我。小米点点头,说,你放心,我会帮你的。我知道,你不想武汉坏了远子,你也不想远子坏了武汉,你心里一直装着这两样。你只有在这件事上是相信我的,只有在这件事上才需要我。推子想要解释,小米不要他解释,说,车来了,你走吧。

推子回到红娃幼儿园,天已经黑了,幼儿园的几个人却没有走,待在教室里,正在议论什么。推子进门后大家都说,推子回来了。桑红很敏感,闻出了推子身上的酒味,她注意地看推子,看推子脸上的表情。张项说,推子你看过你的老乡了?王樱说,推子你说说看,你的老乡是不是你们乡下说的那种娃娃亲?推子笑一笑,说,只是一个朋友,我们那里娃娃亲已经不太多了。

推子很快知道几个人没有走,是下午和居委会正式订下了合同,居委会把幼儿园后面的两间房子腾出来给幼儿园发展规模,幼儿园请居委会的人吃饭,刚吃饭回来。推子替桑红感到高兴,推子心想,桑红真了不起。

张项和王樱在那里争论办艺术班的事情时,桑红把推子拉到教室外,对推子说,幼儿园从明天开始就要装修,后面那堵墙要打开,两间新教室收拾出来,要吊顶,要粉刷,还要请木工来打桌椅,推子我想请你帮忙。推子说,谈不上帮忙,我在你这里打工,这些事,不用你吩咐我也该做。桑红说,我的意思是,从明天开始,恐怕你就不能去找你弟弟了,也不能去看你老乡了,你得帮我盯在幼儿园里。不是我不相信人,现在接活的,能马虎就马虎,到时候出了问题,我哭都哭不赢。推子点头,说,我明白。桑红说,我这样要求你真是不好意思,要不是事情到了这个份儿上,我不会这样做的。工资的事我也想过,我也不能太亏待你,从这个月开始,我给你四百五一个月,只不过你不要给张项和王樱讲,你要讲了她们不高兴。推子看了看桑红。桑红说,推子我这是好心,但愿你不要误解了我的意思。

推子去后面检查锅炉和煤气,桑红回教室去催大家早点回家,明天还要早起接孩子入园。推子看锅炉擦拭得干干净净的,煤气也关好了,厨房里案头整洁,推子就有些惭愧,心想自己跑去看小米,事情倒要别人来做。推子又想小米怎么就不明白呢?推子最后肯定地想,小米她是不明白。

推子从后面回来,听到几个人正从教室里出来。张项说,推子呢?桑红说,去后院了。姑妈说,这伢真是实在,做事让人放心。王樱说,桑红你抓紧啊,时不我待,你要不抓紧,到时候我就上了。张项说,还有我。王樱说,东东呢?东东晓得了饶得过你?张项说,你以为你是认真的?王樱说,我要认真也不是不可能,我主要是激桑红,一只野兽闯进了城市,推子是野兽,桑红是城市猎人,桑红做笼子,她要一点一点把推子哄进笼子里,做她的猎物,桑红套路太深。姑妈说,你们几个伢,不晓得有多复杂。我告诉你们,你们不要算计推子,人家是老实伢,我是不赞成你们的。王樱说,姑妈你老了,你是老武汉了。桑红说,少说一些,哄了一天伢。你们还不嫌累呀?

几个人出来。王樱嘻嘻哈哈撩张项。张项说,你个死鬼,吃摇头丸了呀?不舒服?桑红在院子里喊,推子,我们走了,你记住关门。

推子站在黑暗里,一动不动。

天空是红色的,那是城市霓虹灯投下的反光,就像极地光,它们在高纬度地区形成,通过副热带高气压进入信风带,来到城市。这些本是高寒地区的幽灵,在做了城市黑夜里的美丽装饰后,再也不肯离开城市了。

十二

事情结束得比推子预料得早。

那天推子从外面买材料回幼儿园,车还没蹬到幼儿园门口,焦灼不安蹲在门口的大尘远远看见他,站起身子朝这边奔过来,一把抓住车笼头,气喘吁吁说:"推子快跟我走,远子出事了!"

推子刹住车,问:"怎么回事?"

大尘带着哭声说:"我们遭了伏击,远子挨了两枪。"

推子厉声问:"人呢?!"

大尘说:"在马场街一家私人诊所里,你跟我走。"

推子冲进那家藏匿在曲里拐弯的巷子里的私人诊所,多多、菜包子、共生几个人脸如白纸地站在诊所里,一个个手足无措。远子鲜血淋漓地躺在一张脏兮兮的床上,飞娃躺在另外一张床上。远子一动不动,头歪在一边,手耷拉在床沿。飞娃抱着自己被霰弹枪打得乱七八糟的腿,杀猪似的大叫,快给老子打麻药!快给老子打麻药!一个蓄着山羊胡子的干巴老医生领着一个乡下人打扮的中年妇女手忙脚乱地在两张床之间穿梭,瓶子罐子碰得一片乱响。山羊胡子声音干涩地在那里喊,你们谁是O型血?你们报一下血型!

推子冲过去,推开多多等人,扑到床边,一下子抱住远子。

推子喊:"远子!远子!"

两枪都打在远子的肚子上,远子的肚子被打烂了,像一朵亚马孙原始森林里开得巨大而奇形怪状的食人花。远子一直处于休克状态,推子抱他的时候他不理推子,脖子硬着,手耷拉在一边,是一种真正生气的样子。远子的掌心里蓄着一汪血,血滴滴答答从指尖上淌下来，推子染了一身远子的血，这样他们两个人都像是被滑膛枪打烂了。

推子回过头来朝大尘喊："叫车来！送他们去医院！"

大尘说："不能去医院，那边的人和警察都会在医院里布控，我们去医院等于自己送进笼子。"

推子瞪着眼吼道："不要给我提什么笼子！叫车！"

大尘慌慌张张跑出去叫车。

第一辆车的司机一看见推子满身的血，没熄火，调了头跑开了。第二辆车没来得及调头，推子伸手一把抓住了方向盘。司机说，伙计，你另找车，这一趟我不跑。推子说，你只能跑。司机说，我没得油了。推子嘶哑着嗓子说，鄂A3438，我发誓三天内找到你。司机不说话了，阴沉着脸停了车。推子抱婴儿似的抱着远子钻进车里，大尘几个抬了飞娃，拦下了另外两辆车，三辆车朝医院驶去。

推子紧紧地抱着远子，他把远子湿漉漉的脸贴在自己脸上，说：远子，远子，我是推子，我是你哥推子，你不要慌，我救你来了。

推子说：远子，我们现在就去医院。我们去医院，医生给你治伤，医生全都是好医生，他们不会不管你，他们会救活你的。

推子说：远子，你要相信我，你要挺住，我们去医院，我们治好了伤就回去，我带你回东冲镇去。

车在青年大道上被堵住了，推子朝司机喊，怎么不走！司机不说话，把车弯上慢车道，挤开自行车，绕到解放大道路口。车子颠簸了一下，远子哼了一声，微微睁开眼。远子睁开眼来看见了推子。远子睁着灰白色的鱼眼，朝推子困难地笑了一下。

远子说："推子，是不是你？"

推子说："远子，你要坚持，我们马上就到了。"

远子说："推子，这一回我没有搞好，我把事情搞糟了，我太自信，我还是应该要你来帮我。"

推子把他搂紧，说："我是在帮你，事情没有糟，我们就要到医院了。"

远子咧开嘴笑了笑，他的柔软的边分头已经被弄乱了，乱得不可收拾，这样他就像是弄丢了他的骄傲，他把他的骄傲弄得不可收拾了。

远子咳一下，嘴角涌出一汪血。远子说："我现在的样子肯定很难看，我就像一堆垃圾一样，被武汉扫出去了，武汉肯定很高兴。"

还是晚了，远子被推进手术室时，脉搏已经停止了，医院做了抢救，没有把人抢救过来。一个小时后，推子在远子的死亡通知上签了字。小米在那个时候从武昌赶来了。小米一脸苍白，样子就像一只惊慌失措的狐狸。小米一把抱住推子，小米说，远子呢？远子呢？推子看小米。推子看小米半天。推子说，远子死了。小米的泪水就流出来了。

小米先是哭，站在急诊室外的过道中间，捂了脸，任泪水顺着指缝流淌下来，后来她恨到极致地跺脚，说，活该！活该！他为什么要这样？他为什么非要把自己丢在武汉?!

推子说他要把远子带回家，推子做到了，他带远子回家。

推子给父母打电话。推子说，我带远子回来了。

推子还带了飞娃一起回东冲镇。共生说，推子哥我陪你，我陪你送飞娃回去，我回去以后再也不来了，死都不来了。

大尘不回去，菜包子不回去，多多也不回去。大尘说，推子你不要给我们家里人说，你说了他们担心。推子点头，推子说，大尘，远子死了，我不会再来武汉，你们要回去，没有人来接你们，你们得靠自己回去。你们自己走回去，你们自己买车票，坐长途汽车回去。大尘说，我晓得，推子我晓得你的意思，你的意思是我们不要像远子，不要让你抱回去。推子你放心，我们不会再像远子了，我们不要人抱。

推子要小米随他回东冲镇，小米不干。推子说，小米你想怎么样？小米说，这就是你的问题，我不像你，我根本不想。推子说，小米我要你跟我回去。站在武汉天空下的小米有一刹那差点儿没流出眼泪来，但小米忍住了，她柔情万种地看着推子，说，推子你终于说出来了，你终于说你要我了，你不知道我有多高兴，我都情愿为这句话去死。小米说，但是推子我不会跟你走了，我不会回东冲镇了。我不像远子，我也不像你，我不想征服什么，我也不会拒绝什么，我只是喜欢武汉，喜欢做一个武汉人，喜欢在武汉的大马路上走来走去，在武汉的人群当中走来走去。也许这样做很傻，也许这样做很难，也许我会失去什么，但我不会失去生命，我也不会失去机会，不会像远子那样，也不会像你那样，我肯定会做一个快乐的武汉人，我至少可以做一个快乐的小米。推子你和远子走吧，你不要管我。

推子谢谢桑红，他对桑红说，谢谢你帮我，我第一次出远门，你是我在路上认识的最好的路人。桑红的难过连她自己都没有意识到。桑红红着眼圈说，我没有想到会是这个结果，推子我是想你在我这里长期干下去的，我想你能经常给我讲你的鹿，你讲了复活节岛石像和非洲大裂谷，还有喜马拉雅、楼兰、罗布泊、马尾藻海、魔鬼三角、南马特尔、波利尼西亚、撒哈拉，还有那么多地方没有讲，它们要讲完可以讲一年，它们要继续讲下去可以讲一辈子，我以为你会接下去讲的，我以为有很多的时间，我没有想到会是这个结果。推子点头，说，我把《世界地图》送给你。推子说完这话以后就再不说什么，他连一头闯进城市的野兽和城市猎人这样的话也没有说。

推子离开武汉那天，武汉下了一场雪。小米到新华路长途汽车站送推子。小米看大尘领着人把飞娃搀上车，回头对推子说："推子，你记不记得，两年前我们从东冲镇出来那天，你在镇上车站送我们，那天也下了雪。你知不知道那天我在车上想什么？我想，武汉肯定不是我做梦时看到的那个武汉，它肯定会让我大吃一惊。我还想，有什么了不起。”小米说过那样的话后笑了，小米的笑灿烂如霞。

推子抱着远子的骨灰盒，站在那里没有说话。离发车还有一段时间，推子不想那么早上车。推子知道远子这个人闲不住，即使没有狗逗，即使满地泥泞，他也会挨着最后一个上车，何况他们就要离开武汉了，他们离开武汉就不会再来了。

据说武汉很少下雪。据说武汉的雪很不像雪。据说武汉的雪一下到地上就化掉了。据说武汉的雪化掉以后，这座城市有很长一段时间会生涩着，变不回原来的样子去。推子不知道这些，或者说他不全知道。推子不知道的，他只有想象，而想象的事情，推子从来就不要去兑现它们，兑现了，那就不是想象里的事情了。

2000 年 3 月 20 日于汉口花桥

（选自《十月》2000 年第 4 期）

邓一光

原名邓渝光。1956 年出生，蒙古族。就读于华中师大文艺学硕士专业。曾赴乡村插队务农，后历任工人，新闻记者，文学刊物编辑，武汉市文联专业作家。1981 年开始发表作品。1996 年加入中国作家协会。著有长篇小说《家在三峡》《走出西草地》《我是太阳》《红雾》《组织》，小说集《红色贝雷帽》《孽犬阿格龙》《遍革菽麦》，诗集《命运风》等。其作品曾获首届鲁迅文学奖、中宣部五个一工程奖、飞天奖、《人民文学》奖、《小说选刊》奖、屈原文学奖、文艺明星奖、《上海文学》奖、上海市长中篇小说大奖、武汉市市长奖、黄鹤文艺奖等。

乡村事件

戴雁军

一个人的出生和一个人的死亡

我爹盼儿子盼得眼蓝。我出生之前，我爹整天紧锁眉头，眉心拧成一个深深的川字，看啥啥不顺眼，见了人就像见了债主，我娘是他最大的仇人，我姐是他的眼中钉，家里被他闹得像旧社会似的。这种局面直到我出生才得以彻底改变，我娘、我姐她们一下子从白区进入了解放区。

我是一九六一年六月一日出生的。我出生的那天，村小学的学生们放了假，他们十分快活地在村街上跑来跑去。“六一”儿童节对他们来说是一个模糊的概念，他们只知道这一天可以不上学，可以满山遍野地去逮野兔，用弹弓打鸟，可以捉好多好多的蚂蚱拿回家去炒着吃。可是六一年的“六一”儿童节这天，山坡上并没有野兔，栗树和柿子树上也没有栖息的鸟，坡地上也不见那些一蹦老高的蚂蚱。没有了这些东西，这个“六一”儿童节就显得特别枯燥和乏味。

这一天还发生了另外一件事，村小学民办教师杨得泉死了。杨得泉躺在家里的土炕上眼睛睁得老大，肚子鼓起老高，全身浮肿，皮肤像玻璃纸一样是透明的。他的老婆李红霞看他把眼睛睁得那么大，就立在炕边上说：“杨得泉，你把眼睛睁那么大干啥，你不累得慌吗？”但是杨得泉不理睬李红霞，依旧瞪着眼睛看房梁。李红霞有些生气，说：“咱家的面缸比让耗子舔过的还干净，你让我拿啥给你煮面条？你想吃面条，我还想吃呢，我都一年多没吃过面条了，面条是个啥滋味我都不记得了……”但是，杨得泉依然保持沉默，他甚至连看都不看一眼李红霞。李红霞赌气地说：“你以为你是三岁的小孩儿呀？要我来哄你，我才懒得理你呢！”李红霞说完这些忽然感到自己心里慌慌的特别难受，心脏像是被啥东西撞了一下，颤颤的，越跳越快，一会儿就跳到了嗓子眼儿。李红霞一下捂住自己的胸口，另一只手去拉杨得泉的手，她说：“杨得泉，我心里难受得要死，你摸摸，这里面像打鼓一样咚咚的……”

实际上杨得泉已经死了。李红霞抓住杨得泉手的时候那只手已经冰凉梆硬，李红霞像被烫着似的倏地缩回手，当她确认杨得泉已经死了的时候，她的心脏也一下子恢复了正常。她“哇”的一声哭起来说：“杨得泉，刚才你是不是给我送信？怪不得我心里那么难受。杨得泉你放心，我是不会改嫁的，我这一辈子只是你杨得泉一个人的老婆……”

杨得泉死了，李红霞就去我家报丧。她一路哭哭号号地进了我家，对守在堂屋里像热锅上的蚂蚁一样神情焦灼的我爹说：“得水大兄弟，你三哥归西了……”

李红霞说这话的时候，我娘正在里屋炕上拼命地生我。我娘从鸡叫头遍的时候开始害痛，一直折腾到下午两点多还没把我生下来。接生婆杨九奶奶乍撒着两只脏乎乎的手走出来对我爹说：“你老婆肚子里这个小东西是个讨命鬼，死生活生他就是不出来。到了这个时候我不得不把丑话说在前头，他要是再不出来，我就用手把他掏出来，我不管他是死是活，保住大人是最要紧的。”我爹苦着脸从口袋里摸出一个熟鸡蛋给杨九奶奶说：“吃个鸡蛋，你再加把劲儿。”杨九奶奶接过鸡蛋在自己脑门儿上磕了一下就开始剥壳。她一边剥一边说：“你这是啥话，孩子又不在我肚子里，我使劲不使劲顶个屁用！”然后她把剥了壳的鸡蛋一下子塞进嘴里，本来想再说一句什么，但鸡蛋把她的喉咙堵死了，她就什么都没说扭头进了里屋。

杨九奶奶前脚进了里屋，李红霞后脚就进了门。我娘在里屋炕上奋力挣扎之余，冷不防听到“杨得泉归西了”这句话，惊得大叫一声，一下子就把我生出来了，我像一只剥了皮的野兔一样一下子就出溜到炕席上。炕席把我的嫩皮嫩肉硌疼了，我就开始大喊大叫。杨九奶奶喜滋滋地从屋里一下子蹿出来说：“杨得水，你这个鸡蛋可真管用，一下子就把你儿子顶出来了！”

我爹登时乐得屁滚尿流，他以一副大松心的口气说：“我儿子又没在你肚子里，你就是吃一百个鸡蛋顶出来的最多也就是个臭屁！”然后我爹就咧着大嘴笑起来，我爹说：“老天爷总算是有眼，总算让我有了儿子！”我爹扭过身子喜眉笑眼地对李红霞说：“三嫂，你刚才说啥了？”

当时的情况就是这样，杨九奶奶从里屋出来给我爹报喜，李红霞从外边进来向我爹报丧，弄得我爹亦悲亦喜。后来我爹觉得还是生孩子这件事比较重大，就选择了以喜为主，所以李红霞就骂我爹没有良心，李红霞悲痛万分地对我爹说：“杨得水，你咧着大嘴冲我笑啥？你看你，笑得像个大傻×！”

我爹依旧咧着大嘴，但他已经不笑了，一声号叫从他的嘴里蹿出来，他说：“我得泉三哥是啥时候没的？”然后他就三步两步冲出大门，一路干号着去杨得泉家。杨得泉和我爹是本家兄弟，同属一个老太爷，杨得泉无兄无弟独苗一根，所以，他的丧事就由我爹去全面主持了。

料理完杨得泉的丧事，我娘对我爹说：“咱给孩子取个名字吧。”我爹蹲在板凳上想了好半天才说：“就叫六一吧。小名叫六一，大名叫杨六一，谁让他是六一年六月一日出生的呢？”

我娘在我爹面前一向唯唯诺诺,知道自己接连生三个丫头是一桩天大的罪恶,平常无论什么事都是我爹说东她不敢说西,我爹说鸭她不敢说鸡。但是现在不同了,现在她带着一副功成名就的神情开始指责我爹了,她说:“你这个人啥事都图省事,杨六一,这算个啥名字?”我爹虎着一双眼睛说:“西头杨得河的二小子叫八一,我儿子叫六一咋啦?名字算个球,取个好名字就能大富大贵啦?”

我娘马上改了口说:“六一就六一,六里头也含着顺的意思,六六大顺。”

民办教师杨得泉死了,村办小学的学生们便都放了鸽子。二十几个孩子群龙无首成了散兵游勇。他们闲得没事干就在村子里乱窜,主要活动是找吃的,不管贫农、富农,他们一概不放过,拿了东家拿西家,一个个都变得贼眉鼠眼黄鼠狼似的。有一天杨九奶奶趁杨九爷不在,自己偷偷在家里煮了一碗地瓜干儿。杨九奶奶刚吃了两块就觉得尿急,她打开院门提着裤子去了街对面的茅房,来回也不过两分钟。撒了尿的杨九奶奶一身轻松地回来,进门便大吃一惊,地瓜干儿已经不翼而飞,蓝花瓷碗也碎成两半儿。杨九奶奶一屁股坐在锅台边上号啕大哭,哭着哭着听见后院有“嗝、嗝”的声音,杨九奶奶循声而去,看见杨得森的大闺女正躲在猪圈里吃她的地瓜干儿。杨九奶奶的眼睛一下子绿了,破口大骂道:“大丫儿,你个贼操的,偷人偷到我头上来了!”杨九奶奶一个鲤鱼打挺翻进猪圈,大丫儿就拼命往嘴里塞地瓜干儿,结果被噎得翻白眼儿。杨九奶奶怕她噎死,站在边上喊:“你跳,你跳几下就没事了!”大丫儿就跳,这一跳,嗓子眼儿里的地瓜干果然像石头落井一样“咕咚”一声掉进肚子里去了。

大丫儿跳的时候,兜在她衣襟里的地瓜干儿全洒在了猪圈里。好在猪圈是空的,地上干巴巴地残存着一些陈年猪粪。杨九奶奶两腿一骗便坐了下去,坐下去之后她就往自己的衣襟里捡地瓜干儿,大丫儿叫了一声娘之后喘出一口大气。她也蹲下来捡,杨九奶奶就从她手里夺,杨九奶奶说:“我刚刚看见你娘端着一笸箩黄豆回家炒去了。”大丫儿听了便像鸟一样飞出猪圈箭一般往家里冲。

村里的偷盗事件接二连三地发生,冷不防就会有人从自家院子跳到街上跺着脚破口大骂。李红霞有一天也跑出来大骂,她站在自家门口骂得唾沫星子横飞,她说:“这是哪个贼种干的,偷吃死人的东西,缺不缺德呀!”那工夫我爹正好从地里回来,我爹说:“三嫂,你丢了啥了?”李红霞说:“你三哥死的时候就想吃碗面条,可我到哪儿去弄白面?现在好不容易借了半斤面做了一碗面条供在他灵位前,可眨眼工夫就没啦!”我爹说:“算啦,你就当是我得泉三哥把那碗面吃了。”

李红霞咽不下这口气,跑去找支书杨得海,披头散发地对杨得海说:“你赶紧找个老师吧,这帮孩子像野狗一样没人管教,一个个都成了贼,等到贼性养成了,想改都改不过来了!”

杨得海说:“一时半晌儿,你让我上哪儿去找老师?老师又没在我怀里揣着。”

杨红霞说:“你去找杨成儒,解放前他当过私塾先生,这事搁在他身上还不是老虎吃仁丹——小丸(玩)儿!”

杨得海擤了一把鼻涕说:“对呀,我咋把这老家伙给忘了!”

当天晚上,杨得海就去找杨成儒,他对杨成儒说:“八大爷,你老去给孩子们上个课吧,工分给你记壮劳力的,一年三百六十五天都算你老出工,你老看咋样?”杨成儒在炕帮上磕着旱烟袋慢慢吞吞地说:“工分的事先甭说,你看我治得了那帮孩崽子吗?”杨得海说:“咋治不了? 你老年轻的时候就当过私塾先生,这事搁你老身上还不是老虎吃仁丹——小丸(玩)儿!”

杨成儒上任后的第一件事就是审贼,连续审了三天,结果,全体二十五名学生有十八名招了供,他们梗着脖子说:“学校不上课,我们不找点吃的还能干啥?”

杨成儒抖着山羊胡子说:“干啥? 我给你们找点活计干!”接下来,他就采用了他做私塾先生时就用熟了的办法,据说是跟日本人学的。他让这十八个贼脸对脸站成两排互相打耳光,其余七名清白的学生站在一侧喊口号,他们反反复复只喊一句话:“偷东西可耻!”杨成儒就是后来我们杨家峁子真正的民办教师潘家贤的岳父。

潘家贤说 我是冤枉的

一九九五年的国庆节,我和我的几位同学在县城的金龙饭店小聚,聚会的主要原因是其中有两位从北京回家探亲的同学,我们已经几年没见了,据说他们在北京都混得有模有样,这次回来基本上算是荣归故里。出面张罗的是我的高中同学胡玉林,他在电话里对我说:“知道吗,苏少康现在是北京市海淀区物价局的一个处长,他老婆是个军官,副师级,不得了啊!”

金龙饭店是我们五峰县城里最高档次的饭店,我们的聚会从中午十二点开始一直到下午三点才结束。席间大家都特别的热情洋溢,共同回忆一些十几年前的旧事。我和苏少康高二的时候曾经恶狠狠地吵过一架,当时我们大动拳脚,骂特别难听的脏话。我把苏少康的鼻子打出了血,把他的眼镜扔到房顶上。苏少康则更绝,他像拔麦子一样往下拔我的头发,然后把我的书包扔进女厕所的尿池里。我们当时像一个槽上拴的两头叫驴一样互不相让,瞪着凶恶的眼睛恨不得一口把对方吞到肚子里去。其实引起大战的原因很简单,苏少康当着许多同学的面骂我是土包子,他对我们班最漂亮的女生齐美琴说:“你看杨如良的裤裆,比我奶奶的裤裆还大,你看他那副土包子德性,满脑袋高粱花还以为自己是高干子弟呢!”齐美琴听了这话就捂着嘴笑,我就是被齐美琴的笑激怒的,一个虎步蹿上去就把苏少康扑倒了。

时隔十六年,苏少康见了我开口就说:“你小子当初差点把我的鼻梁骨打折了,我要是变成塌鼻子，就娶不到现在的这个老婆，我老婆就是凭着我这希腊式鼻子才嫁给我的。”我笑着说：“你老婆到底是嫁给你还是嫁给你的鼻子？”

聚会结束的时候，我们在饭店的大堂分手，苏少康用北京人那种居高临下的口气说：“欢迎你们到北京来玩儿，游览观光吃住都包在我身上。”我们几个本地同学就客套说：“去北京一定找你。”

走出饭店的时候，我听见有人喊我的名字，那个人说：“杨六一，你是杨六一吧？”我扭过头，看见一个又高又瘦的老头站在饭店右侧的拐角处，手里提着一条蛇皮袋子，袋子里装满了空易拉罐儿，有一个从袋口掉出来滚到路边，老头儿走过去一脚踩扁了捡起来重新装进袋子里，他一边做着这些一边说：“我没认错，你是杨六一。”

我一脸诧异地看着这个捡废品的老头儿，一时记不起在什么地方见过他。而且，杨六一是我少年时期的名字，读高中的时候我就改名叫杨如良了。在五峰县城，没人叫我杨六一，只有逢年过节回杨家峁子看望父母的时候，才能听到村里人这么叫我。我走过去对老头儿说：“你怎么知道我叫杨六一？”

老头儿说：“我不光知道你叫杨六一，我还知道你爹叫杨得水，你爹他们那一辈的人，取名字都要和水联系上，那时候杨家峁子缺水，水贵如油。可到了你们这一辈就不一样了，村里有了机井，再不用愁水了。”

我一拍脑门儿恍然大悟：“想起来了，我在信访办公室见过你，信访办的刘主任见了你就跑，刘主任在前面跑，你在后面追，一直追到县志办公室，那个人是你吧？”

老头儿有些狡猾地笑了一下说：“杨六一，你是真不认识我还是不想认识我？是不是也怕我追在你屁股后面？”

老头儿这狡猾的一笑让我想起一个人，记忆的闸门一下子被撞开了。完全是凭着一股模糊的感觉，我瞪大眼睛说：“你是……潘家贤老师？”

老头儿说：“杨六一，你别跟我来这套。躲不过了，装成刚刚认出我的样子，蒙谁呀你，我就不相信你不认识我，你们这些在大机关工作的人都学得这么虚伪。但你要分分对象，我可是潘家贤，我连你裤裆里那东西长得啥样都一清二楚，更不要说你这张脸，看看你那表情，我就知道你心里想啥。”

我说：“那你说说我现在心里想啥？”

“你在想赶快把我甩了，以后见了我要躲着走，因为我是一堆大粪，谁沾上臭谁。”

我有些反感地垮下脸说：“潘老师，我记得你从前是一个沉默寡言的人，现在这张嘴怎么变得像女人一样尖酸刻薄？我总算明白了信访办刘主任为啥见了你就跑，我们刚刚见面你就这么不客气，刘主任面前，你指不定说他啥呢。”说完了我扭头就走，我说：“你不是说我想甩了你吗？我还真就是这么想的。”

潘家贤一下子愣住了，站在原地纹丝不动。

走了几步，我又停下来，回头看看潘家贤，一副可怜兮兮的样子，我叹了一声往回走，我不能就这么扔下潘家贤，我记得他对我的好处。老实说，没有潘家贤，我不可能走到今天这一步，我不可能读完初中读高中然后考入省师大，我只能是个没有多少文化的农民，窝在杨家峁子日出而作日落而息，我爹当年就是这么为我安排的。我爹是个没有文化目光短浅的庄稼人，那时候我们杨家峁子小学只是个初级小学，读完四年级，就要转到七道河中心小学读高小。我爹认为我读了四年级小学就足够了，因为我们家还从来没有人读到四年级，况且杨家峁子就是这个风气，男孩子读完四年级就已经是半个劳力了，家里人就不舍得让他们再读书，早日挣工分才是正事。

那些天潘家贤老师没事就往我们家跑，我爹就像现在的信访办刘主任一样见了潘家贤就跑，我爹在前面跑，潘家贤就在后面追，一直追到地瓜地里。我爹跑不动了，像牛一样喘着粗气说："杨六一是我儿子，又不是你儿子，你这不是三个鼻孔出气，多出了一口气吗？"潘家贤说："杨六一要是我儿子，我卖了裤子也要供他上学。杨得水你也打新社会过了这么多年，咋就不知道学文化的好处？文化是啥？是金子，金子也买不来，杨六一这孩子脑瓜子有多灵你知道不？放在过去，这种脑瓜子，先中秀才后中举人再后中状元，你就忍心为几个工分把孩子误了？"

我爹当然不买账，坐在地瓜秧上抽旱烟，小眼睛挤咕眨咕地看着潘家贤，冷不防不怀好意地笑起来说："潘老师，你夜黑和杨秀青睡觉是咋个睡法？杨秀青那地方是不是也是一半黑一半白？"

潘家贤像蚂蚱一样蹦起来老高，红头涨脸地说："杨得水、杨得水……"

我爹洋洋得意地说："干啥干啥？"

潘家贤说："我日你那张×嘴！"

第二天，潘家贤又来找我爹，不屈不挠地给我爹讲大道理。我爹烦得真想一脚把他踢出去，但我爹只是踢了一脚水缸，我爹说："潘家贤，你是个狐仙吧，咋这能缠人，我儿子上不上学关你鸡巴事！"

潘家贤就笑，说："你别老把那东西挂在嘴上，那东西是长在裤裆里的。再说，我哪有资格当狐仙，狐仙都是女的。"

潘家贤就像猫追老鼠一样追着我爹不放，我爹被缠不过，最后终于同意我去七道河中心小学继续读书，我爹对潘家贤说："我算是倒了八辈子霉，遇上你这么个鸡巴老师！"

后来我考上省师大，全村的人都跑来我家道喜，我爹也美得屁颠儿屁颠儿的。他偷偷对我娘说："咱六一考上大学，这要念潘家贤的好。"转年开春，我爹背上半口袋花生和几十个鸡蛋，说是去看我姥姥，结果，他偷偷去了石洼子劳改农场看潘家贤。我爹从县城坐公共汽车，下了车走了十几里土路才到石洼子劳改农场，我爹刚刚烈烈一条汉子，没想到见了潘家贤却呜呜地大哭起来。潘家贤一脸惊愕地看着我爹，愣了老半天才说："杨得水，你把我弄糊涂了，当初在杨家峁子游街时，你朝我屁股上狠命踢了两脚，今天咋想起跑来看我啦？是不是出了啥大事了？"我爹一把鼻涕一把眼泪地说："我每回探监都要哭，四八年去省城国民党的监狱看我爹，比今天哭得凶多了。你在这儿混得咋样？日子还过得下去吧？"潘家贤说："这地方还能咋样，干活吃饭，黑天睡觉，活儿也不咋累，熬日子呗。"我爹说："你每天都干啥活儿？我听说劳改犯除了砸石头就是抬石头，那活儿你能吃得消？"潘家贤乐呵呵地说："你知道我每天干啥吗？你想都想不到。"

我爹这时候不哭了，抹着眼角说："看你美滋滋的，劳改还这么美，能有啥好活儿让你干？"潘家贤说："我每天编鸡笼，而且还是小组长，这你没想到吧？"

我爹果然十分意外，说："编鸡笼？那你就编个小点儿的，把自个儿的那只鸡装进去，省得出来惹祸。"潘家贤说："得水大哥，你真信我强奸了杨巧莲？"

我爹说："这能有假？杨巧莲自个儿说出来的，那丫头虽是傻乎乎的，可她是你的学生，她能编瞎话？"

潘家贤说："她不能编，有人替她编，就是因为她傻，我才落了这么个下场。"

"你这工夫耗子钻面缸——愣充小白人儿，当初不是你自己承认的吗？"

"我不承认他们还不把我打死？我不能背个强奸犯的罪名就那么稀里糊涂地死了，我死了谁来帮我洗清罪名？"

"你还想洗清罪名？"

"我是冤枉的……"

就这么三说两说，时间到了，我爹离开农场老远才想起自己是干啥来的，他站在路边骂道："娘的，我咋忘了把六一考上大学的事说给潘家贤！"

粮食在一桩婚姻中的作用

民办教师潘家贤是一个十分漂亮的美男子。想当年，杨家峁子的女人提起民办教师潘家贤，即使再无精打采，精神也会为之一振。这也难怪，潘姓一族从古代起就有潘安竖起一面美男子的大旗，这面大旗历经千年风雨飘飘扬扬到了潘家贤这里也算顺理成章。据潘家贤的岳父杨成儒讲，历史上还有一位潘姓美男子叫潘岳，潘岳的美貌远胜于潘安。但是，潘岳命运不济，年纪轻轻就犯了王法，他的美貌便半路夭折，掩埋于历史的尘埃之中了。潘安则不同，潘安仕途顺畅入朝为官，红袍加身之后过起了锦衣玉食的日子，身边美女如云则是不消说的了。

自然，无论潘安或是潘岳，都与民办教师潘家贤毫无瓜葛，他们根本就是风马牛不相及的两回事。只是因为潘家贤生得俊眉俊眼皮肤白净个子高挑实在是好看，这才让人联想起远古的潘安。潘家贤的岳父杨成儒，想的就比别人还要多一些。他不仅想到了潘安,还想到了宋玉,他把潘安和宋玉拿来和自家的女婿比,那两个传说中的美男子就吃了亏,他们远不如眼前真真切切的潘家贤来得实在。潘家贤往自己岳父面前一站,老私塾先生的眼睛就灼灼地放出光来,就像男人见了自己心爱的女人那样目不转睛了。

这是一九六一年的秋天,这一天的天气是绝好的,天空瓦蓝,万里无云,潘家贤在这样一个绝好的天气里出现在杨家峁子的村街上,这预示着一切将会十分顺利。当时,所有看见潘家贤的人都瞪大了眼睛,瘦瘦高高的潘家贤有几分羞涩地从村口走过来,他的双腮上泛着一层桃红,一双星目因胆怯而显得躲躲闪闪,脸上是一副忐忑不安的神情。女人们瞠目结舌了好一阵后聚在一起说:“原来男人也可以生得这么细皮嫩肉啊?”

一九六一年这个晴空万里的秋日,对于潘家贤来说是一个命运的转折点,他从二十里外的黄岗大队风尘仆仆赶来杨家峁子是来相亲的。据我三大娘李红霞讲,潘家贤当初走在杨家峁子村街上的时候,比一个黄花闺女还要害羞,李红霞当时自告奋勇地领着潘家贤去杨成儒家,结果被老私塾先生赶了出来。老私塾先生指着她脚上的一双白孝鞋说:“你是寡妇,你刚刚死了男人,你咋这么不识好歹呢!”

李红霞后来站在街上骂,她说:“我是寡妇又咋样?我是寡妇也比你那个没人要的闺女鲜亮多了!”李红霞同时做出结论,她对杨九奶奶说:“你信不信,黄岗来的那个俊小伙儿肯定看不上杨秀青,杨成儒这个老东西是老道切肉——白忙活!”

李红霞这样说的时候,潘家贤已经坐在杨成儒家的板凳上喝着白开水。杨成儒看到潘家贤之后是先喜后忧。他没想到潘家贤是这么一个鹤立鸡群的美男子,这个美男子和他闺女杨秀青有着云泥之别。但杨成儒并没有完全失去信心,他领着潘家贤看他的院子和房子,看房里的樟木柜子。他十分婉转地暗示潘家贤,如果潘家贤同意了这桩婚事,他杨成儒所有的一切都是潘家贤的。因为他没有儿子,谁娶了他的闺女,谁就是他的儿子。

潘家贤对杨成儒的青砖瓦房啧啧称赞,他说:“在我们黄岗大队,只有过去的老地主家才有这样的房子。”杨成儒嘿嘿一笑说:“我可不是老地主,这是我爹积攒了一辈子才盖起来的房子。可是我没本事,也该我命中无子,这房子到我手里就传不下去了。”潘家贤说:“传给谁都是一样的。”

早在潘家贤进门之时,杨成儒就把大门关死了。大门的关死有一种神秘的象征意味,它意味着潘家贤被关在了他家里,潘家贤跑不掉了。由于大门的关死,整个相亲过程显得冷冷清清。潘家贤坐在板凳上已经连续喝了三大碗白开水,时间也过去了一个多钟头,潘家贤看到的除了房子就是杨成儒那张皱巴巴的笑脸。杨成儒在接待潘家贤的这一个多钟头里,始终保持着一张谦恭的笑脸,这对杨成儒来讲是极不正常的。杨成儒在我们杨家峁子是一个出了名的古怪老头儿,他从不轻易对谁露出笑容,他在村街上走路,两只眼睛只看脚步尖儿,鼻子里哼啊哈的,一脸的鄙夷与不屑,他的脸永远板得像一块瓦,没有任何表情给你看。

就是这个杨成儒,见了潘家贤之后就笑啊笑啊笑起来没完没了,一脸讨好巴结的神态。这种神态终于引起潘家贤的怀疑,已经快两个钟头了,他没有见到他要相看的对象。而且,他的肚子早就饿得咕咕叫,他开始在屋里走来走去,后来他终于忍不住对杨成儒说:"你老怕是忘了我是来干啥的了吧?"

这话听起来很拗口,但潘家贤十分流畅地说了出来,这话一出口,杨成儒就无法再唱独角戏了。他有些心虚地看了一眼潘家贤,脸上依旧挂着笑,然后他就一脸豁出去的表情说:"事情到了这一步,我也就实话实说,我知道男人娶老婆娶的就是一张脸,女人要是没长一张好脸,她就一辈子过不上好日子,女人的一张好脸就是女人一生的好日子……"

潘家贤听到这里打断了杨成儒,他有些满不在乎地说:"我知道,我知道你闺女脸上有一块胎记,介绍人跟我讲过了,一块胎记算啥,说不定那是一块福记呢?"

可是,当杨秀青终于露面的时候,潘家贤却像吃了辣椒的猴子一样一下子把眉头皱了起来,那双好看的星目变成了三角形,嘴巴不消说是张得很大,而且好久都不能合拢。这时候屋子里只有那架老式座钟的钟摆一下一下摇晃着,一下一下响着,其他一切都凝止不动,如果不是潘家贤惊叫起来,这种凝止的场面不知要僵持多久。潘家贤说:"这哪里是一块胎记,明明是半张脸吗!"

杨秀青的脸,一半是白的,一半是黑的,黑的一边生长着茸茸的密密的同样黑颜色的汗毛。

潘家贤见过八卦图形,那上面有一条白鱼和一条黑鱼代表阴阳两极,杨秀青的脸,就是一条白鱼和一条黑鱼的组合。

当时的情况就是这样,潘家贤满脸惊愕地站在那里,他的面前站着杨秀青,杨秀青受她爹传染,是一个十分古怪的姑娘。她一脸倔倔的神色站在那里,倔倔地甩出一句话,她对潘家贤说:"你用不着像见了鬼似的,你愿意就愿意,不愿意就拉倒!"然后她就捂着半边黑脸跑了出去。

这个结果杨成儒是早料到的,因为每次相亲都是同样的结果。他对潘家贤说:"就是这张脸,要不我有十个闺女也早就嫁出去了。"

潘家贤说:"你老说得对,男人娶老婆娶的就是一张脸。"潘家贤说完这些就一脸歉意地笑着,他说:"我要回去了,我家里还有事。"

不消说,杨成儒在这一刻是绝望的,但杨成儒不死心,杨成儒不死心的原因在于他懂得许多事情的成功就在于再坚持一下的努力之中。他是下了决心要在一九六一年把自己这个生着半张黑脸的闺女嫁出去的。所以,他一边看着潘家贤一脚跨出门槛儿,一边做出了力挽狂澜的重大决定。他叫住潘家贤说:"你等等,我要让你看一些东西……"

我们都知道六一年是一个什么样的年份。全体中国人民都吃不饱,他们都有一种同样的感觉:饥饿。所有的人都有可能成为知音或敌人,饥饿让他们拥有一个共同的话题。潘家贤就是听说杨成儒家境不错才不计较女方脸上有一块胎记赶来杨家峁子相亲的。潘家贤家里弟兄七个,七个弟兄的七张嘴是七个无底洞。每次吃饭的时候,潘家贤爹手里都要握一根枣木棍子,这根枣木棍子基本上杜绝饭桌上随时可能发生的抢劫和暴乱,潘家贤是一个读过两年初中的有文化的青年,所以,每当看见他父亲握着一根枣木棍子守在饭桌边,潘家贤就悲哀,就痛苦。潘家贤想,如果再娶回一个老婆,再多出一张嘴,他爹是不是要拿一把刀守在饭桌边?所以,潘家贤宁肯入赘把自己嫁出去,宁肯娶一个脸上有胎记的老婆。但是,杨秀青脸上的胎记明显超过了他所预想的面积,不消说,也就超出了他的接受能力。

潘家贤满腹狐疑地跟着杨成儒走进后院的西厢房,一脸木然地看着杨成儒把炕席卷起来,炕席下面是一层木板,木板被揭掉之后,潘家贤就像刚刚见到杨秀青那半张毛茸茸的黑脸一样吃惊地瞪大了眼睛!潘家贤看见炕洞里满满的都是一袋一袋的粮食,那些粮食被装在帆布口袋里,已经泛黄的帆布口袋上写着大大的“儒”字,这些口袋里分别装着小麦、谷子、玉米、高粱和黄豆……

一九六一年,潘家贤眼里的这些粮食是什么?

事情在眨眼之间发生了戏剧性的变化。潘家贤捧起一捧麦子放到鼻子底下闻着,然后像狗一样伸出舌头舔了一层麦粒到嘴里,冷不防对杨成儒说:“爹,咱家咋存了这么多粮食?”

杨成儒故意没听明白地问潘家贤:“你刚才说了啥?”

潘家贤叹息了一声,眼睛盯着麦子,回答了一句既陈旧又老气横秋的话,他说:“这都是命中注定的。”

杨成儒抱着帆布口袋老泪纵横,他的这些粮食让潘家贤看了,就等于把自己的五脏六腑挖出来交给了潘家贤。

黑夜中的一点爱情

新闻的价值在于它的新鲜和出人意料。一九六一年,我们杨家峁子的最大新闻就是潘家贤和杨秀青的婚事。我们都知道六一年是一个饥饿的年份,男人们为了粮食而四下奔走,他们没有精力和闲心去想粮食以外的事情。所以,对这桩婚事反应强烈的是杨家峁子的女人们。她们一半羡慕一半妒忌地聚在一起议论这桩婚事,像猜谜一样猜测潘家贤如何就同意了这门婚事。她们指责潘家贤是一个不争气的家伙,“八辈子没见过女人啊?”她们这样评论潘家贤,脸上同时挂着一层怨愤,怨愤上面还覆盖着一层痛心疾首。她们说:“那么漂亮的小伙子,轮到谁也不该轮到杨秀青呀!”仿佛潘家贤是一只肥美的绵羊,谁都可以把他牵到家里去,只有杨秀青不行，因为她不配，她那么丑，除了老在家里，不应该有第二种结果。

事实上杨成儒并没有向任何人说起婚事的成功。第二天早晨，人们看到杨成儒家的大门敞开着。潘家贤正挥着一把大扫笤扫院子，看见的人一下子就明白事情成了。

杨成儒的院子里有一棵花椒树，已经老得快要死掉了，潘家贤看着那棵花椒树问杨成儒："爹，这棵花椒树有多少年了？"杨成儒捋了一下山羊胡子说："我也不知道啊，我小的时候它就长在这里了。"潘家贤就故意做出一副吃惊的样子说："那它就爷爷辈了。"潘家贤在这个清晨完全以一副杨家倒插门女婿的身份跟杨成儒说话。后来潘家贤偷偷问杨成儒："爹，咱们家咋就存了那么多粮食？"杨成儒抬头看着天说："庄稼人过日子过的是啥？过的就是粮食。庄稼人怕的是啥？怕的就是荒年。十年前我就开始存粮食啦，我知道早晚会有这么个荒年的。五八年吃食堂的时候人们那个傻，把自家的粮食一颗不剩地全交到食堂去，那些傻，傻得连自己姓啥都不知道了。那个大食堂，我只看了一眼就知道是兔子尾巴长不了。古人说人无远虑必有近忧，人要有后眼，人要是没有后眼，前头那两个眼睛睁得再大也没用，也跟瞎子没啥两样。"杨成儒说了这些就得意洋洋地笑起来。为了进一步巩固这桩婚事，他把潘家贤再次领到后院，指着后院左边的草垛说："知道这是啥吗？"

潘家贤十分聪明地说："爹，这里面也有埋伏吗？"

杨成儒咬着潘家贤的耳朵说："里边有八百多斤地瓜干儿。"

潘家贤没再说啥，而是踏踏实实地笑了。潘家贤扫视了一下杨成儒家的整个宅院，房子整齐虽是整齐，但已是很旧了。院子里有草垛，有空着的猪圈，有咸菜缸。墙角边竖着锄头、铁铣、镢头，还有一台不能用的破铡刀。潘家贤想，这和别人家的院子也没啥区别，这个院子的好处在于藏着那么多粮食，这些粮食给潘家贤制造出的幸福感觉远远超过了婚姻本身。

同在这个早晨，杨成儒还宣布了一件让潘家贤意外惊喜的事。杨成儒说："日后，你就到咱村的小学里教教书，你天生就不是做庄稼活的料。"

这件事对潘家贤来说当然是十分重要的，这意味着他今后再不用面朝黄土背朝天了。潘家贤有些不相信似的问杨成儒："爹，这事可是真的？"潘家贤认为，一个人不可能同时遇上这么多好事。

杨成儒斜眼看着潘家贤说："这能有假？你念过初中，杨家峁子挨门挨户数过去，不要说初中，读完高小的连一个都没有，这个书你不去教还有谁去教？"

潘家贤后来担起水桶去井边挑水，他在井台边遇见了李红霞，李红霞自然没想到潘家贤已经开始为杨秀青家挑水了，她甚至忘了放下手里的水桶，她就拎着一桶水问潘家贤："你愿意了？"潘家贤红头涨脸地说："就那么回事吧。"

李红霞拎着水桶在井台上愣了好一阵子，后来她说了一句十分男性的话，她说："我操！"

潘家贤是在第二天半夜回黄岗大队的。他之所以在半夜离开杨家峁子是因为他身上背着五十斤麦子。杨成儒非常慷慨地送给他五十斤麦子，杨成儒对他说：“你背着这么多麦子，只有在夜深人静的时候走。”潘家贤明白杨成儒的意思，但潘家贤天生胆小，他白着一张脸说：“半夜三更让我一个人走二十多里地，遇上野狗咋办？遇上坏人咋办？”潘家贤一脸为难地看着杨成儒说：“我还是天亮再走，这些麦子先留着吧？”杨成儒却坚持说：“不行，你头一回来我家，咋能空着手回去？再说，你是入赘我家的女婿，见面礼是不能免的。你一个爷们儿家，胆子这么小，以后杨家的门户可咋撑起来？”

潘家贤咬着牙答应下来了。他背着五十斤麦子走在茫茫黑夜里，心缩成一团，他老是把自己的脚步声当成别人脚步声，他一路上一刻也没停止对自己的吓唬和折腾。后来，他真的听到了另一个不属于自己的声音，他吓坏了，那个声音越来越近，越来越清晰地跟在他的身后，潘家贤的头发都炸起来了。后来，他扔了麦子撒腿就跑，一边跑一边说：“麦子归你了，麦子归你了……”

可是，身后却传来一个女人的声音，那个女人说：“潘家贤，你的胆子比针鼻儿还小，你跑啥，我是杨秀青。”

潘家贤像潘冬子见到闪闪的红星一样大叫了一声杨秀青的名字，然后他们就一起走在夜色如漆的乡村土路上。天上连一颗星星都看不见，夜色黑得就像杨秀青的那半张脸。他们一开始的时候都不说话，后来杨秀青就来拉潘家贤背着的麦子，杨秀青十分温顺地说：“我来背一会儿。”潘家贤早就满头大汗，所以就毫不客气地把麦子给了杨秀青。杨秀青背上麦子走得飞快，走了一段就慢下来，潘家贤听见她在大口大口地喘着粗气，就说：“我来背一会儿。”他们就那样你背一会儿我背一会儿轮流背那五十斤麦子，他们各自的体温和各自的气息通过那袋麦子传给了对方。有一刻，潘家贤真切地闻到了杨秀青身上的那股汗香味儿。那是姑娘家特有的味道，即使杨秀青生着半张黑脸，可她的气息依旧是女人的，这种女人的气息一点点弥漫开来，开始通过潘家贤身上所有敞开的器官而浸入他的肌体。

他们两个人的心里都有一种比较温暖的感觉，他们开始频繁地抢那袋麦子，抢着抢着就抢出了一些恩恩爱爱的意思。后来，他们都感觉到了累，就停在路边作短暂的休息。

他们拉开一些距离坐在路边，潘家贤看一眼杨秀青，杨秀青黑乎乎的一团坐在那里，他想自己也肯定是黑乎乎的一团，于是就笑起来。杨秀青问他笑啥，潘家贤说：“咱俩谁都不吭声，就这么黑乎乎地坐在这儿，不知道的，会把咱俩当成啥？”

杨秀青说：“当成啥？”

潘家贤说：“会不会把咱俩当成两袋麦子背起来就走？”

杨秀青说：“当成麦子倒没啥，就怕人家把你当成一堆大粪，上来就给你一粪叉。”

潘家贤觉得杨秀青挺会说话，就笑起来，笑着笑着，就有一些仿佛是爱情的东西从什么地方滋生出来。这些东西越滋越多，很快就滋满了潘家贤的脑子，所以，就把杨秀青有半张黑脸这回事忘得一干二净。只剩下心里痒痒的，身子也痒痒的，忍不住就把手伸到杨秀青那边，一下子就抓住了杨秀青的手，然后他就用力，企图把杨秀青拉过来。

但是，杨秀青却坚决地甩开了潘家贤的手，杨秀青不但甩开了潘家贤的手，而且声音都变了，她忽的一下站起来说："你这是干啥？我好心好意送你，你这是干啥？"

潘家贤愣住了，愣在那里默默的，像一只不会说话的粪筐。

杨秀青说："我要回去了，剩下的路你自个儿走吧。"然后，杨秀青就往回走，走了几步又停下来说："潘家贤，我看着你走，这样你就不害怕。"

潘家贤站起来大声说："谁说我害怕？王八蛋才害怕！"

杨秀青说："是你自个儿说的，你自个儿骂自个儿是王八蛋，你可真是给脸不要脸！"

这样，那些刚刚滋出来的仿佛是爱情的东西一下一下地消失了，仿佛一张燃烧的纸，转眼之间就成了灰烬。这时候，杨秀青那半张黑脸无比清晰地浮现在潘家贤的脑子里，这半张黑脸让潘家贤恶心得要命。潘家贤想，我根本不喜欢她，为啥要去拉她，她又不是麦子，我拉她干啥呢？我可真是个下作的东西！

潘家贤背起那袋麦子大步流星地往回走，心里一点儿害怕的感觉都没有了。这时候天上出现了两颗星星，路边的小树一棵一棵地显出轮廓来，潘家贤的脚步越走越大，他就那么一口气走到了黄岗。

女人们把新郎官弄哭了

杨成儒死在来年四月春暖花开的时节，他的死是一个意外。当时，有人看见杨成儒躺在南山坡十分向阳的草地上，头下枕着一块石头，眼睛闭着，一副美滋滋懒洋洋的样子。那天是清明节，许多人去南山坡后面的坟地上坟。隔着老远，一些路过的人看见了杨成儒。他们说："杨成儒这个老东西可真会享福，躺到山坡上晒老爷儿，他想长命百岁活一万年啊？"

后来，杨成儒的一个本家兄弟杨成宗朝杨成儒喊起来："喂，起来吧，祖宗们那里等得着急了！"但杨成儒根本不理他，连眼皮都不撩一下。杨成宗有些悻悻的，朝杨成儒躺着的地方吐了一口唾沫说："娘的，美啥美，就不怕美死？"

杨成宗提着一卷烧纸扭过身子朝坡后走，走着走着觉得哪里不对，他自言自语地说："这个老东西。我咋看见了他的半拉屁股？"

杨成儒露着的半个屁股只不过在杨成宗眼前一闪，但他却清清楚楚地看到了。他对正朝他走过来的小放驴二屁说："二屁，你去看看那个老家伙，你告诉他把裤子提起来。他这么大年纪了，露着半拉屁股躺在山坡上，来来往往都是大闺女小媳妇，他就不怕把一张老脸丢光吗？"

二屁说："八爷在那里躺了老半天了，他刚才和狗赛跑，跑累了，躺在那里歇着呢。"

杨成宗大着嗓门说："你可真是个二屁，说出的话都带着屁味儿！他那把老骨头，和狗赛跑？和你埋在坟地里的老太爷赛跑还差不多！"

二屁瞪着眼睛说："你老说的才是屁话呢！我说的都是真的，我刚刚去坟地烧纸的时候亲眼看见的。他和狗赛跑，他跑在前头，两条黄狗跑在后头，他一边跑一边喊，狼来了！他喊得可大声了，像儿马子在叫，可是我们这地方哪来的狼？他到底是拿狗吓唬狼还是拿狼吓唬狗呢？"

杨成宗被二屁弄得摸不着头脑，他一边骂一边朝杨成儒那边走，他说："二屁，你他娘的说的都是屁话驴话，你是存心跟我逗闷子，你不去我去，我要让他把裤子提起来，谁让他是我本家哥哥，他露屁股就是我露屁股，我可跟他丢不起这个人！"

二屁嘻嘻笑着说："真的真的，我说的都是真的。开头他在坡下蹲着屙屎，那两条狗就朝他跑过去，狗尾巴摇得可欢实了，那工夫我急着下坟地烧纸，没咋留意，猛不丁八爷就跑了起来，一只手拎着烧纸，一只手拎着裤子，大裤腰子就那么白花花地耷拉着……我说的都是真的！"

隔着两米远，杨成宗就看见了杨成儒脑袋下面流出的血。那血已经洇红了一小块坡地。杨成宗大叫起来："二屁日你娘的快过来帮忙！"

他们把杨成儒扶起来，看见他依旧一只手拎着烧纸，一只手拎着裤子，白花花的大裤腰子下面露着一块黄叽叽皱巴巴的屁股。

"天啊，这就是一跤跌在了这块石头上，这块石头把他的老命要去了！"杨成宗一边替杨成儒提着裤子一边呜呜地哭起来……

一九六〇年以前，我们杨家峁子养狗成风，狗吠鸡鸣使村里显得特别热闹。那时候，村街上到处都有狗在闲荡，它们追在孩子们身后满街乱窜。狗们最激动时刻就是看见某一个孩子突然停下来，解开裤子蹲在那里。每当这个时候，那个白白的屁股后面肯定围着几只狗，狗们摇晃着尾巴，我们知道那是狗在微笑，它们贪婪地瞪着眼睛，等待那孩子的排泄，然后它们就一拥而上，把那排泄物抢得干干净净，这时候还会有一只狗负责把孩子的屁股舔干净，那个孩子就嘿嘿地咧着嘴笑，不消说是又痒又舒服的。

那时候我们杨家峁子的孩子们就像鸡一样随地大小便，他们有时候就把屎屙在自己家的堂屋里，然后让狗吃个一干二净。所以，虽然到处都有人随地大小便，但除了狗粪却看不到人的粪便，狗们对人类粪便的热爱使它们成为人类的好朋友。

这么看来，杨成儒的死就有了一个比较圆满的说法。杨成儒这天大早拎着一卷烧纸肯定是去坟地上坟的。但是他走到南山坡下突然想大便，于是他就蹲在一丛毛草丛后面，他的屁股肯定让那两只狗看见了，那是狗最喜欢和最熟悉的人体部位，这个部位肯定唤起了狗对往事的美好记忆，它们朝杨成儒跑过来，一点儿恶意都没有。但是，一九六二年春天出现的这两只狗不消说是又瘦又苍老的，目光也一定是极其凶恶的。杨成儒眼睛不好，他一定是把那两只狗当成了两只狼，他知道狼是会吃人的，所以拎着裤子就逃，一边逃一边喊狼来了。这情景正好让小放驴二屁听到和看到了，二屁当时觉得挺好笑，八爷和两只狗在坡地上跑，这种事情难道不可笑吗？二屁没理会这件事，后来他看见八爷躺在山坡上，二屁想，八爷一准儿是跑累了，他那么大年纪了能不累吗？二屁就没有想到八爷不是躺在那里而是跌在那里，而且他的头正好跌在那块石头上，二屁当时还想，八爷咋就选了那么一块又棱又尖的石头当枕头呢？二屁只是个十五岁的孩子，每天赶着几匹驴上坡上放，头脑简单得很，当然不会一下子想到死亡这种复杂和沉重的事。

可是，我们杨家峁子的狗在一九六〇年下半年就统统被打死了。它们的肉被主人扔到锅里去煮，皮被做成褥子或坎肩儿，狗是早就绝迹的了。那么，这两条狗又是从哪儿来的呢？它们就不可以是两只长途迁徙路过我们杨家峁子的狼吗？

究竟是杨成儒眼花把狗看成狼还是二屁没见过狼而把狼当成狗了呢？

不消说，这是一个永远的谜了。

杨成儒死的那天，原本是要叫上杨秀青和他一起去坟地的。但杨秀青这天显得心事重重。她早早起来煮了半锅小米粥给潘家贤，潘家贤喝了粥就去学校上课了。杨秀青坐在锅台上吃地瓜干儿，她一边吃一边对杨成儒说："我才不去坟地呢，我又不是寡妇，只有寡妇才给男人上坟呢。"

杨秀青这天心事重重的样子是因为她的肚子。她结婚已经六个月了，但她没有像其他女人那样结了婚没多久肚子就像揣了一只南瓜那样鼓起来。杨秀青想，这是咋回事呢？

杨秀青坐在锅台上回忆当初送潘家贤的情景，半夜三更，她竟然一点儿都不害怕，把潘家贤送了那么远。这之后半个月，潘家贤就急煎煎地赶回来和她结婚了。婚礼十分简单，杨成儒在院子里煮了两大锅地瓜干儿招待那些前来贺喜的人。实际上整个村子的人都来了，他们挤在院子里放开肚子吃地瓜干儿，吃完就自己去锅里抓，很像许多年后在城市的自助餐厅里吃自助餐。杨秀青这天穿了大红的棉衣棉裤，头上蒙着一块大红头巾。她是想用头巾把自己的半边黑脸遮起来，但是遮得不彻底，所以，这一天的杨秀青显得有些古怪。她的脸红里透黑，黑里透白。她躲在新房里不出来，把潘家贤一个人扔在院子里招待客人。

杨成儒这天基本上就是在院子里烧开水和煮地瓜干儿。没有人帮他的忙，大家都在抢着吃地瓜干儿。

杨成儒对正在吃地瓜干儿的村支书杨得海说："这事搁在前几年，我一定要杀上两头猪和几只羊，买上二百斤粉条，买上一百斤烧酒，粉条炖肉，烧酒管够。可是现在不行啊，现在就是有钱也买不来东西呀！"杨成儒把一盒大婴孩香烟偷偷塞进杨得海的口袋里，他说："这是县上的亲戚给的，金贵得很，你拿去抽。"然后，他就顺便说了让自家女婿去村小学教书的事。

杨得海听了瞪着眼睛说："好家伙，你女婿念过初中？这可是打着灯笼都没处找的好老师！"

最热闹的场面当然是晚上的闹房。但是这一次的闹房却和别人家的不一样。别人家闹房都是男人挑大梁，女人敲边鼓，可杨秀青是本村姑娘，是自家人，哪有自家人闹自家人的道理？所以这一晚的闹房就有女人们朝潘家贤下手了。女人们早就憋足了劲儿，这么漂亮的新郎不好好地闹他一闹岂不吃了大亏？可女人们没有经验，闹了半天也闹不起来。潘家贤一求饶，女人们心就软了。后来李红霞蒙着一条花头巾避开杨成儒进来了。李红霞一来，闹房就掀起了高潮。李红霞先是用一条红布蒙住了潘家贤的眼睛，然后就让他在一屋子的女人中寻找新娘子，他只能用手摸，摸准了就在新娘子脸上亲一下。

潘家贤觉得这种游戏比较文明，就积极配合，伸出两只手在女人中摸来摸去。被他第一个摸住的是支书老婆，潘家贤用十分肯定的口气说："我摸到了，她就是杨秀青。"支书老婆不吭声，别的女人就喊："她是杨秀青，你亲她一口啊！"潘家贤犹豫了一下就鼓起勇气把支书老婆当成杨秀青去亲，支书老婆也不躲闪，就那么美滋滋的让潘家贤亲，一屋子的女人都哄笑起来，李红霞扯掉潘家贤眼睛上的红布说："看看吧，你把杨家峁子皇后娘娘亲了，可是犯了欺君之罪。"潘家贤的脸腾的一下比那块红布还要红。

后来，屋里忽的一下黑了灯，女人们把潘家贤抬起来扔到炕上，这些结了婚的女人们像一群老虎扑了上去，她们在潘家贤身上乱摸一气，潘家贤被摸得痒一下痛一下，痛一下麻一下，他像一只闹春的猫躺在那里叫个不停。女人们才不听他这一套，这是女人们千载难逢的好机会，入赘杨家峁子的男人几十年都没有一个，她们除了自己的丈夫从没摸过别的男人，她们要开开荤。所以，有人把手一下子伸进潘家贤的裤裆里，一下子就抓住了潘家贤的那东西，她们像传递胡萝卜一样传递着那根东西，潘家贤受到了有生以来的最大羞辱，他呜呜地哭了，一边哭一边喊："放开我放开我，你们太不要脸了！"

所有的喜气都被潘家贤的这一哭冲散了。女人们讪讪地缩回手，李红霞十分恼火地说："你哭啥？亏你是个男人！我们这些女人结婚的时候哪一个不被抠得又红又肿？我们都不哭，你哭个鸟儿！"

李红霞带着女人们走出洞房，她们在院子里再一次哄笑起来。

女人动了春心 男人抗得住吗

一九六二年的清明节这天，杨家峁子已故民办教师杨得泉的老婆李红霞在家里生病。这天清早起炕之后，她就觉得头重脚轻，走路像踩着棉花一样。她有气无力地对儿子杨石头说："锅里有菜团子，你拿上一个去上学吧。"这之后，李红霞就歪在炕上想心事，想着想着她就流了泪。她想：人活着有啥意思，人活着就是个愁，愁这愁那，愁了一遭还是原样，啥东西也愁不来，满屋里跑的还是个愁字。这么一想，李红霞就像霜打了茄子秧，蔫得抬不起头来。

所以，杨秀青走进屋子的时候把她吓了一跳，她也把杨秀青吓了一跳。杨秀青立在炕沿边说："嫂子，你这是咋了？你的脸上寡青寡青的没有血色，吓人着呢！"

李红霞硬撑出一张笑脸说："没咋，身上有些不舒服，歪一歪就好了。"

杨秀青就那么立在炕沿边，很久都没有坐下。她是来找李红霞讨教的。她之所以来找李红霞讨教，是因为她是寡妇，她家里没有男人，杨秀青最怕男人。她想问一问李红霞生孩子的事，但她又不知怎么开口，她就那么愣眉愣眼地看着李红霞，李红霞被她看得发毛，疑疑惑惑地说："秀青妹子，找我有事？"

杨秀青说："有事。"

李红霞说："我就知道你是无事不登三宝殿，我从十八岁嫁过来十多年了，你还是头一回来我家，啥事，说吧。"

杨秀青吭吭哧哧了老半天，后来她就莫名其妙地笑起来，她笑的声音很难听，嘎嘎的，像旱鸭子在叫。

李红霞被她笑得丈二和尚摸不着头脑，杨秀青还在不停地笑。李红霞想，是不是闹鬼了？今天是清明节，该不是有啥东西附在杨秀青身上了吧？平白无故，她咋就跑到我家来了呢？

李红霞把被子往身上拉了拉说："秀青妹子，有啥事你就说，你这么嘎嘎地笑，我都被你吓死了。"

杨秀青一下子就不笑了，她的笑像被切了一刀那样齐茬儿断了，她对李红霞说："红霞嫂子，女人结了婚要多久才能生孩子？"

"你想生孩子？"

"我想生，女人结婚不就是为了生孩子吗？"

"生孩子是一码事。女人结婚是为了快活，和男人睡在一铺炕上，快快活活地耍弄，没有这，光让我们生孩子，那还不苦死？"

"生孩子很苦吗？"

"生孩子可是苦差事，以后你生的时候就知道了。"

“我肚子里啥都没有，要到啥时候才能有？”

“咋，你还没怀上？”

“我心里急，可是就怀不上。”

“那你就和潘老师多睡睡，睡多了说不准哪一回就怀上了。”

“多睡睡？我们天天都睡，不睡还能干啥？”

“你们天天都睡？”李红霞的胃蠕动了一下，有些酸溜溜地说，“你们天天睡？潘老师那身子骨，他就不累？”

“有啥可累的？他睡下就像一条死狗，呼呼的，连泡尿都不撒，一猛子睡到天亮。”

“你说啥？”李红霞觉出了事情的蹊跷，她一下子兴奋起来，“你说给嫂子听听，你们是咋样睡的，潘老师钻你的被窝还是你钻潘老师的被窝？”

杨秀青的半张白脸一下红到耳根：“嫂子，你这是说啥？我咋能钻他的被窝，他又咋能钻我的被窝？我们一个睡炕头，一个睡炕脚。”

李红霞明白了，长长地吐了一口气，身子也轻爽了许多。这就是说，他们结婚大半年了，一个睡炕头，一个睡炕脚，他们一直这么睡，这就难怪杨秀青那么壮的身子咋还没怀上孩子。

李红霞头也不晕了，身子也不飘了，一下子神清气爽。现在，轮到她笑了。这个潘家贤，结婚大半年了，他竟然没动杨秀青一个指头，这可真是一桩奇事。男人是猫，是猫就喜欢吃鱼。潘家贤也是猫，自然也喜欢吃鱼，只是他不喜欢吃杨秀青这条鱼，他到底喜欢吃哪条鱼呢？最可笑的还是这个杨秀青，她以为自个儿在热炕头上那么睡睡就能睡出孩子，这又算是奇事中的奇事。

我们知道杨秀青生着半张黑脸，就是因为这半张黑脸，她从来没有正眼看过男人。她从不轻易走出自家院子，即使在家里，她也尽可能地把那半张黑脸遮挡起来。她从来不跟她爹在一张桌上吃饭，她在她爹面前走动的时候，从来都是侧着半边身子，她从很小的时候起就怨恨她娘，恨她娘把她生成这个样子，但那时她娘已经没了，她娘把她生下来就断了气儿，那年她娘四十五岁，她娘四十五岁才头一回生孩子，所以把命搭上了。即使这样，她也照样恨她娘，她从不恨她爹，她认为这都是她娘一个人的罪过，跟她爹没关系。她从知道自己长得很丑那天起，就把自己封闭起来了。她只在自己的那个世界里进进出出，至于男人是咋回事，女人又是咋回事，她一概不知。对于男人和女人的理解，她的认识永远停留在十岁小女孩的水平上，那就是：男人站着撒尿，女人蹲着撒尿。

有一年夏天，我在村街上极罕见地看见杨秀青，那么热的天气，她头上依然包着一块花头巾。她的脸被遮得严严实实，她低着头，沿着墙根，眼睛只看脚尖儿，她像一个刚刚挨完批斗的坏分子那样沿着墙根儿走路，她的眼睛里啥都没有，只有脚下的那一小块土。村里人也大都习惯了，没有人和她打招呼。按道理，我该叫她姑,但是我没叫,我知道我叫了她也不会理我。那年她已经二十岁了吧,但她还是那么怕见人,恐怕她这一辈子都要这么过下去了。

杨秀青无从知道两性之间的事情,婚姻对她来说只是一个空壳子。所以,她的身体、她的灵魂、她的眼睛、她的思维、她的精神,她所有的领地,从来没有异性的进入和污染,她的一切都是干干净净的,她是独立的真正意义上的处女。

我们应该不难理解,一九六二年清明这天,杨秀青鼓了多大勇气才去找李红霞。她在李红霞那里用笑声掩饰自己。但李红霞没有让她笑得太长久,李红霞有些幸灾乐祸地想:我才不会帮你的忙呢。李红霞认为潘家贤没有和杨秀青干那种事,杨家峁子的女人们知道了都会很舒服。所以,她客客气气地把杨秀青送出院子,她对杨秀青说:“别着急,慢慢就会好的。”她说慢慢就会好的这话,意思十分模糊,也不知道慢慢好起来的是啥。

有一天下午,李红霞去小学校,她对潘家贤说,她是来找儿子杨石头的。她来找杨石头的时候,杨石头就坐在她家的门槛上吃菜团子。但是她说她没看见杨石头,她问潘家贤,杨石头在不在学校?她这么问的时候满面春风,眼睛像蚊子一样盯在潘家贤脸上,潘家贤的脸也就真的像被蚊子咬了一口那样特别地不舒服。现在,潘家贤无论看见杨家峁子的哪一个女人都会感到不舒服。因为他弄不清这个女人摸没摸过他,尤其是摸没摸过他那个地方。潘家贤固执地认为自己吃了大亏,连他老婆杨秀青都没摸过的地方却让这些女人摸了去,这件事实在是荒唐得很。

李红霞来找潘家贤当然是心怀鬼胎的。李红霞头一回做这种事,技法上自然就不那么纯熟和老练。所以,一下子就被潘家贤识破了。潘家贤这年二十三岁,年纪虽然轻,但对女人却并不生疏,他在县城读初中的时候就有过一次不成功的恋爱。

初恋对潘家贤来说有一种不可抗拒的魔力,他总是忘不了那个花蝴蝶似的女生。他一个人躺在热乎乎的被窝里的时候,经常想起那个女生,只有那个女生才能激起他的男性欲望,即使婚姻也不能替代。况且,我们都知道他和杨秀青的婚姻是怎么回事。他和杨秀青的这桩婚姻,是一九六一年这个特殊的年份造成的。一头是饥饿,一头是粮食,婚姻是桥梁,走过来选择粮食就必须捎带上这桩令人厌恶的婚姻,这是没有办法的事。但潘家贤毕竟是男人,是男人就会有欲望,欲望来临的时候,他就在被子里自己解决自己,手法自然是既古老又千篇一律的,它总是让潘家贤有种下作和羞愧的感觉。

有着这样的背景,潘家贤当然不会把别的女人放在眼里,这也包括李红霞。李红霞这年三十出头,三十出头的李红霞在潘家贤眼里差不多就是个老太婆了。

李红霞装模作样地来找杨石头,潘家贤感到很好笑,潘家贤想:你这不是狐狸跟猎人逗咳嗽吗?潘家贤当时正在批改四年级的学生作文,他把作业本子翻得哗哗响。他对李红霞说:“学校早就放学了,你要找杨石头就到别的地方去找。”然后他就用一支红色的圆珠笔在作业本上勾勾画画,再也不看李红霞,李红霞被晾在那里。

但李红霞像一个清早起来拾粪的老头,既然出来了,不管驴粪、马粪、牛粪,总要拾一些在自己的粪箕里才好。况且,李红霞也把自己当成了猎人,背着猎枪出来了,打不着山猫,逮一只耗子也算是个带毛儿的。所以,李红霞就先把粪叉举起来对准潘家贤。她说:"好歹我也是你学生杨石头的娘,辈分上我还是个嫂子,你这么不咸不淡的是个啥意思?你就不许拿正眼看看我,我又不是杨秀青,我的脸可是俊过的,现在也不丑。"

潘家贤就抬起头来看了一眼李红霞,有些狡猾地笑一笑。他之所以笑一笑,是因为他非常清楚这个女人在想啥。这个女人做寡妇做了快一年了,这个女人开始想男人了,而且,这个女人的口味还蛮高,想男人想到我潘家贤头上来了。她应该去找别的男人,杨家峁子有那么多男人,一个个都是五大三粗的,她应该去找他们才对。

潘家贤笑过之后对李红霞说:"我知道你是我学生杨石头的娘,但你也应该知道我是你儿子杨石头的老师,我们两个只是都和杨石头有关系,你我之间并没有关系,你说是吧?"潘家贤说完这些就继续批改他的作业本,他批改得很认真,而且眉头一皱一皱的是在真的动脑子。

公正地说,潘家贤是一位很好的老师,好过他已故岳父杨成儒和已故前民办教师杨得泉。那时候我们杨家峁子小学和其他村小学一样是复式班,一个班里有四个年级,这种办学方式直到九十年代的今天还在广大的农村里保留着。这种形式无可替代,最大程度上节约了时间、空间、人力和物力。潘家贤老师的好在于他让全体学生都变得比过去聪明了,就像进化中的动物那样产生了一个质的飞跃。一九六九年,我们杨家峁子小学派出六名学生去参加七道河中心小学的会考,名次均在前十名以内,杨家峁子小学一下子名声大振,这年年底,潘家贤老师就从公社领到了一张奖状和一本精装毛主席语录。除此之外,潘家贤老师还让那些一二年级的孩子们明白了在村街上把屁股露给别人看是一件十分糟糕的事情。他们不再随地大小便,他们看到比他们更小的孩子在村街上屙屎,就会笑他们,并且告诉他们,干这种事应该去茅房。

但是,在这个教室里只有潘家贤一个人的下午,李红霞却觉得这个民办教师是十分的可恶。他在那里装傻充愣,把话说得曲里拐弯,李红霞是火火的,他却是冷冰冰的,李红霞一粪叉叉过去,竟如同叉在棉花上,李红霞就忍不住把猎枪举起来了。

李红霞说:"我儿的老师,我问你个事,你给我说说,有没有不吃鱼的猫?"

潘家贤听了就忍不住想笑,但他没笑出来,他先是对自己说:女人动了春心,男人抗得住吗?然后他才对李红霞说:"也有不吃鱼的猫,房顶子大了,啥猫都有。"

李红霞说："我就不信有不吃鱼的猫。你说说，那是啥猫?"李红霞觉得自己是把一个马粪球儿塞到潘家贤嘴里了，潘家贤的嘴里堵着个马粪球儿，他还能说啥?

可是，潘家贤却不慌不忙地说："死猫。死猫不吃鱼，我就是死猫。"

这下，潘家贤又把马粪球儿塞进了李红霞嘴里，塞得李红霞"嗝嗝"的，一个字也说不出。

这时候夕阳西下，李红霞迎着夕阳走出教室，甩给潘家贤一个愤怒的背影，她的眼里盈满了大颗大颗的泪珠。

一九七二年的九·一三

七十年代初，由于国内一件重大政治事件的发生，九月十三日这个很平常的日子便一下子被我们记住了。有很长一段时间，我们经常提及"九·一三"这个日期，这个日期被赋予了不同寻常的意义。

一九七二年的九月十三日，我们杨家峁子发生了一件令人震惊的事情。村民办小学教师潘家贤强奸了他的女学生杨巧莲。杨巧莲那年十三岁，有些傻乎乎的。杨巧莲傻乎乎的重要标志是别人让她干啥她就干啥，别人让她说啥她就说啥。所以，在许多时候，她说出的话就像放屁一样不会引起别人的注意。但是，一九七二年九月十三日，杨巧莲说出的话却像箭一样射进了每一个人的耳朵。

那时候大约是晚上八点多钟，杨巧莲从小学校的教室里走出来，一路哭哭啼啼往家里走，她哭的声音不大，但却是实实在在地哭。杨巧莲到家的时候，她爹杨得池已经睡下了，但杨巧莲的哭声把他吵醒了。杨得池就像驴一样吼了起来："哭啥哭? 哭你娘个脚，你还要不要老子睡!"

但是，当杨得池睁开眼睛看见杨巧莲的时候，他一下子哑了，他看见杨巧莲的脑袋乱蓬蓬的像鸡一样，半边脸红肿着，蓝花小褂儿被扯得一条条。露着黑乎乎的肚脐眼儿，裤子也被扯破了，像门帘儿一样在腿上挂着。杨得池迷迷瞪瞪地说："丫头，你这是咋啦?"

杨巧莲说："潘老师把我强奸了。"

杨得池的脑袋一下子炸开了。

杨巧莲的娘立马发出一声石破天惊的号叫。

杨家峁子大队革委会主任杨维治就是在这个时候出现的。他的出现带有一种神秘色彩，因为他来得不早不晚，杨巧莲刚刚说出那句话他就进来了，仿佛是从杨巧莲家的炕洞里钻出来一样。

杨巧莲的娘看见杨维治走进来，一个轱辘就从炕上滚下来，她像哭丧一样对杨维治说："杨主任，你可要给我们做主，潘家贤把我家丫头糟践了……"

这之后不久，村街上就热闹起来了，一些人在街上兴奋地喊着什么，然后就传来杨巧莲哭哭啼啼的声音，杨巧莲被人簇拥着往前走，边走边说："潘老师强奸了我。"有人让杨巧莲再大声些，杨巧莲就大声喊起来："潘老师强奸了我！"

强奸事件极大地刺激了全体村民的神经，他们一个个兴高采烈，手里拎着马灯或打着手电筒，他们像蚂蚁一样滚成团去潘家贤家，他们要把这个黄岗来的强奸犯抓起来，而这个时候，杨维治主任已经在大队部把审问用的桌子都摆好了。

第二天上午，我在村街上看见了潘家贤。实际上那已经不是潘家贤，我几乎认不出他了。他被剃了阴阳头，因此，他的脑袋就和杨秀青的脸一样，一半是黑的，一半是白的，他的头皮特别白，像剥了壳的鸡蛋，那是因为他一年四季不晒太阳的缘故。

他的身体一直是弯着的，整个上身绑满了绳子，衣服上浸着血迹，腿一瘸一瘸的。他始终没有抬头，后来，有人揪住他的半边头发，把他的脑袋拎了起来，这一下，很多人都尖叫起来，这哪里是潘家贤啊！

往昔那个英雄的潘家贤不复存在。

他的两只眼睛乌青，肿胀得只剩下一条缝儿。左眉骨上开了一道口子，脸也肿得不成样子，满是泥土和血渍，嘴角边的血已经结成了黑痂。他像一具尸体那样被人拖着往前走，一边走一边喃喃地说："我是流氓，我是强奸犯……"

路过自己家门口的时候，潘家贤十分费力地扭过头。但是，他家那两扇大门紧紧关闭着，杨秀青没有出现，站在他家门前的是李红霞，李红霞用一种古怪的眼神儿看着潘家贤，后来她把眼睛闭上了，她没有像其他女人或男人那样，冲上去扭打潘家贤或在他的屁股上踢两脚。

游斗潘家贤，成为我们杨家峁子有史以来最热闹也是最重要的一天。这天结束之后，潘家贤就被拉到县上去了，他像一捆棉花那样被人扔进了吉普车，吉普车在全体村民的注视下绝尘而去，很快就有消息传来，潘家贤被判有期徒刑十五年。

事情发生之后，杨巧莲就不再上学了。有一个星期天，我和我的同学杨建新、杨建设在村口看见背着一只柳条筐去坡上挖猪菜的杨巧莲。杨巧莲看见我们之后就傻乎乎地笑了，她对我说："杨六一，七道河中心小学是不是很大？是不是只有一个老师？"

杨巧莲穿一条露出脚踝的蓝布裤子，膝盖上分别补着一块灰色和黑色的补丁，补丁也已经破了，而且裤子中间开门的，很显然是她弟弟杨建国或她哥哥杨建军的。她的上身是一件她娘的紫花大襟袄，也已经旧得没了筋骨，穿在她身上又肥又大。她的头发乱七八糟，就那么披散着，似乎从生下来就没有梳过。她当时的样子要多难看有多难看。换在平日，我们根本不会理她，可这次我们却都有极大的兴趣，我们跟在她身后，一路朝南山坡走，走着走着杨建设就问："杨巧莲，啥叫强奸？"

杨巧莲蓦地一下站住，回过头来看一眼杨建设说："我日你娘。"

我们不甘心，继续跟杨巧莲走，杨建设给杨建新使了一个眼色，杨建新就说："杨巧莲，我有一支花杆铅笔，送给你，你要不要？"

杨巧莲又是蓦地一下站住了，她说："我要，在哪儿呢？"

杨建新说："你告诉我潘老师是咋强奸你的，我就给你。"

杨巧莲毫不犹豫地说："我日你娘。"

轮到我的时候，我换了一种问法，我说："杨巧莲，潘老师对咱那么好，他为啥要强奸你呢？"

杨巧莲果然顺口答道："不知道。"但她很快就反应过来了，她说："杨六一，我日你娘。"

这一下是我们三个蓦地站住了。我们同时感觉到，杨巧莲并不傻，她对强奸事件守口如瓶，这会儿就是她亲爷爷问她，她也会日她亲爷爷的娘。

我们放弃了杨巧莲，看着杨巧莲像一只大篓子那样渐渐走远。后来杨建设提出了一个很大胆很出人意料的问题。他抽了一下鼻涕说："潘家贤老师真的强奸了杨巧莲吗？"

这个问题把我和杨建新难住了，我们回答不出，杨建设自己也回答不出。一九七二年九月十三日到九月十四日，我们杨家峁子几百号村民没有一个人想到这个问题，只有十二岁的杨建设想到了。杨建设当时提出的这个问题，就像沙漠里的一棵树，很独立、很醒目，不同凡响，鹤立鸡群。但这个想法就像一颗流星划过我们幼小的天空。我们后来在坡地上打了起来，原因是杨建设偷了我筐里的猪菜。我们为此大动干戈，而潘家贤老师这个时候已经穿上一套土灰色囚衣，成为石洼子监狱里的一名正式囚犯了。

直到一九九五年，我在县城金龙饭店门口遇到潘家贤，他告诉我说，他根本没有强奸杨巧莲，他跟我讲了李红霞追求他的事。他说："李红霞也算是杨家峁子数得着的美人儿，她那么追我我都没动心思，我咋会强奸杨巧莲呢？"直到这时，杨建设当年提出的疑问才再一次在我脑子里凸现出来，我对这一切都将信将疑。我同时觉得这一切都变得毫无意义。潘家贤牢也坐了，因表现好提前两年释放，他一九八五年出狱到一九九五年已经过去了十年，距离事发已经二十三年，是真是假在我看来真的毫无意义了。

潘家贤说："对你来说是毫无意义，对我来说就是死不瞑目啊！"

我说："那你想咋办？"

潘家贤说："我要翻案，我要申冤，我要告杨维治，我要让他也蹲上十年八年大牢。"

我有些吃惊："你告杨维治？冤枉你的是杨巧莲。你为啥要告杨维治？"

潘家贤说："你真相信那个傻乎乎只有十三岁的杨巧莲会冤枉我？她那时候恐怕连啥叫强奸都不懂，更不要说强奸的实质了。"

“你是说，是杨维治在背后操纵这件事？他陷害你，你和他有仇吗？”

“可能吧。”

“啥叫可能。”

“可能的意思就是我无心得罪他，可实际上却把他得罪得很深。世上有许多事都是这样，你认为不算啥，可他却认为天大地大，你天大地大地得罪了他，他当然要整治你。”

“你啥地方得罪了他？”

“林小燕。”

“林小燕？”

“就是那个知青。”

“我知道是那个知青。可这件事跟她有啥关系？而且，你已经出狱十年，这十年你干啥去了？”

“我没闲着，我一直在跑，县上信访办主任都叫我跑换了三茬。一茬茬都说要帮我弄明白。第一茬的黄主任，现在当了副县长，有一回见了还没忘问我一句，那事弄明白了吗？可这事简直是黄鼠狼围着刺猬转，不知从哪儿下嘴呀！”

“当然是从杨巧莲那儿下嘴了。”

“八五年我从监狱出来就去找杨巧莲。她现在比小时候聪明多了，见了我就跪下了，啥也不说，问急了她就哭。她爹她娘见了我就躲。有一回她娘没躲掉，被我堵在屋里，她娘也哭，她娘说，事情过去这些年了，我们家也遭了报应，潘老师你就别再提了……”

“她说这话是啥意思？”

“我也不明白是啥意思，也许是杨巧莲，她今年三十六岁了还没嫁出去，本来又傻又丑再背上一个被强奸的名声，没人要，这辈子就老在家里吧。”

“如果这样，你就别再指望能有啥人帮你了。”

“还有你呀，你读过大学，脑子里有玩意儿，你可以帮我想想法子，咋样才能从刺猬身上下嘴别把自个儿的嘴扎了。”

“潘老师，你可知道七二年的时候我多大？虚岁十二，昏天黑地的，我知道啥？我就是想帮你也帮不上，我只能帮你找个好律师。”

“我找过律师了，人家听我把事情说了就把头摇得像拨浪鼓，说这是一件无头案。为这事，我还专程去省城找了林小燕，林小燕现在是个下岗女工，在马路边卖水果，见了我根本认不出，我要是不自报家门，三天三夜她也猜不出我是谁。她跟我说，她知道是杨维治捣了鬼，可究竟是咋捣的，她就说不上来了。她说杨维治恨我就像当时的人们恨蒋介石，一直恨到骨头里。她说这事也有她的一份责任，要不是她，杨维治就不会拿我当仇人。可说这些有啥用，空口无凭呀！”

“那我就更帮不上你了。”

“你能帮，你现在是县政府里的大秘书，说话分量比我大多了，你往杨巧莲家的炕头上一坐，不怕杨巧莲不说实话。你去找杨维治，杨维治敢跟你闹屁？借他一副贼胆他也不敢。”

“潘老师，你把我抬得比楼顶还高这有啥用？我不是不想帮你，我是真的帮不了啊！”

“我知道现在是商品社会，我请你当我的顾问，我给你开工资，我现在有钱，有很多钱。”

“你有钱？你哪儿来的钱？”

“我自个儿挣的，八五年，我从石洼子出来后去杨巧莲家，然后又去杨维治家。杨维治不理我，我对他说，我要告你个狗日的杨维治，现在不是你一手遮天的时候了。杨维治哼哼着说，你去吧，我在家里等着法院传我，等着公安局的吉普车把我拉走，可就怕人家不拉我。他说这话的时候竟然涎着脸朝我笑，他说，潘家贤，你就死了这条心。你告我？你拿啥告？神仙也告不倒我。你呀，有这闲工夫不如想法子去挣点儿钱，攒点儿棺材本儿，省得日后老了臭在屋里没人管。他这话倒是给我提了醒儿，我刚从监狱出来要啥没啥，我得活着，我得吃饭，我就琢磨这个事儿，我的第一顿饭，是拿家里的破烂儿换来的。我把那些破鞋烂袜子拿到乡里的废品收购站去卖，卖了十几块钱，我拿着那十几块钱，心里就有了主意。别的我不会干，总会捡破烂吧？我从八五年开始捡破烂儿，捡来捡去捡出个我自个儿的废品收购站，还雇了两个妇女给我当小工。我就这么捡了十年，一边捡一边告杨维治，公安局、检察院、法院，我都去过了，人家朝我要证据，我拿不出证据，可我知道这个证据早晚我要拿到的。”

北京的金山上

我知道，由我来讲述三十年前杨家峁子发生的一些政治上的事情有些力不从心。不要说那时候我还穿着开裆裤，即使是现在，我对政治的概念也是十分模糊的。我所服务的对象是主管全县经济的县长，我跟在他的屁股后面整日东奔西跑，脑子里装的全是那些国营企业和乡镇企业的事情。很早以前，我所理解的政治就是一种成人游戏，身手敏捷的有机会取胜，反应迟钝的自然是输家。但政治上的事情又无规律可循，有些时候，身手敏捷的不一定取胜，反应迟钝的也不一定输掉。所以，我对政治的第二种理解是：政治是魔术，是不停旋转的万花筒。现在看来，我对政治的理解显然十分幼稚，我的一位朋友对我说：“政治是维持人类秩序不可缺少的工具，政治体现了人类的最高智慧。”

直到一九六六年十一月中旬，我们杨家峁子才闹起了“文革”。这之前上面有指示，村一级不搞“文革”。可不知怎么还是搞起来了。支书杨得海派人去公社去邻村看看人家墙上贴了啥标语，然后一字不漏地抄回来，拿到小学校让潘家贤写了，贴到村街上最显眼的地方。到了十二月初，才把老地主杨成轩揪出来批斗。支书杨得海亲自去揪杨成轩，杨成轩在同辈中排行二十一，所以，杨得海站在杨成轩家的堂屋里说：“二十一叔啊，今儿个要斗一斗你老人家，外头冷，你老把狗皮坎肩穿上，小心着了凉。”

杨成轩就跟杨得海走，一边走一边说：“斗我作啥，我又没招谁惹谁。”

杨得海说：“咱村解放前就你家地多，三十几亩吧，不斗你斗谁?”

杨成轩说：“杨成荣家也有二十几亩，咋就不斗他?”

杨得海说：“你以为是猪肉炖豆腐一勺烩呀？今儿先斗你，明儿再斗他。”

杨成轩后来就站在村南头的石碾子上，两只手揣在袖筒里，戴着个毡帽头儿，脸上笑笑地说：“这不是拿我老爷子当猴耍吗?”底下就有人问：“二十一叔，解放前你家咋置了那么多地，打那多粮食，也吃不完，到了夏天还要弄出来晒，麻不麻烦?”

杨成轩说：“都是我爷置的，我爷一辈子不稀罕别的，只拿地当命根子，他要置地，我管不了啊……”

有一天上午，杨得海的本家侄子杨维治来找杨得海。杨维治说：“十四叔啊，别的村都搞了夺权，成立了革委会，咱村就没个动静，到时候公社查下来，咱不好说话呀。”

各村搞夺权，杨得海早就知道，所以他一下子就明白了。当下他就领着杨维治去村委会，把村委会的木头公章拿给杨维治说：“有啥好夺的，不就是个这吗？你拿着吧。”

杨维治说：“不是这么个夺法，要开会，你要当着全村人把这交给我。”

转天，就开夺权会，杨得海当着全体村民把公章交给杨维治。杨维治接过公章脸子就垮下来了，他说：“杨得海这个人阶级阵线不分哩，揪斗地主杨成轩，他让他穿上狗皮坎肩，杨成轩上石碾子上不去，他把他扶上去，他这是跟地主坐在一条板凳上，他这人糊涂得很哩……”

底下就有人说：“杨成轩老胳膊老腿，石碾子那么高，不扶一下咋上得去?”

杨维治肃着脸说：“谁这么说话？谁这么说话就是和地主穿一条裤子……”

我们村的革委会就成立于这天，杨维治把自己封了主任，把我爹杨得水封了副主任。我爹不干，我爹说：“我才不干呢，一九五八年，公社里让我当几个村的突击联队队长我都不干，这会儿我当这个狗鸡巴副主任作啥?”

杨维治说：“你不当就是不革命，不革命就是反革命。”

我爹被吓住了，说：“日你娘的，干就干，说这些屎话干啥?”

杨维治这个人，没当主任之前在村里是个不显山不露水的人，整天嘻嘻哈哈的，也没见有啥坏地方。唯一的毛病就是懒，整天说自己身子不好，干不了重活儿，三天两头跑去磨杨得海,让杨得海把他安排到饲养棚去喂牲口。杨得海被他磨不过,就派他去了饲养棚,这样,他手下就有了一个小放驴二屁,二屁被他支使得团团转,让干啥干啥,杨维治心里美滋滋的,这或许就培养了他的权力欲,手下只管着二屁一个小孩子不过瘾,若是管了全村的人,那可就是另一番模样了。

时势造英雄,当了革委会主任的杨维治一下子就脱胎换骨了。以前那张嘻嘻哈哈的笑脸现在板得像鞋底儿,走路的时候眼睛望到天上去,见了人用鼻子说话,哼哼哈哈的,迎面撞上了叔辈的不叫叔,见了爷辈的也不叫爷,一律用鼻子打发了。那一阵子他隔三岔五往公社跑,回来就开批斗会,把杨成轩和杨成荣赶到石碾子上站着,他自己也跳上去,先说说公社有啥精神,然后就把杨成荣、杨成轩一通臭批。他批完了就喊我爹的名字,让我爹也上去批,我娘就在人堆里答话说:“杨得水吃了馊饭,在家拉稀呢!”

按道理,杨维治和潘家贤扯不到一块儿,一个在小学教书,一个当主任,牛拉车马拉套各干各的事。杨维治在村里牛皮哄哄,却不敢小看潘家贤,潘家贤会写文章,汇报材料、总结材料、批判稿子,写啥像啥。杨维治当主任,少不了这材料那汇报的要交到公社去。那时候杨维治见谁都不笑,只有见了潘家贤才笑,笑过之后就说:“潘老师,给咱写个材料。”

潘家贤无论写啥文章,开头都要写上“四海翻腾云水怒,五洲震荡风雷激”两句。后来写得多了,杨维治就说:“开头咋老是这两句,换个新鲜的不行?”

潘家贤就给换了新鲜的:“天地转,光阴迫,一万年太久,只争朝夕。”

这两句杨维治非常喜欢,念的时候就加进了不少感情。杨维治这样念:“天地那个转,光阴那个迫,一万年太久,只争朝夕喽。”

潘家贤也不敢笑,但他很认真地对杨维治说:“杨主任,你可不能这么念,你这么念,别人说你篡改毛主席诗词咋办?”

杨维治听了吓一跳,拍着潘家贤的肩膀说:“亏你提醒我。”然后又说:“这事你可要替我保密。”

很长一段时间,潘家贤充当了杨维治的秘书角色。所以,他和杨维治的关系很好,直到一九七二年潘家贤出事,也没看出他俩的关系有啥变化。只是杨维治不再找潘家贤写材料了,这是因为杨维治眼里有了林小燕。

林小燕是一九七二年春天到我们杨家峁子插队的省城知青。那时候天气还凉,刚刚过了二月二,杨维治派了一辆马车去公社拉知青。马车回到杨家峁子已是下午四点,全村人都跑出来看,老远就看见马车上红旗飘飘,车刚进村口,林小燕就从车上跳下来,其他两个女知青也跳下来,她们每人手里都举着一面红旗,排成一个整齐的队列,昂首挺胸地在村街上走,一边走一边背诵毛主席语录。这时候杨维治叫上我爹迎上去,杨维治站在林小燕对面从口袋里掏出一张纸,那是潘家贤为他写的欢迎词。杨维治念完了欢迎词就和三个女知青一一握手,把场面弄得像首长接见似的。这之后林小燕就跳上了石碾子，手里依旧举着红旗。她摆出一副舞台上报幕员的姿势大声说道："我们响应伟大领袖毛主席的伟大号召，到农村这个广阔的天地里来。今天，我们来到了杨家峁子，我们决心扎根杨家峁子，我们衷心希望杨家峁子的贫下中农同志们帮助我们扎深根、结硕果、开红花，让无产阶级江山永不变色！"

杨维治在下面带头鼓掌，他的眼睛始终没有离开林小燕的脸。

林小燕站在石碾子上，一手举着红旗，另一只手抬起来，行了一个非常标准的军礼，然后说："我代表全体知识青年向杨家峁子的贫下中农致以崇高的革命敬礼！下面，我们就把我们精心准备的礼物献给你们……"

杨九奶奶在人群中瞪着眼睛说："这丫头，礼数还挺全，还要给咱送礼？"

这时候，另一个叫王春丽的知青已经唱了起来，唱的是《老房东查铺》，她唱完了，另一个叫吴玉芳的接着唱，她唱的是那首当时很著名的忆苦思甜歌。接下来就是林小燕，林小燕唱的是《北京的金山上》。一开始她只是在那里唱，后来就加进去一些动作，再后来她就载歌载舞，在石碾子上连唱带跳。她的鹅蛋脸红扑扑的，杏仁眼又黑又亮，因激动而闪闪发光。杨维治看直了眼睛，到最后，他把林小燕安排到自己家里去住，另外两个，一个给了李红霞，一个给了杨九奶奶。给杨九奶奶的是吴玉芳，吴玉芳真就送给杨九奶奶一件礼物，是一个又大又白的口罩。杨九奶奶接过来看了半天也不知是啥东西，吴玉芳就告诉她，这是口罩，干啥干啥用的。第二天，杨九奶奶就把那只口罩戴在嘴上满村子招摇，惹得一村子人羡慕。杨九奶奶年纪其实并不大，只是辈分大，七二年，她才四十几岁，按道理，也还有一阵子风骚的。

缘来缘去缘如水

杨秀青不曾料到，一九六二年的清明节，她去找了李红霞一回，竟然惹得李红霞着了魔似的迷上了潘家贤。杨秀青对此一无所知。那段日子，她沉浸在丧父的巨大悲痛中。她每天坐在院子里给队上编柳条筐，编着编着泪水就汹涌而出，这情景让潘家贤坐立不安。潘家贤是一个心肠软的男人，最看不得女人的眼泪。所以，他对杨秀青就格外地关注起来。他经常在黄昏的院子里帮杨秀青浸泡那些柳条，他把那些柳条泡得又韧又软，杨秀青用起来特别顺手。许多时候，他就蹲在杨秀青对面看杨秀青编筐，这为他以后在劳改农场编鸡笼打下了基础。他编鸡笼的时候会经常想起杨秀青，想六二年的那些事情，想那时候杨秀青过的日子真是可怜。他在那段时间里确实感到了杨秀青的可怜，他会经常自责，他觉得自己让杨秀青白白担了一个女人的虚名这有些不人道。他也替自己冤枉，和杨秀青一样，他也担着一个男人的虚名。好好的一个男人，在杨秀青这里竟然毫无欲念。这能怪谁呢？要怪也只能怪杨成儒让他看了那些粮食，这些粮食曾经抵消过杨秀青的丑陋，实际上粮食和杨秀青都是实实在在的，谁也抵消不了谁。

想多了，潘家贤的脑子就会处于一片混乱之中，半夜三更的时候，他会朝杨秀青那边望，心里也有些蠢蠢欲动的意思。但望得久了，便看清了杨秀青那张脸，这张脸就像一盆冷水一下子把他的心浇凉了。而那边的杨秀青，早就沉在梦乡里，打着轻微的鼾，坦坦然然地睡，无欲无念，仿佛一块无人开垦的处女地，有永远的冰雪覆盖着；也仿佛一只没吃过肉的羊，永远产生不出对肉的向往。

一九六二年，对于李红霞来说是一个特别难熬的年份。清明节那天，她莫名其妙地好了。这之后她的精神便进入一种亢奋的状态。这种状态又极不稳定，仿佛锅里烧着的水，马上就要开了，锅底下却突然没了火，马上要烧开的水一点一点变温了，而这时候灶膛里又被加进了干柴，干柴忽忽地燃烧起来，温下去的水又嗞嗞啦啦响起来，很快又要达到沸点了。

这段时间最倒霉的是杨石头，经常无缘无故地被他娘臭揍一顿。杨石头被揍急了就又哭又骂，骂的都是从街上的女人那里听来的脏话，都是裤腰下面的内容，不消说是十分难听的。李红霞挨了骂反而笑起来，说："日你娘的，你倒会骂。"

李红霞这种烦躁的情绪还波及到了杨九奶奶。杨九奶奶有一次好心好意地来为她做媒，劝她改嫁。她对杨九奶奶说："你家里有男人日弄着就行了，管我的闲事干啥？我跟杨得泉说过，我这辈子只是他一人的老婆，我是不会再找男人的。"

杨九奶奶就像被地瓜干儿噎住那样眼睛一下子鼓凸得像蛤蟆。杨九奶奶就那么凸着一双蛤蟆眼说："我可真是浪得难受，我可真是吃饱了撑的没处找茅房，找到你这儿来了！"

杨九奶奶三步两步蹿出李红霞的院子，脚跟还没有在村街上站稳就骂开了，她一路走一路骂，迎面撞上了杨维治的老婆张秀英。她对张秀英说："你不知道吧，咱杨家峁子满街猫狗，没想到还藏着一个贞节烈妇！"

最最倒霉的还是杨得满。杨得满是我们杨家峁子最著名的光棍儿，人生得驴头驴脸不说，家里穷得连一张炕席都没有。就是这个杨得满，有一天夜里竟然摸到李红霞家里来了。他一边敲着李红霞的窗棂一边说："红霞大妹子，开开门让我进去行不？"

李红霞当时没说啥，而是跳下炕拽过尿罐子撒尿，一边撒一边说："你等着，等我尿完了就给你开门。"

杨得满在窗外听见李红霞哗哗的撒尿声，身子一下子就躁了起来，没一会儿便听见门响，杨得满刚走了两步，李红露便把半罐子热尿兜头浇过来，李红霞说："你这头瞎了眼的驴，找便宜找到老娘头上来了！你麻溜地给我滚，要不我拿刀骟了你！"

但是，一年以后，李红霞还是嫁给了杨得满。杨得满穷虽穷，却是没爹没娘净身一人；丑虽丑，也是人高马大一条汉子，李红霞不缺别的，缺的就是个壮劳力，没有壮劳力哪来的工分？所以，李红霞就闭上眼睛把自己嫁了。

但是在一九六二年，李红霞满脑子装的都是潘家贤。日里想的是潘家贤，夜里梦的也是潘家贤。潘家贤就像一条藤缠在她身上，怎么挣也挣不脱。

实际上李红霞才是一根真正的藤缠住了潘家贤。一有机会她就跑去小学校，潘家贤后来吓得不敢一个人待在学校里，他把学生作业卷起来拿回家去批改，学生们前脚走，他后脚锁了门撒腿就跑，跑得比兔子还快。

李红霞就发扬穷追猛打落水狗的精神，一直追到潘家贤家里，装模作样地和杨秀青聊天。她对杨秀青说："你家里是不是养着一只不爱吃鱼的猫？猫不爱吃鱼，你说他爱吃个啥呀？"

杨秀青被她问得愣眉愣眼，说："我家没养猫，这年头，谁有闲心养猫，人还吃不饱呢。"

李红霞说："那我咋看见你家房顶上趴着一只大公猫，又不吃鱼又不逮耗子，就那么趴着。"

杨秀青说："红霞嫂子的眼神可真好，猫在房上趴着，你都能看出公母，我咋没看见？真要有，也是一只野猫。"

"是家猫。"李红霞斜一眼潘家贤说，"是一只挺好看的家猫。"

但是，不管在哪儿，潘家贤都摆出一副死猪不怕开水烫的架势，他啥都不说，就让李红霞可劲儿折腾，她总有折腾累了的时候，折腾累了她就该歇着了。

李红霞果然折腾累了，有好些天没见她的影子。有一天潘家贤在村街上碰见李红霞，李红霞拦住潘家贤说："潘老师，我求你个事儿。"

潘家贤有些紧张地说："啥事儿？"

"求你给我写封信。"

潘家贤说："我忙着呢。"他把夹在腋下的学生作业让李红霞看。李红霞说："我不管你忙不忙，你要不给我写这封信，我就让你出丑，我可啥事都干得出来。"

潘家贤看她恶眉恶眼的样子，真有些害怕，她要是在村街上浑闹起来，那他潘家贤的脸可没处放了。

潘家贤无可奈何地跟了李红霞走，一路上不停地给自己壮胆儿。李红霞则像一位得胜凯旋的将军，押着潘家贤这个俘虏雄赳赳地在村街上走，一边走一边对撞上的人说："我让潘老师给我写个信，我娘家兄弟从部队上来信了。"

但是，真的到了李红霞家，屋子里只有他们两个的时候，李红霞却哑了，除了拿眼睛直勾勾地盯着潘家贤，一个字都说不出。有几分钟，他们就那么尴尴尬尬地站着，站着站着李红霞的眼泪就流下来了。潘家贤一下子慌了，说："你哭啥你哭啥？"李红霞听了这话就不管三七二十一地扑过来抱住了潘家贤，潘家贤全身的肌肉一下子缩在一起，身体硬得像一根木桩。

李红霞说："我就是不明白，我除了年纪比你大几岁，哪点配不上你？你为啥不把我放在眼里？为啥不把我当人看？"

潘家贤硬邦邦地说："我说了，我是一只死猫。"

李红霞说："我不信，我不信你是一只死猫。你唬得了杨秀青唬不了我，你结婚这么长了从没睡过杨秀青，你是嫌她丑，可是我不丑，我是村里数一数二的俊媳妇……"

潘家贤一下子愣住了，他说："我没睡过杨秀青，你咋知道？"其实这话不消问潘家贤也知道是杨秀青把事情说了出去。他在这一刻特别恨杨秀青，他把这恨一下子移到李红霞身上，他把李红霞一把推开，一脸厌恶地说："做女人做到你这个份儿上，真是把人都丢尽了！"

李红霞忽地变了脸，一把扯开自己的衣襟说："你要不要？你不要，我就喊，我一喊，你就完蛋，我要让村里的男人把你揍个半死！"

潘家贤傻眼了，他摸不准李红霞是吓唬他还是真想这么干。

李红霞没有喊，但这句话却一语成谶。一九七二年，强奸事件发生后，潘家贤十分清晰地回忆起十年前李红霞说过的那句话，他想自己如果十年前要了李红霞，也许就不会发生七二年的事情了。

但在当时潘家贤却给李红霞跪下了。潘家贤说："求求你饶了我，你也可怜可怜杨秀青，她是个苦命人，生得那么丑，又刚刚死了爹，我和她结婚只让她担了个名分，她活得够苦了，你不能再雪上加霜了……"

李红霞愣住了，身体一点点凉下去。她走过去扶起潘家贤，但是，她的那双很长时间没碰过男人的手一接触到潘家贤的身体就忍不住产生了强烈的生理反应，她再一次抱住了潘家贤，像一只很久没有吃过麦子的母鸡那样疯狂地啄起了潘家贤的脸、脖子、耳朵、头发和手。潘家贤竟然也有了一些回应，他的身体不再僵硬，而是软软的，他就那么让李红霞亲了个够，然后从从容容地走出了屋子。

可是，就从这个夜晚开始，李红霞大摇大摆地走进潘家贤的梦里，在梦里，潘家贤和李红霞赤身裸体如胶似漆地黏在一起，他们成了世界上最快乐的男人和女人。这种梦境让潘家贤惊愕无比，但他无法阻止梦境的来临，他就那么在梦里和李红霞鱼水承欢。这种快乐的梦境甚至抵消了他的初恋，那个花蝴蝶似的女生从此在他的梦中消失，她真像花蝴蝶一样飞离了他，飞到不知啥地方去了。

一九六二年的夏天是一个酷热无比的夏天。天上没有一丝云，地上没有一丝风，南山坡上的青草还没到秋天就已经黄了身子，整个杨家峁子像被装进了热水瓶。许多生过一大堆孩子的女人索性就光着上身在自己家里进进出出，干瘦的乳房在胸前无精打采地垂着，像挂在树上的两只旧鞋。

闷热难熬的夏季像一把大扫笤扫光了人们的所有欲望，甚至连饥饿的感觉都

减轻了。

有一天黄昏，潘家贤在村街上看见了李红霞，李红霞就像没看见他一样，张着一双空茫茫的眼睛不知在看啥。潘家贤从她身边经过，彼此连招呼都没打。

潘家贤晃晃荡荡走出村子是去乘凉的。但到处都是热气，他最后叹息着坐在南山坡的一块石头上，他就那么呆愣愣地坐到很晚，脑子里空洞洞的啥都不想，直到满天星斗的时候他才回家。

家里的大门关死的，他十分熟练地从门缝伸进去一根指头把门闩拨开，有些疲惫地走进屋里，伴着他的脚步声，他听到杨秀青的一声尖叫，随着这声尖叫，他看见杨秀青正在用一盆凉水擦身子，杨秀青像看见老虎那样尖叫着："你出去！你别进来！"

但是，潘家贤已经把一切都看在眼里了。他看见杨秀青白白的身子像冬天的雪一样晶莹一片，杨秀青的两只乳房丰硕而肥美，翘翘的耸在她胸前。她的腰和臀连成一道很好看的弧线，涌进窗子的月光沐浴着她，看上去动人极了。潘家贤从来没正眼看过杨秀青，乍见之下，满脸错愕地僵在那里了。

一丝柔情这一刻从潘家贤心底涌出来，他差不多要产生冲动了。

但是，杨秀青把这一切破坏了。杨秀青瞪着一双惊恐的眼睛说："潘家贤，你出去，你咋还不出去？"

潘家贤就是被这句话惹恼的。一开始潘家贤还在想，杨秀青真可怜，竟然害怕自己的男人，竟然要把自己的丈夫赶出去，杨秀青作为女人，真是白来一世了。但杨秀青固执地赶他出去，让潘家贤一下子火冒三丈，他不但没有出去，反而冲过去抱住杨秀青，一脸凶相地说："我为啥要出去？你是我老婆，我不但要看你，我还要摸你，我还要……"

杨秀青本来要反抗的，但她想起了她爹杨成儒说过的话。那是在她结婚的头一天晚上，她爹把她喊住了，她爹当时有些结结巴巴，费了老大劲儿才对她说："你没娘，这些话只有我这个当爹的说给你了。你嫁了潘家贤，人就是他的了，入了洞房睡觉的时候，他要你咋你就咋，你要顺着他，女人都这样。"

杨秀青听得糊里糊涂，她所理解的就是凡事要听潘家贤的。所以，结婚的头一晚，潘家贤把铺在一起的两床被子拉开，一床拉到炕头，一床拉到炕脚，杨秀青觉得她爹说的恐怕就是这个事了。

原本要反抗的杨秀青没有反抗，她的身子抖抖的，凉凉的，湿漉漉的，像一只刚刚爬上岸的鸭子。

潘家贤本是要捉弄一下杨秀青，用以报复她刚才的喊叫。但他抱住杨秀青以后感觉就完全变了。杨秀青柔软光滑的皮肤一旦被他触摸到，马上被自己的身体接受了。他的手在杨秀青身上移动起来，移着移着就移到了那对乳房上，他的血一下子沸腾起来，不顾一切地把杨秀青往炕上拖。杨秀青完全傻了，身上没有了一点儿力气，软得像一根面条儿，她只顾得扯过一件背心把自己的脸盖上就被按倒在炕上，接着她就发出一声锐叫。

一九六二年的这个夏日夜晚，杨秀青终于走出了混沌之谷。

不是你的就别再勉强

知识青年林小燕住到杨维治家后，很快就和杨维治的老婆张秀英打成一片。张秀英是一个特别邋遢的女人，主要原因是她隔三岔五就给杨维治生一个儿子。林小燕住进她家的时候，她正怀着第七胎，她希望这第七胎是个丫头，因为前边的六个都是秃头小子，张秀英当时盼女儿的心情比我爹当初盼儿子还要强烈。

所以，林小燕一下子就成了杨维治家的女佣。她帮张秀英洗衣服做饭打扫院子喂猪照看孩子，忙得四脚朝天。许多时候，林小燕身上沾满了小孩子的屎巴巴，那些孩子随处大小便，稍不小心身上就粘了一块。搞得林小燕狼狈不堪，但林小燕脸上还是笑嘻嘻的，她对张秀英说："阿姨，没有关系，只有这样，我才能早日把自己锻炼成无产阶级革命事业的接班人。"

张秀英对阿姨这个称呼感到拐扭，她对林小燕说："阿姨是个啥东西？你就叫我大婶吧。"林小燕立马改口叫大婶。

有一天黄昏，杨维治把林小燕带到南山坡，他要跟林小燕谈话。他们分别坐在南山坡的两块石头上，当时村子里炊烟袅袅，各家各户都在做饭。隔着一段距离，林小燕看着村子里雾霭一样升起的炊烟，丝丝缕缕的往天上飘去，飘着飘着就散成千奇百怪的形状，林小燕觉得美极了，林小燕站在坡地上四下环顾，时值春暖花开的季节，坡地上长满了不知名的野花野草，姹紫嫣红尽收眼底。对面不远处是青牛山和凤凰岭，青牛山的山腰处有一座不知建于何年何月的小庙。小得像个火柴盒，带着几分陌生和神秘朝这边张望。所有这一切，诱发了林小燕许多美好的憧憬和幻想。林小燕从石头上站起来，满怀激情地说："太美了，真是美不胜收呀！"

林小燕转了一下身子，这样，她的身体就处于东边天际一片血红的晚霞中了。浓重的晚霞映红了林小燕的身体，她的整个人都散发着一股耀眼的红光，在杨维治看来，此时此刻的林小燕仿佛是飘然坠落凡尘的九天仙子，美得如同一颗珍珠、一块碧玉、一朵云彩、一只金元宝……杨维治的眼睛像死羊眼一样凝在了林小燕身上。

而这个时候的林小燕正在心里发出感慨。农村这个天地不但广阔，而且如诗如画。这种如诗如画的境界与省城的楼房柏油路真是霄壤之别的两番天地。怪不得毛主席要我们知识青年到农村来呢。只可惜自己来得太晚了。这种感觉一直持续到林小燕扛着一柄新锄头去凤凰岭修大寨田，不消两个钟头，她眼中如诗如画的广阔天地就再也没有美感可言了。那个时候她挥汗如雨,大口大口喘着粗气,模样完全像一匹刚刚拉了一天耠子全身湿透的马。

可在当时,林小燕站在一片血红的晚霞中激情万千。就在她站在南山坡,放眼全世界的时候,一只手像老鼠钻洞那样倏地一下从她的衣襟下钻了进来,掀开她的胸罩如一顶帽子那样扣在了她的乳房上。

动作之神速竟然让林小燕短时间内没明白这是怎么回事。她扭过头,就那么愣愣地看着杨维治。杨维治涎着一张脸,脸是红的,像涂了猪血,涂了猪血的脸上堆满难看的笑容、皱纹和脏兮兮的胡子。

大约十几秒钟之后,林小燕伸出手拿掉了杨维治的手。林小燕脸上没有任何表情,她甩下杨维治转身就往坡下走,她确实是走,而不是逃,她的思维在这一刻倏然中断,脑子里一片空白,满山遍野的花花草草在她眼中幻化成一张破床单别别扭扭地铺在那里。

杨维治的本事在于他能在瞬间工夫调整好自己的心态,他把自己弄成若无其事的样子追上林小燕把她截住了,他说,"我要和你谈话,你咋扭头就走呢?"

直到这时,林小燕的愤怒和屈辱才像刚刚挣脱地表的泉水一样喷射出来。但林小燕是一个特别有教养的城市姑娘,所以,她仅限于用愤怒把自己弄得全身发抖,她就那么颤抖着对杨维治说:"你想跟我谈什么?你就这么用手跟我谈话吗?你这么做是……"

林小燕当时说一口很好听的普通话,她当时想说你这么做是流氓行为,但她给自己和杨维治都留了退路,她把流氓行为改说成:"你这么做是很不正派的。"

杨维治听了以后就哈哈地笑起来,杨维治说:"你们到农村接受贫下中农再教育,就要和贫下中农肩并肩心连心,你们的心都可以和贫下中农连在一起,那么,我代表贫下中农摸摸你又有啥了不得呢?"

林小燕就像含了一块石头在嘴里,硬邦邦的辨不出滋味儿。她像第一次见到猫的小老鼠那样,不知是进是退,就那么愣愣地看着杨维治。

杨维治得意了,他一点儿都没犹豫地伸出一只手就把林小燕拉了过来。林小燕直到这时才开始了本能的挣扎,但是,小老鼠一旦被大花猫叼在嘴里,哪还有逃脱的可能?

林小燕在杨维治怀里挣扎了几下就挣不动了。杨维治就像孙悟空头上的紧箍咒那样把林小燕越箍越紧,到后来,他的一张臭嘴正好对着林小燕的脸。有一刻,他们的目光撞在一起,谁也没有躲闪,杨维治眼里的几道血丝都被林小燕看得一清二楚,林小燕不知怎么就笑了。这一笑把杨维治吓了一跳,杨维治说:"你笑啥?"但是林小燕不回答,而是放开嗓子唱起了《北京的金山上》,歌声像一群宿鸟在南山坡上乍然飞起,吓得杨维治一下子把林小燕放开了。林小燕转身就往坡下走,一边走一边唱:"毛主席就是那金色的太阳……"

杨维治看着林小燕往坡下走，气得咬牙切齿，他想：城里的丫头真是难弄，一肚子花招儿。林小燕唱歌，等于是在喊救命，林小燕的歌声一起，村头就有人往南山坡上望，《北京的金山上》就像一匹骏马，驮上林小燕回家。

这之后，林小燕不止一次地用《北京的金山上》对付杨维治。有一次是在杨维治家里。那天杨维治跟自己老婆扯了个谎，他对张秀英说："你娘病了，捎了口信让你回去看看。"张秀英抱着最小的孩子回了娘家，晚上杨维治就钻进林小燕的屋子里。也怪他心急，那时候才晚上九点多一点儿，林小燕正坐在炕上补袜子，看见杨维治鬼头鬼脸地进来并顺手拨上了门闩，林小燕一秒钟都没耽搁就唱起了北京的金山上。林小燕一唱，杨维治刚刚睡下的几个儿子就从另一间屋子里跳出来，排着队来敲林小燕的门，结果开门的是他们的爹。他们进去就给林小燕鼓掌，像一队松鼠那样整齐地排在那里观看演出，把杨维治气得肝儿疼。

可在当时的南山坡上，杨维治却有些沾沾自喜。他认为自己已经取得了基本的胜利，因为他对林小燕行动了两次，林小燕都没有喊人也没有翻脸，这就说明林小燕是心存畏惧不敢得罪他的。既然这样，就不愁没有机会，心急吃不了热豆腐，杨维治展望未来，心中充满希望的曙光。

有一天上午，林小燕在村街上看见一个男人。这个男人白白净净斯斯文文，穿一件已经很旧但却洗得干干净净的学生蓝制服。他的脸上带一抹温和的笑，两只好看的眼睛配一对高挑的剑眉，看上去又阴柔又刚毅。他的身体流畅笔挺，走起路来很自然地流露出一些艺术气质。林小燕有些诧异地想：杨家峁子怎么会有这么一个出类拔萃的男人呢？这个男人似乎与杨家峁子是两回事，如同鸭群里的一只鹅，这个男人太醒目了，他的英俊他的浓浓的书卷气立刻吸引了林小燕。

一九七二年的时候，潘家贤已经三十三岁。但由于常年闷在教室不下地的缘故，他的皮肤一直是白白的，身体也没有变化，还是十年前那副瘦瘦的样子。一九六二年的时候，他和杨秀青经常关起院门在家里偷偷吃白面烙饼或者面条儿。他的胃里总是满满的，从来没有饥饿的感觉。有的时候他会担心杨成儒积存多年的麦子会把他喂胖，他怕自己一天天胖起来，村里那些一天天瘦下去的人一定会感到奇怪。但是他没胖，他就像出自木匠手中的一只柜子或一条板凳，是定了型的，不会再变的。十年前的旧学生装穿在他身上依旧合体。所以，林小燕眼中的潘家贤最多也就二十五岁。

让林小燕和潘家贤很快熟悉起来的是杨维治。有一天杨维治把林小燕带到小学校，他让潘家贤和林小燕合作，两天之内写出二十张革命大批判的大字报。这些大字报必须贴满大队部临街的那面墙壁。因为两天之后公社革委会主任要来杨家峁子。公社革委会主任很欣赏杨维治，曾经说过要把杨维治提拔到公社当副主任。所以，这几天杨维治就像二八月的狗一样满村子乱窜，弄卫生刷标语还要搞一个大批判专栏。

杨维治当时扔下两本《红旗》杂志和几张报纸就急匆匆地走了，因为有人跑来喊他，他老婆张秀英把孩子生在了猪圈边。张秀英拖着大肚子去喂猪，不小心让猪圈的木栅栏硌了一下肚子，张秀英捂着肚子哎哟一声蹲下去，他们的第七个儿子就迫不及待地钻出来，掉在张秀英的裤裆里了。

直到十几天之后，杨维治才发现情况不对。林小燕收工之后不再帮他们洗衣服做饭照看孩子，而是慌慌地跑出去。杨维治有一次跟在林小燕后边，看见她一阵风似的往小学校跑，杨维治尾随而去，隔着老远，就听见林小燕笑得像一只发情的鸽子，和潘家贤坐在一条板凳上不知在说啥，说几句笑一阵，说几句笑一阵，潘家贤不停地用手捋自己的头发，不出声地笑，把脸对着林小燕。

杨维治一下子气炸了肺，脸色绿得像一根老黄瓜。

杨维治不气别的，只气自己下了那么多工夫，花了那么多心思，却都是石板上种庄稼，光见撒种不见长苗。林小燕到他这里就唱《北京的金山上》，而潘家贤那个臭小子，背地里不知对林小燕干了些啥，可林小燕从来不唱《北京的金山上》，而是咯咯地笑，她可从来没对我这么笑过一回。

杨维治这时候对潘家贤的恨就不是一般的恨。这个时候，如果有人告诉他潘家贤睡了他老婆张秀英，他也不会这么恨。张秀英算个啥，比不上林小燕的一个脚趾头。

杨维治憋了一肚子气，脾气就坏得像一只烂茄子。本想再斗一斗地主杨成轩出出气，但杨成轩已被斗得像一头死猪了，再斗也没啥意思。所以，他就瞪着一双牛眼骂张秀英，骂张秀英像猪一样生了这么多孩子，一天到晚烦死人了。张秀英说："不是你说有一得一吗，老天爷给咱多少就要多少吗？"杨维治就摆出一副要杀人的架势说："我要你下个金马驹儿，你下得出来吗？"

有一天傍晚，杨维治在村街上撞见杨巧莲的爹杨得池。杨得池一脸讨好巴结地对他说："杨主任，给你说个事儿行不？"

杨维治横他一眼说："啥事？"

杨得池说："我家二小子，打去年就哭哭喊喊要去当个兵，今年征兵的事下来，你能不能拨一个指标给咱家？"

杨维治拿出一副训人的口气说："你家二小子那个操性，部队上能要他？再说，每年公社给村里的只有两个，一时半会儿就轮到你家了？你梦想梦想也就算了。"

杨得池转身就骂："杨维治，我日你娘！"骂过之后又紧着打了自己两个嘴巴。这个娘可是日不得，论起来，杨维治的娘是杨得池的远房表姨。

杨维治在村街上看见潘家贤，脸上还是笑笑的。倒是潘家贤显得不自然，因为林小燕把一切都说给他了。林小燕把一切说给了他，他就觉得自己亏欠了杨维治啥，仿佛林小燕是杨维治的啥啥人了。并且潘家贤给林小燕出了主意。他对林小燕说："你以后用不着再唱北京的金山上。中央有个二十六号文件，是专门保护你们女知青的，你往后就拿这个吓他，他胆子再大，也不敢对抗中央文件。”

所以，见了杨维治，潘家贤就不自然，就心虚。其实他也没必要心虚，他和林小燕只是在一起聊天儿，林小燕让他想起了初恋，十九岁的林小燕有许多地方像那个花蝴蝶似的女中学生。

杨维治心里急，就加紧了对林小燕的骚扰，经常冷不防地在林小燕身上抓摸一把。林小燕越来越精神，没事就泡在张秀英身边，张秀英成了她的保护人。杨维治这个时候的心情，就像一只猫看着煮在锅里的鱼，馋得口水四溢，就是下不了嘴，只能闻味儿，闻味的滋味儿不消说是很难受的。所以，杨维治就把一肚子火气移到张秀英身上，有一天无缘无故把张秀英揍了一顿，张秀英一怒之下回了娘家，杨维治一下子乐了。

到了晚上，林小燕用一把菜刀把门闩别死，这样杨维治就无法从外面拨开门闩钻进来。可到了半夜，杨维治还是进来了。林小燕听见窗户一声响，杨维治像蝙蝠一样飞了进来。林小燕一下子跳到地下，想打开门跑出去，但她忘了门闩上别着菜刀。拉了几下都没有把门闩拉开，而这时候杨维治已经扑到她身边了。

杨维治扑过来并没有像往常那样强迫她，而是扑通一声给她跪下了。杨维治说：“求求你别唱，半夜三更的，你可不能唱，咱就这一回，就一回行不？”

林小燕就没唱，林小燕说：“杨主任，你就死了这条心，我不属于你，不是你的就别再勉强。你要是敢碰我，我就去县知青办告你。中央早就下达了二十六号文件，是专门保护我们知识青年的，我想你是不愿意进监狱的吧？”

林小燕停了一下又说：“我不能再住你家了，我要搬出去住。”

杨维治说：“你想去谁家？”

林小燕说：“我跟杨得水副主任请示了，我要去潘家贤家，他家里人少房子多，你们家太挤了。”

杨维治冷笑了两声，一句话都没说，拔下门闩上的菜刀转身就走。

华容道的另一种走法

何苹是我妻子，比我小四岁。三十岁的何苹在一九九五年根本无法理解一九七二年发生在杨家峁子的那些事。何苹尤其不能理解杨秀青的自杀。何苹说：“杨秀青为啥要自杀？就算潘家贤成了强奸犯，杨秀青完全可以离婚再嫁，她就那么一死了之有啥意义？她怎么能把自己当成殉葬品呢？”

一九七二年，潘家贤出事的时候，林小燕因患急性肠胃炎住在公社卫生院里，她对杨家峁子发生的事一无所知。她从卫生院回到杨家峁子的那天上午，村里人都下地了，村街上冷冷清清的，林小燕一点儿都不知道潘家贤已被抓走三天了。

潘家贤家的大门是关死的，林小燕伸进去一根指头把门拨开，截止到那天，她住进潘家贤家已经一个多月了，她对这所院子已经熟悉得不能再熟悉。她同时也成了杨秀青的知音。她对杨秀青生着半张黑脸一点儿都不大惊小怪。她在省城见过比杨秀青还要丑陋百倍的女人，在她眼里，杨秀青的半张黑脸根本不足为奇。她鼓励杨秀青把头巾摘掉，她说："秀青大姐，你就这么光着脸多出去走走，你把你的脸随便让他们看，看多了就习惯了。你这么常年把自己关在家里比出家尼姑还不如，尼姑还要下山化缘呢。"她同时安慰杨秀青说："你长得不难看，你的五官一点儿毛病都没有。更何况，你有潘老师这么一个有文化的丈夫，这在农村是很难得的，别的女人都比不上你，你有什么可自卑的呢？"

接下来，她给杨秀青描述那些她在省城见过的丑女人。她首先描述了一个白发白肤眼睛血红的女人。她说那个女人皮肤惨白没有一点儿血色，眼睛却比兔子眼睛还要红。头发是白的，眉毛和睫毛也是白的，看见她的人都会被她吓一跳，可她却谁也不怕，就那么提着菜篮子在街上走，一边走一边眯缝眼睛流眼泪。当然她不是在哭，她的眼睛是被阳光刺激出来的。

林小燕还描述了一个生着半只鼻子的女人。她的嘴角和半只鼻子揪连在一起，眼睛是烂的，翻出粉红色的肉，谁看了都恶心，可她自己却满不在乎，就那么在街边撕大字报纸。

林小燕说："她们都不怕见人，你有什么好怕的？"林小燕说完了就试着去揭杨秀青头上的花头巾。杨秀青尖叫一声捂住脑袋，十分坚决地说："不行！"但杨秀青心里是感激林小燕的。她对林小燕说："你用不着宽我的心，咋都是一辈子，我这辈子就这样了。原先我还指望生两个孩子，可我连孩子都不会生，我是不敢有啥指望了。"

提到生孩子，林小燕就显得束手无策了。但是她懂杨秀青的心，她有些悲哀地想：一个生着半张黑脸又不能生孩子的女人，她的命运注定不会好到哪里去。

从公社卫生院回来的林小燕，特意去供销社为杨秀青买了一块药皂，她幻想着杨秀青用这块药皂洗脸能减轻她脸上的黑色。

林小燕拿着药皂走进院子，没有看见坐在院子里编筐的杨秀青，只看见两只老鼠惊慌地逃窜掉，院子里死寂死寂。林小燕走过去推开堂屋的门，立马发出一声惊天动地的尖叫，她看见杨秀青悬在房梁上。杨秀青穿一身红色的棉衣棉裤，头巾也是红的，她像一盏红灯笼挂在房梁上。她是什么时候把自己挂上去的，林小燕不知道，林小燕尖叫过后竟然没怎么恐惧，她的眼泪一下子流下来了，她想：杨秀青为什么非要把自己的人生演成悲剧呢？

如果说，一九七二年的林小燕还能对杨秀青产生出悲哀和同情，那么到了一九九五年，我的妻子何苹对杨秀青之死则毫无悲悯之意。她认为杨秀青是一个不知道热爱生命并且糊涂到一定程度的农村妇女。这种农村妇女本身不具备什么价值,而且又不肯去创造价值,所以她的死根本不值得一提。何苹同时还对潘家贤当年的软弱和屈服嗤之以鼻。何苹说:“即使潘家贤为了保住自己的一条命而屈打成招,那么,到了公安局他为啥不悔供?公安局是天底下最讲道理的地方,他为啥不相信法律?为啥不找律师?”

何苹哪里知道,一九七二年是一个没有什么道理好讲的年代,法律何在?律师又到哪里去寻?

何苹之所以对潘家贤的事情说长道短,是因为潘家贤不止一次地去我家诉说冤情。一九九五年的潘家贤还在为昭雪自己的不白之冤而到处奔走。潘家贤有的时候充满信心,有的时候又绝望透顶。而实际上,人们对潘家贤是不是真的强奸过女学生已经毫无兴趣。即使在杨家峁子,潘家贤的身份也变得暧昧起来。村民们早就不再用看强奸犯的眼光看他。潘家贤每一次回杨家峁子都怵去杨维治家里闹,已经六十多岁的杨维治早就弓背弯腰像一只老鸵鸟。他被他的七个儿子压得喘不过气来。他现在想的是如何盖几间新房,为他的儿子们讨上老婆。他的七个儿子只有两个讨了老婆,另外五个则像五只饥饿的老虎那样恨不得把杨维治的皮扒下来替自己去换老婆。

所以,杨维治根本没有心思理睬潘家贤。他对潘家贤说:“你强不强奸杨巧莲关我屁事,你想闹就到石碾子上去闹,你还可以去南山坡上闹,看看有没有人听你的。”

杨维治的儿子们有一次被潘家贤闹烦了,他们冲出来要把潘家贤揍一顿。但杨维治把他们拦下了,杨维治说:“他倒愿意你们揍他,你们揍了他他就有话说了。”

那个时候,潘家贤站在杨维治家门前,除了无可奈何再没有别的念头了。他看一眼满头白发的杨维治,有些怀疑他是否就是当年的杨维治?那个时候的杨维治多神气呀,像一头百里挑一的种猪哼呀哈的在村街上走。现在呢,他像一条疲倦的老狗蹲在门前卷着旱烟筒,两眼无神,像两只没底的破水桶。现在,他除了有几间破房和一堆没用的儿子其余啥都没有。他的七个儿子和年轻时候的杨维治一个操性,好吃懒做,没有一个争气的,没有一个肯出去替他们的爹赚些钱,没有一个能自己讨个老婆回来,他们像七只猪崽子只会叼着老母猪的奶头不松嘴。所以,杨维治才穷得尿不臊屁不臭,那不是在过日子,是在熬日子。他现在连潘家贤的一个脚趾头都不如,潘家贤有钱,有自己的废品收购站,县城的银行里存着六万多块钱,比你杨维治强了百倍!

这个时候的潘家贤,除了自己安慰自己,还能咋着呢?

潘家贤一脸沮丧地离开杨维治家,他在村街上走,脑子里乱糟糟的,像被人塞进去一个草垛。他回杨家峁子连自己的家都不回,他的这个家随着杨秀青的死已经变成一个空壳,一件旧得不能再穿的破衣服。那里边除了空空荡荡,没有他需要的任何东西,他现在想要的东西没人肯给他,这个东西又没地方卖,如果有卖的,花多少钱他都肯买，买回一个清白，他就是死也踏实了……

灵感就是在这一刻产生的。它像一颗彗星划过黑漆漆的夜空，潘家贤像被施了定身术一样站在那里不动了。他像一颗长在田里的高粱一样一动不动，很久以后他才扭过身子，隔着半条村街，他还能看见蹲在门前抽旱烟筒的杨维治。

他再一次朝杨维治走过去。

杨维治闭着眼睛倚在门框上，不用睁眼他就知道是潘家贤又回来了。

杨维治闭着眼睛说："你就死了那条心，强奸犯这个名声就像你裤裆里那砣东西一样长在你身上了。你活着，那名声就活着，你死了，那名声还活着。你想黑变白，做梦想想也就算了。"

潘家贤从杨维治嘴上拔下那半截旱烟筒，从自己口袋里摸出一支石林给他插进嘴里，柔柔地说："杨维治，咱丢开那件事不说，我现在跟你商量个事你可愿意？"

杨维治哼叽了一声："啥事？"

潘家贤说："你把你那两只鸟眼睁开跟我说话，你又不是死人。"

杨维治把眼睛睁开了。

潘家贤说："我想问问你，你现在最想要的东西是啥？"

杨维治又把眼睛闭上了。

潘家贤接着说："你知道我现在最想要的东西是啥？"

杨维治放了个屁。

潘家贤说："你最想要的东西是钱，我最想要的东西是清白。我给你两万块钱，你还我个清白，咱们两不亏，这宗买卖你看咋样？"

杨维治倏地一下把眼睛睁开了："潘家贤，你放屁也不挑个地方！你给我两万块钱？你一个臭捡破烂儿的，你哪来的两万块钱？"

"你不信我有钱？你为啥不信？说起来我还是托你的福，当初是你让我出去挣钱，省得老了臭在屋里没人管。我听了你的话就出去捡破烂儿，捡来捡去捡得满口袋都是钱。"

"你真有两万块钱？"

"我不骗你。骗你，我是你儿子。"

"我有七个儿子，不缺你这档货。"

"两万块钱你想不想要呢？又能给儿子讨老婆又能盖新房，这好事打着灯笼你去哪里找？"

"你咋就认定是我陷害了你？"

"除了你还有谁？杨巧莲能害我？她爹她娘能害我？林小燕去县上的看守所看我，她说就是你捣了鬼，你到底是咋捣的鬼，我咋就想不出来呢？"

"你当初把林小燕弄成了没有？"

"你都啥年纪了？咋还问得出这话？我潘家贤是那号人吗？"

“我把实情说给你，那我这张老脸往啥地方放？”

“你早就从杨家峁子的政治舞台上滚下来了，你那张破脸值几个钱？一文不值！可我给了你高价，两万，你找地方偷着乐去吧！”

“我说了实情，你给我两万，完了，你还想咋？”

“我还想咋？我去告你呀，告你陷害我！”

“我一把老骨头了，你就那狠心？你能不能不告？”

“我不能太便宜了你，我冤枉呀。为这事我跑了十年，我像神经病一样到处去说到处去问，我的腿都跑细了，我不能背着强奸犯的名声到棺材里去。我给你两万块钱为了啥？我不能不告你？那不美死你？为这事，二十几年我没回黄岗，我爹我娘到死都不认我这个强奸犯儿子。为这事，我老婆上吊，虽说她是自杀，可其实是你把她害死的。为这事，杨巧莲三十大几了嫁不出去，没脸出来见人。你摸摸自个儿的心口窝，你损不损？你缺不缺德？你下辈子还能托生人吗？”

“我真缺了德？”

“你缺了大德。”

“潘家贤，日你娘的，你给我滚！老子不要你的钱，老子穷死了也不要你的钱，老子就是要你把这个黑锅背到阎王那儿去！”

杨维治就像一条野狗，脸子说变就变了。潘家贤看着杨维治走上台阶迈过门槛然后把大门关死，潘家贤就觉得杨维治把他的生路堵死了。潘家贤这回是真的绝望了，知道自己永无清白的那一天了，所以，他站在杨维治家门前呜呜地哭了起来。

潘家贤返回县城的当天晚上就去找我。何苹听他讲了以后摊开双手说：“潘老师。你算是彻底完蛋了，你连这招儿都使上了还不管用，就是神仙也没辙了。这年头，还真有只认死理不认钱的人，这个杨维治，也算个人物了。”何苹后来劝潘家贤说：“潘老师，你就认了吧，找个老伴儿安度晚年，那本旧皇历就不要再翻了。”

潘家贤流着眼泪说：“我心里不舒坦呀，我像得了癌症似的全身难受呀，我死不瞑目呀……”

事情的戏剧性变化发生在三天以后。杨维治的三个儿子跑来县城找潘家贤。他们笑模笑样地对潘家贤说：“潘叔，那事我爹愿意了，你带上钱回杨家峁子吧。”

潘家贤半信半疑地说：“你爹真愿意了？愿意我把他告到监狱里去？”

“他敢不愿意，他不愿意看我们咋收拾他……”

潘家贤当即领着杨维治的三个儿子到县政府找我，他把事情讲了以后，忧心忡忡地问我：“杨六一，你说这事是真的吗？”

我看了一眼杨维治的三个儿子，然后把握十足地说：“他们没理由骗你，这事是真的。”

潘家贤有些紧张地说：“那我该咋办？”

我说："带上钱去洗雪你的冤枉，还能咋办。"

潘家贤看我一眼，声音颤抖着说："那我……我这就跟他们去……"

一九七二年的那个晚上，杨巧莲正在堂屋里帮她娘剁猪菜，隔着大门，有人在外面喊："杨巧莲，潘老师让你去学校哩！"杨巧莲用她娘的破围裙擦了擦手就去了学校。

学校里黑漆漆的，杨巧莲把头伸进教室怯声声地喊："潘老师，你在哪儿呢？"杨巧莲刚刚喊完，就一下子被人拖进了教室。杨巧莲就傻乎乎地笑起来说："潘老师，你跟我藏猫猫儿呀？"那个人不说话，上来就撕扯杨巧莲的衣服、揪她的头发。杨巧莲还是傻乎乎地说："潘老师，你扯我的衣服干啥？"那个人还是不说话，他开始在杨巧莲身上乱掐乱拧，并且打她的嘴巴。杨巧莲这才开始挣扎，一边挣扎一边哭着说："你是谁呀？你是不是潘老师？"那人在黑暗中使劲儿地点头，杨巧莲说："你打我干啥，你掐我干啥？"那个人这才捏着半条嗓子说："我这是强奸你呢？"说完就放了杨巧莲，杨巧莲就哭哭啼啼往家走，到家就对她爹杨得池说："潘老师把我强奸了。"

杨巧莲后来对她爹说："那个人说话的时候嗓子尖尖的像一只公鸡，不是潘老师的声音。"

杨得池也觉得这事蹊跷，第二天下午他去找杨维治，他对杨维治说："半夜里我又问了我家丫头，她说那个强奸犯说话哑哑的，不像潘老师，潘老师不抽烟，那个强奸犯满嘴烟味儿，潘老师厚厚道道一个人，咋会强奸我家丫头呢？"

杨维治看了杨得池老半天才说："那你说强奸你家丫头的是谁？"

杨得池答不上来，杨维治就卷了一个旱烟筒给他说："这话你可不能乱说，乱说是没有好处的。"

杨得池疑疑惑惑地往家走，走了没几步就被杨维治追上了。杨维治拦住他说："你家二小子不是想当个兵吗？今年的指标下来就让他去。"

杨得池一下子喜出望外，说："杨主任你说的是真的？"杨维治难得一笑地说："我能蒙你？"杨得池就笑。杨维治又说："我刚刚嘱咐你的话你可记下了？"杨得池鸡啄米似的点着头说："记下了，记下了，不敢乱说。"

杨得池回到家就对杨巧莲说："强奸那个事谁要问你，你就日他娘，别的啥都不许说，说了，我打断你的腿！"

杨巧莲的二哥杨建军这年冬天真就去当了兵，走的时候美滋滋的眼睛都笑没了。他当的是铁道兵，一九七四年秋天，在一次隧道施工中因意外塌方牺牲，时年二十岁。

这一天是一九九五年的最后一天，杨维治站在自家台阶上像说评书一样把事情说了个明明白白。杨维治身边张龙赵虎王朝马汉站了四个儿子，这四个儿子听他们的爹说完了就给他们的爹鼓掌，就像当年给站在炕上唱《北京的金山上》的林小燕鼓掌一样，鼓得兴致勃勃。杨维治听了掌声破口大骂："我日你们的娘!"然后他就把一颗花白的脑袋垂了下去，一直垂到裤裆里。

村民们听了以后怔怔的，怔了很久才有人问："这么说，是你强奸了杨巧莲?"

杨维治说："我没强奸杨巧莲，我只是把她打了一顿。"

"你咋这歹毒? 你为啥这么害潘家贤?"

"都怪那个知青林小燕，她搬到潘家贤家去住，一下子把我气疯了……"

一九七二年发生的事情就这么简单，简单得如同一个孩子的恶作剧，这个恶作剧像一座山，差一点儿把潘家贤压扁了。

一九七二年的事情像一艘沉船，隔了二十三年，终于被打捞上来了。

二十三年前的潘家贤被打得像一只烂冬瓜也没掉一滴眼泪，二十三年后的潘家贤却像女人一样坐在地上哭了起来，他像娘们儿一样拍打着黄土地，他的声音像黄尘一样在村街上飞扬起来，他说："乡亲们，乡亲们呀……"

鸟 入 林

一九九六年春节，我带妻子何苹回杨家峁子过年。刚刚下过一场雪，满世界银装素裹皑皑一片，天地间白光烁烁刺得人睁不开眼睛。我们踩着吱吱作响的积雪走进村街，走着走着便看见白雪之中有了一点儿一点儿的红，走近了，看清了那是燃放鞭炮时遗下的红纸屑，遍地都是，像是玫瑰花的碎片洒落一地。我对何苹说："谁家刚刚办过喜事。"

这时候李红霞穿得圆滚滚的走过来，我站住喊道："三大娘，大雪天也出来串门呀?"

李红霞眯缝着眼睛说："是六一呀，回家过年了?"

我忍不住好奇说："咱村谁家办喜事了?"

李红霞说："咋，你还不知道? 你潘老师昨儿刚刚讨了老婆，快去道个喜吧。"

我和何苹都颇感意外："潘老师娶了老伴儿? 哪村的?"

李红霞卖关子说："就是咱村的，你猜猜是谁?"

我瞪着眼睛猜了半天也猜不出是谁。

李红霞说："亏你是个大干部，一肚子文化，连这都猜不出? 咱村嫁不出去的老姑娘有谁呀? 不就一个杨巧莲吗……"

（选自《红岩》2000 年第 6 期）

戴雁军

1960年出生，天津人。1982年毕业于天津财经学院。2004年就读于鲁迅文学院第四届高研班。1986年开始文学创作。2005年加入中国作家协会。著有长篇小说《大江东去》《高处不胜寒》，发表中短篇小说、散文、影视文学剧本等220多万字，担任编剧的影视文学剧本近200部（集），已拍摄完成《大江东去》等五部长篇电视连续剧120集。所创作的小品在中央电视台举办的全国戏剧小品大赛中连续两届获奖，电视剧《游戏规则》（28集）获辽宁省“五个一”工程奖，小说作品多次被《中篇小说选刊》《小说月报》《中华文学选刊》等报刊选载或连载。

状告村长李木

张 继

贵祥到城里去告李木，去了三天连市政府的大门都没有进去，这个结果是他无论如何也没有想到的。

来的时候他太乐观了，他还给老婆徐钦娥说，第一天到，第二天见市长告状，第三天他差不多就能回来了。

他说：带三百块钱的路费就行，一天一百块钱怎么花都够了。

可是徐钦娥坚持要他带五百，徐钦娥说：出门在外多带点钱没有错，花不了你再带回来就是，一个大男人，多带点钱还能累着你了。

徐钦娥到底见的世面多一些。她在镇上摆了一个服装摊，有时候也坐着车到外面进进货，曾经到徐州去过。她的服装摊花花绿绿的，尽是些女人的衣服，也挣不了多少钱，但是无论她挣多挣少，都是自己攥着。这样这点小钱拿在一个女人手里就显得多了，有点儿不知道怎么花，就学起了抽烟，用两根粗粗拉拉的手指夹着，又夹不好，有一天一不小心半截烟头子掉到一打女人的裤头里，火就着大了，把那一打女人的裤头烧光了不说，还差一点儿烧熟了与她服装摊挨在一起的鱼摊上的一条鲤鱼，吓坏了，就把烟戒了，再也不敢吸。

徐钦娥原来在村里种地，后来他们家的地被李木卖了，她就到镇上卖服装。刚摆摊的时候，她就想让贵祥去告李木，可是那段时间生意特别好，一个人忙不过来，贵祥就留下来帮她；现在生意淡下来了，贵祥就闲着没事，整天和相邻服装摊的女青年小胡几个人打牌，嬉皮笑脸的，她怕贵祥弄出什么不好的事来，就给贵祥说：你去告李木吧。

贵祥对生意上的事一点儿也不在行，经常发生算错账的事情，没少挨徐钦娥的骂，平常做梦都想离徐钦娥远一点儿，听了这话就很高兴，说：好，我去。

他就去了。

去的那天还放了一挂鞭炮，鞭炮是徐钦娥提出来放的，依着贵祥的意思，这告状的事情最好悄悄地进行，可是徐钦娥说：咱这是光明正大地告，怕什么，再说放一挂炮震一震，也显得吉利。

就放了，贵祥是踩着鞭花踏上告状之路的。

他们要告的人叫李木，是贵祥那个村的村长。他把贵祥那二亩好地卖给人家建房，又给贵祥家换了二亩差地，贵祥嫌地太差，坚决不要。两个人就吵了起来，贵祥还用砖头把李木的头打破了，李木流了一脸血，到医院里缝了五针。给他做手术的是一个刚刚到医院的实习生，他把那五针缝得像五十针一样，李木的额头上就留下了五分钱硬币一样的大疤，李木越看越难看，一生气连那二亩差地也不给贵祥了。

贵祥当然是不愿意的，就到镇上去告他，镇长李向圆却说：李木卖地是为了还镇上的账，没有错，卖完了你们家的地又给你们补了二亩也是对的。至于贵祥嫌地差，那是观念问题，应该转变。如果说到错的话，倒是他贵祥错了，他不该把李木的头打破。最后镇长李向圆说：李木的风格还是挺高的，没有让你赔医药费就不错了，你不该再告他。

贵祥的脾气有点不太好，他听了李向圆的话以后，觉得李向圆是向着李木，说李向圆和李木穿一条裤子。这和成语里的狼狈为奸差不多，李向圆就气得要命，说：好，好，我处理得不公平，你去找公平的地方去吧。

贵祥说：当然。

最初贵祥想到县里去告，可是卖服装的小胡说：县里那几个当官的不行，整天就知道吃吃喝喝搞腐败。小胡还举了个例子，说，他有一个表叔，在县里开了一个饭店，单是县政府的饭钱就欠了好几十万。告了三年了也没结果，你想他们自己吃的饭都这样，别说你这二亩地了。最后又说，你去了怕是也告不赢，既然告了，倒不如去一个大地方，一下子告到底，省事了。

小胡虽然是个女的，但是上过职业中专，在这街道上也算是一个脑子宽的人。贵祥觉得有些道理，和徐钦娥一商量，徐钦娥也觉得市里要比县里好一些，只是她觉得市里太远了，她说：二百多里路呢，太远。

贵祥去过几次市里，那都还是结婚之前，有好几年了，他很想借这个机会到市里看看，就说：说远也不远，就几个小时的路。

徐钦娥原来还担心贵祥嫌路远不愿意去呢，没想到他这么痛快，她想了想，怀疑这里面是不是有什么问题，她说：你是不是把去市里当作了旅游。

严格起来讲，贵祥不是把这次进城当作旅游的，他发自内心地想把村长李木给告下去，他很严肃地说：徐钦娥，你把我看成什么人了，我贵祥快四十的人了，又不是小孩子，你要觉得我是当作旅游，我就不去了，行吧。

徐钦娥见贵祥这么说，就不说什么了，不过，临走的时候给他写了个手机号码。徐钦娥没有手机，号码是小胡的。徐钦娥要贵祥有什么不好的事就打这个电话，然后让小胡转告她。

贵祥答应着上了车,不过到现在他一个电话也没有打,不打的原因不是所有的事情都很好,很顺利,而是不好不顺利的事情太多。先是他坐的汽车在路上爆了胎,然后是他一下汽车就转了向,接着他在汽车站门口一个小吃摊前吃面条的时候把人家的一把椅子坐坏了,开饭店的是一个妇女,胖胖的,很凶,挥着一把勺子就出来了,要贵祥赔。贵祥觉得这一点道理都没有,他不高兴地说:是你的椅子不结实,摔了我一下,我还没说呢,你倒先说了。

那妇女说:椅子是你坐坏的,怎么说都与你有关系。

贵祥想到了他来的路上坐的那辆汽车,笑了,说:照你这么说,我来时坐的汽车打炮了,修车的钱也该我出?!

那个妇女一下子就被堵住了,不过她仍然不放过贵祥,她说:修车的钱谁出,我不问,我的椅子钱,你必须拿。

贵祥觉得这个女人太不讲道理,比村长李木还不讲道理,就有些生气,说:我要不拿,你能怎么着。

那个妇女没想到贵祥能说出这样的话,吃惊了一下,但是马上就说:你要不拿,我就不让你走。

贵祥从家里出来的时候就计划了一下时间,正常情况他下午两点多一点儿就能来到城里,可是路上车胎爆了,耽误了两个小时。现在是晚秋,阳光已经有些暗了,他还没有来得及找住宿的地方。听了妇女的话,他一下子想到了这件大事,他说:你不让我走正好,我正没有地方住呢。

贵祥一边说着一边打量着妇女的小店,小店不太干净,里面还放了一些桌椅板凳,不过贵祥想凑合一下也行。

那个妇女却说贵祥是想讨她的便宜,嗓门不由得高了一些,就引得几个人过来看热闹。

贵祥一点儿也没怕她,说:是你要留我,又不是我要留下来,你怎么说我讨你的便宜?再说了,你也没有徐钦娥漂亮。

贵祥说着还拉住一个吃面条的人给他作证,说:你说我说的是不是真的?

那个吃面条的人咽了一口面条说:是真的。说完又喝自己的面条去了。

贵祥就得了理,向众人笑笑,说:我没说错吧。

众人便都看那个妇女,眼光自然都不太好,妇女就有些发急了,冲贵祥说:算我倒霉,你走吧。

妇女说完,拾起那把破椅子,转身向店里走。

贵祥忽然想起一件事,又把那个妇女叫住了。

妇女没好气地说:你叫我干什么,赔我的椅子啊?

贵祥说:我想向你打听一下,到市政府怎么走。

那妇女转了一下眼睛，说：你去市政府啊，顺着这条路一直向东走，什么时候看到市政府的牌子什么时候停下来。

贵祥道了谢，转身却向西边去了。那个喝面条的人看了他一眼，“喂”了一声，说：女老板告诉你市政府在东边，你怎么往西边去了？

贵祥回了一下头笑着说：我刚跟她吵完架，她这么痛快地告诉我，方向一定是相反的。

那个喝面条的中年人笑了，说：你这人有些意思，不是本地人吧，来干什么的？

贵祥说：我来告状。

那个喝面条的人笑了，说：这年头你告什么状，有告状的时间，不如想法挣点钱呢。我看你体格不错，能出力，我是搞装修的，手下缺少你这样的人，跟我干吧，不会给你亏吃的。

贵祥看了看这个中年人，感觉这人还不坏，决定给他多说几句，他说：你别看我这人像有力气的样，其实我不能出力。

贵祥一边说着一边用手指揪起了胳膊上的一块肉，说：你看看，我这肉多松。

那个喝面条的人笑了，说：我看到了，我看到了。

贵祥接着说：所以呢，我就是真跟你干，也没有多少力气出，所以呢，你得给我找一个不累的活。

那个喝面条的人笑得更响了，说：行。

贵祥听到这里忽然觉得他这好事来得太容易了一些，马上就提高了一下警惕性，他说：不过，现在不行，现在你就是叫我去当厂长也不行，我得去告村长李木，要不徐钦娥不愿意我。

喝面条的人说：你刚才就说徐钦娥，徐钦娥是谁？

贵祥说：是我老婆。

喝面条的人笑了，说：我还以为徐钦娥是个电影明星呢，你老婆很厉害吗？

贵祥想如果他承认了老婆厉害，就等于承认了怕老婆，刚到一个新地方就承认怕老婆是一件很丢人的事情，他说：我老婆一点儿也不厉害，只是，我答应了她。

贵祥说完觉得他说的实在是太多了，他说：我走了。

喝面条的人说：你等一下，我给你一张名片，告完了村长，你去找我。说着，掏出一张名片递过来，名片印制得很精美。又说，我姓王，叫王建设。

从来没有人给贵祥送过名片，所以贵祥不太敢要，犹豫了一下。

王建设说：你拿着啊。

贵祥想到了一个他比较关心的问题，说：你这名片要不要钱？

王建设笑了，说：不要。

贵祥也笑了，说：我以为要钱呢，既然不要钱，我就拿着了。他把名片拿在手里，看了看，把自己的名字报了出去，说：我姓牛，叫牛贵祥。

王建设夸了一下贵祥的名字，又说：你到市政府去干什么？

贵祥一点儿也没瞒他，说：告状。

王建设说：都快下班了，这时候去你可能找不到人，你不如跟我到公司里住一晚，明天一早再去也不迟。

贵祥觉得眼前这个王建设有点太好了，好得简直不像一个城市人。第一次见面，没亲没故的就请他去公司里住，太让他怀疑，他想起了来之前小胡给他说的在住宿上千千万万要小心的话，她说很多农村的人到了城里都是在住宿上出的事，弄不好就会把人命也搭进去，就拒绝了王建设的邀请。

他拒绝得很艺术，他说：下班也没有事，我在市政府里有熟人。

王建设听他这么说，就不多说什么了。

贵祥其实根本没有什么熟人，说句到家的话，在这座城市里，贵祥连一只熟悉的苍蝇都没有，别说大活人了。他也知道这个时候到市政府告状有点晚，之所以还要去，是想在市政府附近找一个住的地方。这是他来之前那天晚上，徐钦娥给他说的，徐钦娥说：住的地方最好离市政府要近一点儿，这样你见市长的时候方便，早晨起来，出了门，走几步就到了，不需要再坐车。

徐钦娥犯了一个常识性的错误，她是把市政府当作他们庄的村部了，害得贵祥围着市政府一圈圈地转悠。他把两条腿都转软了，也没找到住的地方。不是说这里没有住宿的地方，相反是住宿的地方很多，不过都是一些大型的宾馆，贵祥一家家地看，尽管没有进去，就知道价钱一定很高。后来贵祥累得实在走不动了，就选了一家门面相对比较陈旧的宾馆进去，一问价格，里面的一个小妮子告诉他，要二百块钱一夜。贵祥差一点儿被吓哭了，慌慌地跑出来。在一盏不太明亮的路灯下，贵祥掰着手指算了一下包里的钱，他说：乖乖，这些钱，只够在这里住两夜半。他第一百次地感觉到这里确实不是他住的地方。他想尽管这里离市政府很近，我也得走。

他沿着街道一直向西走，走了差不多有半小时的样子，看看路两边的店还是那么高，门口还是那么亮，一点儿也不比他刚才进去的那家宾馆差，忽然失去了再走下去的勇气，甚至对到底能否在这座城市住下来也没了信心。与此同时，他在汽车站门口吃的那碗面条，也消化得差不多了，肚子里咕咕叫，两条腿跟着就软了下来，他想再硬一硬，但是没有硬起来，腿肚子一松，就在马路牙子上坐了下来。

大街上的人很多，却没有一个人认识他，贵祥的情绪很低落，他不由得骂起了徐钦娥，他骂：操他娘的徐钦娥，还说我是到市里来旅游呢。

他骂：操他娘的徐钦娥，还说让我到市政府附近住，你听她说得多好听，操他娘的，你看看，这地方是那么好住的吗？

他骂：操他娘的徐钦娥，这时候说不定正在家里吃鸡腿呢。

他骂：操他娘的徐钦娥……

贵祥骂着骂着觉得光骂徐钦娥有些不公,就想换一个人来骂,那个卖面条的妇女一下子就跳到了他的嘴上,可惜他不知道那个妇女的名字,但是这仍然不耽误贵祥去骂她,他骂:操他娘的面条。

他骂:操他娘的女老板。

他骂:操他娘的饭店。

他骂:操他娘的勺子……

贵祥骂在兴头上忽然停住了,他看见离他不远的地方,一个和他差不多的人向这边走过来。这个人也穿着一件与他一样的皱皱巴巴的西服,走路的架势也松松垮垮的,像刚刚从地里收工回来,并且头发也差不多一样长。贵祥在家里的时候感觉头发一点儿不长,可是到了城里与城里人一比,长多了,长得一眼就能看出他是农村人来。贵祥断定这个人也是农村来的,他感到非常亲切,连忙站了起来。

那人也看见了他,步子慢了一下,但是他在经过贵祥身边时并没有停下来。贵祥看出来这个人的心事很重。他难道也是来市里告状的?这个念头在贵祥的脑际闪了一下,他想如果真是这样的话,他就找到做伴的了,忍不住叫了他一声。

那人站住了,问:你有事?

贵祥看清楚这个人比他要大几岁,面相还忠厚,就说:是从乡下来的吧?

那人点了一下头,并不多说什么,好像很谨慎的样子。

贵祥为打消对方的顾虑,自我介绍说:我也是从乡下来的,来告状,你是不是……

那人摇摇头:……我是来看病的。

贵祥有点失望,说:我以为你也是来告状的呢。

那人很难看地笑了一下,说:我儿子生病了,我和我老婆陪他来看病呢。

贵祥关心地问:得了什么病?

那人说:说是胃肠炎,来了一星期了,天天打针,总也不好。

那人顿了一下,又接着说:我这是到医院去呢,你没事吧?

贵祥不想耽误他的时间,说:没事,没事,你快点去吧。

那人点了一下头,走了。不过走了几步又停了下来,他看看贵祥肩上的包,说:你还没有住下来吧?

贵祥说:对,我刚来到,还没找到住的地方呢。

那人说:这条街上住的地方都太贵了,你到南面那条街上看看吧,那里可能有便宜点的。

贵祥觉得这句话对他来说太重要了,说了声谢谢,收拾一下就要过马路往南面去。那人看着贵祥收拾,犹犹豫豫了一会儿,又说了一句话,说:要不这样吧,你要真没地方住,就到我住的那个地方住吧。

贵祥高兴地说:那真是太好了。

那人连忙说：你先不要高兴，我不是说让你到我住的那家旅店去住，是说让你到我住的那间房里去住。

贵祥奇怪地问：我去你房里住，你呢？

那人说：我和我老婆今天都在医院里，孩子又厉害了，都得去陪着。

贵祥明白了，感觉这个老兄也不错，有点农民见农民两眼泪汪汪的感觉，又要说一声谢，不过这一回那人没让他说出来，那人不好意思地说：你别谢，我不是让你白住，我那房子里两张床，住一天要给人家四十块钱，你呢，给一半，二十就行。

贵祥这时候才听明白这个老兄想什么，二十块钱，倒是不贵，不过却有些别扭，他不想住。

那人也看出来了，有些低三下四地说：老弟，我要不是看病急着用钱，说什么也不会向你要这二十块钱的房钱，你到别处住也是住，别处也不一定有这么便宜，当初我为了找这个地方，跑了整整一天，再说了，我这房子闲着也是闲着，你就算帮我的忙行不行。

贵祥想话说到这种程度，他要再不住，就有点过分了，而且最主要的是这个价格不贵，比那家宾馆便宜多了。

贵祥就同意了。那人立时高兴起来，好像他儿子的病好了似的，伸手就帮着贵祥提包。贵祥跟在他的后面走，先是离开了大街，拐进了一条小道，然后进了一个胡同。胡同里没有灯，贵祥有点害怕，把脚停住了。

那人看出来了，说：没事，虽然没有灯，地上却很光滑，都是水泥板。

贵祥不是怕地上有什么东西绊倒他，而是怕上面冷不丁地被谁打一棍。他掏出打火机照了一下，才走进去。

那人笑了，说：你还怪小心呢，我能害你吗？在这城里待了几天，我是看清了，只有城市人害咱，咱自己人不会害自己。

贵祥含糊地说：那是，那是。

他还要说一些什么，那人忽然说：到了。

贵祥看了看是一排两层的平房，有七八间的样子。中间有一个门洞，那人领着他从门洞里走进去，里面有个过道，过道一侧有一个楼梯，贵祥跟着那人顺着楼梯，爬上了二楼。二楼上有五六间房子，都关着门，有的亮着灯，有的黑着。那人在一个黑着的门旁停下来，用钥匙开了门，把灯弄亮了。

贵祥向房里看了看，里面摆了两张床，上面铺着床单，放着被褥，还干净的样子。靠左边的一张床上还放着一个人造革提包。

那人指着右边那张床说：这张床上的东西都是新的，你放心睡在上面就是。

贵祥在那张床上坐下来，床有点硬，不过很稳当。

那人说：我还要到医院去，你就在这里歇歇吧。说着解下一把钥匙交给贵祥，又说，咱两人一人一把，走的时候你把门锁好，还有，我姓刘，你就叫我老刘吧。

贵祥也报了自己的名。

那人说记住了，接着就往外面走。不过走到门口又回来了，说：你最好把那二十块钱先给我吧。

贵祥笑了，说：老刘，你是不是怕我明天早晨跑了？

老刘笑了笑，没说话。

贵祥见这人也算诚实，就拿出五十块钱给他，希望老刘找给他。

没想到老刘接过钱却说自己身上一分钱也没带，没法找给他。老刘说：大街上太乱，看病的钱都放在我老婆那里，我没带，又说，你计划在这里住几天？

贵祥说：三天吧。

老刘出了一个主意，说：要不这样吧，你再给我十块，这样，你以后就不用再麻烦了。

贵祥想既然决定给了，也不差早一天晚一天，就又给了他十块，然后又提醒老刘把他床上那个人造革提包拿走。

老刘说：不拿了，不拿了。

贵祥笑着说：你不怕我给你偷了去。

老刘说：不怕，就是几件破衣服，你要想要就送你了。

老刘走了以后，贵祥真的翻了翻他那个人造革提包，里面除了几件窝窝囊囊的旧衣服之外，连一张纸都没有，更别说钱，不由得笑了。

这一夜贵祥睡得太好，早晨一睁眼房间里已经都是太阳了，红红的。贵祥没有带表，不知道有几点了，他怕误了到市政府办事，爬起来就要往市政府去。出了房门才想起没有洗脸，他想放在平日少洗一回就少一回了，今天不行，今天是去找市长告状，见市长总不能脸都不洗吧。他又回到房里，从包里找出一条颜色模糊不清的毛巾来，却怎么也找不到水了，就下楼来找，出个过道，才看见在楼房里面的院子里有一个水池，他连忙走过去，弓着身子洗起来。

水稍微有些凉，贵祥想如果在家里凉也就凉了，可是现在是在城里，并且这水也是花了钱的，他就骂了一句：操他娘！

一个女人从后面的一座小楼里走过来，她有点奇怪地看着贵祥。女人有四十来岁，很丰满的样子，身上飘荡着一股浓浓的香气。贵祥没有看到这个女人，却闻到了她身上的香气，他恶狠狠地打了一个喷嚏，像打了一个雷。女人被吓了一跳，说：你是什么时候来的，我怎么不知道？

贵祥转过脸来，女人的香气好像更浓了，贵祥毫不客气地又打了一个喷嚏，这个喷嚏比刚才那个还响，女人被吓得跳到了一边去。

贵祥却高兴地说：舒服，太舒服了。他追着女人说：你身上抹了什么，这么好闻，我再闻闻行吧。

女人笑了，说：你这人真有意思。又说，你到底是什么时候来的？

贵祥耸了一下鼻子，说：我昨天晚上来的，你问我这个干吗？

女人说：我是这里的老板。你住了我的店，难道还不让我问。

贵祥紧张了一下，他想刚下汽车的时候遇上了一个女老板，现在又遇上了一个，城里的女老板怎么这么多，他猜不出这个女老板要干什么，不过他很本能地防御了一下，他说：我可是交完钱了。三天的我都交了。

女人奇怪地说：你交完钱了，我怎么不知道？

贵祥笑了，说：你当然不知道，我没交给你，你怎么能知道。

女人说：那，你交给谁了？

贵祥说：老刘，就是那个在医院里给儿子看病的那个老刘。说到这里贵祥觉得很有必要给这个女老板解释一下，又说，老刘在医院里陪房，房子空着，他就转了一下手。

贵祥用手做了一个转圈的动作，说：你明白吧？

女人笑了，说：这个老刘，倒是会算计。

贵祥看见女人笑，心里就放松了一下。他忽然觉得这个女老板比那个女老板好，也比那个漂亮，忍不住就想多看几眼，可是他忽然想到了正事，连忙走了。

女人说：你干吗去？

贵祥说：我去找市长。

女人睁大了眼睛。

女人好像还有话，但是非常明显的是，女人听了贵祥的话以后，说不出来了。

市政府刚刚上班，一些车和人在出出进进。贵祥昨天晚上已经到这里来过一次了，昨天晚上由于有灯光照着，市政府的门楼子显得很大，甚至有些辉煌，现在一看，却显得有点小。

贵祥立在门口看了看，心里说：还应该盖得更大一点儿，门口的牌子最好也要宽出一半。他甚至想一会儿见到市长的时候，如果时间宽裕就把这事也给他说说。

他有点不满意地摇着头往里面走。

贵祥不知道，市政府大院外人不让随便进入这条规定，心理上就显得很放松，也随着上班的人，大摇大摆地走了进去。门口站岗的武警看了他一眼，见他一点儿也不慌张，就把他放了进去。

对于贵祥来说，这已经很幸运很不容易了，可惜他没有把握好这次机会，一个劲地犯错误。先是想当然地以为市长的官最大，一定是住在最高的楼层上，仗着自己有一身蛮力呼呼地往楼顶上爬，等爬到楼顶一打听，才知道市长根本不在这座楼上。

一个干部模样的人告诉他，市长在南面的小楼。贵祥又去了南面的那座小楼，就在贵祥就要进去的时候，他忽然看见这座小楼的南面还有一座更小的小楼，他拿不准市长是在眼前这座小楼，还是在南面的那座小楼，有些犹豫，他想打听一下，弄准了再进去。一个干部模样的人走过来，他觉得这个干部不行，就没问。远处有一个清洁工模样的人在打扫卫生，他认为那个清洁工要可信一些，就走过去。

那个清洁工告诉他说：这两座楼里好像都没有市长。但是至于市长到底在什么地方办公，她也不知道。

贵祥对这个清洁工的话一点儿也不怀疑，就感觉被刚才楼上那个干部模样的人骗了一下，他骂了一句：可恶。就退回去了。

想来想去，最后他还是觉得问一问站岗的武警更稳妥一些。这也是来的时候小胡教给他的经验，小胡说：遇到困难找大盖帽，总是要比找一般人保险一些。这样想着他又转了回来。

在门口站岗的武警有两个，一个脸要白一些，一个脸要黑一些，贵祥估计那个脸白一些的是城市人，不好说话，就问了那个脸黑的。

贵祥说：同志，你知道市长在哪里办公吧？

黑脸武警转向他说：你找市长干什么？

贵祥说：告状。

黑脸武警就脱了岗，走过来，说：你过来吧。

贵祥有些感动，说：你要领我去见市长吗？

黑脸武警没有说话，而是把他带进门口一间小屋里。小屋里没有人，贵祥就觉得有点不对头了，他说：干什么？

黑脸武警说：请你登记一下。

接着交给贵祥一张表。贵祥想可能这是见市长的一个手续，就拿起笔在纸上依次填了，可是他填完以后，那个黑脸武警就把他带到了大门外面。

贵祥不解地问：同志，你怎么把我带到这里来了？

黑脸武警说：你去法院吧。说完，还给贵祥敬了一个礼，然后就回到岗位上去了，站得很直。

尽管他给贵祥敬了一个礼，贵祥还是不高兴，他说：我是来找市长的，干吗去法院，再说我这事太大，法院也办不了，离了市长怕也是不行，你为什么不让我进去？

黑脸武警不再理他。

贵祥越发不高兴了，说：我又不是坏人，不信你们去牛庄打听打听，我贵祥的人品没有不说好的，从来不欠人的账，按时交纳公粮，既不小偷小摸，又不打架斗殴，劳动致富，守法公民，找市长说点事，你为什么不让我进去。

黑脸武警好像没听见一样，看也不看他一眼。

贵祥忽然想到了一个问题，说：你们是不是怕我会谋害市长？我怎么会呢，我身上真的什么都没带，别说刀了，连一根洋钉都没带，不信你们看看。

贵祥说着翻开了自己的衣兜,他把几个衣兜的底都翻了过来,并且示意给那个黑脸的武警看,黑脸武警连眼睛也没有眨巴一下。倒是那个白脸的武警笑了一下,贵祥也看到了那个武警的笑容,他好像受到了一点鼓励,还要把裤子脱下来让他们看看。但是那个黑脸武警却不让他脱。黑脸武警说:不必了。

贵祥把这个"不必了"理解成了"可以了",他收拾了一下,想往里面走。但是,黑脸武警又拦住了他。

贵祥说:不是说可以进去了吗?

黑脸武警说:什么时候说的?!

贵祥想了想,说了就是说了,觉得这个武警有点不讲道理,他想你既然不讲道理,我干吗要讲道理,就跺跺脚,向里面闯。两个武警一人用一只手就把他抓住了,提到了门外。贵祥不等他们松手,又往里面闯去,两个武警就又抓他。

贵祥最终当然没闯进去,并且不光没闯进去,连市政府的大门口武警们也不让他再待了。

黑脸武警不客气地说:退后!

贵祥先是不想退。

黑脸武警就用手拍了拍腰间的枪。

贵祥只好退了,只是退得不远。

黑脸武警又说:再退!

贵祥看这阵势,不退是不行了,就又退了几步。

贵祥虽然退了,不过没有走远,他在市政府门口的一棵树底下停住了。那个地方有一个水泥台凳,是市政部门放在路边供行人休息的,贵祥在上面坐了下来,他有点忧愁地想:见不到市长,我怎么告村长李木?

他是在电视里见过市长的,胖胖的,很和蔼的样子,他觉得只要能见到他事情就好说了。可是这两个武警不让他见,真是应了那句老话,阎王好见,小鬼难缠。他叹了口气,然后,向周围看了看。

坐在这里仍然可以看见市政府门口的岗哨,还是两个武警。不过,贵祥忽然发现这两个武警换了,这两个人好像比刚才那两个瘦了一些。这个发现使他又兴奋起来。他几乎是不假思索地走过去,装作没事人似的往里面走。贵祥期望能够钻一钻武警换岗的空子,就像电影里解放军要通过敌人岗哨的情形差不多。但是贵祥显然没有解放军伪装得那么好,他自己也承认心虚得很厉害,怀里像揣着一只小兔子一样,离岗哨还远呢,就被拦住了。

以后贵祥又利用武警们换岗的机会试了几次,但是他一次也没有成功过。

在贵祥一次次失败期间,走进市政府里办事的人陆陆续续不断,有的人长得还要比他贵祥矮小、丑陋许多,但是武警们连问也不问。贵祥先是怀疑那个黑脸的武警和他们透了气,专门对他提高警惕,要不他们怎么偏偏抓他;后来他又认为不太可能，因为他仔细观察了，来来往往换岗的武警有十几个，那黑脸武警就是给他们说也不一定能说得过来；再说，就是能说得过来，他们也不一定记得那么详细；还再说他们就是记得详细了，手里又没拿着他的照片，也不一定一下子就能认出他。贵祥最后觉得问题可能出在他身上这件衣服上，这件衣服是一件蓝色的西服，贵祥平时只有上街、走亲戚或者做一些重要的事情时才会穿，买了有五六年了吧，靠近胸脯的地方都有点起泡了。他认真看了一下，那些进去的人穿的衣服没有一件是起泡的，他好像找到了失败的原因，有一种恍然大悟的感觉。在这种美好感觉的支持下，心情就好起来，他冷静地想，现在首要做的事情不是手忙脚乱地一次次向里面冲，就像一些战斗片中的解放军，明知前面有机枪还要往前冲那样，那是做无谓的牺牲，他没有必要那么做，而是应该抓紧时间去买一身好西服。

贵祥确定了买西服这个目标之后，就想到了老婆徐钦娥，他觉得这么大一笔开支应该给徐钦娥打个招呼，这也是他进城以来第一次萌发了要给徐钦娥打电话的念头。他走到一个公用电话旁，就在要拨号的时候，他又犹豫了，他怕徐钦娥不让他买。如果真是这样的话，就麻烦了。因为，现在他除了在西服上做一做文章之外，还想不出其他的可以进市政府的方法，这件事情显然要比给徐钦娥打招呼重要得多。贵祥又犹豫了一下，终于决定不打了。

他开始打听哪里有卖服装的地方。他打听的第一个人是一个妇女，那个妇女告诉他，北面就有几家卖衣服的专卖店，他就手插在衣服口袋里往北面走。不远的地方真有几家卖衣服的，门口都放着音箱，哇哇啦啦地唱，有的门口还放着一些大照片，贵祥看了看。这些照片上的人，他大都认识，整天在电视里看到。实事求是地说，贵祥不太喜欢他们，贵祥恨乌及屋。连这些专卖店都不喜欢了，他说，专卖店里挂着这些人的照片，看样子开这店的人也不能好了，就没有进去，而是转向了另一条街道。

一个蹬三轮的老头儿从他后面追过来，问他：上不上？

贵祥说：不上。

老头儿说：不贵，走遍全城三块钱。

贵祥说：三块钱要买七斤二两玉米了，你还说不贵。

老头儿笑了，说：你真会算账。

正说着，一个姑娘要老头儿拉她到服装市场，老头儿说了一句：东方不亮西方亮。拉着姑娘就走。

贵祥正好也想到服装市场看看，也不说话，就在老头儿的三轮车后面跟着，拐了一个弯，就到了。

贵祥花一百五十块钱买了一身西服，是灰色的，料子好像也不错。贵祥卖过一段时间衣服，多少懂一些，穿在身上，他觉得很带劲，在大街上迈着步子恶狠狠地走了几步，也看不出和城市人的差别来。美中不足的是，好像肚子那个地方有些肥，想去再换一身瘦一点的，他忽然想到自己不光没有吃中午饭，而且，连早晨饭也没有吃，就把换西服的事情取消了，改作填饱肚子。

对于贵祥的肚子来说，最适合它的消费就是面条。可贵祥走了半条街也没有找到这种恰如其分的食物，只在商店的柜台里找到了一些方便面。这一刻他想到了汽车站，他想，汽车站的面条还是不错的，不过，那个卖面条的妇女实在可恶，他宁肯吃方便面，也不想再去吃她的面条。只是他有点拿不准，要买几包方便面才能填饱他的肚子。这东西他以前在家里也吃过，但从来都不是作为主食吃的，是作为点心。他想了想，决定就在柜台前吃，什么时候吃饱，什么时候为止。

这样就让卖货的那个小姑娘作难了，小姑娘说：你到底要几包？

贵祥说：我也不知道要几包，你就一包包给我拿吧。

小姑娘只好先给他拿了一包，贵祥想一包肯定是不够的，就说：再拿一包。

贵祥说话的工夫，两只手一动就把包给撕开了，头一低就开始吃起来。

贵祥是真饿了，小姑娘把第二包交给他时，第一包已经没有了。

小姑娘吓了一跳，以为贵祥把那包藏了起来，说：那包呢？

贵祥说：被我吃了。

小姑娘惊讶地看了看贵祥的嘴巴，嘴巴上干干净净的；再看看贵祥的手，贵祥的手上拿着方便面包装袋，这才相信贵祥没有骗她。不过她不敢再这么卖了，她说：你吃一包要交一包的钱，要不，我不好给你算账。

贵祥笑了，说：你们城里人真小气，是不是怕我吃完了不给钱？

说着就掏出十块钱押在柜台上，又说，这回行了吧？

小姑娘没有说话，却一下子拿出了好几包。

贵祥一共吃了八包方便面，把店里的几个人都吃呆了，一个男人问他：你还能吃吗？

贵祥笑着说：如果有水，我还能吃。你信不信，你要不信的话，我敢给你打个赌。

那个男人马上说：我信。

贵祥吃饱以后顿时感觉他那身新西服更加合体了，天还早，他想再到市政府门口去试一试，他自信有了这身衣服，他和以前就不大一样了，如果不出什么意外，一定能顺利进去。

可是不巧得很，他到的时候站岗的刚刚换上了那两个黑脸的和白脸的武警，这身新衣服显然挡不住他们两个人的眼睛。贵祥没敢走近他们，在一个电线杆的后面就停住了。他想在那里等一等，等到他们换岗的时候再进去，可是不知道为什么，他等了许久，也不见换岗的来接替他们。贵祥想这两个人可能是发扬风格多替别人站一岗，也可能是被领导惩罚了一下。贵祥想真这样的话，他今天的运气就糟透了，再等怕是也没有什么好事。另一方面，他感到实在口渴得厉害，也该回去喝点水了，就往旅店里回。

贵祥回到旅店的时候，女老板正在洗衣服，洗衣机轰轰地响。她看见贵祥，笑了一下，说：回来了。

贵祥没想到她会跟他说话，慌张了一下，说：回来了，洗衣服啊。

女老板说：见到市长了没有？

贵祥有点不好意思地说：没有，门口站岗的不让我进。

女老板愣了一会儿说：你和市长不是亲戚吗？

贵祥说：你看你说的，我要是他亲戚，还能不让我进？

女老板忽然笑了，说：听你早晨的口气，我还以为你是市长的亲戚呢。哎，你找市长干什么？

贵祥说：告状，告我们村的村长李木。

女老板说：你要是给他送个锦旗什么的，说不定还能见上他，找他告状难了。

贵祥不相信地说：市长会不见我吗？我们那里人都说市长这人不错，比我们那里的县长好多了，再说市长的面相我也见过，挺善的。

女老板说：你见过市长？

贵祥认真地说：见过，是在电视里。

女老板又笑了，摇摇头，不再说什么，看了看贵祥的新西服，又说：这身衣服是新买的吧？

贵祥笑了笑，说：下午才买的。

女老板说：是为了见市长才买的？

贵祥想了想说：说是也是，说不是也不是。说完了又怕女人不明白，解释说，站岗的不让我进，我想换换衣服。

女老板笑了，说：你的脑子怪灵活呢。

贵祥被女人夸奖了一下，很高兴，笑着往房里去了，走了两步又停住，问：我房间里有没有开水？

女老板说：有。

贵祥回了房，他第一件事就是喝水。水是温的，正好下口。贵祥渴得太狠了，喉咙动了几下，一壶水就下了去，又下楼向女老板要。

女老板惊讶地说：这么快就喝完了一壶？

贵祥笑笑。

女老板从房里又给他拿来了一壶，贵祥提着上楼，一会儿工夫又喝了个干净，嘴里感觉还是干一些，不过他没有立即再要，他怕女老板说他能喝，就稍稍缓了一会儿，听着女老板的洗衣机停了，他才提着水壶走了出去。

女老板正在往绳上晒着衣服，看见贵祥又提着壶过来，吃惊地说：怎么又喝光了?!

贵祥笑了笑,说:我渴得太厉害了。

女老板根本不相信贵祥一支烟的时间连喝了两壶水,她怀疑贵祥把水倒掉了,说:真被你喝了?

贵祥说:还能假了。

女老板不好再问什么,只是回房又拿来一壶水,同时还拿了一个茶杯,她面带愠色地给贵祥倒了一杯,说:喝吧,我看着你喝。

贵祥接过来,不在乎地说:喝就喝,你看好了。

就这样一杯接着一杯,几轮下来,水又光了。

女老板有点目瞪口呆,说:天爷哎,你怎么渴成这样。

贵祥不好意思地说:我刚才在外面吃了八包方便面,没有喝水。

女老板因为看了贵祥喝水,这回不再惊讶了,只有佩服,她说:八包方便面别说让我吃了,就是让我看看我也感到害怕。又说,你还渴吧,我房里还有一壶水,渴的话,我再给你提。

贵祥想一想,天才刚黑,夜还很长,说不定什么时候又要渴了,倒不如提一壶预备着,就没再客气,说:我提着吧。

女老板说:你自己去提吧,就在我房里放着。

贵祥只好走过去,提水的时候他顺便看了看女老板的房间,房里摆的不空不满,角角落落里摆着几盆花,花都在开,一屋的香气。贵祥还要再看看,忽然觉得鼻子痒得厉害,忍不住打了一个喷嚏,差一点儿把手里的水壶给打掉了。

女老板听见贵祥的喷嚏便在外面笑了,贵祥连忙提着壶跑出来,说:我是乡下人,真的没闻过这么香的香气,让你见笑了。

说完了便不敢再停,慌慌地上楼去了。女老板却在他背后看了好几眼。

贵祥回到房里就把新衣服脱了,只穿着裤头背心。他先把新西服放在老刘他们睡过的床上,放得整整齐齐的。按说已经放得很好了,可是,他仍然怕它折了,明天穿出去不太好看,就想找个东西把它吊起来。他老婆徐钦娥有一身专门出门穿的西服,平常放的时候,就是吊起来放的。他打量了一下这间房子,房子里倒是有一根挂衣服的铁丝,不过没有衣撑,他试图找一件替代品,但是没有找到。后来他看到了放置在墙角的那台摇头扇,一下子来了灵感。他先用枕巾使劲地擦了擦,然后把他的西服套在了上面,摇头扇俨然变成了他的衣架。他转着圈看了看,又看了看,然后很满意地回到床上。

但是贵祥却一点儿睡意也没有,满脑子都是如何进市政府的事情,好像一个草莽将军要去攻占一座城池一样,正的、歪的、好的、坏的,乱七八糟的,什么想法都有。他想得最多的无外乎下面这几条:一条是自然的力量来帮助了他,就是一夜之间市政府的全部院墙忽然莫名其妙地倒塌了,四通八达,谁想进谁进,甚至有时候你不想进，走着走着一不小心也很可能就进去了；一条是神秘的力量来帮助了他，就是忽然间，他具备了一种特异功能，能够把自己隐藏起来，这样他就可以在市政府自由出入，谁也看不见；再一条就是他在市政府门前，忽然遇上了市长，几个站岗的不让他进，而市长却向他招了招手，他就把状告李木的事，给他说了。

这几条中，没有一条使他能很正常地、很顺利地走进市政府，贵祥不由得对明天的行动悲观起来。

这时，有人敲了几下房门。贵祥愣了一下，以为是老刘回来了，赤脚跳下床，开了门，却是女老板。贵祥太意外，简直有点意外得不行了，连忙跳到床上，拉过床单盖自己的身体。

女老板看着他手忙脚乱的样子，笑，说：你又不是没穿衣服，盖那么严实干什么。又说，我从饭店里叫了两个菜，一个人也吃不了，你一起吃点。

女老板请他去吃饭，贵祥这次的意外，比刚才也差不了多少，他毫不犹豫地说：我不吃了，我吃过了，我刚才吃了方便面，现在一点不饿。

女老板说：几包方便面还能撑一夜？然后有点不高兴地说，你到底去不去？

贵祥想了想，他想如果是在牛庄有人这么叫他，就是再不饿也能去，可是现在是在城里，他估计不透，不能去。不过他看出来了，只要他说不去，这个女人一定会生气，他觉得无论如何也不能说“不去”这两个字，他笑笑说：我真的不饿，谢谢你。

女老板还是生气了，“哼”了一声就走，不过没过多大会儿又转了回来，这一回她手里端着两个盘子，一个里面装着鸡肉和猪肝，另一个里面盛着馒头，进了门就说：是我吃剩下的，你到底吃不吃，你要不吃，我就端出去扔了！

贵祥觉得这回再不吃就显得太过分，还有，真扔了也浪费，就接过来。

女老板又问他要不要酒。贵祥是喜欢用一点儿酒的，不过不多，他想想今天脑子里的事太多，不喝一点儿的话，夜里怕是睡不着，就笑了一下。

女人出去了一会儿，回来时手里拿着一个很好看的盒子，打开了竟然是好酒，贵祥觉得太贵了，不愿意喝。

女老板说：又不是我专门给你买的，在家里放了好几年了，再放怕是要坏了，你就算帮我一个忙吧。

贵祥想这个女人真会说话，请他喝酒，还说是给她帮忙，就笑着请女老板也喝一点儿。

女老板说：我的胃不太好，不能喝。

贵祥却忽然想起一个偏方来，说：你家里有没有小米？

女老板说：有，做什么？

贵祥说：用酒煮小米，吃了治胃病。

女老板笑了，说：到底管用不管用？

贵祥拍着胸脯说：管用，要不管用，我就不姓牛。我给你说吧，徐钦娥的胃病就是这么治好的,有五六年了,到现在一次也没犯过。

女老板奇怪地问:徐钦娥是谁?

贵祥大言不惭地说:是我老婆,当时那小米粥就是我煮的,老板,你要信得过我,我也给你煮一锅。

女老板有点激动,说:我相信。

贵祥说:那我一会儿就给你煮一锅。

女老板说:行。

然后让贵祥抓紧吃饭。贵祥夹了一口菜,嚼了两口,才从刚才的兴奋状态中转回来,他忽然深深地感觉到自己说得太多了,好像把所有不该说的话都说了。他觉得自己太随便了,把女老板当了他们牛庄人,有点后悔,想把刚才的话收回来,想了一会儿,他发觉那些说出去的话就像他喝进肚里的那三壶水一样,再想倒回来也难,不过由着事情这么向前发展,他又有点不甘心,能收多点是多点吧。

他一边吃着女老板的猪肝,一边给女老板出难题,他说:老板,煮那米要二斤多酒呢。

女老板说:家里多的是酒。

贵祥说:米最好是陈的,越久越好,老板。

女老板笑了,说:巧了,家里那些小米,好像是前年谁送过来的,一直没有想到吃它,没想到今天却派上了用场。

贵祥想看来是难不住她了,想了想,想出了最后一样,他说:煮小米的时候要用木柴,你家里有吗,老板?

女老板犹豫了一下,说:没有木柴。不过她马上又说,有几张木床早就坏得不能用了,拆几根过来,能不能用?

贵祥想太能用了,看样子是躲不掉了,他说:能用,老板。

女老板说:什么老板老板的,叫我的名字,我叫李春。

贵祥看了李春一眼,感觉这个李春比那个女老板年轻了一些。

但是让贵祥怎么也没想到的是,他的这个偏方在徐钦娥身上治好了病,在李春身上却治出了事。下半夜,李春的胃就痛得不行了,只好打了急救中心的电话。救护车来的时候,贵祥睡得正香,爬起来看见几个人往外面抬着李春走,知道出了大事,吓得不轻,连忙穿上衣服,跑下去帮忙。这时李春已经被抬到车上。贵祥估计李春是吃了他煮的小米出的事,医药费说不定都是他的,紧张得要命,不知道是跟着去医院好,还是不跟着去医院好,问了一句:要不要我过去?

李春有气无力地说:你累了一天,不去了吧。

贵祥见李春这么说,觉得自己弄出了这事,再不跟着过去连个女人也不如,就说:不行,我得去。然后就上了车。

路上李春好像痛得很厉害,两只手乱抓乱挠的,没处放,和徐钦娥当年生孩子的情形差不多。贵祥知道这时候女人最需要什么,就把一只胳膊交给她,说:李春,你要是疼就使劲抓它。

李春也没客气,两只手就抱住了,等到了医院,贵祥那只胳膊的颜色都变了。

李春的胃真是贵祥的偏方给造的,造出了个急性胃炎,好在挂了两瓶吊针之后就稳住了。贵祥很不好意思,咬咬牙,说医药费他付。李春和他争了一下,但是李春是在床上,争不过他,只好先由他去,等看完病再说。不想,贵祥去交款的时候,收款处一下子就开出了一张五百块钱的条子,贵祥讲了半天价也没讲下来,又不得不难为情地回来找李春。李春笑着把钱点给他,他愈发觉得不好意思起来,好像要哭的样子,一再解释说他不是故意的,还说他这个偏方也绝对是真,因为他老婆徐钦娥能给他作证,说:不信,我把徐钦娥叫过来,你问问。

贵祥这句话说得很响,病房里其他几个人都看他,看完了他又看李春,搞不清他们是什么关系。贵祥没觉得有什么不好,李春却脸红了,小声说:我信。

李春直到下午才出院,她的生病把贵祥昨天晚上做好的计划完全打乱了,甚至连下一步再重新执行都变得不太可能了。因为他寄予很大希望的新西服经过这一阵子的折腾已经变得面目全非了。特别是那只被李春抓过的衣袖,皱皱巴巴的,像一个被拉扯得松松垮垮的弹簧。

在医院里光线太暗,贵祥还没有注意到这一点儿,出了医院以后,在美丽的阳光下一照,贵祥的心境迅速灰暗到了极点,他忽然有一种站立不稳的感觉,晃了几晃险些倒在大街上。

李春说:你怎么了?

贵祥谎说他有点累。

李春的心情却很好,她本来要陪着贵祥看一看城里的街道的,见贵祥这样,连忙打了一辆车。贵祥从来没有打过车,坚持着不上,但是架不住李春生拉硬扯。

出租车在街道上游走,像一条浑水里的鱼,五颜六色的行人迎面走过来,到了跟前又雾一样地散去了。李春不时地用手指着一些事或物给贵祥看,贵祥都没有看清,他的眼睛有些模糊,他有一种恍若隔世的感觉。在出租车经过市政府门前的时候,他才清醒一下,他忽然想到他姓牛,叫贵祥,他的地被村长李木给卖了,他来城里是专门告状的。他说:我想下车。

李春不解地说:你在这里下车干吗?

贵祥说:我想去找市长。

出租车司机听见贵祥这句话,回了一下头。

贵祥有点生自己的气,他说:不行,我得下车,今天已经是我来这里的第三天了,连市政府的大门都没有进去,我来这里到底是干什么的?

李春不知道怎么回答好。

司机问：到底停不停？

李春想了想，说：停吧，不过，你别走，等一会儿。

贵祥下了车，李春看看市政府大门，说：你进不去的。

贵祥说：试一试吧。

贵祥一边说着一边使劲地把那只被李春弄坏的衣袖拉了拉，向市政府大门走去，不过他只走了七八步就停住了。

市政府大门口站岗的还是那个黑脸的武警和白脸的武警，贵祥想，他真是该着倒霉了，看来这次到市里来告状是犯在他们手上了，既然几次都没有躲开他们，就没有必要再躲了。他犹豫了一刹那，然后大步走了过去。贵祥有一股气，步法很重，发着响声。那两个武警在远处就看到了他，他们像老朋友似的又把他拦住了。

这一回，贵祥没有往里面硬闯，他怕被两个武警捉住，用手提着扔出来，他清楚地记得昨天他被他们扔出来的架势是很难看的。李春就在不远的地方站着，他怕被她看到没有面子。他也不明白，怎么忽然在李春面前想到了面子。他今天主要给那两个武警讲道理，他说：我是真有冤，我要没有冤，不会大老远地跑到这个地方来。我的地被村长李木卖了，我一个农民没有地怎么生活，我找市长既不要钱，也不要物，更不干违法乱纪的事，就想把地要回来，你们为什么不让我进去？

两个武警很是训练有素，目不斜视，他们可能听到类似的叙述实在太多了，一点儿也不感到新鲜，不为所动。

贵祥又走到那个黑脸武警面前，说：如果我没有猜错的话，你也是农村来的吧？你一定明白农村的情况，想一想，如果你是一个农民，你的地被村长卖了，你会怎样？

也可能贵祥猜对了，也可能是贵祥猜错了，黑脸武警面带怒色，他大声地说：后退！后退！！

贵祥想，我这一次就是不后退，看看他们能怎样，就立着不走。黑脸武警不满意地看着他，贵祥也毫不畏缩地与他对视着。

李春走过来，她拉了一下贵祥，说：走吧。

贵祥不想走。

李春又说：你在这里站着又有什么意思。

贵祥觉得李春这句话说得对极了，低了一下头。

这个结果是贵祥十分不希望的，他沮丧得很，在回旅店的路上，一句话也没有说。在旅店的过道里，李春说：贵祥，你非要告状不可吗？

贵祥说：我来就是告状的，怎么能不告？

李春说：你那也不是什么大案要案，不告其实也没什么。

贵祥固执地说：不告不行。

李春叹了口气，说：好，好，好，你去告吧。

李春说着不再理贵祥，向后面的房里走了。贵祥看看走远了的李春，忽然想回家了。他喊了李春一声：老板。

李春站住了，不高兴地说：喊我李春。

贵祥说：老板就是老板。

李春说：你叫我干什么？

贵祥说：我想用用你的电话。

李春说：你要不喊我的名字，我就不让你打。

贵祥红着脸叫了一声：李春。

李春笑了一下，说：好了，到我房里来打吧。

贵祥是想给他老婆徐钦娥打个电话，商量一下他要回去的事，话还没有传到徐钦娥那里去呢，小胡就不愿意了，小胡说：不行不行，这街上都知道你去市里告状了，回来给人家一说，你去了三天，连市政府的大门都没有进去，还不被人笑掉了大牙，以后你还想在这道上街上蹲吧？

这一点儿贵祥倒是没想到，听小胡这么一说，他的眼皮跳了一下，不过他很快就想那条街上像模像样的人物多的是，他贵祥算不了一个，丢人也丢不到哪里去。后来听小胡又说：你要告不倒李木，我就不跟你打牌了，心情又轻松了一些，说：不打就不打，你把电话给徐钦娥吧。小胡却说徐钦娥到厕所撒尿去了。贵祥就让她记下李春这个电话号码，回头让徐钦娥回过来。

李春给贵祥倒了一杯水，说：你真要回去吗？

贵祥说：回，再待着也没有意思，回去看看能想个什么好办法。

李春的情绪就有些不自然。贵祥说：你可能累了，歇着吧，我先回房，等一会儿徐钦娥来电话，你叫我一声。

李春温和地说：你在这里等就是，我又没赶你。

贵祥想李春真的没赶他，就又坐了一会儿。

李春又说：回去这么急干吗，来一趟不容易，多住几天吧。

贵祥心里想。你说得好听，住一天要一天的钱呢，不过没有说出来。

李春还要说什么，电话就响了。

是徐钦娥打过来的，她很生气的样子，说：本来说好的，第一天到，第二天见市长，第三天就回了，我以为你今天就回来了呢，怎么连门也没进？

贵祥解释说：情况不是我原来想的那个情况，站岗的根本就不让我进。

徐钦娥说：你不能硬进吗？

贵祥说：我硬进了，可是我硬进一次被人家揪了出来，硬进一次又被人家揪了出来，根本硬进不了。

李春听得捂着嘴笑。

徐钦娥说：硬进不行，你不能换个别的法？白天不好进，你夜里进不行吗，等到天亮了,你再去找市长?

这个办法贵祥还真没想过,心里一下子亮堂起来。

徐钦娥又问:市政府的院墙高吧?

贵祥笑着说:还没有镇政府的院墙高呢。

徐钦娥说:这不就成了。

贵祥放下电话,笑了,接着夸了徐钦娥一句,说:操他娘的徐钦娥。

然后对李春说:我不急着回去了。

李春显得很高兴,要弄饭给贵祥吃。贵祥有点接受不了。李春说:你这人怎么这样呢,你陪我看了一天病,请你吃一顿饭就多了?

就打电话叫了几个菜。贵祥看看一桌子菜,说:就咱们两个吃吗?

李春说:就咱们两个。

接着李春告诉贵祥说,她男人走了。贵祥以为“走了”就是死了,还安慰了李春几句,没想到李春笑得都坐不住了,说:他不是死了,是领着一个小姐跑了,跑了三年了。

贵祥明白过来,立时显得很生气,说:你长得这么好看,他也太不知足了,你放心,他早晚会后悔的。

李春没有说话,但是两只眼睛却在看贵祥了。贵祥被这眼光吓了一下,吃饭的时候怎么也不敢喝酒。

李春问:怎么了?

贵祥固执地说:不喝。

李春说:你是不是怕喝多了酒乱啊?

贵祥想了一下,他的心思被这个女人看出来了,就不好意思地“嗯”了一声。

李春就笑了,吃饭的时候故意把两只洁白丰满的大腿在贵祥的面前晃来晃去,贵祥的眼睛都不知道往什么地方放了。李春却愈发觉得贵祥这人有意思,高兴得不得了。贵祥自然不敢在这房里久待,草草吃了些就回房了。这时,天已经黑了,他心里装着爬市政府院墙的事,在房里也待不住,又怕爬墙的时候把新西服挂坏了,就把旧西服换上,出了旅店。

贵祥这次爬市政府的墙出了事,被抓起来了。

应该说他爬的时候是非常顺利的,市政府的院墙也就一米多高,是那种象征意义上的院墙,墙上还有一些各种各样形状的墙洞,在贵祥看来那简直就是台阶,他几乎是走着走着,一跃就跳过去了。进到里面的时候也没有人看见,他先是在一丛冬青里面藏着的,可是冬青里蚊子太多,如果在这里蹲上一夜的话,说不定到明天血都没了。他想换一个地方,伸头在大院里看了看,市政府办公楼东面的篮球场倒是很空旷,可惜他不能去,他只能找个比较阴暗的地方待一待,而太阴暗的地方蚊子又太多,他看了好大一会儿才看中了车库门口的一块地方,那里停放着的一片小汽车,车与车之间的那片空地很隐蔽,他认为是安全的。这样想着,他就弓着腰跑了过去。

事实证明贵祥这个选择是正确的,那个地方不光隐蔽安全,而且还干净,更让贵祥高兴的是,他竟然还在一辆小汽车底下找到了一张报纸,他想有了这张报纸,他这一夜的质量就提高了。他把报纸铺开,躺了上去,真的感觉很好。

事情坏就坏在他没有这么安静地躺着,他身边都是一些美丽华贵的铁家伙,他有一种躺在一群裸体美女中间的感觉,也难怪他安静不了。面对着这些整天只能远远地观看的东西,贵祥总得摸一摸吧,贵祥就摸了一把,尽管他摸得小心翼翼,但这些娇贵的东西还是叫了起来,就像一个城市美女即将被一个土儿吧唧的乡下人强奸时一样,叫得太响了,并且一个叫了大家都跟着叫,"哇啦哇啦"的,贵祥被这声音包围着,莫名其妙的样子,不知道发生了什么事,他在响声中站着,呆呆的。

后来贵祥就被武警带到大门口那间房子里。

那间房子就是贵祥那天填写登记表的房子,贵祥不陌生。贵祥心里说:这间房子我来过。心里又说,我只是摸了一下,又没干什么坏事,怕什么。

但是一个武警却让他交代到底偷过几辆汽车。

贵祥被这个罪名吓坏了,他说:你们弄错了,我不是偷汽车,我是来告状的,我想见市长,白天你们不让我进来,我只好晚上进,我本来是想在汽车旁躺一夜,第二天去见市长的……我不是偷汽车,我只是摸了一把,真的。

那个武警很厉害,根本不听他的,说:你要不说实话,就把你送到公安局去。

贵祥想真把他送到公安局去,他就完了,再好的人被投到公安局里转一圈名声也就完了,他差不多就要哭了,他说:我真的不是小偷,我又不会开汽车,我偷它有什么用,我就是偷走了,也买不起油钱,是不是,求求你放了我吧。

贵祥忽然觉得这个武警如果是那个黑脸武警,他的事情就好说了,因为黑脸武警知道他是来告状的,就焦急地要找那个黑脸武警出来,说:他上哪里去了,他认识我。

那个武警说:他真认识你?

贵祥点了一下头。

那个武警就拿起电话,叫了一下。

一会儿,那个黑脸武警真的来了,他没有穿警服,贵祥开始没有认出来,当他终于认出来时,像忽然见到了亲人,眼泪下来了,说:他们说我是偷汽车的小偷,你说说,我是小偷吗,我不是,你告诉他们,我是告状的。

这个黑脸武警帮了他一下,但是当贵祥提出来要走的时候,他们却不让,他们要贵祥找一个熟人来保他。贵祥的熟人都在牛庄,要来的话也要等到明天。贵祥有点无望起来,两只眼睛可怜巴巴的,很难看。

黑脸武警大约希望他早一点走,说:你在这里一个认识的人也没有?

贵祥想到了李春，可是武警要他给她打个电话时，他却说不出号码来。

黑脸武警说：你想一想还有认识的人吗？

贵祥到这座城市只来了三天，认识的人太少，他马上又想到了那个与他一起喝面条的王建设，而且，他的兜里还装着他的名片，他就把这张名片交给了黑脸武警。

王建设的公司就在市政府附近，接了电话就跑过来把贵祥保了出去。

贵祥激动地说：你真是好人呢，要不是你，我不是完了吗？

王建设笑，说：你怎么搞的，你不是给我说市政府里有熟人吗？

贵祥不好意思地说：我骗你了，我其实一个熟人也没有。

王建设说：没有熟人，你就跑这里来告状，你是说着玩的吧，你以为是在你家门口啊，这几天怎么样，长见识了吧？

贵祥说：长了。

王建设又笑：还想告状吧？

贵祥想了想说：还得告，不过，不在这里告了，去县里，县里人托人脸托脸的，说不定我还能找到个熟人，这里不行。

王建设说：什么事，非要告吗？

贵祥说：是大事，我家的好地被村长卖了，换给我的是差地，我一说地太差，他连差的也不给我了，你想想他有多么霸道，不告他能行？！

贵祥为了突出事情的重大，把村长头被打出血的事给忽略了。

王建设仍然不同意贵祥告状，他说：你好好去给他说说不就行了，用不着跑到市里来告状。

贵祥说：我去给他说了，我说真要把那差地给我也行，不过要多给我三分，给我二亩三。他说门儿都没有，当时，他正要上街，自行车胎一点儿气也没有，我就帮他打气，打完了后胎打前胎，你猜怎么着，我打完了，他还说只给我二亩，我要不告他太没有骨气，你说是不是？

王建设笑了，说：看来你还要告下去了，不过，你这个告法不行，我教你一个法，一告准成。

王建设告诉贵祥，让他明天找一块牌子写上“冤枉”两个字，往市政府门口一跪，准有人过来管他的事，比找市长还灵验。

贵祥有点怀疑，说：能行吗？

王建设有点生气地说：不行，我给你说干吗？还有，我要是坏你事的人，今天还跑这里来保你？！

说完就走了，不过，走了几步又说：牛贵祥，其实你告不告的无所谓，你就是告赢了，也就二亩三分地的事，二亩三分地又能卖几个钱，你跟着我打工，保证比你种那二亩三分地挣得多，我一个月开你六百，行吧？

贵祥还在想着挂牌子的事，没有反应过来。

王建设笑了，说：怎么，还嫌少，你个傻家伙，我这是喜欢你，别人四百块钱一个月想跟着我干，我还不要呢。

贵祥看着他走，说：谢了。

贵祥回到房间里却看见老刘正在和一个女人睡觉。两个人都脱得光光的，老刘正在用劲。贵祥不知道房里会有人，进来就开了灯，灯光太亮，他不看都不行，傻了有几秒钟，一转脸就跑出去了。

老刘收拾了一下，追出来，手里举着烟向贵祥解释，说：兄弟，让你见笑了。

贵祥接了烟，点着，笑着说：老刘，你看来不像多有钱啊，怎么还喜欢这个，喜欢这个可不好啊。

老刘说：你看你说的，别说我没有钱，就是有钱也不敢啊，她是我老婆，自己的。说到这里又强调了一下，说，自己的。

贵祥说：不会吧，你老婆不是在医院里照看孩子吗？

老刘赔笑说：是照看孩子，不过呢，抽个机会就过来了，不瞒你说，我刚才先来了一趟了，见你不在，以为你出去办事不回来了呢，才把她叫了来。

贵祥半信半疑地看了老刘一眼，老刘瘦得像一棵草，没想到这事一点儿也不想放松，就笑了一下。

老刘连忙摆手，说：你可别误会了，我对那事没特长，都是因为老婆，她每次来月经之前，不办一次那事就痛得要命，我这也是为了让她少痛一点，要不我心里乱糟糟的，哪有这心思。

这时，那女人已经穿好了衣服。贵祥看一眼，发现她穿上了衣服反而没有刚才好看了，眉眼间显得很羞愧，不像做那种事的女人，就信了老刘的话。

女人显得很不好意思，红着脸给老刘说：走了。

老刘说：你走吧。

贵祥觉得老刘做得有点不对，不解地说：你怎么，让她走了呢？

老刘说：不走不行，她还要到医院里照看孩子呢。

老刘说到这里叹了一口气。贵祥担心他没有办完，就问他，说：办完了吗？

老刘说：没呢。

贵祥就说：你抓紧把她叫回来呀，我到外面转一圈再回来。

老刘说：算了，咱回屋睡觉吧。

贵祥却再也不想在这间房里睡，在一间别人刚刚办了那事的房间里睡觉实在不舒服，再说，他明天还要去告状，也不吉利。他想找李春给调一间。

但是老刘却说：反正不是我赶你，是你自己想走的，我不能把钱再退给你。

贵祥认为老刘是在耍赖，要与他争几句，后来想到他把他的好事给撞没了，也有错处，就扁了一下舌头，把这二十块钱的亏咽了下去。不过，再开一个房间的念头也断了,他才舍不得再赔进去二十块钱呢,只好将就一下了。

老刘高兴起来,说:就是,我们两个说说话,比你另开一间房好。

贵祥却一点儿也不想说,满腹心事的样子。

老刘问:是不是告状的事情不顺?

贵祥点了一下头。

老刘不在乎地说:天下告状哪有一告就赢的,从古代到现在都是这样,不是有一句老话吗,叫"冤死不告状,饿死不做贼",说的就是这个道理。老牛,你得折腾几回,这城里以后你少不了来。

贵祥苦笑了一下,说:现在关键不是我赢不赢的事,来了三天了,连市政府的大门都没能进去。

老刘也奇怪地睁大了眼睛,说:是吗?

贵祥就简单地把他这几天经历的事情给老刘说了说。当然他说的时候,把李春生病和武警诬陷他偷车的事省略了去,并且把重点放在了明天挂牌子喊冤上,他其实对王建设教他的这个办法还有点怀疑,说的时候不由自主地把这种怀疑露出来一点儿。

老刘马上就拉下脸来批评他,说:不要怀疑,这个办法一定行,我来这城里比你来得时间长,前几天就碰到过一桩挂着牌子喊冤的事,闹腾得动静很大,把市政府门口的路都堵上了,后来听说市长就出来问了他的事,人家就告赢了。

老刘说到这里又转折了一下,说:不过,他们好像人多,有十几个呢,你一个人去,我不知道行不行。

贵祥的情绪又浮动了一下。

老刘接着说:不管怎么说,这是条好办法,你该试一试。

这句话贵祥很爱听,他说:那是,那是。

说完就闭了眼睛,他有点累了。可是那个老刘可能是事情没办完的缘故,翻来覆去睡不着,总是想找点话说,脑袋转来转去的,眼光落在了贵祥的新西服上。

贵祥的新西服仍然挂在摇头扇上,不过挂得已经没有刚开始认真了,歪歪斜斜的。

老刘眨了一下眼睛说:你这身西服不行。

贵祥不明白,说:怎么不行,我刚刚买的。

老刘说:我知道你是刚刚买的,可是你一个喊冤告状的人穿着它不太行,太新了。

贵祥觉得这个老刘说的有道理,就说:我还有一身旧的。

说着一伸手,从床底下拉出一个包,打开了,从里面拎出来一件,在老刘面前展示了一下。这件衣服就是贵祥来时穿的那件。

老刘只看了一眼就说:也不行,旧得还不厉害,你是去大街上喊冤告状,穿得越旧越破越好，你穿得像个客似的，就没有人可怜你了。

老刘的这个观点，贵祥还是第一次听说，琢磨了一下，也觉得是这样，他说：我现在只有这么旧的衣服了，家里倒是有几件，当时没有想得这么远，没有拿。

老刘说：不怕，我倒是有一件，我看着咱两个身材都差不多，你穿了一定合适。老刘话还没说完，就从枕头底下拽出来一件，扔过来。

贵祥看了看，是一件旧得不能再旧的中山装，估计原来是蓝色的，经过多少年的风吹雨打已经差不多变成白色的了，靠近肩膀的地方，还破了一道口子，口子至少被缝过两次或者三次了。因为贵祥在上面看到了好几种颜色的线。

老刘说：你穿上试试合适不？

贵祥一点儿也不想穿，犹豫了一下。

老刘说：你是不是嫌它破？我给你说，你要想打赢官司，就别怕穿破衣服。

贵祥觉得老刘真是热心肠，不忍拂了他的好意，穿在身上试了试。合适是真合适，却有点太难看了，有一种回到万恶的旧社会的感觉，他怕老刘听了不高兴，没把这种感觉说出来。

老刘一个劲儿地夸好，说：正合适，也有效果，一看就像一个穷人，你明天就穿着它去吧，保证你旗开得胜，马到成功。

贵祥嘴上答应着好，心里却说一会儿想一想再决定。他竟然一下子想到了李春，他想，他穿着这件衣服如果被李春看见了，不知道李春会怎么看他。他的脸有点热，并且热了一夜。他骂了一句：操他娘的，怎么搞的。

第二天天没亮，老刘就起床了，他说：我要早去给他们娘俩打粥，先走了。

只是他说完走，磨磨蹭蹭的好大一会儿也没有出屋，贵祥估计他还有事情，想了一下也没有想出来，就闭着眼睛等他说。

老刘吭哧了一会儿，说：别忘了穿那身旧衣服。

贵祥想，他不会因为这事磨蹭，一定还有别的话，就敷衍地说：忘不了。

果然，紧接着老刘又说起了房费的事，郑重其事的样子，说：老牛，你今天走不走？

贵祥想，看样子今天是走不了了，说：不走了。

老刘笑了，说：今天是第四天了，你把房费再给我些吧。

贵祥笑了，说：你催得怪紧。

贵祥开始掏钱，钱差不多已经掏出来，他忽然想到李春，他说：算了，我一会儿单开一个房吧。

老刘一听着急起来，说：你这是何必呢，我没有得罪你吧，你是不是为昨天晚上那事生气？那事，实在是没有办法呀，保证下次再没有了。

接着很重地叹了一口气，又说：要不是我这孩子的病，我老刘说什么也不会要你牛兄弟的钱，我是庄户人，你牛兄弟也是庄户人，咱们挣钱都不容易啊，这住宿的钱,你给谁都是给,就算帮帮我的忙不行吗?

贵祥架不住他磨,又给了他二十块。

老刘拿了钱欢天喜地地走了。贵祥却发起愁来,他怕穿着老刘的破衣服一出房门就被李春看到,犹豫了好长时间,直到终于想到把老刘的旧衣服放到包里,提到外面去更换的办法,才轻松了一些。

但是当他提着包出房的时候,却看见外面不知什么时候下起雨来了。雨不大,一丝一丝的,下得心平气和,一副没完没了的样子。这种雨在地里干活不碍事,但是到大街上去喊冤却不行,贵祥只好又回到房里。正在不知干什么才好,李春推门进来了,说:今天你不能去告状了吧。

贵祥笑了笑。

李春说:闲着也是闲着,你会下象棋吧。

贵祥对象棋有两下子,就说:还行吧。

李春就高兴地说:走,到我房里咱们下几盘。

李春说着还拉了贵祥一下,贵祥本来还想拒绝一下的,被李春一拉,竟不由自主地跟着她去了。

贵祥第一次跟女人下棋。在牛庄一带,下象棋的都是男人,一个女的也没有,再加上给他下棋的女人是一个长得不错的城里人,他紧张得要命,有好几次把自己的子都吃掉了。

李春问他怎么了。

贵祥想说一个谎,可是他想了一会儿也没有想出一个合适的谎言来,很难为情地把真话说了出来,说:我有点紧张。

李春笑着说:你紧张什么,我还能吃了你?

贵祥听了李春这话更加紧张起来,他想起了老婆徐钦娥。他与徐钦娥第一次见面的时候,徐钦娥就说过这么一句话,他当时激动得要命,看看周围没有人就抱住徐钦娥啃了一口。现在李春也说了这句话,贵祥有一种重温往事的欲望,顿时感到身上轰轰作响,拿棋的时候,手都有点哆嗦。

李春看了他一眼,小声地说:你怎么了?

贵祥艰难地说:我,我有点渴。

李春要给贵祥倒水。

贵祥问:有没有凉的?

李春说:我给你拿盒饮料。

李春站起来去了厨房。李春站起的姿势很慵懒,像一股温热的气体,在贵祥的视野里弥漫了一下。

贵祥蓦地感觉到他的裆部动了一下,他用手迅速摸了一把,竟然硬得不可思议,他有点生气,用手掌狠狠地打了它一掌。他以为打了一下,李春就会过来了,可是李春还没过来，他觉得还有些时间，就拉开架势又接连打了三下，发出嘣嘣的响声。

李春拿着两盒饮料走进来，她没有看见贵祥打，却听见了响声，她说：你在打什么？

贵祥说：我在打一只蝇子。

李春不相信地说：我这房里有蝇子吗？

李春转着眼睛在房间里寻找着，她当然寻找不到，在她寻找的过程当中，贵祥终于安静下来。不过，贵祥担心他这安静只是暂时的，李春无意中露出的哪一个细节都可能让他燃烧起来。而李春在他面前好像一点儿都没有矜持的意思，这就使她在贵祥面前暴露出的细节此起彼伏，贵祥一边小心翼翼地下棋，一边寻找着离开李春的办法，他想了很久也没想出来，在无可奈何的情况下，他老婆徐钦娥帮了他一下。

徐钦娥打来了一个电话。

电话响的时候贵祥没接，他以为是找李春的，可是李春拿起电话听了一下，里面却是找贵祥的声音。

徐钦娥是想问一问贵祥见到市长了没有。

贵祥说：还没呢。

徐钦娥说：你难道昨天晚上没有爬市政府的墙吗？

贵祥想告诉她，他不光爬了，而且还被武警抓了起来，但是又怕这话被李春听了去，就说：没爬。

徐钦娥很生气，说：你连市政府的院墙都不想爬，看样子你是不想告状了，你不想告，当初去干什么，花钱费力费时间。

贵祥联想到他这几天的经历，忽然也有点上火，说：我给你说吧，我真不想再去告了，我是什么办法都想了，可就是连市政府的大门都进不去，我，我正想着回去呢。

徐钦娥听贵祥这么说，口气忽然软了下来，说：贵祥啊，你千万别回来，你要回来咱怪难看的，村里和镇里都知道你去市里告状的事。李木还说，你就是告到天边，也告不赢，你这一回来不就应了他的话了吗？

贵祥说：来那天我不想让你放鞭炮，你偏放，现在弄得人都知道了，怎么收场？

徐钦娥说：你自己没有本事告状，倒是怨起我来了。

贵祥有点呆，电话里乱了一下，好像有小胡的声音，接着又传来了徐钦娥的声音，徐钦娥说：对，你要弄不出一个结果就回来，我就不给你睡觉。

贵祥感到沉重起来，没了心思再下棋。

李春看了他一眼，说：不想告就不告了嘛，干吗难为自己。

贵祥摇摇头，说：这里面的事你不知道，当初不告就罢了，现在告成这样，我都没有脸回去。

李春笑了,说:不回去对你也不是什么坏事,我就不信这城市还不如你那牛庄。

贵祥没有说话。

李春好像非要听听贵祥的表态似的,又问了一句:你说是不是?

贵祥想当然是,不过他没说,因为他还没有想过不回去的问题,他觉得这个问题太重大了。他看着李春,不知道怎么答复她才好。李春不知在什么时候把她的圆领衫往下面拉了一下,圆领衫的领口有点大,一道很好看的乳沟就露了出来。他连忙把眼睛移到外面去了。

雨已经不下了。

贵祥太想说点别的了,他说:雨已经不下了。

贵祥这么突然地一转,李春很意外。

贵祥又说,他说的几乎和刚才说的一样,他说:我原来以为会下一天呢,没想到这么快就不下了。

李春叹了一口气。

贵祥说:我想到市政府再看一看。

李春忽然说:看来你不告出个结果是不安心了。贵祥,这么着吧,今天店里也没有客人,我陪你去吧,我一个女人给站岗的好好说说,说不定会让你进去呢。

贵祥今天的行动计划跟站岗的一点儿关系也没有,不需要李春,而且,更重要的是,他不想让李春看到他挂着牌子喊冤的破烂形象,他说:不要你去。

李春不解地说:为什么?

贵祥说:我这种事情,怎么能劳驾你。

李春说:我跟着你去看行不行?

贵祥奇怪地说:告状有什么好看的。

李春小声地说:我想去看看。

贵祥没想到这个女人对他的事情这样认真,他既激动又着急,现出一副要哭的样子,说:你不要去,你要去,我就不去了。

李春见贵祥难为成这样,答应说不去了。

尽管李春答应了,但贵祥仍然担心她会冷不防地跑到市政府门口去找他,因此,往市政府门前去的时候,他没有穿老刘那身旧中山装,当然,也没穿那身新西服,而是穿了自己那身旧的。他也没有做一个像样的牌子在脖子上挂着,只是买了一张白纸。

卖他白纸的是一个老头儿,戴着眼镜,挺和善的。贵祥感觉这老头儿很好,并且一定会写字,就求老头儿在上面写两个字。老头儿痛快地答应了他,但是当老头儿知道贵祥是喊冤告状时,就劝贵祥别用白纸,用纸板。老头儿还自告奋勇地给贵祥找了一块,贵祥想了想,终于没用。之所以没用,贵祥有自己的考虑,他想,用白纸的话如果看见李春去找他，他用手叠巴叠巴就可以装到衣袋里，而纸板没有那么方便了。

由于多了种种顾虑，贵祥这件事情就做得很不到位，他竟然连跪都没好意思跪，这可是犯了喊冤告状的大忌了，历史上都没有过不跪的，只是举着一张纸在市政府门口站着，刚开始的时候，他还有点害羞，举得也不高，后来发现没有人注意他，才举得高了一些。

也有人在看他，但是，只是远远地看，看过了就走了，起不到阻拦交通的后果，当然也没有人来管他，更别说市长垂顾他了。贵祥又坚持了一会儿，发现还是没有人来问他的事，不由得再一次对王建设这个主意怀疑起来。越是怀疑越觉得信心不足，越是信心不足就越觉得自己是在做着一件错误的事情，在一阵风吹过的时候，他看看没有人注意他，两只手一动，就把那张纸叠巴了一下，装到衣袋里，走了，走得很狼狈。

贵祥走远了以后又回了一下头，他看见有一个站岗的武警笑了一下。

贵祥心里很难受，他知道这一回又完了。他不知道下一步怎么办好，迫切想找一个人说一说。大街上的人那么多，多得都数不过来，贵祥却找不到一个说话的人。贵祥看到了一棵树，那是一棵贵祥很熟悉的杨树，他老家的房前就栽了两棵，贵祥对这棵树亲切无比，就走到它跟前，跟它讲起话来，他说：我还要告吗？

他说：我怎么告啊？

他说：我回家行吗？

他说：我不回家行吗？

树毕竟是树，它不会告诉贵祥。他很生气，忽然又想骂人了，只是一时间他确定不了骂谁才好，他就看到什么骂什么，他骂：操他娘的杨树。

他看到了汽车，他骂：操他娘的汽车。

他看到了一家单位的大铁门，他骂：操他娘的大铁门。

他看到广告牌上一个女人的大腿，他骂：操他娘的大腿。

他看到马路上的一条标语，他骂：操他娘的标语。

他一边漫无目的地走着，一边骂着，后来他看到路边一块木牌子上写着一个他熟悉的名字，才停住了。他从衣袋里拿出王建设给他的那张名片与牌子比了比，发现上面的几个字与名片上的一模一样，他叫了一声王建设，走了进去。

王建设果然在里面。他有点惊奇地看着贵祥，说：你怎么没去告状？

贵祥粗声说：我告了，不管用。

王建设说：你按我说的去告还不管用吗？

贵祥说：不管。

贵祥说着就把衣袋里那张白纸拿了出来。

王建设看看白纸笑了，说：你这个不行，要用纸板才好挂在脖子上，还有你这字，不能用墨汁写，要咬破手指，用血写，你听明白了吗？

王建设一边说着一边看了看贵祥身上的衣服，贵祥以为他要批评他的衣服太新了，没想到他却问了一句，说：你是不是没跪，我怎么看着你的腿上没有土？

贵祥的脸红了一下。

王建设就明白了，笑着说：老牛，我看这状你就别告了，二亩地的事，我看在你身上也没有多大的仇恨，要不你为什么连跪都不跪？

贵祥仔细想了一下二亩地的事，他觉得先前他是仇恨的，经过这几天仇恨变质了，变成了气愤，而气愤和仇恨是不一样的。

他自言自语地说：怎么会这样。

王建设说：怎么，还想告？你要真想告的话，就按我现在给你说的再试一次，我这就安排他们给你做一个牌子，不过，你要用血写字，要跪，要喊。

贵祥想象了一下自己那么做时的样子，很为难，说：别做了，我觉得这个办法不适合我，你见过大世面，能不能想想别的法？

王建设说：别的法也有，不过，要花钱的，你身上有多少钱？

贵祥说：这种事要多少钱？

王建设说：少了一两千怕是不行。

贵祥就闭了嘴，他虽然闭了嘴，脑子却转得厉害，他想向王建设借些钱，看看王建设的脸色还好看，一努力就把这想法说了出来。

王建设说：不行，不是我小气，我只见过你两次，怎么放心把钱借给你？

贵祥也觉得有道理，就灰了心，说：看来我明天、明天就回去吧。

贵祥说得一点儿也不情愿，好像被谁逼着说出来似的。

王建设说：回去干什么，倒不如在我这里干一段，我发你工资，挣了钱也不耽误你打官司。

贵祥琢磨了一下王建设这句话，感觉真是一条路子，就犹豫了一下。他想这么大的事不比买一身西服，必须给徐钦娥商量一下，他找了一个理由跑到大街上给徐钦娥打了个电话。

贵祥在给徐钦娥打电话之前，忽然感到一种莫名其妙的紧张，这种紧张使他身上的肌肉都跳跃起来，他用手用力地拍了两下也无济于事，以至于与徐钦娥讲话的时候，声音抖成了一串。

徐钦娥说：你怎么了，我怎么听着你的声音好像在哭？

贵祥谎说：我有点生气。

徐钦娥：你生什么气？

贵祥说：我生我的气。

徐钦娥说：你生你什么气？

贵祥说：我气现在还没能进市政府大门。

徐钦娥:你该爬市政府的墙。

贵祥痛苦地说:我爬过了,可是我爬进去就被他们抓了起来,差一点儿被当了贼。

徐钦娥吃惊地说:啊!

贵祥继续说:我不光爬了墙,还挂着牌子到市政府门口去喊冤了,可是没有用。

徐钦娥说:啊!

贵祥说:操!

徐钦娥说:就没有别的办法了?

贵祥说:有,不过,要花钱。

徐钦娥说:要花钱,你就花吧。

贵祥说:你说得轻巧,我包里那点钱不够,要一两千呢。

徐钦娥说:我的天!

贵祥说到这里紧张得更厉害了,说:我回去吧。

贵祥说完,心里就祈祷徐钦娥不让他回去。

徐钦娥的态度显得很暧昧,说:你回来了不好,你回来不是说明我们输了吗?

贵祥想给徐钦娥一点儿压力,说:我不回去,你必须给我钱。

徐钦娥说:家里的钱都叫我当本了。

贵祥觉得他应该提示一下徐钦娥,他说:我在这里交了一个朋友,他给我找了一个事,说是一个月给我六百,可是我不想干,我想回去。

徐钦娥说:六百,不少了,你干吗要回来?

贵祥高兴起来,说:我那朋友也不让我回去,说挣了钱也好打官司,可是我不想在城里待了,我想回去。

徐钦娥有点生气地说:多好的事,你疯了,你不要回来。

贵祥含蓄地说:我一个人在这里要出什么事呢。

徐钦娥说:你小心点,能出什么事?

贵祥高兴起来,他非常明确地问了一句,说:你真不让我回去吗?

徐钦娥恶狠狠地说:我不要你回来,你要回来,我就不给你睡觉。

贵祥听出来这一回里面没有小胡的声音,徐钦娥看来是发自内心的,就说:其实,我真想回去,你这么一说,我就不回去了。

徐钦娥又说:你要回来,我就不给你睡觉。

贵祥忽然轻松起来,他忽然明白,他刚才之所以紧张,是害怕徐钦娥让他回去,他想了想产生这一念头的原因,竟然再一次想到了李春。

在往旅店走的时候,他的脚不由得有些发飘,像踩不到底一样,他预感到今天晚上或夜里一定会出点事情,他先是为这个预感激动了一瞬,接着又害怕起来。所以走到旅店门口,他又转到大街上。

大街上已经灯火辉煌,一些商店的门厅上挂着五颜六色的彩灯,贵祥心情复杂地在灯光里穿行，他一次又一次感觉到他是在一个梦里行走，他觉得他应该说点什么，就说：这要浪费多少电啊。

在炫目的灯光中，贵祥忽然发现一个熟悉的身影，是李春，李春在人群中走来走去，她好像是在找人。

贵祥想：她是在找我吗？

贵祥这样想着就挺了一下胸脯，他比平常高了一些。他发现李春看见了他，因为他看见李春向他走过来。

贵祥在这一刻想到了两个人，一个是他们的村长李木，他想，在牛庄这种事情只有在李木身上发生，如果发生在他贵祥身上是不可想象的，可是现在就要发生了。他想到的另一个人是他老婆徐钦娥，他不太好意思地对徐钦娥说：我本来是要回去的，可是你不让我回去，现在出了事情，你不要怨我了。

……

两个月后，贵祥又给徐钦娥打了一个电话，说：我已经攒了一千块钱，我想给你商量一下，是用它告状呢，还是寄给你？

徐钦娥没有立即回答，而是算了一下账，说：二亩地一年最多也就收六百块钱，除去种子和肥料能剩四百就不错了，拿着这一千多块钱去争这二亩地好像不值，这样吧，你把钱寄来吧。

贵祥问：那告状的事呢？

徐钦娥说：等钱多了再说吧。

贵祥就把钱寄了去。

徐钦娥收汇款单那天，小胡也在身边，她好像很有情绪，说：狗日的贵祥真是出息了。

小胡骂完了，两只眼睛呆呆地向远方看了一会儿，她看的那个方向就是贵祥现在生活的城市。

（选自《时代文学》2002 年第 1 期）

张 继

1967 年出生于山东省枣庄市峄城区。1996 年进入北京鲁迅文学院作家班学习。1997 年加入中国作家协会。1999 年调枣庄市文联创作室工作。现为济南市文联专业作家。

1991 年开始发表小说作品。已出版小说集《玉米、玉米地》《人样》《村长的耳朵》，长篇小说《去城市受苦吧》，影视作品《惹事生非》《男妇女主任》《村长李四平》《乡村爱情》《石榴花开》及《张继文集》(7 卷)等。

阖岚镇沿革

贾兴安

1913 年

当太阳掉进村西大山里的钳子沟半腰，像老虎嘴衔住一粒蛋黄欲吞又止的时候，田家辉肯定会挑着一副沉甸甸的担子，从村北的山垭口歪歪斜斜走过来。

“整天去城里卖豆腐，也没见他比咱好过。”

“可不是吗！我好赖还有件破棉袄，你看，他只穿了个蓝夹袄。”

“他也想躺在太阳地儿下暖和，可惜没这福气。”

“唉！人的命，天注定，胡思乱想没有用，这都怨他弄瘸了腿。”

说这话的，是一拨一伙扎在街沿儿上已被太阳暴晒了一天，此刻正打算回家的人。因为太阳要落山了，田家辉也从城里回来了。他们有气无力地目送着田家辉在街路上踽踽独行，有的吮烟袋嘴儿；有的挤虱子；有的挠痒痒；有的擤鼻涕；有的抠耳朵眼，慵倦和懒散的样子，一如他们身后倚着的那石头蛋和碎石片胡乱堆砌起来的参差不齐的院墙。

田家辉耷拉着脑袋，一瘸一拐摇摇摆摆朝家里走，耳朵里挤满了一条街的奚落和讥笑。不过，都半个多月了，他早不在乎了，谁让自己被山上滚下的一块石头砸断了腿呢？别人不断腿不治伤不花钱不欠外债，缺衣少穿可以坐在街上晒太阳取暖，没吃没喝的，一天靠两顿柿子面稀糊糊好歹还有口气喘着。但这样却不用干活，不用受累，不用挣钱也不用花钱，肚不饱没有力气也不用操心跑腿花费力气。多少年多少辈多少个冬天老老少少都这么过来了，该死的死了，不该死的都活着，人人都挺好的。可田家辉却不能这么幸福或者愉快地活着，他必须到外面东奔西跑着挣钱，还清所借的外债，养活嗷嗷待哺的孩子、老婆和年迈的母亲。所以，他不配也没有资格和条件跟村人一样在街上舒舒服服享受阳光的爱抚与温暖。不幸与自卑，必须使他比村里人多少勤快一些。于是，一切准备停当之后，他就开始在家里磨豆腐，然后挑到三十里外的县城去卖。一天一趟，天不亮上路，挑六砣水淋淋的豆腐，下午半晌时回来，换回两半筐沉甸甸的黄豆。村子在深山区，通往县城的路，有一半是碎石小道，只有尺把宽，像盘绕在大山上的羊肠子。这对于一个来回都负重的瘸子来说，不只是力气的问题，而是意味着一种精神和毅力。据说，在这个小山村的历史上，田家辉是第一个跑外做生意的人。

在县城跑熟了，几家饭馆和大户人家专要田家辉的豆腐，因此他不用卖了，挑来送去就可以走人，雇主还断不了提议他往后可以多送些来。其实，他也早就看出来了，只要他能做多少，挑进城里多少，就有人要多少，销路不愁，愁的是磨不出也挑不动那么多豆腐过来。

有一次回来得早，田家辉下决心在街上小心翼翼地动员晒太阳的年轻村人，跟他一同做豆腐并且往城里挑。但满街里飞唾沫星，还有不少破鞋砍过来，个个胡卷乱骂，意思是瘸子放屁出邪气，受罪还找垫背的，我们腿好好的，身强力也壮，怎么能像你个狗日的一样低三下四没出息！

田家辉不敢再吭气了，就偷偷找村里一个憨厚得人人喊“半傻子”的小臭。

小臭姓周，大名周守义，他听罢搓着脖子问：“这有什么好处呢？”

田家辉说：“可以挣钱。”

小臭嘟哝道：“我看你连棉袄都穿不起，你说你的钱都挣到哪儿了？”

田家辉笑笑说：“我每天走得满头大汗，穿夹袄还热，要棉袄干什么？别说买袄，皮大氅我都买得起。”

“可是……”小臭想想说，“我傻乎乎的，不会做豆腐呀。”

田家辉说：“叫你老婆到我家帮我老婆做，你帮我送，我给你两份工钱。”

小臭抠抠眵目糊说：“钱不钱的无所谓，只要能管我和我家里人吃饱饭就行了。”

“没问题，兄弟！”田家辉拍拍小臭的肩膀说，“除了工钱一个子不少，每天进城，我还管你吃牛肉夹火烧，你老婆也可以在我家里吃饭。”

“那行，我就跟你去试试，只当闹着玩咧。”小臭答应了，但想了想又说，“可挑一担豆腐走那么远，真是太费力气太累人了，不大好玩，别人也笑话我。”

“仰着脸等老鸦往嘴里拉屎不费力气，可也顶不了肚子饿，笑？看哪个笑在最后吧！”

从此，山道上就又多了一个挑担子的人，田家辉在前，一跛一拐，小臭在后，亦步亦趋。大冬天里，他们都穿着薄薄的蓝夹袄，呼哧呼哧的，一头一脸的蒸气在胡子眉毛上结了一层薄霜。

在街沿上晒太阳的人开始讽刺小臭，小臭挺挺胸膛道：“我没空搭理你们，你们鸡巴不懂！就在这儿晒太阳喝西北风吧！”

一年多以后，村人看不见田家辉领着小臭从村北山垭口回来了。一打听，才知道他们在城里开了个杂货铺，名叫“集倡玉”，田家辉是掌柜，小臭当跑堂的小伙计。

田家辉的“集倡玉”杂货铺位于县城崇礼街。

该街是县城最繁华的商业街，街两旁店铺门市林立，绵延了三里多长。“集倡玉”杂货铺原是县城驻军李祥龙团长的三姨太雇人所开，最近李团长受命调防天津，一家人都要随他走，于是三姨太就要尽快将杂货铺出手。田家辉一直给李团长家送豆腐，听说这件事后到杂货铺里里外外看了一遍，才下了决心买下这个有三间门脸儿后带一个小院的店铺，因为每天来回六十多里地，瘸着腿挑豆腐担黄豆真是太辛苦了，风风雨雨冬天冷夏天热终究不是长久之计。这一年多卖豆腐，田家辉家里有一些积蓄，但还差了不少。为此，他仗着送豆腐认识一些有钱人，就借够资金买下了杂货铺自己当了老板，并让小臭和原来留下的两个小伙计站柜台。从此，田家辉和小臭撂下担子，住进门市后面的小院里，在城里扎下脚根安安生生做生意，再也不用山里城里栖栖惶惶来回跑了。

一晃半年多了，又是一个冬天。田家辉忙完杂货铺的诸多事宜，领着小臭回家小住。这回，他们没有挑担子，所以穿的是新棉鞋、新棉衣，戴着新棉帽。

田家辉满面红光，走道也没那么瘸了，即使瘸点也瘸得很有派头。小臭吃得脸变大变喧了，看着更高更壮了，尤其是不那么憨头傻脑了。

晒太阳的一街村人直勾勾望着他们从眼前威威风风走过去，洞开大嘴巴一时忘了还有舌头。

半天，才有人嗫嚅道：“傻小臭也跟着田家辉抖起来了。”

田家辉这次回家，是打算将母亲和老婆孩子接到城里去，其原因一是他和小臭挺忙，让她们来缝补拆洗、做做饭照料一下；二是他不能总回来，母亲和老婆孩子留在家里实在叫人不放心。但母亲死活不肯进城，所以老婆、孩子也就不能走了。田家辉急得在院子里拐着腿转圈儿，抓挠着头皮哎哎呀呀连声叫道：“这可如何是好？这可如何是好？”

“集倡玉”杂货铺的生意相当好，一年就连本带息还清了借贷。接着，田家辉将经营杂货铺所得的利润，全部用于扩大经营范围和新店铺的拓展，像“滚雪球”一般，一口气在车水马龙的崇礼街上，开办了洋布行、皮货栈、油漆店三个门市，还开了一个钱庄和一个当铺，成为县城里数得上的大老板之一。

再回家，田家辉是骑着一头肥壮的小毛驴来的，戴着皮帽，穿着皮袄和皮鞋。小毛驴被也是穿着皮袄的小臭牵着，上面除了坐着挺直腰杆的田家辉，还驮着一嘟噜一串的东西。到了当街，田家辉示意小臭停下来，小臭勒紧驴头，扶他下来。他朝前走两步，站在路上对那一如既往晒太阳的村人说：“我说老少爷儿们，咱商量点事行不行？”

有一些村人站了起来，但样子像刚刚睡醒，眼睛迷茫得仿佛还在做梦。

“小臭，把咱准备的东西拿出来。”

小臭将毛驴拴到路边的一棵树上，从毛驴背上摘下一个大包，对田家辉说：“掌柜的，那我就去发了。”

田家辉点点头，大声对村人说："是汉子们的请吸洋烟卷；女人孩子尝尝罗丝糖，这是姓田的一点儿心意，实在不成敬意，让乡亲们见笑了。"

村人没吸过烟卷，孩子们更是稀罕糖果，有的甚至没见过这些东西。于是，男女老少一窝蜂围住了小臭，又抢又夺，像一群饿狼撕咬一只小羊羔。

有的小孩嘣一口罗丝糖，竟高兴得哭了："怎么这样好……"

有人狠吸几口烟卷，吧咂着嘴说："奶奶的，这洋烟真好吸，是不是放了香油？我说田家辉，有事你就快说吧，我们不能白吸你的洋烟。"

田家辉说："我想给大伙儿找点事干。"

"行，行，我们现在也愿意卖豆腐。"

小臭的体面和阔绰，让村人们早就后悔过了。

"不是卖豆腐。"田家辉郑重其事地说，"你们不用出家门口，就在村里修路，从咱街里一直修到山下，该开宽的劈山，该取直的打洞，什么时候弄好，什么时候为止。谁愿意干，在小臭这儿报个名，你们再选出来个头儿，我把图纸交给他，一切按我的要求来。"

村人沉默了，看着田家辉不停地眨眼睛。

田家辉说："路修成后，去县城能近十多里，沾光是全村人又不是我姓田的一个。再说，大冬天里，下不了地，放不了羊，坐在屋里冷，没事闲着在街里晒太阳，还不如劈山开石暖和。况且，谁给咱村修路，我管谁家吃饱饭，修路的炸药和工具由我提供。另外，凡是修过路的人，以后家里需要什么东西，只要我城里的门市上有卖，我一律免费。你们要是不干，我明天就去外村请别人干，大米白面叫人家吃，就像当初叫人跟我合伙卖豆腐谁也不干而小臭去了一样，看到头来谁吃亏。何去何从，你们琢磨去，我晚上听你们的回话。"

1916 年

路修了两个冬天，历时两年半，凿了三个山洞，劈了四个山坡，架了一座石桥，宽度能走一辆马车，原来距县城三十里现在只有二十来里了。

村人进城可以推车或者用牲口拉车，既方便又快捷，柿子、核桃、栗子能运出去了。连着几个冬天活动起来有事干，大家才发现这样是比躺着晒太阳暖和而且有意思，还能吃饱穿暖养家。村人进城多了，有事没事都到田家辉的门市走一遭。田家辉对众乡亲热情好客，既敬烟又上茶，要走的送出老远，赶到吃饭时加菜上酒。

闲谈时，有村人说："田大哥，路修好了，以后冬闲时，我们还有没有事可做呢？总不能让大家再回到街上晒太阳吧，希望你能指点一二。"

田家辉笑笑说："我母亲不跟我进城，老婆、孩子也得在乡下跟她住，这样一来就不得不逼着我把家要好好拾掇一番。所以，我打算在老家盖房，现在，我已差人去江浙一带和山西祁县的乔家还有灵石的王家考察了，回来后绘出图纸，我就正式破土动工。过几天，我回去一趟，先布置采选石料，届时，还得靠乡亲们帮忙呢。你回村后，可以先给大伙儿打个招呼，我这房子一开工，估计得干个三年五年。”

现在，田家辉在县城的生意越做越大了，除崇礼街的六个店铺和门市外，还以“集倡玉”杂货铺和“吉祥鸟”皮货栈为商号，在城里建了十四个连锁店，几乎垄断了全城的杂货和皮货生意。商务或生意场上的事，田家辉几乎不再管了，他主要是管好各个店铺和门市上掌柜或老板。其实，这些掌柜或老板也不用管，因为管理他们的办法，田家辉早就制定出来了，即：那些被他聘来的掌柜们，除每月能拿到固定的工钱外，还可以分到该店铺每月经营纯收入的百分之三十红利，其中的百分之十，由店铺掌柜再作为红利分给下面的伙计们。说白了，就跟如今的“承包制”或“发奖金”一样，多劳多得，利润分成。余下来的事情，就是对各个摊点的掌柜们进行管理、监督或稽查。为此，田家辉从各店铺抽来几个有文化的，成立了一个“会计科”，每月底按各个店铺报来的账目及货款清单去审查。所以，田家辉这个大老板当得相当省心，每月看一回汇总的报表，看完锁到抽屉里，心里知道这个月又挣了多少钱就行了。除此之外，就是跟那些和他差不多的大老板或大大小小官员们打交道，不是迎来送往，就是拜亲访友。当然，前前后后，里里外外，都由小臭寸步不离相伴伺候着。城里人都叫小臭是周管家。

田家辉有多少钱，任何人也说不清楚。不过，他的财富，大概都变成了一砖一瓦、一木一石，层层叠叠摞在村中他那宏伟壮观的豪华庄园上了。

民国五年(1916 年)二月二十六日，阖岚村巨商田家辉的大宅院破土动工。按照事先精心设计绘制出的图纸，九年后，主体工程基本完成，各个院落的房屋均举行了上梁仪式，后又经十年断断续续的营构，诸多配套建筑诸如东西花园的假山、养鱼塘、荷花池、祠堂、戏楼、学堂等全部竣工。自民国二十五年，即 1936 年的抗日战争前夕起，一座庄重、气派、精湛无比、具有典型民国初期建筑风格的城堡式建筑群，雄踞于穷乡僻壤、仅有八十多户人家的深山小村。当时，人们叫它“田家大院”，现则称之为“田氏庄园”。

田氏庄园坐北朝南，依山就势，负阴抱阳，院落一座比一座高上去，真可谓层楼迭峦，鳞次栉比。其建筑全部由青石青砖构成，砌垒以碎铁錾和铜钱支垫，灰缝以石灰加米汤黏合，188 间房子组成 16 个小院 8 个大院，四周外墙高达 7 米，通体以尺半石头砌成，围墙垛口林立，枪眼密布，正门通道建有“保卫楼”，围墙周边修有更楼或角楼。大院内外，凡木石、脊饰、雀替、额枋、柱础、窗棂等，皆有千千万个玲珑剔透、精细绝妙的雕刻。

其实，当初田家辉并没有将房子修造得这么精美绝伦，主体工程完工后再有一年半载就可以结束了，但这个春季大旱，庄稼绝收。村人不给田家辉盖房子了，没有活干了去干什么呢？况且，从修路到盖房，这十来年大家都是靠给田家辉做事有吃有喝活着，拿种庄稼早不当正经事了。田家辉觉得，在这个事情上自己是有责任的，都是一个村的乡亲，不能用着人靠前，用不着人靠后，干那种过河拆桥的事，充其量，不就是养几十户穷人吗。于是，田家辉决定继续施工，将村里的土地庙翻修一新。为了能接来大戏和名角，盖了戏楼。为了让村里孩子读书认字，建了“义学”堂。把大院的里里外外精雕细琢，并且一再嘱咐大家说：“别着急，慢慢干，把活儿做精做细了，我要的是这房子受用受看，几百年也不过时。”

田家辉盖房子，养了全村人，生生在村中及邻村造就出了一批批石匠、木匠、砖瓦匠、花匠、画匠。房子盖好后，仍养活着全村及四周沟沟寨寨的许多人，因为偌大一片宅院和田家的衣食住行需要有人照应。于是，田家辉在城里城外的名声再加富甲一方的需求，使商贩和买卖人自发地朝这里云集，渐渐地就形成了逢三小集、逢六大集的集市。

1938 年

日本人来了，县城沦陷。田家辉将诸多店铺和门市廉价处理掉，席卷着金银细软和大批现洋，匆匆忙忙回到了家乡的大宅院。

随田家辉来到阖岚村田家大院的，还有流亡的县政府、县党部机关及县保安团一干人马。他们将村中通往县城的那座石桥改作木制吊桥，设重兵把守，在田家大院门口布着岗哨。四周围墙上修建角楼和更楼，昼夜警戒着办理公务，行使政令。不久，日寇撤离县城，东八县惯匪老瘌头趁虚而入，在县城大肆掠夺。县政府在保安团和国民党地方武装的护送下，搬出田家大院重新进驻县城，一举驱走匪徒，接着整顿旧衙，恢复了县境内的秩序。

县长及县商会动员田家辉进城重操旧业，但面对兵荒马乱的“拉锯战”局势，田家辉执意不从，说：“钱我已经挣够了，下半辈子，我就坐在山沟里享清福了。”

日伪军及土匪杂顽不断骚扰城乡民众，为此，县政府在各区成立“抗日义勇壮丁队”，委任田家辉为五区区公所所长兼壮丁队队长，办公地点当然设在阖岚村的田家大院。

从东部平原进入阖岚的山路只有一条，遇有紧急情况放下吊桥，真是“一夫当关，万夫莫开”。即使进来了一些鬼子和劫匪，也不是田家辉的对手。如今，阖岚四周的六个村子都建起了“联防”组织，有五百多人“平时种地、起事拿枪”的地方武装，一呼百应，招之即来。田家大院有手枪队三十人，汉阳造快枪一百二十条，土炮十门，都布置在院内村外及山上路边的要冲，哪一路人马到此寻衅滋事也是有来无回。

日本人想进来，但开到吊桥边上看了看那条深不见底的大峡谷，就拐过头走了；西山黄巢洞的土匪从西路翻山越岭进来了，在田家大院外的围墙边扔下二十多具尸体，从此没了动静。阖岚及四周村子，成为战乱时期的“一方净土”或者“世外桃源”，大家和平相处，安居乐业。

田家大院办的学堂对本村及邻村的孩子全部免费，因此自开办之日起就称为“义学”，县里的一些有钱人也将孩子送到这里读书，对此，田家辉只收取伙食费和课本费。

阖岚一带免遭战火侵袭的长治久安，使那些“小乱进城，大乱进乡”的城中显贵或商人纷至沓来。他们或携带家眷在此置地造屋安家定居，或结帮成伙在此做生意跑买卖。于是，短短几年时间，村子便像吹气似的急剧地膨胀起来。

如果说，田家辉多年来在村里大兴土木营造豪宅用人用物的铺张，是引来小商小贩使阖岚形成集市的重要因素，那么，抗日战争爆发后田家辉以自己的雄厚财力买枪养兵使这里不起烽烟，则是各地达官贵人宾客商户蜂拥而至并很快形成固定集镇的首要条件。当然，其他的条件还有，比如：县政府前后两次在这里驻扎过（后来县城又一次沦陷，县长又带着人马躲到了田家大院）；山路宽阔，交通便利；有田家大院的高消费；有山货；有方圆闻名的学堂；有手艺的外地人多；田所长或田队长或田老爷喜欢接名角的戏班和众百姓一块看戏叫好。

平安才有盛世，按现在的话说，是这里的“投资环境好”。

据县志记载，民国二十七年（1938 年），第五区区公所所在地阖岚始称镇。阖岚镇从街南田家口至街北山垭嘴，街衢上星罗棋布的有药店、布庄、钱庄、当铺、杂货铺、文具店、洗澡塘、点心铺、肉铺、饭馆、理发馆、镶牙馆、粮油行、煤场等店铺，还有染房、磨坊、油房、糕点房、银匠炉、铁匠炉、木匠铺、皮条架等手工业作坊。其中，田家厨子做的“田记熏鸡”、“田记肘子”以及“家辉兴”商号酿造的酱油、米醋，方圆几十里闻名。

阖岚镇四周皆是荒山秃岭，像蜘蛛网一般向外绵延着十条大沟，向阳的坡面有一些果树，但都是野生的，村人谁摘了算谁的。为了生计，多年来祖祖辈辈在山坡上造出了一些梯田，但遇有大雨山洪泄下会被冲走，逢上干旱就寸草不长，因此有“十年九不收”之说。从民国二十八年（1939 年）起，田家辉凭借自己德高望重的威信，以区公所所长和家有万贯的号召力和影响力，组织村中的青壮年和众家丁杂役垫地植树治山。办法及措施为：一、到五里半外的云灵垴拉来片麻岩的风化土，垫到村边的砂石滩上，厚度为二尺半，再筑坝护地，村人每垫一平方发“法币”贰拾元或小米两升，自己家的佣人除工钱外则赏金伍元，垫出的土地归己所有；二、在山坡上挖鱼鳞坑植树，树种由田家提供，主要是板栗、柿子、苹果、鸭梨、红果、肉枣、核桃树，谁栽的归谁所有，每成活一棵奖“法币”拾元或小米一升，自己家的佣人则赏贰元伍角，成熟结果后由田家高价收购；三、凡居住在本村的外地人或其他村人，自愿在山区垫土或植树者，将享受以上同等的奖励，凡在镇中做生意的商人，有垫土植树者，亦享受以上同等的奖励。否则，将增加税收一倍。

截止到解放前夕，近十年间，阖岚镇周围垫出可种的土地七千余亩，十条大沟里，全部变成了绿色的山川，共有果树两万余棵。

1941年

田家辉有四个儿子，三个闺女。

大儿子田运起，现年三十岁，二十一岁时从县立中学考入清华大学，毕业后留在北平工作，并跟本班的一位女同学结婚，生有一子，已经三岁，老家阖岚镇这边的事基本上是不管不问了，一家三口也不经常回家。二儿子田运顺，现年二十六岁，人老实，不爱说话，如今在县城操持父亲留在那里的“集倡玉”生意。三儿子田运兴，现年二十二岁，去年新婚之夜突然离家出走了，至今下落不明，生死未卜，田家辉派人天南地北地找了半年多，也生不见人，死不见尸，就这样不明不白失踪了。人去了哪儿？为什么跑走？任何人都说不清楚，留下的新媳妇青灯伴泪，独守一进四合院，问她，她哭哭啼啼，说不出个一二三来。但种种迹象表明，田运兴结婚这天晚上，抽了一夜的烟，第二天五更，媳妇醒来，他人已经不见了，在他床头的桌子上，磕满了烟灰，灯已耗尽了油，也就是说，他是遇到了什么磨不开的事才离开家的。田家辉实在想不出老三有什么不顺心的事，镇公所的事大部分由他料理，尽管年纪不大但却处置得头头是道，这个俊俏的媳妇，也是他自己相中的。小儿子田运长，现年十七岁，从小是个“歪材料”，又调皮又捣蛋，屁股下像长着蒺藜，坐不住，书读不进去，整天领一帮小孩或在镇街上疯跑，或蹿到四周的山上打猎，怎么管教也无济于事。

为此，田家辉经常搓着大手仰天长叹：“田家好好的一棵大树，怎么凭空里横出了一缕枯枝败叶！”

这不，清明节的前一天，田运长闯下了大祸。这场大祸，在一定程度上，改写了田家和阖岚镇的命运和历史。

现在来看，这场事件也不全怪田运长，事情的最初起因，是由一连串的“偶然因素”组成的。据仍健在的郭子义讲，那天，他到山上去割草，临近傍晚时，他扛着一捆草回家，走到半路时，突然发现将镰刀丢在山上忘带了，于是就返回去拿，如果拿上就走，也就没事了，但这时他想拉屎。在他拉屎的时候，据仍活着的田运长儿时的一位伙伴回忆，田运长领着他们在山上打野物玩儿，并且是走在回家的半路。此时，有一只兔子在不远的山坡上斜刺里往西跑，伙伴们便咋咋呼呼吆喝了起来，田运长为之一振，朝前追几步，据枪在肩，照着狂奔的野兔瞄准。兔子闪几闪，消失在一片灌木丛后面了，此刻，四周里有淡淡的雾霭，能见度不是很好，但伙伴们也都朦朦胧胧看见，灌木丛里的确恍恍惚惚摇动着。而实际上，灌木丛的晃荡是因为郭子义拉完屎正要站起来提裤子，但没等他系上腰带绳，田运长便抠响了猎枪的扳机。于是，一场大祸就这样闯下了——三寺村郭其印家十六岁的儿子郭子义，被阖岚镇田家的小少爷田运长用猎枪误伤了。

如果是一般的枪伤，或者说伤在别的地方，也不会发生以后更为复杂的故事，再加田家辉在这一带德高望重，财大气粗，多破费些钱财也就将此事平息了。但不料猎枪的霰弹，打得郭子义满脸开花，简直成了一盘稀烂的马蜂窝，严重损坏了他的面相，按现在的话说，也就是“毁了容”。

在田运长搂响枪的同时，灌木丛后面的郭子义就发出令人恐惧的惨叫声。田运长知道打着人了，当时就吓傻了。伙伴们劝他赶快逃走，还说我们保准谁都不说，可田运长却令他们救人。于是大家一起动手，将满面血淋淋的郭子义抬到了镇上救治。治伤的时候，田家辉亲自在场督看，一再叮嘱镇上最有名的徐大夫不惜一切代价。当时，大家还不知道被伤的这孩子是谁。徐大夫擦净郭子义脸上的血，才发现是三寺村郭其印的独生儿子，他扳住郭子义满脸黑枪眼都在渗血的头颅看看，叹着气道：“唉，好是能好，可这孩子的面相坏了，日后得落一脸大麻子。”接着，他像大闺女绣花似的，用镊子从郭子义脸上剥出了一小手窝铁砂弹，大的似绿豆，小的像米粒。

当晚，田家辉带着厚礼，领着田运长，步行八里山路，到三寺村郭家赔礼道歉，自责请罪。一见面，便让田运长跪下，自己也躬下身子说：“要打要杀还是要罚，等子义侄子的伤好以后，咱再做计议，眼下，治孩子的伤要紧，事已经出了，你若能放我一马，不嫌弃田家，我这不成器的儿子，日后当牛做马叫你使唤，你的儿子，也是我的儿子。”

郭家世代贫寒，老实巴交，又知道田家辉的一世为人，心里尽管又怨恨又悲痛，但面对低声下气、一脸虔诚的田家辉田镇长，实在是也说不出什么更难听的话来。

郭子义脸上的枪眼痊愈后，每一处掉痂的伤口都落下了一个小疤瘌，大的同黄豆，小的如芝麻，有深有浅，黑紫油亮，密密麻麻很不规则地连成了一片，好像一盘填满锅底灰的马蜂窝，而且还牵扯得嘴歪眼斜，简直不像个人样。

如此一来，事情逐渐变得复杂。大致说来，郭子义从一个白净伶俐的孩子，突然变成了一个面目可憎、人见人怕的大麻子，再加他已经不小了，自尊心又很强，所以根本接受不了这个残酷的现实。伤好后，他开始找田家复仇，尽管田家辉在这期间赔了他家很多钱，为他家买了地，还给他盖了一座四合院，并答应今后操持给他娶媳妇，但郭子义不理这一套，人变得暴戾而恶毒。他不断地来阖岚镇找田家寻衅滋事，口口声声要田运长赔他的一张脸，有一次，还在街头用菜刀砍伤了田运长的胳膊，吓得田运长好几个月不敢出门。后来，郭子义把田家给他盖的房子放火烧了，钻到深山去当了土匪，接着带人来田家大院闹事。但由于大院有手枪队防守，他攻不进来，就用一支箭把一张纸条射到院子里，上面写道："不杀田运长，誓不把人当！"田家辉为防万一，通过县政府送田运长当兵走了，意思是躲藏起来让郭子义找不见他。田运长当的是国军，先去了济南，后到了开封，再后来，就没了消息。

深秋的一天，田家辉的三少爷田运兴突然回到了阖岚镇，而且还骑着马，带了一支队伍，从服装上看，大家知道这是八路军。原来，田运兴离家出走后，跑到山西，参加了共产党的八路军，一直在榆次、阳泉那一带打日本鬼子，几个月后就当了连长，这次回来，主要是受命到八路军一二九师总部执行任务，路经家乡时顺道回来看看，只有两天的时间。

田家辉质问田运兴为什么不辞而别地离家出走，田运兴不肯说，但家人听见他气冲冲地跟他媳妇吵架。

当时，田运兴见媳妇还在家里，黑着脸拉扯住她进了屋里，然后关紧门压低嗓门对她呵斥，她没有反驳，一直嘤嘤地小声哭泣。其中，田运兴的几句叫骂声大家听得清清楚楚——

"不要脸，你怎么还死赖在这儿，快给我滚！"

"我田运兴可不吃你这个剩馍！"

"要不，你给我说那小子是谁，我去宰了他！"

"老死这儿，我也不要你！"

不一会儿，田运兴摔开门出来了，在院子里跳着脚对田家辉说："把她给我撵走，我不要这个烂货！"

田家辉知道他和媳妇"有事"，像是她"不忠"的问题，但详细情况是怎么回事，依然是让人不明不白，于是便皱着双眉道："那也得把事说清楚。"

田运兴还是不说："让她自己说！"

媳妇捂着嘴哭，也是什么都不说，随即提着个小包袱跑了，此后再没有回来。

晚上，田运兴问弟弟田运长去哪儿了，田家辉便把前前后后的事说了。

田运兴惊叫一声说："可不能叫他当国民党兵，赶快把他找回来！"

田家辉唉声叹气道："不管当什么兵，都是打日本人，无所谓的，再说，这是让他出去避祸，不然，郭子义在暗处早晚会对他下毒手。"

"现在还看不透局势，不过，你还是听我一句，让老四回来，往后，你管好咱阖岚镇就行了，别的事，也少跟国民党他们掺和。"田运兴站起来说，"我还有一天时间，我带人去一趟山里，把郭子义这个土匪剿了，绝了后患，你就把老四叫回来。"

田家辉一把抓住了田运兴："可不行，这事不能怨姓郭的，打人家坏良心，再说，你弟弟半年多没信儿了，谁也不知道他在哪儿。你现在既然有事做，就去忙你的，家里的事不用你操心，只是，不管你以后走到哪儿，落到哪儿，记住你是阖岚镇的人，这里有你爹你娘你兄弟姐妹就行了。"

1947 年

夏天的一个夜晚，郭子义领着几个人，悄悄来到了阖岚镇找田家辉。

这是几年以后，郭子义第一次在这一带露头，他现在干什么，谁也不知道。

田家辉显得惊慌，但仍然是以礼相待，并小心翼翼地说："老四他早就离开家了，如今在哪里，我也不知道……"

郭子义截住了田家辉的话："田运长在国民党 40 军 39 师 115 旅 229 团三营七连当连长，现在邯郸馆陶县驻防，看守滏阳河上的一个渡口。"

"你怎么知道?!"田家辉惊叫一声，仔细打量一眼郭子义和他带来的那几个人，"你现在做什么? 没在西山吧!"

郭子义抹拉一把疤瘌脸道："明说吧，我现在是共产党、八路军，小日本投降后，我们正跟国民党对着干，也就是跟你家老四田运长斗。我是阖岚镇人，知道没有你田家辉，就没有咱阖岚镇，你现在是国民党的镇长，有枪有炮，我们连个棍儿都没拿，只扛着个脑袋来了。你要想立功受奖，立马把我们几个五花大绑起来；要想替自己留条后路，你就答应帮我们办点事。所以，我这次以共产党的身份来，不是像从前那样找田家报个人私仇的。"

田家辉释然了，认真地看着郭子义说："大侄子，你知道，我是个乡绅，说白了其实是个生意人，打日本的时候，我出钱出粮出人，不管老三老四当的什么兵吧，反正当时都是保家卫国，我二话不说就让他们去了。现在，我们中国人自己打了起来，我一时半会儿吃不准，不管是共产党还是国民党，老汉我是谁都惹不起也不敢惹，我只操心咱阖岚镇的百姓们平安无事。你们这两个党和军队，谁叫我办事我都办，况且我一个儿在共产党一个儿在国民党。只要我田家辉能做到的，我一定给办，更别说是你来了，田家从前还有对不起你的事呢。"

原来，郭子义在西山被另一股土匪洗劫后，投奔了八路军，抗日战争结束后，他又被整编到太行军分区敌工科。这次，他们奉命护送华北野战军两位首长去山东，路经滏阳河上的一个渡口。事后才知道，这两位首长，是司令员刘伯承和政委邓小平。但当时分区什么也没说，只是交给他们一个重要的任务，将两位首长送过河，保证绝对安全万无一失。敌工科经探查，得知把守渡口的连长，是郭子义的一个同乡，名叫田运长。情况摸清后，郭子义灵机一动，便有了一个"借路"过河的计策，而这次"借路"，实际上是"借"田运长的父亲田家辉。

但是，郭子义没有跟田家辉说那么多，只说是有几个伙计要过河，让田运长行行方便。

田家辉不假思索道："这好办，我给你写封信，你派人去找他。这个臭小子，一年多都不给家来信了，邯郸离家这么近，也不回来看看我，真是不孝！"

郭子义说："光写信不行，你得亲自去一趟，跟我们一块儿过河。"

田家辉眨眨眼睛，看看郭子义，困惑不解地问："什么要紧人过河，还得压我的票。"

"我们不知道，反正你得跟我们走一趟，要不，我们就把你绑走。"

田家辉跟着郭子义他们走了。走之前，在城里照看生意的儿子田运顺匆匆赶来，和庄园的手枪队要陪田家辉一起去。田家辉把他们吵回去，独自步行着跟郭子义一行到了邯郸。

过河是在第二天下午。

过河之前，田家辉让郭子义把他五花大绑用绳子捆起来，郭子义不解："这又不是强迫，对你也不敬了，用不着这样。"

田家辉说："你听我的，我这是求你帮我，给我当国民党的这个小子留点面子。"

船上共有四个人，郭子义撑船，田家辉身上绑着一道道的绳索坐在船头上，另两位一高一矮的汉子，就是要过河的两位首长。

船到河中心，对岸的国民党守军就哗啦哗啦拉枪栓，还吆喝问是什么人，不答话就开枪。

田家辉便在船上喊："叫田运长出来，我是他爹！"

可能是田运长站到了岸上，反正是没有什么动静了。

"船上什么人？"是田运长的声音。

田家辉叫道："运长，四孩儿，我是你爹田家辉！我被绑架了，过了河就没事了，你要不叫我过河，就开枪把你爹打死吧。"

岸上没了声音，小船继续朝下游漂流。

过了一会儿，对岸突然枪声大作，但子弹头都是朝天上飞。

过河以后，刘伯承和邓小平握着田家辉的手，连声道谢。

邓小平还嘱咐郭子义："这位老乡可是立了大功，回去给你们领导汇报，他儿子是国民党，组织上以后不但不要为难他，等全国解放了，我们还要重重奖赏他为革命做出的贡献。"

田家辉笑笑说："区区小事，不足挂齿。"

送田家辉回阖岚镇的时候，郭子义耷拉着眼皮说："田老爷，咱的事，从此算是清了，往后，我不再跟田运长过不去了。"

田家辉凝望着郭子义的疤瘌脸，重重叹一口气说："田家一辈子都对不住你，以后，八路军或你个人有什么事，尽管找我，我要说半个不字，你一枪撂倒我。运长当国军的事，你放心，等我再见到他，一定让他滚回来。"

郭子义因护送首长过河有功，不久就当了敌工科长。

刚解放的那几年，郭子义任县武装部长，在对待田家的问题上，郭子义据理力争，说当时刘伯承和邓小平都说过田家辉有功，况且，在解放县城时，田家辉更是功不可没，再说了，他三儿子田运兴还是我们共产党的团长。

一个多月后，田运长回阖岚镇看望父亲，跟父亲田家辉大吵了一架。田家辉把他绑了起来，不让他回馆陶的部队上。田运长磨断绳索，偷偷跑了。

田运长的命并不长，死于县城解放的1948年7月23日，年仅二十四岁。

如果没有田运长，县城不会这么快解放，也不会少死那么多人。因此，在某种程度上，可以说是田家辉为了县城的解放！贡献出了自己的一个儿子。

大约是这一年的三月间，田运长调到县城驻防，任国民党驻军的通讯连长。这情况，田家辉一点儿不知道，因为田运长跟父亲闹掰后一直不跟田家辉联系了，即使到了县城驻防，也没有回过家一趟。田家辉得知四孩儿田运长在家门口当兵的消息，还是从郭子义那里。

这一天，郭子义领了两个人，突然来到阖岚镇找田家辉。田家辉仍然以礼相待，问共产党需要他做什么，出人出钱不在话下。郭子义笑笑，说无事可求，只让他到县城跟田运长见一面。这样，田家辉才知道田运长到了县城，当时还喋喋不休骂了他一阵子。

田家辉很郑重地表示："我领几个人，把他从县城绑回来。这个败家子，不叫他干，他偷跑了，到了家门口，也不回来看看，真是个逆忤！"

郭子义摆摆手说："人各有志，不必强求。我们让你去县城看他，也算是有求于你。到那里后，他肯定留你吃饭，你就让他到清风楼西边黑家饺子馆去，把他灌醉了，别的事，你就别管了。"

田家辉一惊："你们要杀他？"

郭子义信誓旦旦："保证不动他一根汗毛。"

"那我不明白你们的意思。"

"这事我现在不能说，等以后你就明白了。"

当时，田家辉不知道儿子田运长在国民党的部队上干什么，也不知道郭子义葫芦里卖的什么药，总之是按他的交代去了县城见田运长。

田运长请父亲田家辉吃饭，田家辉就让他去黑家饺子馆，说是一年多不吃了特别想。

坐定后，田家辉睃寻四周，没有看见郭子义和那两个人，心里踏实了许多。

吃饭时，田运长身后站了四个端枪的大兵。

田家辉对田运长一直骂骂咧咧，瞪着眼说："你事再大，也不能给你爹我摆架势！"

田运长就赔着笑脸："我不是这个意思，有些事，我没法跟你说。要不是爹你来，我可不能到这个地方跟你吃饭。"

田家辉叫田运长陪他喝酒，田运长说什么也不喝。田家辉无计可施，拿眼在饭馆里滴溜滴溜乱转。可除了吃饭的，看不见有什么异常的人。田家辉想了想，索性不按郭子义说的那样灌儿子酒了，便站起来去外面的厕所小便。田运长见状，就搀着父亲田家辉一块儿去。

四个端枪的大兵跟着田运长和田家辉到了厕所门口，田运长没让他们进去。

厕所里，有两个人正在小便。其中一个解完了手，朝外面走时撞了田家辉一下，田家辉闪个趔趄，田运长连忙去扶他，还呵斥那人一声。这人笑笑，说了一声对不起，与他擦身而过走出了厕所。之后，田运长和田家辉解了手，又回到饭馆把饭菜吃完，就散了。

田家辉与田运长的整个见面过程，就这么简单。回来后，田家辉心里一直忐忑不安，想着等见了郭子义一定解释一番，但郭子义始终没露面。

三天以后，县城解放了。

田运长在持续两个多小时的炮击中阵亡。

从表面看，县城是打开的。但解放以后，郭子义才透露了其中的真实内幕：冀南军分区通过内线得知，田运长掌握着国民党县城布防和调动的密电码，而记载着密电码的小本本，就装在他的衣兜里。如果能得到密电码，就能截获敌人的电讯情报，探明其兵力部署和火力配置，尽快拿出解放县城的具体方案，否则只有等待时机强攻。因此，偷偷巧夺密电码，成为解放县城的重中之重。在田家辉与田运长吃饭时，郭子义派人一直在旁边盯着，并于他们去厕所之前先进了厕所，在故意碰撞田家辉而田运长去扶他的时候，窃走了田运长身上的密电码。破译电讯后，我军调来一个炮团，猛轰敌军在城中的兵营及火力网，打得他们猝不及防，溃不成军，未伤一兵一卒就解放了县城。

1950 年

阖岚镇的“土改”，进行得艰难而又复杂。

这里太富裕了，几乎家家有瓦屋有砖房，户户有土地有山林。按照当时的政策，村里百分之九十的家庭都要划为地主或富农成分，而作为首富的田家辉，田家大院的偌大一片庄园和几百公顷土地、果园，还有县城的五家店铺及房产，再加上他特殊的影响力，相当复杂的社会背景，使刚刚接管革命政权的县政府一筹莫展。

刚解放时，就有人提出镇压伪镇长田家辉，但遭到了大多数人的反对，郭子义还把手枪掏出来在桌子拍得当当响：“我看谁敢，谁敢，我先崩了他，再去请示刘伯承、邓小平和聂荣臻！”

现在到阖岚镇搞“土改”，就派郭子义带着工作队去了。

郭子义解放后转到县里当了武装部长。当然，让他“土改”阖岚镇，不仅仅是他的家乡在那里，跟田家辉有着特殊的关系，还因为弄不好那里，无论现在还是将来都会出事。

去之前，郭子义有言在先："怎么搞，我说了算，在阖岚镇，凡是我定的事，你们别给我推翻。"

"可你一定按政策办，对党对人民负责。"

郭子义拍拍胸脯："我向毛主席保证！"

"土改"工作组住进了田家大院。

阖岚镇人心惶惶，因为他们都知道田家辉已死去的小儿子田运长，从前误伤过郭子义，把他打成了一个大麻子脸，跟田家有深仇大恨，并不清楚后来田家辉几次帮过他，两人的恩怨早已灰飞烟灭。所以，他们聚集在田家大院门楼前，示威般观察着大院里的动静。

在田家的客厅里，小姐丫鬟飘扬着艳丽的裙裾端茶上水，搞得工作队里几个没见过世面的小伙子手足无措。

"田……老爷……"郭子义觉得再这么称田家辉不合适了，想了想皱着眉头说，"田家辉，现在解放了，是新中国新社会了，要土改，有些事都得变过来，你看，咱们怎么办？"

田家辉说："我听政府的，听国家的，你说怎么办，我就怎么办。土改，划成分，按我的理解，就是把我和村里人的土地、房屋、山林都充公吧。这好说，你就收走吧，本来就是大伙的。从前，时局让这样，我领着村里人这么干了，现在不让了，我也上岁数了，正好歇歇，本人没意见。"

郭子义说："那我就按上边的政策办了。"

田家辉说："办吧。"

"外面围了好多人，你去解释一下，别让大伙误会了。"

田家辉站到门楼的台阶前，说了一句"你们都听郭部长的"后，村人便一窝蜂散了。

阖岚镇绝大部分的家庭都有房都有地还有果园，这都是从前田家辉当镇长时发动大家辛辛苦苦挣出来的，不存在"房无一间地无一垄"的贫困户，没必要没收谁家的财产再分配给别的家庭，即使分也没人要。村里也有几户穷光蛋，但不是给地也不种的流氓无赖，就是天生耍赖，油瓶倒了也不扶的游手好闲之辈。这种穷人，连郭子义都恨他们，因为"土改"工作组找他们谈话要分给他们地种时，他们掉头就走，比野兔跑得还快。

村里的房子和地都不用分，各住各的，各种各的。

但"划成分"时，就没这么容易了，这是因为阖岚镇家家户户争着当地主。

田家辉是大地主，全村公认，任何人没有疑义。但其他户如果跟田家相比，当然就不算地主，可倘若跟别的村那些划成地主成分的人比较，阖岚镇的家家户户都该划成大地主。全村都是地主，分不出个上中下、三六九等，这不把阖岚镇变成“地主村”了吗？这样显然不行。只好按本村的实际情况而不是按文件规定，大致划出一大部分地主，一少部分富农，极个别中农或下中农。贫农，则由那几个有事不干的懒人占了。郭子义这样做的目的，是怕县里领导责怪他“界限不清”、“敌我不分”而混淆了阶级矛盾。但一些村人不干了，划不上地主的，不以为荣，反以为耻，天天来找工作队，他们认为这是工作队故意给他们难看，在村里排挤他们孤立他们，让他们在村里抬不起头来。有的人为达到当地主的目的，甚至请郭子义喝酒，给他送礼，整得郭子义哭笑不得。

在阖岚镇，由于村里大多数人是地主，地主就成了这个村的人民群众，而贫下中农变成了一小撮的孤立者。划成地主成分的弹冠相庆，欢呼雀跃，一些富农、中农、贫下中农愁眉苦脸，沮丧不堪，后悔当初不多盖几间房不多开几亩地。

地主们谁也大不过田家辉，因而田家辉依然是阖岚镇的一面旗帜。

县里来检查阖岚镇的“土改”工作，见状骇然大惊：“这不是还没有解放吗？”

于是找出“土地改革”总政策的条条让郭子义学习：“依靠贫农、雇农，团结中农，中立富农，有步骤地分别地消灭封建剥削制度……”

阖岚镇依靠的是地主，这不行。

村里一定要成立“农协”。但村里的贫农没几个，叫来开会了，一个个晃着膀子，吊儿郎当，看着都不像好人，只好“瘸子里挑将军”般弄来凑合。接着建立镇人民政府，住址选来选去，还是在田家大院最好也最合适。于是，将田家大院的后花园，也就是有戏楼的北部院落，生生拦了一道墙截开，朝东开了个门，挂上阖岚镇人民政府和农民协会的牌子。

这期间，郭子义赌气回了县城，原因是县里对他在阖岚镇领导的“土改”工作不满，尤其是在如何对待田家辉的问题上与县里的主要领导产生了严重的分歧。

县里提出要批斗田家辉，郭子义不同意，说：“他是地主不错，但没有剥削人，一个村的人，都是靠他有吃有穿富起来的，这个镇，也是有他才形成的。你们是外地人，不了解这里的历史，他跟大家没有阶级仇、民族恨。要说有仇有恨，这一带就数我跟他大了，可我现在都不吱声，别人更无话可说。这是因为，解放前他打过日本，杀过土匪，保护我们这里的老百姓不受祸害，为我们共产党、八路军出钱出枪，把自己绑起来送刘伯承、邓小平过河，还帮我偷他儿子的密电码。现在解放了，我们本来该对人家好，为什么斗人家！”

“他大儿子田运起跟蒋介石跑到了台湾。”

“可他三儿子田运兴参加了八路军，现在还在济南当团长，田家辉该是我们的军属。”

“据说，田家辉发家时，剥削了不少人，让一个叫小臭的给他挑豆腐，雇全村人给他家盖房子，这不是压榨劳动人民是什么？他花天酒地，大鱼大肉，住这么大一片画梁雕栋的青堂瓦舍，连牲口棚都比我们那里的房子高级，想在这山沟里当皇帝，不斗他不足以杀他的威风。”

“你们要斗就斗吧，我不干了。”郭子义在军分区时也是大名鼎鼎的人物，有战功，作风硬，根本不吃县里这一套，甩下这句话，拍拍屁股带着行李走了。

县里派来个姓吴的新队长，但还没等斗田家辉，自己的“队员”小胡先出了事。

小胡原先在部队里当排长，打仗时因胳膊受伤，解放后转业到县里工作，是跟郭子义一起抽到阖岚镇搞“土改”的。工作队住在田家大院，不知从什么时候，小胡跟田家辉家的一个小丫鬟秀娥好上了。直到出事以后，人们才知道小胡和秀娥已经是生米做成熟饭了，也就是说，小胡把秀娥睡了。秀娥到镇政府找到吴队长哭哭啼啼，要小胡娶她。小胡未婚，在这里看上了秀娥要了她的身子也是认真的，但马上结婚，却不大愿意，所以一直支支吾吾，秀娥以为小胡只是玩她根本不打算真要她，就找吴队长大闹了起来。吴队长刚来，闻讯大怒，不问青红皂白将小胡赶回了县城。这样一来，秀娥闹得更急了，天天找吴队长哭。吴队长被闹得心慌，灵机一动，就决定将田家辉家的所有丫鬟仆人都遣送回老家。

“解放了，还他妈使着丫鬟，用着长工，真不像话！”吴队长气得跺跺脚，指着田家辉的鼻子呵斥，“除了家里人，把大院里的这些人都给我撵走，一个不留！”

田家辉笑着说：“我没意见，如今我坐吃山空，也实在养不住这些人，早该了，只是我没法开口，政府出面来办，我真的感激不尽。”

这一下，吴队长算是捅了马蜂窝。

田家大院炸了营，男人的叹息和女人的哭声响成一片，大家都舍不得走，没完没了地跟吴队长吵闹。

吴队长撂挑子走了，县里无计可施，又把郭子义派过来收拾残局。

“原先我就说过，怎么搞，我说了算，这一回，我再说一遍，阖岚镇情况特殊，有些事，由我做主，你们别横挑鼻子竖挑眼。”

县里说：“这回我们不管了，你看着办，土改了就行，消灭了剥削和封建就行。”

郭子义走时，带上了小胡，让小胡跟田家大院的丫鬟成了亲。接着，又张罗给别的丫鬟找婆家，这样陆陆续续一年多才走清。

阖岚镇或者说田家大院的“土改”搞得极不彻底，甚至可以说有点稀里糊涂。

比如说，郭子义“土改”结束后回县城时，在这里投票选举镇长，结果田家辉得了个满票。他知道这样没法给县里交代，就提名小臭周守义为候选人，于是，小臭就当了镇长。这实际上还是田家辉说了算，因为小臭是田家辉或者说田家大院的大管家，事事都听田家辉的。但是，小臭一家多年来住在田家大院，自己的房和地都不多，所以在成分上只划了个中农，具有革命的政治资本。

为此，郭子义在后来的“文革”中被“打倒”了。也正是为此，田家大院得以完整无缺地保存下来，并成为现今华北地区著名的民居建筑群风景区。

郭子义的功过是非，自有后人评说。

1968 年

阖岚镇人民公社革命委员会设在田家大院。

田家大院四周高大的围墙上，刷写着一幅幅白底红字的诸如“革命委员会好”、“文化大革命万岁”、“破四旧立四新”等巨型标语。标语上方，沿透花墙顶一线，还用同一个版喷涂了一排溜儿毛主席头像，脸盆般大小。密布在围墙上的角楼和更楼，都插着红旗。正门通道的“保卫楼”上画着一幅油画，画面是两艘轮船顶着头在一圈圈的浪花上航行，船头夹着的一轮大红太阳，放射出一道道金光，上面写着一排“大海航行靠舵手”的连笔字。在这幅油画的下面，就是大门口，但黑漆大门早已变成了红色，门两旁挂着好几个牌子，其中一个是最近刚挂上去的，写着“阖岚镇公社阶级斗争教育展览馆”字样。

“展览馆”是“县革委”抓的“点”，除了让全县革命群众来参观受教育外，还准备让“省革委”主要领导来视察。县里的这个“展览馆”是不是开展阶级斗争教育的“好典型”？能不能在省里放一颗“政治卫星”？就看“展览馆”布置得如何了。

“县革委”的“班子”成员都来了，在田家大院转了一圈儿之后，“革委会”主任眨着眼睛，满脸惊悸地说：“好家伙，这么一大片房子，比四川省大邑县安仁镇刘文彩的大院还大。那里我去参观过，人家的收租院里的实物特别多，比如有大斗收租、小斗放债的斗，大秤入小秤出的秤，关穷人的水牢，打人的皮鞭。可这里，都是些桌椅柜床乱七八糟的老家具，只贴个标签说田家辉坐的太师椅多么值钱，恐怕没什么说服力。不看不知道，这一看，我才发现，田家大院是无产阶级专政下继续革命的最好的也是最有价值的生动教材，我们必须搞出名堂，不但让全县，而且让全省全国人民通过参观这里，永远牢记阶级苦，不忘血泪仇。现在这个样子不行，你们再重新给我搞一搞，把田家给我彻底挖一挖，半个月后，我再来检查。”

公社主任说：“大院里就这些东西，都摆出来了。田家是在外面做生意发的家，在村里没有怎么剥削人，找不出更多的实物和证据。”

“县革委”主任不屑道：“俗话说，富了一家，穷了万户。我不信，田家辉有这么豪华的庄园，解放前，能不在家里偷偷埋藏或销毁些什么东西？比如变天账，比如金银财宝。大地主没有一个不想东山再起的。我听说，‘土改’时，郭子义包庇他，甚至在‘文革’前期还在替他遮遮盖盖，所以这些年什么事都整得不干不净。现在，郭子义被打倒了，你们必须放下包袱，给我狠批狠斗田家辉，让他坦白交代。再就是走访群众，搜集他的罪证，将解说词给我写得生动形象，深刻揭露其十恶不赦、罄竹难书的罪恶行径，让参观者声泪俱下，不把田家辉千刀万剐不足以报阶级仇，不足以解民族恨!”

批斗田家辉,镇里有些不忍,因为他已经年近古稀,瘫痪两年多了,牙都掉光了,耳聋眼花,说不成囫囵话。

田家辉的四个儿子:四儿子解放县城时死了;大儿子田运起没解放就去了台湾,至今杳无音信;三儿子田运兴现在是解放军的师级干部,家在南京,解放后只回来过一趟,多年不跟家里联系了;家里只有二儿子田运顺,但田运顺的店铺公私合营后,又经多次变故,全家落在了县城,他则在县日杂公司上班,三年前退休后,撇开县城的老婆孩子,一直在阛岚镇伺候父亲田家辉和老母亲。

现在,田家在阛岚镇的田家大院,只剩下了三个人,住在后院从前是更夫临时休息的小屋里,潮湿而昏暗,出入也从过去走牲口和大车的后门过。

镇里跟田运顺商量,说只要交出"变天账"和偷埋的金银财宝,就不找你爹的麻烦了。

田运顺当然交不出来,没办法,就批斗田家辉,否则过不了"县革委"的那一关。

没想到,田家辉的批斗大会变成了他有生以来最大规模的评功摆好大会,歌功颂德大会。

这天夜晚,阛岚村要召开群众大会,村里的高音喇叭只广播了三遍,消息便像插了翅膀。

阛岚镇一带沸腾了,傍晚时,四面八方的人们朝田家大院云集。

解放后,镇里村里在这里多次召开群众大会,但从来没有到过这么多的人。村里几乎是家家户户都锁了门,四周村子里也来了不少老人。戏园子里黑压压的水泄不通,大院的房顶上站的全是人,连街路都堵塞了。挂在戏楼两旁的汽灯,显得昏花而凄迷,像是茫然得不知所措。

风烛残年的田家辉躺在门板上,身上盖着被子,被抬到了大院戏楼里的台子上。

台下一阵骚动和唏嘘之后,低一声高一声的"田老爷"响彻夜空。

不用点名,人们竞相上台发言。

"田家辉,不是你,咱村里怎么能有这么大的镇?这镇是你一瘸一拐担着豆腐挑子生生挑出来的。想当年,我在街边上晒太阳,亲眼看见你从城里换豆腐回来,刚上了山垭口就摔倒了,黄豆撒了一地,你一粒一粒往起捡,我们还都笑话你。说实话,田家辉啊,你比我们谁受的罪都大,费的心都多。旱了你放粮,涝了你赈灾,为了让村里人吃上饭,你不停地修院盖房,生生养了咱一村人,你这个田老爷,不是自封的,是我们愿意叫的啊。田老爷,我平时不敢去看,今天趁这个机会,跟你说说话,你老多保重,心放开,多活几年,是阛岚人的福气。我家里没什么稀罕的东西,来看你,也不能空手,就提了一篮鸡蛋放下了……"

这人被轰下了台,另一个人又跳了上来。

“田爷爷，我是替我爹小臭来看你的，我爹死的时候，托了我一句，让我的子孙后代不要忘了田家，不要忘了你田家辉……”

“是谁给我们修路？是谁带我们架桥？是谁领我们造田种树？是谁打跑了日本鬼子？是谁惩治了土匪强盗？是田家辉田老爷、田镇长……”

“我爹说，从前田家辉办的‘义学’，分文不收，谁考上大学，他还重奖。等我上学时，却因为掏不起学费只好不上。现在，我孩子在这个大院的完小上学，天天不学习，要当红小兵闹革命，蛋大的孩子，知道个什么？叫我说，再叫田家辉年轻五十岁，还叫他当镇长……”

“田老爷，我小的时候，天天晚上在这个戏楼里听戏，最难忘的一次，你还把梅兰芳的戏班接来了。可现在，都二十多年了，我一回老戏也听不上，老是那八个样板戏，叫我说，你老放宽心吧，今不如昔啦……”

会场群情激昂，大家纷纷登台慷慨陈词，局面已经失控，再“批斗”下去，真要演变成一场“政治事件”了，于是，组织者连忙宣布散会。

散会后，戏台上、戏园子里，甚至整个田家大院的角角落落，到处胡乱堆放了鸡蛋、猪肉、烧鸡、白条鸡、油饼、煎饼、饼干、香油、大枣、苹果等不计其数、各式各样的吃物。镇里清理时，拉出了七马车。这些东西，都是村里和邻村的人们带给田家辉的礼品。后来得知，田家辉自生病瘫痪不能出门以后，人们见不到他，平日里，又不敢来看他。这次听说要开他的批斗会，是见他一面的最好机会，因此便蜂拥而至，并带上礼品以示慰问。

从此以后，谁也不敢再批斗田家辉了。

为搜集田家辉的罪证，镇里派人走访在田家大院当过的长工、佣人和丫鬟。

据曾在田家当过家丁、现是山东临清某地的一位老人讲。解放前夕，有一天深夜，他打更时，见小臭指挥着几个人从马厩里往外抬石槽，但干什么用，他不知道，现在想想，可能是田家用来埋藏财宝。因为，第二天他发现马厩里少了两个石槽，这两个石槽，没见放到别处，可能是将财宝扣起来，偷偷埋到了什么地方。田家辉为什么用两个石槽将财宝扣起来才埋藏呢？是防避受潮沤烂。

公社主任听后心头一震，联想到县革委会主任曾指示过的“挖一挖”，便惊叫着在田家大院里“掘地三尺”找那两个大石槽扣着的金银财宝或许还有“变天账”。

本来，可以通过“大管家”小臭找到埋藏财宝的准确位置，但小臭三年前死了，别的任何线索再也打听不出来，所以镇里就雇了一帮年轻人，在偌大的田家大院里铺开通通挖了一遍。

这是田家大院有史以来所遭受的第一次也是最大一次重创和浩劫。

青砖地面全部刨开了，假山、花园、古树、奇花异木和三十多间房屋都毁掉了，但连一根铁钉也没挖出来。

田家辉死于在大院“挖宝”动工的这一天，即 1968 年 8 月 28 日的上午。

这天太阳升起来以后，田家辉才醒了过来。儿子田运顺喂他吃饭，他张开口，一条口水流出来，田运顺帮他擦擦，他突然怔了怔，伸出枯干皴裂的手指朝外比画，嘴里还含糊不清地说着什么。田运顺听懂了，知道他在问外面嘈嘈杂杂地在干什么。田运顺感到奇怪，老人的耳朵早就聋了，怎么还能听见"挖宝"者们的铁锨镢头掀砖刨地叮当叮当乱响。田运顺没说话，只是叹了一口气，便舀着一勺稀粥朝他嘴前伸，他拨拉开，突然从床上滚落下来，飞快地向门口爬动，其速度之快居然让田运顺追赶不上。田运顺飞奔过去，扑倒地上去抱父亲田家辉，田家辉却奇迹般地站了起来，疯狂地在院子里踅圈儿奔跑，吓得正在掘地的一帮年轻人目瞪口呆。田运顺愣在地上，撕开嗓子叫了一声父亲。田家辉清清楚楚地喊了两句："不要毁我的家……不要毁我的家……"便像半截老树桩遭到电击那样，呼呼啦啦訇然摔倒在地上死了。

田家辉终年 86 岁，他死后，原来先他去世但寄埋于别处的妻子与其合葬于老坟地。

阖岚镇人自发为他送葬，队伍绵延了三里长，是这一带有史以来最为隆重的葬礼。

县里和镇里都没有干预田家辉的葬礼。这是因为田家辉的三儿子田运兴来奔丧了，直升机落在了沙河的军用机场，省城的一个部队又派了一个连的解放军，开着十多辆吉普车护送他们一家大小八口人来到了阖岚镇。据说，省里的一位"革委会"副主任还陪他来了。但田运兴什么也没说，没在村里吃饭，更没有住宿，参加完葬礼，在坟前摘下军帽垂了一会儿头，就被一帮军人前呼后拥着走了。走后才得知，田运兴现在是军长了，一家人都生活在武汉。

1982 年

全县都在"包产到户"，唯有阖岚村例外。

阖岚村不"分地"，镇里完全理解，但却不敢做主，便带着村支书周志春去县里汇报情况。

周志春是田家"大管家"小臭的二儿子，通过田家辉三儿子田运兴参军复员后回到了村里，是当时村里的五个党员之一，不久便当了村党支部书记。

县委书记说："这两年，中央每年一个'一号文件'，全国上上下下都在搞'联产承包'，是国策，开始有很多地方想不通，可通过做工作，都包下去了，你们到现在还不包，可是不行。"

"这里面有些实际情况。"周志春说，"村里是从田家辉起开始植树造林的，解放前，村西的十条大沟都种上了板栗、柿子、苹果、鸭梨、红果、肉枣、核桃树，大约有两万多棵，当时是谁栽的归谁所有，每成活一棵还给奖励，由村里统一管理，但靠的是田家辉个人的影响和当镇长的威信。解放后有了互助组、合作社，接着又成立了人民公社，十条大沟都归了村集体，村里又治理了这么多年，在村子四周形成了绿化带，是阻挡山洪和风沙的天然屏障。1963年、1972年、1981年，这三年的大洪水，咱县山区的乡村都爆发了泥石流，冲地毁屋伤人损失相当惨重，只有阖岚镇毫发未损，这都是因为多年来的植树造林得福……”

“这些事我知道，你别给我绕弯子说那么多了，你就说这跟分不分地有什么关系吧！”

“把地把树林都分了，你一片，我一片，张三有十棵，李四有八棵，各管各的，果树的病虫害又多，树死了怎么办？刨了怎么办？从田家辉起，可是阖岚人祖祖辈辈几十年的血汗啊！再说，这些年村里将果林管理得挺好，群众分红很多，都很富裕，不愿意再回到单干的年代。”

县委书记想想说得有道理，但却不敢表态，像是自己问自己道：“这不是跟党中央唱对台戏吗？上边要是知道了，这个责任我负得起吗？咱不能因为这个事犯错误啊！”

“大锅饭是有弊端，但凡事也不能一刀切，实践是检验真理的唯一标准，我们要实事求是。”

“你们这个阖岚镇，是有名的事多，从解放前一直到现在，在任何时期都跟别的地方不一样，都跟政策擦着劲，我看不行这样吧……”县委书记沉吟片刻，“你们回去，在村里搞个民意测验，让群众投投票，看到底多少人不同意分地。过几天，省里和地区的领导要来咱县里视察，我把这个情况跟上边汇报一下，让他们拿个意见。”

村里进行了无记名投票，一百八十三个农户，只有两户赞成“分地”。

领导们来县里检查“联产承包责任制”的实施情况，县里将阖岚村经民意测验不同意“分地”的情况汇报之后，省委副书记说：“不行，群众的认识往往有问题，理解的要执行，不理解的也要执行，贯彻落实党中央的路线、方针和政策，决不能走样！”

到下边的乡村视察时，一行人登上天梯山，鸟瞰太行山巍峨连绵的群峰，见光秃秃的荒山野岭之中，东北处有一片葱郁的浓绿格外引人注目，像是大漠里的一抹绿洲。

省委副书记指指那儿问：“这是什么地方？”

地委书记不清楚，问县委书记，县委书记眨眨眼睛，模棱两可地说：“从方位上看，好像是阖岚镇一带吧？从前没注意过，我也拿不准。”

“我们下山到那个地方看看。”

一行人下了山，乘车绕来绕去，来到了阖岚镇。

先看到了古朴庄严、气势恢宏的田家大院。

陪同人员刚一介绍，省委副书记更惊叫了一声："我知道了，这就是田运兴军长的老家吧！"

众人说，是的是的，但不敢问他怎么知道田家辉的三儿子。

省委副书记问田家在村里还有什么后人。回答说没有了，二儿子在县城退休，死了五六年了，这一股有三个孙子，都在县里上班或上学。

参观完田家老宅，省委副书记一脸茫然，要上山时，突然对地委书记说："田军长曾是我的老上级，今天走到这儿了，不禁浮想联翩，往后，替我关照田家的后代们。"

十条大绿化沟只转了三条，省委副书记就坐在山头上，把各级陪同的领导都招呼到身边，挥着手感慨道："这里，可是太行山最绿的地方啊！"

镇里简要给他介绍阖岚村镇的历史以及田家辉的掌故趣闻。

"了不起，了不起，按现在的说法，田家辉是改革家。"

县委书记说，就是这个村不同意"分地"。

省委书记愣了愣，想想说："我看可以，因地制宜吗！但仅限于这个村，别的村不行。"

阖岚镇的阖岚村没有"分地"，但全村根据生产需要和劳动分工，成立了四个专业组，即农业组、林业组、供销组、后勤组。

驻在田家大院的镇政府是全镇二十二个村庄的政治、经济、文化中心。

田家大院里的"义学"堂，如今是镇中学。

秋后，台湾倡玉制衣有限公司总裁田成祺来到了阖岚镇。他是田家辉大儿子田运起的三儿子，专程赴故乡祭祖，以了却父亲生前最大的夙愿。

田运起在清华大学，学的是金属材料专业，毕业后在北京工作了几年，就被调到了南京中央科学院，1948 年随国民党政府去了台湾，一直是岛上著名的新型材料专家，1979 年去世。他有四个儿子，大的和最小的都在美国，老二在日本，这次回故乡祭祖的老三田成祺，是台湾制衣界的大亨，有近 3 亿的资产，在世界各地设有 23 个分公司或子公司。

在市、县领导及相关部门的陪同下，田成祺除上坟祭奠、参观老宅、瞻仰其父小时候读书的"义学"堂外，还在村里、县里、市里四处走了走，看了看。县里跟他商谈合资或由他独资在家乡办企业，他一直不置一词，只是拿了一笔钱修了祖庙、祖坟，为爷爷奶奶和叔叔立了碑。县领导动员田运顺的儿子们帮助做堂哥的工作，他态度暧昧，最后说："大陆运动太多，等等再说吧。"

田成祺走之前，从怀里掏出一本支票撕下来一张，签上自己的名字，交给随行的秘书，对县里的陪同人员说："家父临终时，曾交代我们几个儿子，说以后我们不管谁有机会去大陆，第一件事，就是先到阖岚镇祭祖；第二件事，就是让我们看看他小时候读书的学堂，如果这个学堂还在，一定让我们代他有所表示，以感谢母校对他的哺育之恩。这几天，我到处看了看，觉得家乡还比较贫困，而家父从前读书的‘义学’堂，太破旧了，又黑又小，连课桌都是文物，真想不到这里还能养出像家父这样的大科学家。我想了想，这一趟我不能白来，我捐一笔钱，重新建一所学校吧，一定要有教学楼、图书馆、实验室，需要多少资金让我秘书往上填好了。但是，学校搬走后，田家大院的这所‘义学’堂一定要保存下来，修缮的费用，也由我替家父出。”

几天来，田成祺住在县城，二叔田运顺的三个儿子一直陪着。他们更多的是向田成祺谈及田家大院的继承权问题。这些年来，他们一直在为这件事奔走。因为，解放后的“土改”，田家大院并没有像其他地方那样将地主的房子和地都分给穷人，只是住进了工作队和“贫协”办公，后来，又成了镇人民公社和镇政府的驻所，这算不算没收的“浮财”？说不清楚。县里答应田家的后人，说是田家辉住的那间房子，他们有继承权，算是田家的房产，但别的，文件上有规定，凡是解放后充公的或分给他人的房地产，一律归国家所有或本人所有。因此，田家大院的房产，是姓“公”还是姓“私”，这几年一直纠缠不清，各有各的理。毕竟是二百来间房屋近万平方米的地皮啊，镇党委镇政府和村委会都在那里办公，而这些对于田家的继承人来说，又不是一笔可有可无的财富。

田家辉只有三个儿子有后代，台湾的田运起一股，刚刚联系上；田运兴的一股最后落在了武汉，两个儿子都是政府官员，多年间不怎么跟老家来往，所以，重提田家大院归属问题的，只有在本县的田运顺这一股的三个儿子。

这三个堂兄弟意思是让田成祺利用自己特殊的身份和影响跟政府交涉一下，但田成祺不等他们唠叨完，就鄙夷地说：“活着别靠外来的财！咱爷爷当初，也是自己硬干出来的，咱田家的父辈们，也都没靠祖宗活着，咱自己也盖一片大院，那才是真本事！”

1993 年

阖岚镇“寻宝”活动如火如荼。

之所以说是“寻宝”活动，是因为这是镇党委镇政府组织实施的一次大规模宣传行动，形式是“寻宝”，目的是在全县全市提高阖岚镇的知名度，让人们知道阖岚，了解阖岚，开发阖岚，乘着“南巡讲话”的强劲东风，加快改革开放的步伐。

“寻宝”活动的策划者，是新任镇党委书记兼镇长田成杰。他是田家辉的孙子，即田家辉二儿子田运顺的小儿子。

田成杰今年 35 岁，师范专科学校毕业后在县一中教书，那年省委副书记来时因说过一句让县里关照田家的后人的话，县里便把他抽调到县委宣传部帮助工作。几个月后，领导看他还行，点子多，笔头硬，就把他正式调了进来。这时，正赶上他的堂哥田成祺从台湾来，为了工作方便，就叫他抓田成祺来访的宣传活动，其实主要用意是通过他让田成祺为县里办事，尤其是让台商在县里投资办企业。这件事尽管成效不大，但田成祺为县里捐建了一座学校，也使大家皆大欢喜。三年前，田成杰因工作成绩突出，又赶上了机会，被提拔为宣传部副部长。去年春天，“南巡讲话”之后，接着是“十四大”，大会小会说的都是“改革开放”，而结合到本县的实际，县委研究决定，先打阖岚镇的“牌”，尤其是“田家”的“牌”。因为田家大儿子后代的海外关系非同寻常，个个都是大老板；当过军长的三儿子其身后的子孙，据说现在一个在国务院工作，一个是某省委秘书长。于是，县委为适应新形势下“改革”的迫切需要，便将田成杰派到阖岚镇任党政“一把手”。

上任后，田成杰“组阁”班子，让阖岚村党支部书记周志春，也就是小臭的二儿子兼副镇长。人们议论说：“阖岚又有了田家辉和小臭。”

田成杰不靠在海外是“大款”、在国内当“大官”的堂哥们，而是打爷爷田家辉的“牌”。

那几天，市报接二连三刊登诸如“田氏庄园的来历”、“田氏庄园与民国建筑”、“田氏庄园财富知多少”、“田家‘宝藏’之谜”等文章。

接着，在报纸、电台、电视台等新闻媒体上，每天都出现“阖岚镇‘寻宝有奖’大行动”的醒目广告，内容大致是：解放前夕，田氏庄园的主人田家辉将不计其数的金银财宝和贵重文物，用两个大石槽扣起来偷偷埋藏到了深山贺坪峡一带，但埋在什么地方，至今仍是个谜，据说，藏宝之地，岩石上有一锻打的圆圈标记。田家的其他财宝，诸如金砖、金条、元宝、银圆、戒指、耳环、项链等，也都分散埋在村西钳子山一带。从即日起，镇政府特举行“寻宝有奖”活动，凡找到圆圈标记者，奖励宝物的一半，凡找到散埋之宝者，全部归己所有，“寻宝”期限为一年。

现在的县城和市区在一起，二十里外的阖岚镇有个田家大院，他的创始人田家辉靠在城里卖豆腐发了家，在崇礼街开了半条街的店铺，攒下钱又在老家盖了这么一处远近闻名的大院，上些年岁的市民都知道。“文革”时，也听说在大院里挖过那两个石槽，但没找到，现在又要找，便觉得挺新鲜，再加谁找到还有这么大的好处，就去碰碰运气玩玩吧。

因此，藏宝的真与假，倒成了其次。

一个月后，真有人在村西钳子山找到了戒指和项链。

这消息，来自于市民们的相互传说和新闻媒介的报道，还有田氏庄园镇政府门前的张榜公布。

到阖岚镇的“寻宝”者蜂拥而至。尤其是星期天节假日，城里通往镇里不算宽的山路上车水马龙，人来人往，像是赶会。

在阖岚镇卖茶水、冰糕、面包、茶叶蛋都能致富。

“寻宝”未果，倒也不虚此行。

阖岚真是个好地方，有山有水，鸟语花香。入镇的山垭口处，摩崖题写着“太行山最绿的地方”的巨型宣传牌。贺坪峡有瀑布，钳子山上老鹰翱翔，山下小溪潺潺流淌，清水里鹅卵石，跳下去可以在石头下抓到小螃蟹，惬意得很。十条大沟，层林尽染，绿荫成盖，果树溢香，苹果、鸭梨、柿子、大枣等都已熟透，吊在枝头令人馋涎欲滴，来者任意品尝，如买可以现摘打包带走。小水库里，碧波荡漾，可垂钓，可游泳，可划船。镇党委、镇政府和村委会从田家大院搬出去了，现在田家大院改为“田氏庄园”，重新铺上了青砖地面，所有院落和房屋、戏楼、“义学”堂都做了修缮，后花园的假山、喷池、凉亭都进行了重建。所需资金，是镇里发动全镇群众集资，年红利为百分之十五。田氏庄园免费参观，里面有旧式家具、古董、民俗、北方婚俗等展览，戏楼里演古装折子戏，后花园里有套圈、钓鱼、猜灯谜游戏。镇外镇里都可看，都能玩，风趣不同，各有千秋。

凡来阖岚“寻宝”者，除儿童外，每人每次交费两元，这实际上等于是门票。收费处设在村边的山垭口，车辆则免费看管。

城里的有钱人提出投资修路，既拓宽又要铺上水泥，田成杰满口应允，洽谈时，将门票提高到了五元，其中三元，给了投资者，期限为十年。

来阖岚的“寻宝”者，这一年每天平均一千五百余人次。

到底有没有“宝藏”呢？

时间一久，似乎没人再关注了，看看田氏庄园，游游这里的大自然那无限的风光足够了。尤其是市公共汽车公司在这里开通了一条“公交车”线路后，更方便了。

城里的能人多，目光远大，纷纷要求来这里投资开公司办工厂。由此提醒了田成杰，他让阖岚镇副镇长兼阖岚村支书周志春挑头，与镇经联委携手，以原来村里的企业组为基础，成立了镇工农贸联合开发企业集团，下设饮料厂、罐头厂、食品厂、苗圃公司、矿山公司、食用菌基地、山野菜种植中心等，利用本镇得天独厚的资源优势，对本地的土特产和农副产品进行深加工。开发项目公开登报，投资条件优惠，形式多种多样，短短几个月就引来了众多的投资者。

从前，田家辉让厨子做的“田记熏鸡”、“田记肘子”，还有“家辉兴”商号酿造的酱油、米醋，曾方圆几十里闻名，“文革”后，全都销声匿迹了。现在，田成杰组成“田家传统特色食品攻关小组”，派人走访曾在田家当过厨子的后代，不但将其恢复，而且以“田记”为品牌，开发出一系列新品种。比如“田记”系列酱菜、“田记”系列饺子，豆制品中“田记豆腐”、“田记臭豆腐”、“田记豆腐干”、“田记豆腐丝”、“田记”笨鸡蛋、“田记”杂面等，均采用传统工艺制作，现代工艺包装。

阖岚镇是全县甚至全市“改革开放”的一面旗帜，年终，田成杰获得了省、市、县三级评功选优时所有名目的荣誉称号。

阖岚镇的群众说：“风水轮流转，田家辉又活了，咱阖岚要享受二茬福了。”

但田成杰的两个哥哥不干了，而且从一开始就跟田成杰闹事。

“寻宝”见报时，哥哥们说：“你有什么资格‘寻宝’，咱爷爷扣到石槽里的宝物，不是镇里的，也不是你的，是田家的，也有我们一份。现在你让人去找，找到了分出去一半。这不行，你不能一个人做主，想给谁就给了谁。”

田成杰笑笑：“咱们谁见过咱爷爷埋了一石槽宝物吗？”

“没有。”

“咱们谁敢说就有那一石槽宝物吗？”

“没宝，你登什么报？”

“真有宝，我就不登报了。”

两个哥哥互相对视一眼：“你这是什么意思？不是骗人吗？”

田成杰站了起来：“就这意思，这叫卖点。”

“你给我们解释解释。”

田成杰不屑道：“没见外面等了一堆人，我挺忙，没工夫，也不能解释。你们走吧，等找到了宝，我都给你们。”

藏石槽的标记始终没人找到，但有人在石头缝里找到戒指和项链，还在田氏庄园院墙的墙缝里扣摸出了银圆。

哥哥们来找田成杰，瞪着眼说：“这也有我们的份儿，谁发现了，你就让谁拿走，你没有权力这么做！”

田成杰说：“我给你们两个地址，你去问问这两个人，看戒指和项链是不是咱田家的老饰品，就明白怎么回事了。至于银圆，你们去找周志春周镇长，让他跟你们说。”

原来，戒指和项链，是真的不假，但都是商场里现在正卖的款式；而银圆，则是周志春安排人事先塞到墙缝里的。

两个哥哥迷惘地问田成杰：“小三，你这是在耍什么把戏呀？”

田成杰平静地说：“我这是在工作，搞民俗旅游开发，为阖岚镇的经济建设大干快上。”

“哪有你这样当官的！”

“哥哥们，你弟弟这官会越当越大。”

田氏庄园的房产和“田记”系列食品的开发，两个哥哥也一直跟田成杰周旋，说他不念亲情，不管哥哥们下岗后吃不上饭的窘境，靠爷爷的“宝贵遗产”为自己捞取政治资本。

田成杰感慨地说：“那年台湾的咱哥哥田成祺来时，说过的一句话，对我震动太大了，不知道你们还记得不。他说，咱自己也盖一片大院，那才是真本事。是啊，老祖宗留下的好饭，我们要精吃细吃，吃出新的花样，这就叫继承与创新。田家大院的老房子，我们个人要了干什么？我们连修都修不起，现在我修了，恢复了‘田记’特色食品，让咱爷爷田家辉重新在阖岚，在全县，甚至在全省全国活起来，造福阖岚和我们田家的千秋万代，就是我田成杰又新盖起来的一片大宅院。俗话说，一损俱损，一荣俱荣，我在阖岚把田家未竟的家业发扬光大，成就一番事业，何愁两个哥哥没饭吃呢？何必再叨叨房产和什么'田记'字号的专利权？别说这事说不清楚，即使把这些都给了你们，你们又能怎么样呢？”

不久，田成杰的两个哥哥来到了阖岚镇，一个是“田氏庄园”风景管理处主任，一个是“田记”食品有限公司总经理。

2002 年

阖岚镇跟从前的镇相比，已经不像镇了，比城市还城市，城市里有的，这里全有，城市里没有的，这里都有。

“田氏庄园”一旁有新的“庄园”，叫“度假村”，但距“村”的概念已相去甚远，都是造型怪异的一幢幢别墅，尖尖圆圆，参差不齐地依坡就山矗立着，宛若石头缝里钻出来一层层一片片的花蘑菇。村里的水泥路笔直着从街南田家口至街北山垭嘴，坦坦荡荡的大道盘山越岭一直通到城里。居民新规划的小区，一律的二层独楼独院，全接入了宽带网，连手机、电脑、VCD和数码相机都是村里发的。镇政府的办公大楼十二层，村委会是一个篮球场大的院落，停满了五颜六色的小轿车。镇里有商厦，有超市，有宾馆，有酒家，有网吧，有歌舞厅，有美容院，有按摩室，有洗头房，有咖啡屋，有洗浴中心，有青春加油站，有保龄球馆。到处干干净净，锃光闪亮，在村里抓一把钞票容易，找一撮黄土难似登天。钳子山下的小溪修砌得规规矩矩，里面虽没有了小螃蟹但游着一群一群的大金鱼，只兴看不兴捞。小水库变大了，名曰“水上游乐场”，水面上有汽艇、摩托艇、游船，可以冲浪也可以跳水。原先的十条“绿化沟”，也“合资”了，现在叫“森林公园”，扣了不计其数的塑料大棚，种的都是鲜花，一年四季开不败。连镇西的大山都“开花”了，这不只是像前几年那样开铁矿、煤矿、镁矿、石英矿，烧石炭、做水泥，更重要的是，从今年春天开始，镇里忽然上了几十个花岗岩开发加工中心。因为，北京承办“奥运会”修建场馆，还有国家的“南水北调”工程垒筑渠坝，急需这种石板材，县里已与有关部门签订了为他们供应花岗岩石板材料的五年合同。大批民工拥进阖岚镇，镇区昼夜喧嚣，开山炮声隆隆，街上摩肩接踵，真成了一点儿不掺假的“不夜城”。

最早靠旅游开发带动多业并举而再一次致富的阖岚镇和阖岚人，想不挣钱都难。阎岚镇在全市第一个实现“小康”，是全省第一个“亿元乡镇”。阖岚村家家户户都“趁钱”，个个威风，“好过”得像从前的“田家辉”。

年轻人说：“田家辉算什么，是有轿车还是有手机？”

老人们说：“田家辉有田家大院。”

“那是傻，留下给子孙招罪。”

“放屁！你们这些年轻人，真是不懂事，阖岚不是有个田家大院，哪能有今天的好日子！田成杰的这一套，都是在吃他爷爷的剩馍咧！”

现在的田成杰是县委书记，已经当了三年多了。他一直是全市的风云人物、先进典型，是全省最早提出弘扬“阖岚文化”，以“朝阳产业”为“龙头”带动经济全面腾飞的乡镇干部，在省委领导那里也是大名鼎鼎。因此，在不离开阖岚镇的情况下，他只兼任了两年副县长，就被提拔为县委书记了。

县委书记田成杰经常到阖岚镇来。这里有他的一套别墅，在什么地方，鲜为人知。他的两个哥哥，一个是镇党委副书记，一个是副镇长，党委书记和镇长，则由原副镇长兼村支书周志春担任。

田成杰这次来，是一个月以后，因为他去省委党校学习了，时间是半年，据说回来后将被提拔为市委副书记。开发加工山区的花岗岩，是他的“第二次创业”，项目是他跑来的，也是他跟人家签的合同。几十个加工“摊点”刚刚搞起来，他有些不放心，这次便趁双休日，从省里回镇上看看。

周志春等镇领导陪着田成杰吃晚饭时，将这些天有关石料加工“摊点”的情况向他作了简要汇报。他大致上满意，但也提出了一些问题，周志春说，你走后马上落实。吃过饭，问他是住在这儿还是去城里，田成杰说回城里，有事跟老婆孩子商量，但走之前，提出在镇里的大街上溜达一圈儿看看。

酒家、餐馆、发廊、歌厅、浴池星罗棋布，几乎是一个挨一个。染着黄发、露着肚脐、穿着松糕鞋的艳丽女郎浓妆艳抹，在闪烁的霓虹灯下招摇过市，还不时地拦截路人搭讪。

田成杰皱皱眉头：“这东西怎么突然这么多？还满街是小姐！”

周志春笑笑说：“外地人来打工的太多了，迫切需要。前一段工商税务联合办公，很快就办起来了，效益还不错。小姐都是服务员，拦客是叫生意，并不是干那种事。”

“这东西容易出事，得加强管理。”

田成杰到街边的厕所里方便，只有秘书跟了进去，镇里的一帮陪同者，则在对面的路边说着闲话等他。

出来横穿马路时，田成杰仰着头在前，秘书提着手包在后。忽然，一个三十来岁的中年妇女斜刺里抢到田成杰身边，一把拉住了他，嘴里还嘀嘀咕咕说着外乡话。

田成杰警惕地看她一眼，甩开她的手说：“你要干什么？”

中年妇女眨着媚眼凑上来：“老板，到我们这儿乐乐吧，我们这儿新来了几个小妹子，都是十七八，还没那个……”

田成杰瞪瞪眼：“走开！走开！你是干什么的！”

秘书见状走过来，一把揪住她往外推："到一边去！"

田成杰退到路边，站在了路灯下。

中年妇女也不恼，退几步摆脱开秘书，又撵上了田成杰，将不知什么时候准备好的几张照片朝他手里塞："不骗你的，这是她们的相片，真的又鲜嫩又漂亮，你看看，要不要由你，我看你像个大老板，才这么给你推荐。你看，大街上这么多人，我理也不理，他们不配。"

田成杰压住火，接过照片一张一张看着："别骗人了，这不是演《还珠格格》的那个小燕子吗？这个，是唱歌的宋祖英……"

"就是长得像明星，我保证有这人，不信你去看看，如果没有，你可以不干，我敢说，哪一家也没有我给你介绍的这几个好，鲜得一掐一股水，绝对是'细粮'。"

秘书过来了，田成杰冲他眨眨眼："你去那边等我。"

中年妇女笑笑，样子很下流："这就对了，哪个男人见了小嫩妮不想吃，才是傻咧！"

田成杰问："都是哪里人？"

"小姐们有四川的，有吉林的，又体贴又温柔，各有各的味。"

"在什么地方？"

"你跟我走吧。"

"不在这一带？"

"老板，往后你可别在这街上玩，这临街的小姐，个个都是'粗粮'，烂货，还有病呢。"

田成杰故意叫了一声："哎呀！我身上没带钱，手下人拿着。这样，你能不能给我个地址？我拿上钱，再给你带上几个大老板去。"

中年妇女要回那几张照片，从身上摸出一张名片："你最好快点儿，去不去由你，过了今晚，可都没雏了，我先跟你说清楚了。"

田成杰对着路灯看看名片，见上面写的是一个"中介所"，倒是有地址，有电话："你这中介所怎么也有小姐？"

"街上的是明的，我们的是暗的，镇上的中介，如今都是干这个，我们的信誉最高，质量最好，你来一次就知道了。"

见到了周志春那一帮人，田成杰大发雷霆，劈头盖脸把他们好训一顿："看看都成什么样子了，满街都是小姐，真是繁荣'娼'盛了！还什么'粗粮'、'细粮'，皮条客都拉到县委书记头上了！去年才搞过'三讲'，现在上上下下正在学习'三个代表'，这成何体统？明着卖，暗里也卖，那个中介所，拿几张影视明星和歌星的照片，还在大街上公开拉客，简直是无法无天，伤风败俗。阖岚镇是什么地方？别人不清楚，你周志春不清楚！赶快给我整顿，三天之内，把镇里给我拾掇干净了，下次再来，我要是看见街上有一个卖淫的和一个容留嫖客的场所，先开了你周志春……"

周志春耐心地听完田成杰的训斥，慢条斯理解释道："把这些场所查处了可以，把小姐们赶走也没问题。但问题是这些场所和小姐会搬到市里或市郊去，在镇上打工的外地人，也会跟到那里去，这样一来，所有的消费，都会从阖岚镇流失走了。这将影响到镇里的所有餐饮业娱乐业甚至整个'三产'，连咱镇的派出所都不高兴……"

田成杰瞪了瞪眼："这是怎么说？"

周志春说："镇里有这东西，查到了可以罚款，之后允许再来，想查了再罚，罚了放，放了罚，等于是派出所的活银行，何况，人家派出所都有创收任务。田书记，这事只能睁一只眼闭一只眼，人家允许，我们不允许，不是白白把镇里的经济效益拱手送出去吗？"

田成杰说："事是这么个事，但我们阖岚镇，绝对不能靠这个搞跳跃式发展。"

周志春说："问题是，这将影响到我们的花岗岩开采与加工。"

"这是两码事，怎么扯得上！"

"采石的挖掘机，都是从南方租来的，全镇总共有二百四十五台，每台两个人，一个机手，一个带队的，约五百来人，这些南方人远离家乡，只身到我们这儿干既费心又繁重的力气活，真的很累。一天下来，到镇上洗洗澡，按按摩，老婆又不在身边，有时生理上需要了，我们镇上什么都没有，还要跑到市里去，真的是影响休息和工作。所以，这些东西也是根据市场的需要，应运而生的。开始，有人搞了，效果还不错，后来，许多人申请此类项目。当时，你不在，我请示了王书记，他不说行，也不说不行，还让我请示你，我打你的手机，你关机，可能正在上课。我想，你挺忙的，所以就先这么匆匆忙忙地搞起来了。你刚才的批评，都有道理，只不过，有一个问题，我还要汇报。"

"什么问题，你说。"

"刚才我说的，只是镇里各个摊点雇的开挖掘机的人数，加工厂的外地民工，就更多了，大概有三千多人，镇里如果没小姐，没按摩女，这些人假如有三分之一往城市里跑，我们阖岚会有多么大的经济损失？我算过这笔账，真是吓了一大跳。田书记，情况我就先汇报这些，怎么办？你决定吧，我听你的。"

田成杰沉吟片刻，突然问秘书："现在几点了。"

秘书说已经十点多了。

田成杰叫了一声："不好，孩子高考的事，家属还等我商量呢！明天，我可能要去一趟北京，想把孩子的户口弄过去，我得赶紧回城里。"

田成杰匆匆坐上轿车，没再说什么走了。

（选自《钟山》2003 年第 2 期）

贾兴安

1960年出生，河南浚县人。1987年毕业于河北师范大学中文系。1976年应征入伍，历任内蒙古集宁市51090部队政治处报道组组长，邢台市文联创作室主任，《散文百家》杂志主编，河北文学院合同制专业作家。1982年开始发表作品。1999年加入中国作家协会。著有短篇小说集《白云苍狗》，中篇小说《浮草》《家殇》《传说》《背景》《狗皮膏药》《一介书生》，长篇传记小说《王若飞的故事》，中篇报告文学《燕赵洪液曲》等。中篇小说《狗皮膏药》获河北省文艺振兴奖。

寻找妻子古菜花

北 北

上 部

一

二十九岁的李富贵挑起担子出发的日子，正是一年中雨下得最大的那天。

雨下得很大，箭一般一条条刺下来，直戳地上，地上出现一道道小坑。李富贵不戴斗笠，不披雨衣，他挑起担子，拉开门，腿一抬就跨了出去。几分钟后，村里人就看到竹竿一样高瘦的李富贵像一道闪电出了村子，拐入小道，上了大路。有人叹了口气，有人发了会儿呆，他们认为李富贵傻掉或疯掉了。大大咧咧爱说爱笑的李富贵这一年来没有跟任何人说过一句话，李富贵不说话，眼睛也不看人，李富贵走过来走过去，对谁都不理睬。

这个村叫桃花村，名字挺好听，村子却不好看。从村口往里数，数过两百幢房子，就把整个村子数遍了。而数遍村中所有房子之后会发现，能够在黄土垒起来的外墙上再抹上一层白灰，这就是须仰望的好房子了。得理解桃花村的现状，桃花村是县城最边远的地方，也是海拔最高的村庄，一座山又一座山，挡在了桃花村的前面，外面的世界跟桃花村没什么关系。

现在李富贵要走了，到外面世界去了。雨哗哗地扑打着李富贵，把他眼睛打得眯成一条线，把他衣裳打得湿漉漉皱巴巴地贴到身上。路有些滑，桃花村的路还从来没有被水泥铺过，黄泥沙的路面，浸了水后，软了，黏了，踏在上面，犹如陷入一片大年糕，左一脚深，右一脚浅，歪来斜去。但是李富贵的行进速度并没有受到影响，李富贵仍然闪电般往前走。担子在他肩上晃着，吱吱呀呀响着。担子不重，包着塑料布，猜得出来，那里头有被褥，还有几件换洗的衣裳。

那个木匠是李富贵自己叫来的，所以李富贵不理人，不跟人说话，并没有多少道理。李富贵去了趟三十公里外的尚干镇，除了带回肉，带回鱼干、布料、毛线、鞋子、肥皂、味精、盐巴等等之外，还带回一个人，那是一年零一个月前的事了。有人问：富贵呀，是你的什么亲戚吧？李富贵呵呵笑着，大声答道：不是亲戚，是木匠，我要打个衣柜哩。差不多整个村子都听到李富贵的声音，即使没有亲耳听到，转眼间也早有人转告了。衣柜？桃花村的人能有个箱子放衣服就算不错了，哪有那么多的衣服可放啊？就是古莱花也不能例外，古莱花虽然有模有样的，眉是眉，眼是眼，身子该凹该凸都不含糊，但古莱花冬两套、春三套、秋四套、夏五套，她的衣服扳着手指头也数得过来，哪至于打个衣柜来装呢？这就是李富贵自己的不是了。

衣柜是用杉木来做，李富贵自家种的杉木。先前他早已砍下几根晾在那儿，木匠说不够，李富贵提着斧头出去，眨眼间就拖着飘着清香的木头回来了，一根不够，他再砍一根，再不够他再砍。没有八年十年，一棵树是长不成那么粗的，为了衣柜，仅仅为了衣柜，说砍就砍了，村里人唏嘘着，啧啧着，李富贵却拍拍手，朗声问木匠够不够，不够再砍。木匠皱着眉，看着李富贵，看着古莱花，看着刚刚失去生命的杉树，好像在做什么比较。李富贵咧开嘴呵呵笑着追问道：够吧？够不够？木匠不看他，继续看木头，木头像艺术品似的让木匠歪着头看了又看。李富贵以为木匠心疼木头，他搓着手，围着木匠碎步走来走去，李富贵说，喂喂喂，你说够不够？够不够了呢？木匠不说够，也不说不够，木匠说，新木头做不了衣柜，得晾着，不晾干了，做出的东西眨眼就变形了。李富贵说，变形了可不行，怎么能变形呢？不能变形，变形了怎么放衣服？木匠说，那就不能急了，那几株老木头我先开工吧，新的，锯了它们，搁到风口上，吹十来天也行了。木匠嘴里呵出浓浓的烟味，那味道与桃花村人抽的旱烟不一样。木匠的眼神也与桃花村人不一样，木匠总是斜着眼看人，木匠的眼珠子好像从来没有放在眼眶的正中过。

木匠姓许，他只说自己姓许，其他的，他没有说。

许木匠在院子里拉起了架势，他在院子里锯呀，刨呀，钉呀。刚刚入夏，阳光灼灼发白，阳光把许木匠的影子拉长，压扁，再拉长，一天就这么过去了。一天天就这么过去了。

柜子高三米，宽四米，这个尺寸是许木匠定出来的。李富贵对许木匠说，我要打个衣柜。许木匠说，行。李富贵说，衣柜要弄得实用又好看。许木匠说，行。于是李富贵就叫许木匠跟他走，到桃花村，到李富贵家。

李富贵家是在两年前建起来的，那时山上的第一批松木砍下，运出，卖掉，就用这钱，李富贵盖了屋，娶了亲。房子当年仅盖了一层，但外墙抹了白灰，十分鲜亮，新媳妇古莱花开心死了，眼睛笑得眯成两条缝，白洁细密的牙齿充分往外露，被阳光一照，熠熠发光。半年后，房子又加盖一层，外墙还抹白灰。多么宽敞亮堂的房子！许木匠在屋里走过来走过去，指间夹着烟，偶尔吸一口，吐一口，然后斜着眼问，你们想做什么样的衣柜？李富贵一怔。李富贵本来以为来了木匠，有了木材，衣柜就可以一点点做起来了。想做什么样的衣柜？衣柜不就是衣柜吗，又实用又好看，就行了。许木匠说，衣柜的式样千万种，规格万千样，你们要做哪一种？李富贵挠挠头，看看古菜花。古菜花也看着他，又看着许木匠。古菜花说，就按城里人的做法吧。城里人怎么做，我们就怎么做。许木匠鼻孔中哼出一口气，眼珠子翻了翻。城里人的做法？许木匠说，城里人装修讲究着哩，一套房子少说也是十万二十万投下去，城里人谁还孤零零做一个衣柜？城里人的衣柜是一整排一整排做过去的，顶天立地，嵌在墙内，搬不动移不走。李富贵有点抱歉地笑笑，拍拍许木匠的背。李富贵说，我们不知道怎么做，就听你的。你见过世面，你说怎么做就怎么做吧。许木匠重重吸一口烟，右手做成手枪状，拇指支着下巴，食指与中指夹着烟往前竖。许木匠这个样子挺好看的。许木匠歪着头，看了看墙，看了看地，来回走几步，说，那就做个三米高四米宽的柜子吧，靠在这个墙上气派。

一个月后，做好的衣柜果然气派，立在那里，像一位霸道的美人。毫不客气地将整面墙占去。李富贵动了心眼，寻思着上山再砍些木头来，再做一两样家具。但许木匠却要走了，许木匠讨了工钱，收拾了家什，他走了。

古菜花也走了。李富贵的妻子古菜花一个招呼都不打，就走了。

有人看见，古菜花是同许木匠一起走的。

二

村里人说，古菜花如果是桃花村的，就不会走掉，古菜花不是桃花村的，所以走掉了。

李富贵满二十七岁才跟古菜花结婚。桃花村二十七岁以后才结婚的人多得是，一点儿不奇怪，但李富贵二十七岁才结婚就很怪。李富贵跟别人不一样，别人缺钱，他不缺钱，李富贵承包的那一山的树林子都是钱，一片片树叶就跟一张张钞票似的，可李富贵也挨呀挨，挨到二十七岁，遇到古菜花，结成了婚。结了婚不到一年，古菜花却走了。

雨真大，雨打得李富贵睁不开眼，但他走得还是那么快，脚踩烂泥，吱吱作响。

二十七岁那一年，李富贵也是这么快地走过古家村。他直着腰身，迈着大步，从古家村望不到边的茉莉园旁走过。茉莉正在开放，娇小玲珑，吐着芬芳。李富贵深深吸几口，他喜欢茉莉，茉莉的气味比松脂更香醇清新。好一朵美丽的茉莉花，好一朵美丽的茉莉花。歌声唱起来，不是李富贵唱，是一个女的，女人的声音。循声望去，李富贵看到茉莉花一样清爽洁净的古菜花。古菜花戴着斗笠，套着手袖，腰间系着一个竹篮，双手蜻蜓点水般在茉莉花丛上越过。别人摘茉莉只是两手动，古菜花腰肢也动，手上摘满了花，就腰一扭，放人了竹篮，再一扭，手又动起来。别人低头摘花，默然无声，古菜花却唱歌。好一朵美丽的茉莉花，好一朵美丽的茉莉花。李富贵停下来，听着歌，又蹲下来，脸往上仰起，试图看一看古菜花的长相。斗笠的阴影遮住了五官，李富贵什么也没看清，但李富贵心跳很快，心好像一下子大了几圈，在胸膛里翻腾着，噗噗噗，响得吓人。

古家村的人看不起桃花村，桃花村一直被看不起，没有法子，桃花村太偏了，太穷了，县里每年第一笔救济款总是给了桃花村。古菜花后来告诉李富贵，如果知道他是桃花村的，她是不会开口唱歌的。大太阳底下摘花，并不是多诗意的活儿，汗像溪水一样不停地淌着。好一朵美丽的茉莉花，美丽的茉莉花必须被太阳狠狠一晒才发得出芬芳，拿到茶厂去才能卖出好价钱。古菜花不喜欢茶，一喝茶胃就胀，胀得吃不下饭，还隐隐作痛，但是每年夏季，太阳最毒的时候，她都得下地去摘茉莉，摘下的茉莉卖到茶厂去做茉莉花茶。这时她看到一个男人，五官清秀，个子高壮，从路的那一头，迈着大步，风一样急速而来，于是她嗓子痒了，她张开了口。古菜花说，早知道你是桃花村的，我打死都不会唱的，我昏了头，把自己唱到桃花村了。李富贵嘿嘿笑起，李富贵笑得非常舒心，还有几分得意。古家村最漂亮的女孩古菜花，他把她娶到了桃花村。他盖了房，抹了白灰，把古菜花娶进来，古菜花那时也是开心的，古菜花好像一直都很开心，有说有笑，常常靠过来，蹭着李富贵的身子撒娇，偶尔还学学电视里的人，在李富贵脸上亲一口，咬一口，咯咯咯地笑。可是有一天，她却突然走了，连个招呼也不打，她走了。

李富贵的存折，在结婚那天就交给了古菜花，全部交给，还有一条金项链，一对金耳环，两个金戒指。古菜花走了，存折和金器并不带走，古菜花把它们用红布包好，塞在枕头底下，李富贵的枕头。她是两手空空地走的，除了两身换洗的衣服，她什么也没带走。

李富贵打了个哈欠，再打了个哈欠，他是朝天打的，所以雨水哗哗灌进嘴中，李富贵转动舌头，重重一咽。他听到咕噜声，还感觉到雨水与食道的轻轻摩擦，他又重重一咽。

今年没有下过这么大的雨，今年雨一直没有，一天接一天阳光都明晃晃的。已经有树枯死了，去年新栽下的树。但李富贵不管。李富贵曾经把树当爹一样孝敬着。他写了一个比簸箕还大的牌子，挂在半山。牌子上有四个字：树是我爹。谁实在缺钱，急着救命，找李富贵借可以，给一点儿也可以，但不能偷砍树，砍树就要拼命。树是我爹，也就是李富贵说才得出这样的话。但这一年山上的树你追我赶地枯死去，李富贵不管。

是奈月来告诉李富贵的，奈月到山上去，转一转，眉头皱到一起。树枯了，她对李富贵说。李富贵没有答,甚至看都不看她一眼。树枯了,再不浇水,会枯死更多。李富贵还是没有答。奈月就不再说话了,她坐下,坐在李富贵的对面,两人间隔着一张桌子。奈月看着李富贵,李富贵不看她。

上了高中后,奈月就经常这么看着李富贵,他们是同班同学,都在尚干镇中学寄宿,一星期才能回桃花村一趟。回村的路上,李富贵总在不停地说着话,学校里的、班上的、老师的、同学的,各种各样的事李富贵都知道,李富贵是校学生会副主席。奈月看着他,一直看着他。没有比奈月更不爱讲话的女孩了。奈月一天讲不了几句话,除非万不得已,她根本不想开口。高中三年,他们一起走了三年,李富贵一路喋喋不休说了三年。三年后,李富贵没有考上大学,虽然惋惜,却没有人奇怪。李富贵表现好,品行好,组织能力好,学习成绩却是一般般的。奇怪的是奈月,奈月也没有上录取线。奈月数理化很好,好得全年级从没有人敢跟她比高低,可是,奈月也没考上。新学期开始时,奈月到学校缴了钱,打算再补习一年。李富贵却不补习了,他承包了村里三百六十亩荒山,要种树。奈月来劝他,也说不出什么话,只是看着他,说,去吧,你去吧,去补习。李富贵不听,扛起锄头就上山。奈月返身去了学校,把书包收拾了,把东西收拾了,回到桃花村。

奋玉很生气,奋玉是奈月的父亲,也是桃花村的支书。奋玉跺一下脚,全村都要震动三天。但是奋玉拿奈月没有办法,奈月低着头,一动不动,什么话都不应,脸上也什么表情都没有。最后奋玉说累了,骂累了,转身走掉。这是奈月的绝招,以柔克刚。以后关于外出打工,关于出嫁等等诸事,奈月也都是采取类似的办法,无论你怎么说,她就是不外出,就是不出嫁。现在奈月也二十九岁了,桃花村有这么大没结婚的男人,但没有这么大岁数还没出嫁的女人。奈月一天天老了,脸上起了黑斑,有了皱纹,还有些发胖,但她不出嫁。

奋玉为奈月的事找过李富贵,那时山上的树刚长到齐人高,李富贵从信用社贷出的钱还远没有还清,所以根本看不出李富贵会有发起来的一天。你跟奈月的事怎么样了?奋玉问道,脸上显然挂着几分不情愿。李富贵挠挠头,眼睛一眨一眨的,没明白。你究竟跟奈月的事怎么样了?奋玉又问,声音提高了很多,鼻孔也张大了,两道粗气重重呼出。李富贵继续挠头,然后问:什么怎么样了?奋玉破口大骂,后来在很多场合,一有人提起这个话头,奋玉就破口大骂,奋玉说他妈的,简直太他妈的了,我操你妈的李富贵!

李富贵挑着担子走在雨中,脚下的胶鞋底已经不知什么时候脱落了,留在烂叽叽的土里。李富贵赤着脚,走得很快,闪电一样快。他很久没有赤着脚走路了,有了钱,他足以买很多鞋,皮鞋、运动鞋都买得起。我操你妈的李富贵,奋玉当初是这么骂的,奋玉那张愤怒的脸在雨中慢慢现了出来。李富贵那天不知道奋玉为什么愤怒,刚开始真的不知道,头都快挠破了。奈月是他的同学,他们一起从学校往桃花村走了三年，那又怎么样了呢？奈月是奈月，李富贵是李富贵。奈月长得不难看，只是屁股大了点，相当大，腰那个部位一结束，往下陡然就面积聚增，盛大的肥肉在那里堆积如山，画出一左一右两道大弧线，宛若两个括号。奈月在学校的外号就是屁股，大家背地里都这么叫她，那个屁股怎么怎么，那个屁股又怎么怎么，听的人都知道说的是谁。不过，即使是这样，奈月也不难看，而且奈月是奋玉的女儿，这一点儿别人看来很重要，只有李富贵没觉得重要。为什么一路上要说那么多的话呢？因为李富贵爱说话，因为路上没其他人可说。李富贵一直没有从性别意义上看过奈月，奈月是同学。这么大的雨，天地白茫茫一片，眼都睁不开，李富贵这时候想到的奈月仍然是同学奈月。

三

李富贵不知道到哪里找古菜花，没有人知道古菜花去了哪里。李富贵一趟趟往古家村跑，古菜花的母亲说古菜花没有跟她联系过，古菜花母亲甚至手指戳到李富贵的鼻梁，她说我女儿好好地被你娶走，怎么说不见就不见了？李富贵答不上来。怎么说不见就不见了？他也一直在想，想不明白。不过他不相信古菜花母亲的话，古菜花不跟他联系，古菜花一声招呼都不打就走了，可古菜花一定会跟她母亲联系的。自己的母亲，古菜花怎么会不联系？

唱了一首歌，成了李富贵的妻子，古菜花笑嘻嘻地说自己被李富贵骗了。李富贵说谁骗谁了？我走我的路，你摘你的花，可是你却偏要在我路过时唱歌，唱得又那么好听，声音又脆又甜，这就不能怪我了。好一朵美丽的茉莉花，古菜花的样子比茉莉花还诱人。李富贵那天就不走了，他进入古家村，找人打听，打听那个唱歌的女孩。三天后媒人登上古菜花家，手中拿着李富贵的照片。古菜花仔细打量照片中穿西装打领带的李富贵，听媒人叨叨说着。古菜花的母亲摆手摇头，很生气的样子，说，怎么能提个桃花村的亲？不可能的。媒人问古菜花，古菜花也说，不可能的。媒人走了，李富贵来了。李富贵不是来一次，他平均每天来一次，每次都赖在古家，非见到古菜花不可。古菜花的母亲烦了，手叉到腰上大骂，骂桃花村的人不要脸。但古菜花拦住了母亲，不知不觉间古菜花脸上多了一些闪烁不定的光泽，最后她看着李富贵，脸突然红了。她说，好吧，我嫁给你。

李富贵真的没有逼她，是她自己说，好吧，我嫁给你。

古菜花这么一说，李富贵就马上回到桃花村，开始盖新房。时间太紧了，他只盖了一层，又宽又大的一层，里外抹了白灰，亮堂堂的，然后把古菜花娶来。好一朵美丽的茉莉花，闹洞房的人逼古菜花唱歌，古菜花看看李富贵，李富贵点点头，古菜花就唱起来了，她的嗓音真好，像广播喇叭里传出来的。做了李富贵妻子的古菜花不再下地，没有上山，李富贵什么重活儿都不让她做，李富贵把她养在家里，白白嫩嫩的，一天比一天好看。可是有一天，古菜花却突然走了。她去了哪里？不知道。

李富贵是在尚干镇遇见许木匠的，尚干镇农贸市场门口。那天李富贵买了布料，买了毛线、肥皂、盐巴、味精出来，向人打听哪里有木匠。桃花村也有人做木工活儿，但李富贵嫌他们活儿太糙，不要他们，他到镇上来找。人群中马上有回答，他说我就是木匠，我姓许。

许木匠的手艺的确不错，锯起木板又快又直。他先把新砍下的杉木锯了，一片片整齐地靠到墙头，然后再锯已经晾干的老木头。细密的木屑在阳光下飞舞，像被放大的细菌一样轻盈飞舞，落了许木匠一身，连睫毛上都沾了一层，这使许木匠身上有一股很特别的清香。在城里做工是不要手工锯的，许木匠说，在城里用电锯，哪要手工锯得这么麻烦。李富贵知道许木匠没说谎，他在尚干镇看过人家锯木头，“哗”一下推过去，尖厉的声音马上响起，只是眨眼间，一根木头一分两半了。许木匠到桃花村，只做一个衣柜，他没有带来电锯，只能用手工，李富贵觉得有点对不起许木匠似的，对他直笑，还让古菜花弄出很多菜给许木匠吃。

每天三顿之外另加两餐点心，桃花村人无论请泥工、木工还是裁缝，都是这么款待的。许木匠自己并没提出要求，许木匠对吃住一句都没说什么，但李富贵还是照桃花村的规矩做了。三顿饭菜反正跟主人一起吃，有肉有酒就是了，讲究不多。主要是点心，桃花村人对客人的情意在点心里才能体现出来。有一种白丸子，其他地方不多见，是用糯米做成的，糯米先和了水，浸泡一夜后，放到石磨里磨成浆，然后榨干水分，搓成细长条，掰成指甲大小的一粒粒，再晒干，又白又嫩，像古菜花一样又白又嫩。白丸子制作的过程很烦琐，煮起来更费心：水太凉下锅了，散成粉状；水太烫下锅了，又结成一团夹生了。古菜花第一天就端出白丸子给许木匠吃，许木匠没推辞，低着头，一勺接一勺吃得飞快。然后嘴一抹，他说，好吃。古菜花笑笑，回答说，富贵也说好吃。

李富贵的确喜欢吃白丸子，古菜花做的白丸子。他挑着担子，不戴斗笠，不披雨衣，闪电般到了尚干镇。箭似的大雨还在下，农贸市场因为雨天而冷清，摊主坐在那里打着瞌睡或者聊天。李富贵走进沙县小吃店。来一碗白丸子。他说。店主说，白丸子没有了。李富贵猛地把桌子一拍，他说，给我来一碗白丸子！

李富贵跟店主熟悉，每次来镇上，李富贵都到农贸市场旁的这家小吃店，炒两盘菜，喝一瓶啤酒。他到镇上不仅买布料、盐巴，还买苗木、化肥和杀虫剂。树一年年长大长成后，他还要来找买主。他常到镇上，常进这家小吃店，可是现在店主认不出他来了。店主看看他，他浑身上下没有一块干的，衣服湿漉漉皱巴巴地贴着皮肤，东一块西一块粘着泥巴，地上已经摊下一堆水。而且，他身子在抖，发紫的嘴唇不停地哆嗦着。店主说，你先来点酒吧，喝点酒，你可能太冷了。李富贵说，给我来一碗白丸子！店主有些不高兴了，眼睛瞪起来，店主说，没有白丸子卖，要吃你找别人去！李富贵把桌子又一拍，霍地站起，又坐下，他说，我是李富贵，我要一碗白丸子！

店主没有见过这副样子的李富贵，李富贵先前每次来都打扮得有模有样，夏天T恤，冬天西装或者夹克，连头发留的都是分头，桃花村没有第二个人这么讲究的，连奋玉都不如他。店主认识的是那副样子的李富贵，而现在的李富贵，除了一身湿漉漉外，还有长长的头发与胡子，头发与胡子把他脖子以上遮得几乎看不见肉了。

古菜花会剪头发，真看不出古菜花居然会剪头发，比理发店剪得还好。李富贵的分头以前是到镇上剪的，后来是古菜花剪。古菜花拿着剪刀按住李富贵的头，咯咯笑着。古菜花说，让我剪，我给你剪。李富贵说，要是剪得太难看了怎么办？古菜花说，再难看也是我看，我不嫌弃你就是了，你让我剪。结果一剪，李富贵很满意，古菜花也很满意。古菜花说，你哪天如果不要我了，我就去开理发店养活自己。李富贵说，你哪天如果不要我了，我就再也不剪头发了，我要一直留着。然后李富贵到了镇上，一把梳子，一把剪刀，一把推剪，他把这些东西都买回去。李富贵的头发长得快，又黑又密，古菜花每两星期给他修剪一次。古菜花走的那天上午还给他剪了一次，最后一次。古菜花端了一张椅子到院子里，这不奇怪，每次都是在院子里剪。许木匠也在院子里，衣柜已经做好了，很鲜亮地立在那里，许木匠把最后的几颗钉子嵌进去，锤子砸下去砰砰响着，还有回声。李富贵问他，你看怎么样？我妻子古菜花手艺怎么样？许木匠瞥了一眼，说，好。李富贵就让古菜花也给许木匠剪。许木匠推辞了，不是客气，是很认真地推辞。李富贵就过去，拉着他的胳膊拖过来，按在椅子上。李富贵说，免费剪发，让古菜花给你剪一次，一定不会难看，难看，我赔你。古菜花第一次给李富贵以外的男人剪发，剪得很好，许木匠照照镜子，摸着头也笑了。许木匠很少笑，几乎没见他笑过。许木匠说，咦，真不错，剪得真不错。

那天中午吃过饭后，李富贵去山上逛一圈，他每天总要到山上几次，去看看树。去之前他把工钱付了，还跟许木匠说了谢谢。从山上回来，许木匠已经走了，古菜花也走了。

四

奈月把头发一股脑儿梳到脑后，高高扎起，几乎高到头顶。从高中起她一直都留这种发型，高中的时候头发非常浓密，没有人觉得她这么梳有什么不妥，可是十几年过去，奈月已经不是十几岁的小女孩了，从头顶垂到背上的那撮马尾发也越来越稀疏了，可她居然还留这种发型，每天一个样，从来不改。李富贵是这么跟奈月介绍古菜花的，他说，奈月，这是我妻子古菜花，你就叫她菜花吧。奈月甩甩头发，眼睛左右闪烁了一阵，才定住，落到古菜花身上。她笑笑，说，你好，菜花。奈月比古菜花大，大了五岁，这从外表一眼就看得出来。所以，古菜花叫道：奈月姐。

李富贵要娶古菜花的消息，奈月很迟才知道。李富贵盖房，奈月来看过，但奈月没把盖房与娶亲联系起来。奈月说，房子真漂亮，为什么第二层不盖上去呢？李富贵说，来不及了，先盖一层。奈月想问为什么来不及了。这时工人喊李富贵，李富贵就跑了过去。几天后奋玉对奈月说，你现在死心了吧？李富贵要跟古家村的人结婚了，结婚证书都打了。奈月不相信奋玉的话，只是表面上不相信，内心还是猛地咚了一声。接下去，大红请帖就到了，李富贵请奈月参加他的婚礼。奈月没有去，桃花村所有人的婚礼奈月都不参加，包括李富贵的。奈月总是以要上课来推辞，她要上课，给桃花村小学的孩子上课，奈月不补习不打算再考大学后，就去桃花村小学当代课老师。当了老师后其实也不见得就忙成什么样，大家都知道奈月其实只是找一个借口而已。

李富贵结婚了，奈月就再不去找他，路上碰到了，李富贵向奈月介绍古菜花，古菜花叫奈月姐，奈月甩甩头发，笑一笑，走了。奋玉说，现在该嫁了吧？人家都结婚了，他妈的李富贵这个兔崽子，我操！

李富贵让奋玉失了很大一个面子，但李富贵又是村里少不了的一个人物。“六一”节，李富贵给村小学捐款，给初中校买课桌、椅，甚至上面来检查，请了客，村里没钱了，李富贵也出面把单给买了。桃花村毕竟是山沟沟，在桃花村再富的人，到了外面，也是小巫了，什么狗屁也不是。奋玉一直对奈月说这个道理，但奋玉说了也白说，奈月不听。李富贵结婚了，奋玉以为这下子奈月再没有不听的理由，就托了人，说了个人家，是镇上的，开音像店，人本分厚道，长相也配得上奈月，虽然结过一次婚，老婆去年刚病死，不过奈月都这个年纪了，还有什么好挑剔的？

音像店的小老板很快就来了，到桃花村来相亲，这至少说明了人家的诚意。这么远的路，倒了两次车，走了半小时的山路，小老板还是来了。见了面，小老板就有几分满意，从衣袋里掏出一盒磁带，说，这是 F4 的歌，《流星花园》，很流行的，很好听的。

奈月并不伸手接，而是眯着眼冷冷看着他，嘴角一直往两边撇去。你来干吗？她问。

小老板指指一旁的介绍人，说，是他介绍我来。

奈月说，你以为我长得跟天仙似的？

小老板说，没有。他们只是说你……说你……小老板瞥了奈月的屁股一眼，脸有些红了。我只有一个女儿，我还想生个儿子。

生儿子？奈月突然笑起，声音不大，却很尖利，像刮刀划过玻璃。然后，她就再也不说话了，小老板问她，她不答，奋玉跟她说话，她也不理。小老板最后就悻悻站起，手在身上无措地搓着，他说，那我走了。奋玉肯定还有幻想，所以他很客气地把小老板送出去，送了很远，一路不停地说着话。

小老板的音像店开在尚干镇的东头，就在沙县小吃店的对面，每天都开着大喇叭，唱着同一首歌：陪你去看流星雨落在这地球上，让你的泪落在我肩膀。流星雨？流星雨是什么样子的？李富贵以前只是隐约听说流星雨这东西，却没有见过。流星雨是什么样子的？李富贵就是这么问奈月的，李富贵说，你什么时候跟人家一起去看流星呀？看了之后你可要告诉我流星雨是什么样子的。奈月的脸一下子沉下来了，眼睛看到别处。李富贵觉得自己有必要劝劝奈月，同学奈月已经这么大岁数了，居然还不出嫁，甚至不谈朋友，这一辈子，奈月真的要别扭到底了。李富贵说，奈月，三十岁已经到眼前了，你别再固执，你得嫁人。

嫁谁？奈月看着他，一字一顿地问，眼里闪出幽怨的光。

李富贵怔一下，又开始挠头。哎呀，音像店的那个小老板，我看很不错，你要是嫁给他，以后我去尚干镇，也有个歇脚的地方，我就到你们店里去吃饭。奈月，到时你可得给我一碗饭吃，稀饭配咸菜也可以嘛。说着说着，李富贵觉得有趣，呵呵笑起。

奈月头低下去，又抬起来，迅速瞥了他一眼，转身走了。

李富贵再到镇上买东西时，就进了音像店。他说，我是桃花村的。小老板有点反应不过来，眼睛一眨一眨地盯着他。李富贵说，我是奈月的同学，桃花村的奈月，奈月她是我们村书记奋玉的女儿。小老板噢了一声，站起来。李富贵说，你为什么不再去追奈月呢？你是男人，男人皮厚，所以你得去追她。其实也不要说什么，只要你一直去一直去，用诚意打动她，她就动心了，就这么简单。我妻子古菜花就是这么被我追上的，女人都一样。小老板脸上的表情渐渐有些不好，他说，我追谁关你什么事呢？李富贵说，不关我什么事，不过你真的应该去追奈月，奈月这人很不错的，追她不会吃亏。小老板眼睛眉毛皱到一起，脸越来越黑。李富贵后退了一步，他想小老板可能要发火了。这时候小老板的脸却突然一松，然后点起一根烟，吸一口，悠悠吐出。他说，那好吧，你说说看，奈月有什么好？李富贵就拖过一张椅子坐下，把左腿架到右腿上，样子很惬意，他说，奈月以前书读得那才叫好。小老板打断他，小老板说，这个我知道。李富贵说，也有你不知道的，奈月曾经参加县奥林匹克竞赛，得了第一名。小老板吐一口烟，说，这个我也知道，我还知道她对你单相思。李富贵连忙摆手，嘴里哦哦哦的一时找不出话来。小老板黑黑的，有对厚嘴唇，李富贵第一眼见到他时，觉得他有些憨，事实上小老板不憨。小老板说，她再好又怎么样？好得过赵薇吗？好得过宋祖英、张曼玉吗？好不好没关系。年轻的女孩有，满街都是，可我娶不起，人家也看不上我，而她这个年纪还未婚，还有个大屁股，我就看中这个，这是最关键的，屁股大的女人能生儿子，我没有儿子，让她生一个。我本来也觉得挺合适，可是她不干，他妈的她不干，我追也没用。李富贵并不死心，李富贵说，你再试试，再试试。

小老板那天很肯定地对李富贵说不试了，再也不试，但过后，他还是请介绍人又去了桃花村。

雨下得很大，太大了，沟里的水来不及流走，溢到了路面，已经淹过脚面。李富贵蹚着水走进沙县小吃店，他要吃白丸子。店主后来给他煮了一碗粉面。热乎乎的，下了肚，李富贵脸色才回转过来。店老板说，这雨怎么下的，一整天也不停。富贵，这么大的雨，你还跑出来干什么？李富贵抬头望望外面，什么都是朦胧不清的，包括对面的音像店。陪你去看流星雨落在这地球上，让你的泪落在我肩膀。只有歌声穿过雨帘传过来，不太流畅，被雨声截成一断一断的，听起来有点像抽泣。李富贵也曾跟古菜花说过，以后要带她出去的，不是看流星雨，是看大海，还看飞机。大海和飞机在山的外面，李富贵要和古菜花一起去看海，看飞机，可是古菜花走了。李富贵问店老板见过古菜花吗？店主摇头。李富贵又问他见过许木匠吗？店主还是摇头。

古菜花走一年了，为什么一年之后李富贵才出来寻找，这是桃花村的人怎么也想不明白的。店主也不明白，店主问：要找你早干吗不出来找？李富贵望着雨帘子，头轻轻晃了晃。一年三百六十五天，李富贵都在楼上的窗子前静静坐着，吸着烟。院子的门敞开着，楼下的门虚掩着，李富贵等待院子里有熟悉的身子出现，楼下的门吱呀一声响起，他等了一年。一年后，古菜花没有回来，李富贵就挑起担子，出来寻找。

好大的一场雨啊。

五

奋玉是动过把那些山都收回的念头的，早就动过了。桃花村这地方天高皇帝远的，一直没出过什么新闻，但在奋玉手上却出过，这个新闻就是李富贵。李富贵高考落榜，回来承包荒山。山立在那里已经不知道多少亿年了，一直都荒着，稀稀拉拉长着杂草，最多砍一些柴火回家来烧，谁也没觉得有什么用，可是李富贵却承包了。恰好国家有政策，鼓励种林育树消灭荒山，谁种谁有，李富贵就一口气包下了三百六十亩。这事惊动了县领导，书记、县长等等的都很关心，县委报道组也来了人，做了专访，赞扬李富贵同志是穷困山区的有志青年，文章还登到报纸上。过了几年，树长高了，卖出一批，县里又把李富贵评为种林大户，戴起了红花。奋玉第一次要把山收回来是在李富贵结婚后不久，奋玉说，好处也不能一个人都得去，山是集体财产，是大家共有的，你也别承包了。那些树值多少钱？值不了多少钱，我们会赔一点儿钱给你的。李富贵没想到奋玉会这样，他拿出合同，他跟村里签了合同的，合同期五十年，甲方代表奋玉在上面是签了字的，还做过公证，怎么能说变就变了？

那时正是夏季，天热得不行，李富贵一次次大汗淋漓地往奋玉家跑。奋玉光着上身躺在竹床上，手中一把蒲扇慢吞吞地摇着，偶尔打打蚊子，啪，啪，啪，声音挺响的，是肉响，奋玉身上有很多过剩的肉。李富贵站到竹床前，把合同递过去。李富贵说，这是我们订的合同，白纸黑字，有法律保证，不是玩笑，你也不能开玩笑。奋玉不接，奋玉甚至不抬起眼皮看过去。啪，他拍一下大脚，啪，他又拍一下肚皮。奋玉说，合同村里也有一份，你拿合同来干什么？形势是不断发展的嘛，签合同时的情况，跟现在不一样了，现在村里需要那些个地，山地证还在村里嘛，地还是属于村里的嘛。

这时奈月手里捏着一件背心过来，奈月对李富贵笑笑，转过去对着奋玉时就不笑了，她说，爸，来客了，你把衣服穿上。奋玉慢悠悠坐起来，接过奈月的衣服，并不穿，只是横在肚皮上，奈月说，穿上吧，看你那一身肉，难看死了。

嫌人家肉难看，这是奈月让桃花村人笑破肚皮的一句话。桃花村只有李富贵每天穿戴得整整齐齐，再热的天也要裹着上衣和长裤，大家看着他都笑，说富贵啊，你怎么把自己弄得跟金枝玉叶似的。桃花村的其他男人可不这样，端午节一过，个个便脱光了上身，穿一条短裤衩家里家外走来走去，谁也没觉得奇怪，可是奈月却不接受，一看到男人赤着身子，总是一下子把脸别走，说，这么难看的肉！

奋玉毕竟是干部，出了门也从来不露肚皮，在家就无所谓了，在自己的家还不能脱脱衣服？摇着蒲扇，奋玉慢悠悠地说，富贵嘛，算什么客人？富贵差一点跟我们还是一家人哩。奈月脸腾地一下红了，掉头走开。李富贵刚开始没有反应过来，一想，也不自在了，他说，我已经结婚了，我的妻子是古菜花。奋玉嘿嘿嘿一笑，笑声是从鼻子中出来的，他说，我知道，我还能不知道你老婆叫古菜花，古家村的古菜花？李富贵纠正他，是妻子，我妻子古菜花。奋玉撇着嘴吱地吐口气，说，妻子？妻子不就是老婆？你跟我酸什么呀富贵？李富贵说，反正就是妻子，不是老婆。奋玉说，妻子就妻子吧。富贵啊富贵，你可真能耐呀，你娶得到古家村的姑娘做妻子，了不起啊富贵。

李富贵站在那里，脚有些虚浮了，不舒服，很不舒服。他听出来了，奋玉话的背后有话，奋玉想跟李富贵过不去了。桃花村谁也不能跟奋玉过不去，谁也不敢，即使是李富贵。李富贵有钱，会为村里请的客买单，会给村小学捐款，不过，没用，在奋玉面前仍然没用。李富贵笑起来，茫无目的地笑，心里有些沮丧，甚至还有些许恐惧。不就是因为奈月吗？李富贵没有娶奈月，李富贵娶了古菜花，这是没办法的事,就是再给他机会,李富贵还是选择古菜花,他不喜欢奈月,他喜欢古菜花。只有这事不能勉强。奋玉打个呵欠,重新躺下,动作姿态都充分表达出要睡上一觉的意思。李富贵就退出了,李富贵每次去见奋玉的结果,都是沮丧地退出。不过,最终奋玉并没有真把山林收回去。奋玉一点儿都不像仅打算吓吓李富贵,奋玉是来真的,最后却没有动真,这其中谁在起作用?当然是奈月。

谢谢你。再碰到奈月时,李富贵正儿八经地对她说。

奈月没当一回事,奈月刚下了课,从学校回来,李富贵的家是她每天必经之路。李富贵说,有空到我家坐坐吧,古菜花喜欢有客人来,古菜花喜欢热闹。奈月咬咬嘴唇,甩甩头发,浅笑了一下,然后身子一侧,从李富贵的旁边闪过,走了。

音像店小老板让介绍人再去桃花村找奋玉和奈月,重提婚事。奋玉很高兴,奋玉说可以可以。但奈月还是不可以。奈月说,你们再说这件事,我就搬到学校去住!奋玉当时手中正捏着一个茶杯,听奈月这么一说,慢慢将杯子送到嘴边,吱吱吱缓缓吸了一口茶,然后很突然地将茶杯一举,一摔。砰,地上都是玻璃碎片。屋里的人都愣住了,只有奈月不愣,奈月手里也有东西,是一叠刚洗好的碗,茶杯掷地的声音未落,奈月把碗也一举一摔,一阵更尖利的音响就弥漫开了,空气都跟着颤动。奋玉真的拿奈月没办法,奋玉只拿奈月没办法。李富贵对奋玉说,我去劝劝奈月吧,我再劝一劝看。奋玉斜眼看着李富贵,嘴唇动了动,看那嘴形,奋玉大约是打算说两句难听的话,不过奋玉最终改变了主意,他点点头。大概也就剩李富贵可以劝奈月了,这是最后的可能。

李富贵对奈月说,你不能这么固执,音像店的小老板我接触过,我看他不错。

李富贵又说,你这样真的不好,把自己给耽误了。

李富贵还说,你看你,你真的不小了,这样下去我也挺过意不去的。

李富贵说话的时候,奈月一直盯着他,眼皮一眨都不眨。你去找小老板了?她问。

李富贵说,是,我找了。

你对他说我很好,要他再追我?

是,我说了。

你,你既然觉得我很好,为什么你自己不追我?

我结婚了,我有妻子古菜花了。

奈月不再盯着李富贵,她低下了头,很久,再抬起来时,脸上什么表情也没有。奈月说,你们别劝我了,劝也白劝。奈月背个黑皮包,手中提个纸袋,里头装着学生的作业本,所以纸袋有些沉。奈月把纸袋从左手换到右手,把皮包从右肩换到左肩,走几步,又停下来,转过头,瞥了李富贵一眼。李富贵看到泪光,泪光一闪。

好大的雨呀,现在李富贵坐在沙县小吃店里,看着外面白茫茫的雨帘,突然就

想起了奈月的眼睛，泪光一闪的眼睛。眼睛与雨水是同一物体哩，李富贵原先忽略了这一点儿。李富贵忽略了很多东西。奈月瞥了他一眼，奈月走了。古菜花后来对李富贵说，我看到奈月了，奈月在哭。李富贵说，是吗？她干吗哭？古菜花说，问你哩，你跟她说什么了？李富贵晃了晃头，说什么了？我劝她嫁人，嫁给音像店的小老板。古菜花笑起来，扬手在他头上轻轻一拍，古菜花总是笑，整天嘴不合拢。你劝她干吗呀，你劝她，她不更不嫁了吗？李富贵也拍古菜花的头，拍得很轻，李富贵也笑。古菜花知道奈月的事，但古菜花反应正常，没有嫉妒，偶尔还拿它开开玩笑，这就是古菜花的可爱了。古菜花说，人家也是一朵美丽的茉莉花哩，你这个傻瓜。

雨帘哗的一下被一把伞划开，进来一个人，是音像店的小老板。你好，小老板说，真的是你？留这么长的头发和胡子，差点认不出来了。

李富贵没有应他，看都不看他。李富贵站起，收拾担子。店主问，你去哪里？李富贵把担子提到肩上，一抬腿迈出大步，从小老板的旁边走过。他说，我去找，找我妻子古菜花。小老板揪住他的担子摇了摇，说，好，去找，去找。

下 部

一

李富贵重新回到尚干镇，是一年以后的事了。还是雨，好大的雨，李富贵在雨中，担子在肩上，他湿透了，雨把他弄得像一棵泡在水中的枯树。一年前他离开桃花村，到过镇上，然后又走了，去找妻子古菜花。一年，三百六十五天，可李富贵没有找到古菜花，古菜花找不到了。

沙县小吃店不见客人，雨太大了，箭一般嗖嗖往下戳，戳到脸上、身上，有刺痛的感觉，所以没有人肯出门，到店里吃扁肉拌面之类的。店主坐在墙角，跷着腿，头靠到墙上看电视。电视里正播足球比赛，一堆人高马大的家伙围着一只小皮球争来争去的，这么没劲的事，那些人玩得却挺拼命的，看台上喊声也跟打雷似的一阵比一阵响。李富贵一脚跨进来，肩膀一耸，一推，担子哗的一声就摔到地上了，他说给我弄一碗白丸子！店主一怔，扭过头看看，赛场的响声与担子的响声混到了一起，他一时没反应过来。给我弄一碗白丸子！李富贵又说，这回嗓门更大了，试图把电视音响盖下去似的。店主噢了一声，回过神了，站起，过来，说，富贵，哎呀富贵是你啊，你怎么样了？李富贵坐在那里，身板挺得很直，双掌撑开，整齐地按在桌上，散乱的长发一缕缕湿漉漉地垂下来，遮在脸上，古装电影里常见到这副模样，高深莫测的武林高手的模样,可你李富贵又是哪门子的高手啊?店主扑哧一声笑了,说,富贵,有一年不见了吧,你怎么样了?李富贵一拍桌子,大声说,我要一碗白丸子!店主扯了一条毛巾递给他。说,你看你,都跑了一年了,还跟去年一模一样。来,擦一擦,把脸擦一擦。李富贵不接,他不想擦。眼睛翻了翻,嘴唇动了动,他肯定想说什么,却突然整个人一软,头一栽,先是趴到桌上,然后又重重摔到地上,桌子椅子噼噼啪啪响成一片。

李富贵病了。李富贵住进了医院。是店主过街叫来音像店的小老板,一起把李富贵送进镇医院。发烧40℃,肺炎。店主真是吓得不轻,脸上都没了血色。李富贵,李富贵死了!店主当时冒着雨冲进音像店时就是这么对小老板嚷的。小老板倒镇静,说,李富贵?死了?李富贵怎么就死了?店主说,你你你去看看。小老板去了,手在李富贵的手腕上按按,说,没事,活着,你去雇一辆三轮车来吧。

医生发现李富贵的头发上都是虱子,眉头都皱了起来,医生说把胡子剃了,把头发剃了,太可怕了。

又黑又瘦的李富贵软绵绵地躺在病床上,他没有反对剃胡子和头发,但是剃刀接触到他皮肤时,一滴泪突然滚出眼眶,很粗大的泪,就一滴,然后就没了。护士吓了一跳,后退两步,眼睛和嘴巴都撑得很大,惊诧地看着李富贵,不敢再下手。店主叹了口气,说,没关系,剃吧,也该剃了,再不剃,他就成北京猿人了。护士问,你是他哥哥?店主说不是。护士拿刀的手指向小老板,你是?小老板摇头说我也不是。护士说,那你们是他什么人?店主看看小老板,小老板说,什么人都不是。店主说,他晕倒在我店里,我把他送来了。护士有点意外,看了他们一眼,说,咦,现在还真有活雷锋嘛。那他的医药费呢?谁付?店主想想,说,那当然是他了,他反正有钱,你们别担心,他有钱,他承包了一座山,山上都是树,他有钱。护士说,钱得马上缴,要住院得先缴钱,谁缴?店主看看小老板,小老板没有反应,脸上木木的,店主又叹口气说,那只好我替他先缴了吧。

桃花村没有人相信李富贵能找到古菜花,古菜花走了,跟许木匠走了。为什么古菜花要跟许木匠走呢?村里很多人饶有兴趣地想,又饶有兴趣地交头接耳,最终也没有把这个问题弄清楚。许木匠每天在院子里干活儿,锯呀,刨呀,钉呀,许木匠是来干活儿的,他甚至话都很少讲。除了干活儿,他就是抽烟,蹲在地上,抱着臂,望着天,一口接一口地抽烟。桃花村平时几乎没有外人来,谁愿意到桃花村这地方啊?所以,许木匠在桃花村是新奇的,每天都有三三两两的人到李富贵家,站一旁看许木匠。许木匠其实一点儿都不好看,瘦得跟木桩似的,全身剥不下几两肉,那个腰,简直吓人,轻轻一掌就可以劈断它。就是五官,也紧紧挨挨地堆到一起,跟李富贵至少是没什么比的。这样的人,古菜花凭什么要跟他走?真是见了鬼了。你是哪里人啊?有人问。许木匠笑笑,没有答。你今年多大了?许木匠再笑笑,没有答。你成亲了吗？许木匠还是笑笑，没有答。后来把这一切联系起来想，大家一拍大腿，许木匠原来是早已经打定主意要把古菜花带走的。许木匠不说自己是哪里人，便没有人知道他是哪里人了。不过他的口音呢？口音应该是长乐那一带的吗？比如他把“我”说得既不像“尾”，也不像“魏”，大约介于这两者之间，汉语拼音中根本没有类似的发音，古怪得很，全中国肯定只有长乐这么说。

几年前长乐还是一个县，后来省城的国际机场建在这里，它也就成了市，县级市。一年前，李富贵挑着担子，他到长乐找古菜花。长乐有飞机，有海，李富贵就来了，他直接去漳港镇，国际机场就建在那里，每天几十班飞机起起落落，而机场旁边就是大海，海的那边是台湾。看飞机和大海不是古菜花的主意，是李富贵提出来的，李富贵自己对古菜花说要带她去看。古菜花当时听了咯咯咯笑起，这并不表明她特别高兴，特别向往，古菜花爱笑，动不动就咯咯咯地笑，古菜花就是这样，五脏六腑好像都被蜜泡过。李富贵从这个村走到那个村，又从那个村找到这个村，除了漳港，他还到长乐的其他乡镇。一年三百六十五天，他把整个长乐走遍了，接着又到其他县其他村，可是没有古菜花。

古菜花是自己愿意跟许木匠走的，还是被逼或被骗？这个问题是沙县小吃店的店主提出来的。李富贵是店主同音像店小老板一起送进医院的，住院的钱又是店主先垫的，店主就觉得自己跟李富贵的关系很近了，有资格往深处问一问。可是李富贵却不认为跟店主的关系与以前有什么不同，所以他把脸转开，不理，不答。这是个奇怪的地方，李富贵躺在病床上想，他从来没有躺在这么奇怪的地方，到处白花花的，连女人的脸都特别白，那些护士的脸。他已经一年没有在床上躺过了，这个村到那个村，随便找个空地，把担子一放，把身子一蜷，睡到天亮。早晨醒来的时候，睁开眼，他都希望看到古菜花，古菜花就站在面前，笑眯眯地看着他，张口唱道：好一朵美丽的茉莉花。

家里买了 VCD 机，可以唱卡拉 OK 的，桃花村只有李富贵买了，连奋玉家都没有，李富贵专门给古菜花买的。好一朵美丽的茉莉花，古菜花这一首歌唱得最好，真好听啊，清泉一样流出来。奈月每天去学校，经过李富贵家时，听到了古菜花的歌。有一次奈月也对李富贵说，古菜花的声音简直跟歌星一样。

富贵，你一定要跟古菜花结婚？这话也是奈月说。奈月拿到李富贵的大红请帖，上面写着谨订于某月某日农历多少，李富贵与古菜花举行婚礼，敬请光临云云。除了请里亲外戚，李富贵就只请奈月了，奈月是他的同学。在桃花村，李富贵还有很多同学，都是小学或者初中的，到了高中，只剩下奈月了。奈月去找李富贵，正午，她出了家门，穿过一条小巷，走过一条小路，太阳就在头顶，影子就在脚下，影子非常小，差不多只有巴掌那么大了，缩到脚趾与脚后跟间晃动。她去找李富贵。

李富贵正握一把铲子在院子里收拾地上的碎砖瓦，动作频率很快，幅度很大，铲子划过地面，吱地响一声，又吱地响一声，听得人牙齿都浮起来了。一层高的房子已经建好，新抹上的白灰还没干，弥漫着一股奇怪的腥味，而红对联已经忙不迭地贴上了。花好月圆，百年好合。是李富贵自己写的，墨迹跟白灰一样，也是湿漉漉的，有阳光落在上面，星星点点的。你要结婚？奈月问。

是啊，是啊！李富贵笑眯眯地停住手，铲子拄到下巴，脸上都是汗，汗一粒粒往下滚，他抬起胳膊一抹，还是笑眯眯的。

你真要结婚？

是啊，是啊！

你一定要结婚？

是啊，是啊！

富贵，你一定要跟古菜花结婚？

是啊，是啊！

太阳明晃晃的，刺得人几乎睁不开眼。奈月举起手挡在额头上，喉咙咕噜咕噜响。李富贵说，奈月你可得来参加婚礼，给我凑凑热闹嘛，以后你结婚我也一定去。奈月慢慢转了身，走几步又回头来说，富贵，你会中暑的，以后再收拾吧。李富贵说，不会，中什么暑。奈月你一定来啊！

李富贵结婚那天，奈月没有来，谁都知道奈月没有来，李富贵不知道，李富贵忙着拜堂、敬酒、分烟，动不动就大笑，嘴一直没合拢过，样子有点魂不守舍。他没有到人堆中找奈月，他真的把奈月忘了，一点儿都不记得。奈月没有参加婚礼，但寄了礼，用红纸包了五百元钱。桃花村人的礼金一般就七十元，不会超过一百元，可是奈月包了五百元。李富贵后来问奈月干吗包那么大的一个礼呀？何必给那么多钱。奈月说，跟钱无关。

二

跟钱有关的是现在，在医院。沙县小吃店的店主代缴了两千元，很快就花完了，护士又催着再缴，脸色已经开始难看。店主问李富贵，你身上有钱吗？李富贵摇头。从桃花村出来时，他带了钱，带了五千元钱，用这钱，他走遍长乐，又走遍附近的八个县，走了一年，钱花光了，一分都没有了，他回到尚干镇。还是雨，好大雨，跟那天走的时候一模一样，雨嗖嗖嗖地打在身上有刺痛感。走了一年，李富贵又回来了，没有找到古菜花。

白天，许木匠在院子里干活儿，天黑下来后，围着一张桌子吃饭，李富贵有说有笑，古菜花有说有笑，许木匠偶尔也插进来说说笑笑，然后，许木匠就留在楼下，那里有一间房子是给他住的，李富贵和古菜花上了楼，看看电视唱唱歌，再然后，就到了床上。古菜花的皮肤很好,古菜花的身子很好,古菜花什么都很好,可是她却突然走了,一声招呼都不打。山上有那么多的树,李富贵走在桃花村的每一处本来就已经眉飞色舞,再把古家村的古菜花娶来,李富贵迈出的步子更像安了弹簧一样蹦蹦跳跳。可是,古菜花走了,古菜花跟着许木匠一走,什么都变了,谁还羡慕李富贵呢?没有人了,连奋玉都说,富贵啊富贵,跟你说嘛不要不知天高地厚,我们桃花村的人怎么娶得了古家村的女孩子?你看你看,结果是这样,早该想到了嘛不是?奋玉还说,这次你得吸取教训了,一个人怎么可能总是那么得意的?天底下哪有那么便宜的事。栽跟头了吧不是,富贵?

李富贵就很少出门,古菜花走了之后,李富贵几乎都把自己关在楼上,坐在窗前,一根接一根抽着烟。院子门开着,楼下的门虚掩着。只有奈月来看他,奈月每天早上去学校时,手里多提了一个袋,袋里装着饭和菜,她在家里做的。中午从学校回家时,手里又多提了一个袋,袋里装的还是饭和菜,她在学校门口的小食店里买的。到了晚上,奈月再从家里做了饭和菜,提到李富贵家。吃吧。奈月说。李富贵接过碗,接过筷子,一口口飞快地吞咽,眨眼饭菜都下了肚。然后,他把碗筷往桌上一扔,又坐到窗前。奈月说,富贵,你这样不行。李富贵一动不动。奈月说,你这样会把自己弄成人不人鬼不鬼的。李富贵还是一动不动。

李富贵在长乐,坐在国际机场候机厅时,保安过来赶他。李富贵不走,保安脸色很难看,提起他的担子,拉着他的胳膊往外扯。李富贵把保安的手推掉,抢过自己的担子,他不要别人拉,不让坐就不坐,自己可以走。到处都是玻璃,厚厚的玻璃,手在上面推了推,比铁板还结实。李富贵大步走到玻璃前,玻璃门自动往两边打开。他走出去,站在外面,沉着脸盯着里头走来走去的保安,保安也斜着眼盯他。大海和飞机,李富贵对古菜花说要带她来看,其实他自己以前也没看见过。终于他来了,可是古菜花没有来,没有了古菜花,飞机又怎么样?大海又怎么样?李富贵只是累了,候机厅里放着绿色的圆形椅子,像鼓一样搁那里,他坐下来,歇一歇,可是保安不让,连坐一坐人家都不让。几个旅客拖着行李箱从旁边走过,都扭过头来看,其中一个嘀咕道:怎么人不人鬼不鬼的?

这就是奈月所说的,奈月把李富贵说中了。人不人鬼不鬼的,李富贵突然鼻子一酸,他离开了机场。

奈月来了,站在病房的门口。是音像店小老板通知奈月的,小老板叫奈月把钱拿来。李富贵不知道这事,没钱了,李富贵不管。他躺在那里闭着眼,抿着嘴,没有睡着,也没想什么,脑子是空的,就像是躺在水上,任意地漂。这时他听到护士在问:你找谁?有人答:李富贵。名字很熟悉,李富贵片刻才想起这是自己的名字;声音很熟悉,一个女人的声音。李富贵于是睁开眼,看到了奈月。病房里排着三张床,床上的人都穿着相同的蓝白条纹衣服,奈月认不出李富贵了。护士指了指最靠墙的那张床说,在那儿。

奈月走过来，走得很慢，步子迈得细细的，跨一步好像还停顿一下。然后，她站到病床边，头微颔着，看着李富贵。病了？她说。

李富贵嘴角动了动。

奈月把床单往里推推，坐下来，探过身子，手按到李富贵的额头上。烧退了？她说。

李富贵嘴角又动了动。

奈月扳直了身子，歪着头，轻轻笑起来。头发剃了？她说。

李富贵举起手在头上摸摸。

奈月又笑笑。胡子也剃了？她说。

李富贵的手从头顶上滑下来，到腮帮和下巴上摸着。腮帮和下巴都只剩下骨头和一层焦黄的皮了，这不是先前的李富贵。读高中时的李富贵是校田径队的队员，四百米和八百米的纪录一直到五年前才被人破了；然后，承包下三百六十亩荒山的李富贵，脸圆圆的，红扑扑的，整天泛着光。就是因为古菜花，李富贵不是以前的李富贵了。

奈月早就劝李富贵剃头发和胡子了，那么密的头发，那么多的胡子，杂草似的集中在脖子以上的小小面积里，难受是肯定的，奈月肯定李富贵会难受，所以，她劝李富贵把头发剃了，把胡子剃了。李富贵头拨浪鼓似的晃动。李富贵不剃，甚至不洗，奈月去打来热水，李富贵一扬手，整盆水哗的一下都到了地上。这个动作当然再明白不过了，奈月把脸盆收拾起，把地擦干净，不再说什么。没想到再见到李富贵时，他躺在病床上，头光秃秃的，脸光秃秃的。

奈月把挂在肩上的两个包放在病床上，从包里掏出钱包，她说，我先去缴钱。不等李富贵有什么反应，奈月就转身走了。奈月穿着一条黑色的中裤，这种式样的裤子，古菜花两年前就有了，古菜花让李富贵在镇里买了布，把裁缝叫到家里，要做中裤。桃花村的裁缝那时还不知道什么叫中裤，古菜花在纸上画出了式样，画得有模有样，一边画一边指指点点。裁缝挺奇怪的，裁缝说布明明够，为什么要弄得这么短？后来古菜花把中裤穿出去，桃花村的人也都这么说。没想到，现在连奈月也穿了。奈月其实不适合穿，很不适合。奈月上身不大，小腿不大，就是屁股大，那么多的肉都装在短短一截的中裤里，鼓鼓囊囊的，使她看上去像一个巨型橄榄。穿着中裤的奈月去缴了钱，然后留在医院，不走了。护士问你是他家属？奈月点点头，说是。护士埋怨道，怎么才来啊，这么久才来。奈月笑笑，说，对不起。病人家属晚上可以跟病人睡同一张床，头的朝向不同罢了，奈月没有这么做，她去租了一架小折叠床，晚上摆在过道上，第二天一大早又收起。折叠床显然已经用久了，老化的弹簧被压得吱吱呀呀响，几乎整夜整夜响个不停。

李富贵在机场那边曾给奈月打过电话，桃花村除了李富贵之外，只有那几个村干部家里装了电话。电话通了，接起来的是奋玉。喂，喂，奋玉粗着嗓子喊两声。李富贵一下子就把话筒放下了。后来，身上仅剩下十元钱了，李富贵又拨通了电话，这次接起来的是奈月。喂，喂，喂。奈月喂得一句比一句急促，奈月甚至问道：你是富贵吗？喂？李富贵没有吭声，慢慢又把话筒放下了。

不知道为什么要打这个电话，李富贵自己也不知道，一闪而过的念头罢了。

那天，雨箭一般直戳地下的日子，李富贵从楼上的窗子前站起来，古菜花走后，李富贵在楼上，在窗前坐了一年，然后他站起来，到了楼下，拿出担子。就是这个时候，奈月提着饭菜进了门。奈月问你要去哪里？李富贵继续着，没有停下来。奈月怔怔地看着他，突然明白了。你——！奈月叫了一声，接下去则是杂乱的砰砰声，那些饭那些菜从奈月的手中子弹一样迅速飞出去，准确落到李富贵身上。荔枝肉，炒青椒，白米饭，李富贵的衣服上顿时色彩云集。你——！奈月又喊了一声，但这一声已经没有刚才的力度，几乎是微弱的，喊过之后，奈月靠到门上，无措地看着李富贵。李富贵仍然继续着，衣服、被褥，简简单单的几样，用塑料布一裹，塞到担子里，接着把担子提到肩上。

奈月被什么东西咬一下似的，跳起来，扑过去，抓住担子。不行，不能这么走了，要走，你也得等等，你一定等着，我出去一下，我回来，你再走，再去找你的妻子古菜花。奈月说。奈月的声音又一下子大起来，非常大，比外面的雨声还大。李富贵站在那里，有了服从的意思。奈月上了楼，很快又下来，冲出门去。好大的雨啊，一年中雨下得最大的日子，奈月没有拿伞，她在雨中跑，硕大的屁股晃来晃去，渐渐就模糊了，看不见了。过一会儿，她回来了，手里捏着一个塑料袋。这是钱，奈月说，五千块钱，你拿着，路上花。奈月把钱塞进担子，然后拿过斗笠和雨衣要往李富贵身上披。李富贵用手一挡，重新提起担子，然后拉开门，腿一抬就闪电般跨了出去。

三

见到古菜花吗？我的妻子古菜花？一年三百六十五天，李富贵每一天都反复说着这句话。没有人能够回答，摇头，还是摇头。从口音上判断许木匠是长乐人，可是长乐真大呀，仅陆地面积就有六百五十八平方公里，李富贵走了一个村子，又走了一个村子，李富贵走过了每一个村子，没有古菜花。许木匠口音是长乐的，不等于他一定住在长乐，他的家也许在其他县，其他镇，其他村。李富贵又走了，一路走一路问：见到古菜花吗？我的妻子古菜花？

毕竟有热心人，他们说，古菜花？没听说过。有她的照片吗？

这下子轮到李富贵摇头了。古菜花有照片，照片在家里，李富贵没想到应该把它带出来。结婚之前,古菜花要李富贵一起去镇上拍婚纱照。化妆,涂浓浓的油彩,店里有各式各样的华丽衣服,甚至有和服。李富贵不肯穿和服,李富贵说日本人欠我们血债,中国人结婚干吗要穿他们的衣服?除了和服,李富贵就不挑剔了,古菜花看中什么,他就穿什么。每一款服装都是配对的,穿起来,摆一种姿势拍一张,再换一套礼服,摆另一种姿势拍一张。灯光非常奇怪,灯上罩着一把小伞,热烘烘的散发着感人的温暖。李富贵望望镜子中的自己,又望望花枝招展的古菜花,有一种难以置信的感觉。照片出来后,更难以置信,两人都跟明星似的。古菜花很高兴,墙上挂起,桌上放着,床头摆着,到处都是照片。这种照片中的古菜花跟真实的古菜花不一样,不过古菜花还有很多其他照片,李富贵拍的。李富贵是桃花村第一个买照相机的人,几百块钱的傻瓜机。古菜花在门前,在田边,在河旁,在山上,照片一张又一张,可是李富贵没有带出来。

李富贵也给奈月拍过照。李富贵把镜头对过来时,奈月立即伸出手去挡。拍一张,拍一张!李富贵不让奈月走,还把她的手往下按。刚好胶卷还剩几张,奈月,拍一张。来,站好,拍一张。奈月突然就不再推辞了,她甩甩头,把马尾发从背后甩到前面,垂到胸上,然后一只脚提起来,踏在台阶上,一只手叉在腰间,微微侧过头看着李富贵,笑得很陶醉。照片冲洗出来后,效果很好,但奈月却不要,奈月接过照片看了看,说,我不要,照片给我没用。李富贵说,拍得这么好,你干吗不要?奈月说,拍得再好又怎么样?真的没用,我不要。如果古菜花不介意的话,你就留着吧。李富贵说。我留着干什么?奈月抿抿嘴唇,说,你留着!

李富贵结婚后,奈月再也没去他家,后来古菜花走了,李富贵坐在楼上的窗子前,哪儿也不去,奈月要送饭送菜,她又去了李富贵家。李富贵家跟以前不一样了,锅是锅,碗是碗,古菜花肯定是个很会过日子的女人。奈月注意看墙上,看桌上,看床头,到处都是照片,李富贵与古菜花的照片,两人搂在一起笑得让人眼花缭乱。后来奈月也找到自己的那张照片,没有摆出来,而是在抽屉里,跟那些底片堆在一起。奈月把照片拿起来看了看,又搁下了,关上抽屉。

沙县小吃店不难找到,奈月走进店里,先递给店主两千元钱,说,这是你替富贵代缴的医药费。然后,奈月又递过一千元,奈月说,大哥,这是谢谢你的,谢谢你帮了富贵。

走出沙县小吃店时,奈月往对面的音像店瞥了一眼。陪你去看流星雨落在这地球上,让你的泪落在我肩膀,要你相信我的爱只肯为你勇敢,你会看见幸福的所在。F4 还在唱着,声音甜腻腻的。四个男人都一起陪女人去看流星雨吗?还是四个同腔同调的男人互相勇敢地爱着然后互相陪着去看?很奇怪的歌。奈月仅仅瞥一眼,没有停下来。小老板从柜台内往外探了探头,看到奈月稀疏摆动的马尾发和晃来晃去的硕大屁股。

奈月坐在病床上对李富贵说，店主的钱还了。李富贵点点头。奈月说，还给了他一千元表示感谢，李富贵又点点头。奈月说，音像店的小老板，我想算了，就不感谢了。李富贵看着奈月，奈月笑了笑。钱都是李富贵的，那些存折，古菜花没有带走的存折，现在都在奈月手中。是奈月向李富贵讨的，奈月说，你把存折给我。李富贵就给了她。奈月说你把密码告诉我。李富贵就在一张纸上写下六个数字。

古菜花走了，跟着许木匠走了，李富贵就一天天坐到楼上的窗前，再也不去山上，再也不管树。新种下的树枯了，长大的树被人砍了，所以，奋玉又动了把李富贵承包的山地收回的念头。如果乙方管理不善，造成山林不同程度流失，甲方有权收回林地。这是合同中的一款，奋玉说，李富贵现在不仅是管理不善，他根本就不管理了，树放在那里，今天被人砍一棵，明天被人砍一棵，村里当然要把山收回来，不收回来怎么行？奈月就对李富贵说，你把存折给我，把密码告诉我。奈月去信用社取出一些钱，在山上搭起草棚，然后雇了几个人，让他们住在草棚里，把树管起来。

奋玉说，你他妈的奈月，你要把我的老脸撕碎啊！你自己不要脸了，害得我脸也没地方搁，我操！整个桃花村的人都笑掉牙齿了啊，你知道不知道？

奈月说，我知道。

奋玉一抬脚把旁边的小凳子踢飞，他说，知道你他妈的还给他送饭，给他当老妈子，给他管家管山管树，你是我奋玉的女儿啊，你知道不知道？

奈月说，我知道。

奋玉很快就托人给奈月找了个工作，在省城一家大商场做收银员，一个月工资七百元，还包吃住。但奈月不去，奋玉声音或高或低或强或软地说了又说，说得眼珠子都往外鼓了，可是奈月低着头，不回答，不理睬，她就是不去。奋玉就去找来很多人，七姑八姨什么的一个接一个地来劝，最终也没劝动。奈月说，我哪儿也不去，我活着在桃花村走路，死了埋进桃花村土里，哪儿也别想让我去。

奋玉在那天清晨召集了十七八个人到了山上。县里拨了一笔款，给桃花村修条水泥路，全县只剩桃花村没有水泥路了。但路太长了，钱太少了，再向县里要，县里不给了，叫奋玉自己想办法。奋玉想来想去，想到了李富贵的树。李富贵走了，去找古菜花了，李富贵不要树只要古菜花，那么为什么不把树砍了，卖了，钱用来修路呢？奋玉就叫了十七八个人，拿着斧头锯子上了山。

没想到，山上站着奈月。

奈月袖子拉得高高的，手里也有一把斧头，奈月说，谁敢砍？谁要是敢砍树，我就先把胳膊砍下，哪，这一条胳膊。奈月用斧头指指自己的手。都愣住了，包括奋玉。但奋玉很快就回过神来，奋玉说，你要砍？好，砍吧，你人是我生的，胳膊也是我给的，要砍你就砍吧。奈月笑笑，说，你敢砍树，我就敢砍你给的这条胳膊，然后，我用另一只胳膊写揭发你的材料。县里给的救济款每年是多少？发到下面的又是多少？修路的钱明明拨够，为什么又少了？还有，我们家的冰箱、电视、录像机都是用什么钱买的？

你你你！奋玉手举起，巴掌张得大大的，要冲过来摔奈月的脸，旁边的人连忙将他拦住。你疯了，奋玉身子都抖起来了，你疯了，你你你他妈的疯了！疯了！你疯了！

奈月说，我是疯了，所以你最好别砍树。

奋玉真的没砍树，而是扭过头气鼓鼓地走了。这件事桃花村的人很快都知道了，嗡嗡嗡地说着，比看戏还兴奋。只有李富贵不知道，李富贵那时还在路上，不断问道：见到古菜花吗？我的妻子古菜花？摇头，没有人知道古菜花，而李富贵口袋里的钱只剩下几块钱了。那天他经过一家食杂店，看到公用电话的牌子，突然想打打电话。电话拨通了，奈月在那边说，喂，喂，喂，是富贵吧？喂？可是李富贵又把电话放下了。

奈月舀起一勺绿豆汤，吹吹，送进李富贵嘴里。奈月问，那天，是你打电话来的吧？李富贵靠在病床上，背上垫着高高的枕头，慢慢地嚼着绿豆。奈月说，是你打的，你一定打了，电话都打通了为什么又不说话了呢？李富贵把一口绿豆咽下，奈月的勺子又伸过来了，他又张开了嘴。电话通了为什么不说话呢？他想不起来，路上的很多事现在都想不起来了。见到古菜花了吗？我的妻子古菜花？他问了又问，人家向他要照片，他没有，人家问你妻子古菜花长得什么样子？李富贵愣住了，古菜花长得什么样子？突然之间他说不出来，他想不起来了，真奇怪，他抱着头使劲想，想得两眼都冒金星，可是他想不起来了。

好大的雨，李富贵在雨中回到了尚干镇，走进了沙县小吃店。他想不起来古菜花的模样了，可是他记得古菜花做的白丸子，很好吃的白丸子，像古菜花一样又白又嫩的白丸子。他说，给我弄一碗白丸子！店主没有立即去弄，店主扯过一条毛巾递过来，让他擦擦，李富贵想说我不要擦，我要一碗白丸子，古菜花一样又白又嫩的白丸子。可是突然间嘴唇变得很重，他张不开了，眼也黑了，他看不见了。他摔到桌上，摔到地上，店主和对面音像店的小老板把他送进了医院。他在医院里一连住了十几天。

四

奈月办好了出院手续，同李富贵一起往外走。李富贵脸又圆了，又红润了，又像以前的李富贵了。而且，李富贵还穿了新衣。从短裤到外衣都是新的，奈月不但帮他买了衣服，还买了把电动剃须刀，开关一推，吱吱吱响，眨眼间就可以把下巴和腮帮剃得光溜溜的。

经过沙县小吃店时，奈月说，我们进去吧，跟店主说一声。李富贵没有反对。

店里客人很多，热气弥漫着，招呼声起伏着。看见奈月和李富贵，店主满脸是笑地跑过来，店主说，来，你们坐，要吃什么？奈月说，不吃了，我们已经吃过了，现在要回家了，再见了，大哥，富贵多亏了你的帮忙。店主说，哪里哪里，你还给了我一千块钱，这钱……奈月摆摆手，说，钱就不要再提了，富贵是真心感谢你的，以后请你去桃花村我们家坐坐。店主说，你们家？奈月笑起来，脸有些红了。

出了沙县小吃店，就见到音像店小老板，他正站在自己店门口，望着这边。陪你去看流星雨落在这地球上，让你的泪落在我肩膀。歌声非常响亮，撩拨人心。奈月说，我们也去跟他说一声吧。李富贵也没反对。走到小老板跟前，奈月说，谢谢你帮着把富贵送进医院。小老板和颜悦色地打量着奈月，又打量着李富贵。奈月说，谢谢你，我们走了，回家了，再见。说完，奈月很自然地伸出手，挽住李富贵的胳膊。

汽车很挤，长途车每天只有一班，所以总是很挤，李富贵和奈月读高中时，它就挤，现在还是挤。读高中时，每次回家，李富贵都不去抢座位，学生会副主席，在学校里带头学雷锋，到了校外抢座位被老师同学看到了算怎么一回事。李富贵不抢，奈月要抢，奈月每次都抢先挤上车，自己坐一位，再用包把旁边的位子也占下。

现在也是这样，奈月先挤上车，占了位子，自己的和李富贵的。已经有十几年李富贵没有同奈月一起坐车，高中毕业后就没有了，眨眼间十几年就过去了。李富贵望着窗外，除了多出一些楼房与商店外，景色还是十几年前的。十几年前，还没有古菜花，李富贵和奈月都只有十几岁，然后，古菜花来了，又走了。李富贵抽抽鼻子重重吸几口，他闻到了十几年前的气味。十几年前学生会副主席李富贵坐在奈月为他抢下的座位上，说起学校里的事，喋喋不休地说。他那时怎么会有那么多的话呢？李富贵扭过头来看看，旁边坐的仍然是奈月。奈月比以前胖了，屁股比以前大了，头发比以前稀疏了，但仍然是奈月。李富贵说，奈月，我现在想说话。

你？奈月惊声叫起，马上又用手捂住嘴，眼瞪着李富贵，好像不相信。你说话了？富贵你说话了？

李富贵说，我现在要跟你说话。

李富贵跟奈月说起了树。他在国际机场旁的沙滩上看到密密麻麻的木麻黄，有好几十亩吧，把机场靠海的一面都围了起来，这种树防风固沙最好，远远望去跟李富贵种在山上的马尾松有些相像。李富贵的山上还有桉树，桉树纸厂需要；还有泡桐，泡洞一年一根杆，五年能锯板，制胶合板最好，木材厂需要；还有杉树，还有樟树，还有栲树，还有，还有……李富贵说，我的树真多啊！李富贵又说，奈月，我的那些树都在吗？奈月说，在。李富贵说，我要看看我的树。奈月说，去看吧。

李富贵回到家后，转身就去了山上。奈月没有同他一起去，奈月留在他家里，先是屋里屋外清洗，然后上街买了鱼肉青菜。李富贵家的烟囱又开始吐烟了，很快香气又溢出来。奈月把一碗碗菜摆到桌上,又摆好了筷子。天黑下来了,李富贵才回来,跟在李富贵后面进来的是奋玉。李富贵不知道奋玉跟在后面,他进了门,闻到香味,正要说话,奋玉先开口了,奋玉说,呃嗬,过起小日子了嘛。奈月叫了声爸。奋玉没有理她,径自走到桌前,拿起筷子,夹起一块肉送进嘴,说,好吃,好味道。

李富贵搬过一张椅子,说,请坐。奋玉又夹起一块鱼到嘴边,眼乜斜着。富贵,你想明媒正娶我们家奈月了?说完这句,奋玉才一张嘴,咬下鱼,夸张地嚼着。

娶奈月?李富贵慌乱地看看奈月,又看看奋玉。李富贵说,我没有想过。

奋玉把筷子往桌上一摔,吼起来:没想过?他妈的你没想过怎么把她玩了一年又一年?

李富贵说,我没玩她呀。

奋玉说,你他妈的这种人最可恨了,明明玩了,还不承认!奈月,你听清楚了,他说他没想过娶你,他也没玩过你。你给我听明白了,现在我告诉你,就是李富贵想娶你,我也不同意,现在跟以前不一样,他结过婚了,娶过古菜花了,他不能再娶你!

奈月说,我问过了,他这样的情况可以再娶。

你问个屁!奋玉眼珠子又鼓出来,你就是自己骚着想跟李富贵,他是什么东西啊?他妈的他是什么东西啊?像他这样口袋里有两片钱的人,外面多了,比山上的树叶还多无数倍!

奈月说,别人钱再多关我什么事?

奋玉说,他也不关你的事!你跟我走,回家去!

奈月说,我不回了,我就在这里。

你敢?奋玉跳起来。你做鸡啊?你真的这么不要脸啊?你他妈好歹还是黄花闺女,还是我奋玉的女儿。他要是不回去,我们就断绝关系,你再也别想跨进我的家门一步!

奈月说,那就断吧,就不跨吧。

屋里只剩下呼呼呼的喘气声,奋玉说不出话来,一口口喘着气。突然,奋玉一挥手把桌上所有的东西扫到地上,又将整张桌子举起来,向奈月砸来。奈月头梗着,站着不动,是李富贵伸手一拉,把奈月拉开,桌子砰地落下,落到奈月脚边。

奋玉走了,奈月没有走,奈月真的没有走。地上到处都是碎碗碎木头还有七零八落的鱼肉,奈月拿着扫把和抹布,慢慢地扫着,擦着。李富贵家静静的,奈月动一下,声音才响一下,奈月一停下手,声音也消失了。

李富贵上了楼,楼上的墙上、桌上,床头都是古菜花在笑。李富贵站到墙上那张比真人还大的照片前,看着笑眯眯的古菜花。我的妻子古菜花?李富贵伸出食指在照片上轻轻划动,布纹面的照片有着隐秘的凹凸,手指微麻。我的妻子古菜花？李富贵觉得照片中那女人的眼睛鼻子嘴唇都是他陌生的，甚至旁边那个也化了浓妆、手很亲密地搂着女人肩膀的男人，他也不认识了。他在长乐街头时，看到前面走的一个女人很像古菜花，腰肢像、头形像、走路的样子像。大跑几步追上去，他叫道：古菜花！那个女人回过头来，不是古菜花。后来，类似的事发生过很多次，从这处村到那个村，李富贵发现越来越多的女人像古菜花，古菜花湮没在满街的女人中，他找不到了。

李富贵下了楼，走到一半又停住了，他看到奈月正坐在楼梯上，双臂抱着，支在双膝上，身子往前倾，蜷成一团。奈月。李富贵叫了一声。奈月坐着不动。奈月，李富贵又叫了一声。奈月站起来，只是站着，头没有回过来。李富贵看到奈月背影，头发梳得高高的，十几年了没有改变过的发型。再往下，是不大的身子，马尾发稀疏垂着，直垂到腰上；再往下，黑色的中裤鼓鼓囊囊的，肉质感很强。音像店的小老板说，这种屁股的女人能生儿子。李富贵没有儿子，李富贵跟古菜花结婚这么久，可是古菜花从来没有怀孕过，为什么没有怀孕呢？以前李富贵都没想过，好像还不及想，古菜花就走了，跟着许木匠走了。儿子，我为什么不能有个儿子呢？李富贵想。他迈出腿，一步一步走下楼梯，站到奈月身后。奈月。他叫道。奈月。他又叫一声，伸手在她屁股上摸了一下。就是这一下，李富贵突然一激灵，手掌顿时热辣辣地滚烫，不仅手掌，整个身体很快也热辣辣地烧起来。已经两年了，古菜花走后就消失的感觉一下子都回来了，那种作为男人的感觉。弯下腰，李富贵猛地把奈月抱起来，急速往楼上走去。奈月闭着眼睛，眼泪哗哗哗地往外流，流到李富贵的胸前和手上。

五

一个沸腾的夜晚。但这一夜过后，奈月却改变了主意。

李富贵直接把奈月拖到了床上，李富贵说，我要娶你。

真娶吗？

真娶！

娶了做妻子？

是，我的妻子奈月。

说话算数？

算数！

灯被拉灭了。奈月含苞了十几年，在这一夜猛然璀璨开放。直到黎明，李富贵睡去了，奈月也睡去了。但奈月很快又醒了，扭过头，她看到赤裸的李富贵。李富贵身上什么都没有，就那么摊手摊脚地朝天仰着。

奈月起床，穿戴好。山村的早晨，窗外已经有阳光，还有鸟在鸣叫。李富贵睁开眼时，奈月正坐在床前，手托着下巴，像看一件令她惊诧的什么物品似的看着他，看得很认真。奈月！李富贵叫一声，伸手就要把她搂过来。奈月身子往旁一歪，很轻微的动作，几乎难以觉察，李富贵还是一惊。不在于多轻微，而在于她做了，奈月做了。奈月！李富贵叫道。

为什么你的肉也这么难看呢？奈月轻声说，像是自言自语。

肉难看？李富贵坐起来，低头看着自己。奈月，你说我肉难看？

奈月好像没听清他的话，奈月说，为什么也这么难看呢？真奇怪，这么难看，你的肉也这么难看。

奈月！李富贵双手扳住奈月的肩摇晃两下。

富贵，奈月说，你不去找古菜花了？你的妻子古菜花。

李富贵说，我不去找了，我要娶你做妻子。

奈月说，富贵，你去找吧，去找你的妻子古菜花。

不找！奈月你怎么回事？我不找古菜花，我要娶你奈月！

奈月摇了摇头，叹了口气。

奈月走了，离开了桃花村，走的时候，她把古菜花的照片也带上。我帮你去找你的妻子古菜花，我不会再回来了。奈月给李富贵留了纸条。

后来，县报、市报、省报接连登出了一则寻人启事：古菜花，女，桃花村人，两年前走失，夫李富贵痛不欲生，望眼欲穿，深情盼望她早日回家。请知情者提供线索，定给重谢。联系人李富贵，联系电话 2222333。启事旁边是一张古菜花的照片。

几天后，县报、市报、省报又接连登出一则寻人启事：奈月，女，桃花村人，一星期前走失。夫李富贵痛不欲生，望眼欲穿，深情盼望她早日回家。请知情者提供线索，定给重谢。联系人李富贵，联系电话 2222333。启事旁边是一张奈月的照片，李富贵当年帮她拍的那张照片。

奈月在离开桃花村后，曾到尚干镇找音像店小老板，她说，你娶我吧，我嫁给你。小老板吓了一跳，说，我结婚了，你不知道？我半年前就结婚了，你不知道？奈月摇摇头，笑了笑，然后走了，再也没回来。

北　北

原名林岚。女。1961 年出生，福建闽侯人。1981 年毕业于福州师专中文系。历任闽侯第二中学教师，闽侯地方志编纂委员会干部，《文明建设》杂志编辑、副编审。现任《中篇小说选刊》杂志副主编。福建省作家协会委员会委员，福州市作家协会理事。

1997年加入中国作家协会。著有散文随笔集《北北话廊》《不羁之旅》《城市的守望》，小说集《咖啡色的故事》《寻找妻子古菜花》以及长篇小说《娥眉》《蔷薇前面》等10部著作。入选《2002中国年度最佳中篇小说》《2003中国年度最佳中篇小说》等20余种选本。中篇小说《寻找妻子古菜花》入选2003年小说排行榜。

甩 鞭

葛水平

一

麻五早上被农会的人带走，到现在没有回来。坐在炕头的王引兰心里有一点儿抓挠得慌。

窗外青山被秋风吹得抖动起来，心里就乱成了一团麻。外面突然热闹了，王引兰跳下炕，不假思索开了门，她不是想看热闹，只是感觉那热闹是奔她而来，倒吸了一口凉气，心也就悬了起来。王引兰看见一干人抬着麻五跑进来，麻五被撂到炕上时，脸黄蜡蜡的。农会来人说："麻五死了，找人打发吧。"王引兰感觉那颗心一下掉到了腔子外，一把揪住早上带走麻五的人。

"早上走时好好的，怎么就死了，你给我说说清楚！"

"他在高台上站着站着就软了下来，我们的人上去看，就没气了。"

"怎么站着就软了下来？斗他又不是一天两天了？"

"反正是软了下来。"来人梗了一下脖子又说，"他的脸黄蜡蜡的，有汗流下，大口地出气，出着出着就软下来了。"

"出殡吧，人已经死了，还计较什么死法。"

王引兰松开了手："人死了我才计较，人活着还计较什么？我倒要问问去！"

"还敢去问，风口浪尖上，不怕给你再定一个罪？"

"眼下，我还怕什么怕？你们说！"王引兰的声音像是从铁砧上发出来的。

所有的人木然地看着王引兰。王引兰在麻五身边站着，腿一软，整个身体就出溜了下来，她细丝样地呵出了声音，那声音拖着民歌小调的韵脚在麻五身上起伏。天真的要塌了，怎么说走就走了呢？她心里装满的希望顷刻化为乌有。王引兰想不出该做什么，定定看着麻五湿了一大片的裤裆。

王引兰站起身从木板箱里找出一条棉裤，想给麻五换上。除了棉裤之外竟然找不到其他可穿的衣裤，衣服都被农会分走了。

没有费很大劲脱下了麻五松松垮垮的裤，看到麻五麻秆样的腿罗圈着。倏然，那中间地段有一个黑色的东西，把脸挨过去，看到两个蛋肿胀得像成熟的大毛桃，根部被一条麻绳紧勒着，循着麻绳看到下端坠着一个秤砣，王引兰大叫一声，着实跌坐在了地上。

窑内的世界闹得很，但是，对王引兰空洞的大脑来说，一切似乎都已经与她无关。

王引兰站起来，想了想，还是要找农会，一把抓了来人坚决要去。来人躬着腰说："你去找要怎么说？麻五坠了秤砣？有脸说？自己的物件谁能给他系上？要系也只能是你。要不，要不也只能是他自己了。自己想到富贵到头了也就一了百了了。"

王引兰说："放屁崩出屎来了，麻五就算是想死也不会是这个死法！"

窑庄人都知道麻五是被秤砣坠死的，如果不是麻五自己坠的，那么，是谁把秤砣给麻五拴上去的呢？麻五已经死了，死无对证，谁会跑出来自己说。

二

窑庄，最早的时候是李村李姓家族的砖窑。有人在窑上住下，慢慢的就扩展开，后来有人叫起了窑庄。麻五是窑庄的富户，最早的时候麻五是靠了两头毛驴起家，从高平关驮煤回来，然后卖给李村和窑庄的用户。那时候用煤的还不多，大部分是烧柴火。麻五看到城市里的人烧木炭就动了心思，他发动窑庄人把上好的柴砍回来在废弃的窑内烧好，拉到城市里去卖。起早搭黑的麻五不几年口袋就鼓了，不仅有几十亩塬地、大家宅院、长工短工，而且有羊和马车，占去了窑庄大部分地产。土财主麻五，始终过着比普通人家还要"苛"的生活。无论寒冬炎暑，一身布衣。每日鸡叫起身，除了进城送木炭，就和雇工一起下地劳作。富了的麻五虽然从思想上依旧认识到自己是个乡下人，但这并不影响可以具有富人那样的价值观，麻五首先想到的就是添妻。

添妻的事不是说了就能办，要出银子。方圆八乡十里人听说麻五添妻就有媒人来找，能够门当户对合麻五心思的找起来还真是少。麻五希望人要标致，银子还得少要，这很难办。麻五说："缓着来，缓着来，路到头总有河。"

麻五长得细瘦，小眼睛，肉头鼻子，整个五官看上去有点不成比例。麻五的原配夫人是本地前庄倪姓家的女儿叫倪六英。以倪六英的容貌，麻五见了世面后就觉得不太理想。矮矬个子，满脸乡下人才有的潮红，说话时每句话的尾音带着一个"哦"字。假如说麻五是一个一辈子也没有出过山的农民倒好说，关键是麻五是见了世面的人。麻五如果仅停留在食不果腹的基础上那也好说，问题是麻五小富思淫欲，一直在心里搁着这事。

麻五在一个多云有雨的日子从山外领回了王引兰。那天，17岁的王引兰坐着麻五的马车从山口进来，眼看着要下雨，车跑得飞快，王引兰用手抓着车帮，身体像风中的小草很急促地摇来倒去。麻五挥动着鞭子一声紧一声地吆喝着头马。

“快到了吧？快到了吧？”王引兰说。

麻五说：“就到，就到。看见了吗，那个庄，那个高楼就是我的屋，我的屋叫高楼院。”

王引兰顺着麻五的指头看到半山腰上有一个小庄炊烟袅袅，有一座楼房明显凸起来，比其他土房相对有些气派。倏然风就吹散了她的头发，王引兰轻声“呀”了一声，麻五回头看了一眼，心里生出了几分情感，想：这小女人，这小祖宗，我麻五不花钱搞到了一个粉娘，真要过两天快活光景了。

三

王引兰是晋王城里李府的丫头，十一岁上和母亲从安徽来晋王城讨饭，三块大洋被李府买过来。娘走时安顿她说：“娘到你婚嫁年龄来赎你，你要好好活着啊！”从此没了音信。在李府做丫头长到十六岁，被李家汤水喂养得如花儿一般，李府老爷看她就多了一层意思。终于在一个黄昏，李老爷把她堵在了书房，奸笑着压了下来。她说：“老爷，不要，不要。”老爷眼睛眯着一种古怪的情欲，噘起嘴说：“不要？要的，要的。”那声音很暧昧，在雕花窗棂透过来的夕阳下游魂一样飘荡。她还没有来得及反抗就闻到了一股腥腻味儿，听得老爷说：“啊吁，说不中用就不中用了。”她整个脑壳就空了。老爷把她抱起来放在条几上，四肢像四条垂挂的藤悠悠晃荡。老爷不要她穿衣服，老爷说：“我要自上而下地鼓捣你，鼓捣你这块羊脂玉。”春色满眼的好事终于有一天被太太发现了。太太说：“打死她！打死这个惑乱人心的烂×。”她从心里不愿意面对这个家了，决定要逃跑。在这时候她发现了麻五。麻五来李府送木炭，半个月一次。一年多了，她的眼睛从没有多看过这个男人，现在看他就有了心事。

领了麻五到柴房送木炭，看四下无人，便急急地说：“大叔你救我出去吧。”麻五说：“我救你出去，我就不能来送木炭了。”柴房里散发着一股干霉味，麻五看了一眼王引兰，蒙昧的心像鼓一样敲起来。也就是说王引兰这个女人不能让人多看，看多了有想法。想法不是别的，其实说来也简单，就是想掰下来，在想掰下来的前提下还有一层意思：这粉娘倒可以让我省下钱。麻五把王引兰想成一穗玉米了。这时，王引兰扑通一声跪了下来说：“爹啊，救救我吧，你不救我，我就没命了。”

麻五吓了一跳，颤抖着累极了似的小声说：“除非你要我掰下来。”

王引兰半天没有想明白掰下来是什么意思："要带我出去当然不会让你白来，这还用说。"

麻五想，王引兰把自己的话理解错了，自己的话也太没有章法，硬板。怎么可以这样说？人家大小也是大府的丫头，眼睛里是长了大府人家铺排的，就算是拾话也多拾了几句。但是，麻五觉得这种事情不直接说好像又说不清，就很是有点不好意思地说："我……我是说除非你想做我的女人。"王引兰抬起头稳稳说了一句落地有声的话："我应你，做你的女人。"麻五小眼睛一下放出了电："你真的应我？"王引兰肯定地说："我真的应你。"麻五松了一口气："应我就要贴心，我救你是顶了风险的，再一个你不可以叫我大叔。"王引兰想了想说："我贴心跟你走，不叫大叔，叫你麻五。"

再来李府送木炭，麻五从市面上买了不少棉花，一进李府就开始张扬他的棉花，和李府总管议论了半天棉花的好坏。出李府时，麻五用遮雨布把王引兰盖在棉花堆里了。

王引兰想这些的时候感觉有雨点落下来。落下的雨点像豆子乒乓爆响。听得麻五说："下车吧。"

王引兰看到一座四合院门楼前，站着一个粗矮女人，胸前大襟衣服下露着半截红肚兜，左肩下的腋窝里挂着一串铜钥匙，女人满脸红润，咧了嘴冲着麻五说："回来了，哦，雨说来就来了。"

麻五把车交给羊工铁孩要他去备料，领了王引兰走往堂屋里去。羊工铁孩望着王引兰咧了大嘴笑，一时有些不知所措地说："怎么这么好看！"王引兰心有些慌乱，就听麻五扭身说："小鸟孩，有你受用的时候。"这时雨下大了。

夜里麻五让王引兰和自己女人睡一起。

这是一个如常的夜晚，山野里透着风，风把王引兰的心搞得层叠折复。在粉缎被子里她听到窗外风扑草动，一个缺少了自由的人能嫁到这样的人家也算好。就听麻五女人说："听老爷说，哦，你也是丫头出身，哦，既然来了窑庄做了小就要懂个规矩。"王引兰说："我从小没有了人疼，如今跟了麻五就全凭姐姐你疼我了。"王引兰又说："我自小就给人家当丫头，也算是在规矩人家长大的，只是这女人家的好多事情不懂，姐姐你要多教我才是。"倪六英觉得王引兰有点野，怎么可以叫老爷的名字呢？就说："你叫你家老爷也是哦，叫他的名字吗？"王引兰说："不是的。姐姐，你不知道城里的青年人只要婚姻了，都互叫名字，听起来很中听。"倪六英觉得王引兰的话日怪，想问一问婚姻是说什么，听得窗外传来一声轻轻的咳嗽，就不说话了。王引兰觉得倪六英说话很有意思，像肚子受了凉。已经三更天了，麻五女人说："秋凉了哦，睡一更吧。"王引兰扭回头看着窗外，暴风雨已经过了，月亮浮上了中天，银色的月光从麻纸窗户上射进来。“月亮好大。”听到麻五女人轻轻哦了一声，同时闻到了她嘴里呵出来一股气味，飘飘荡荡向她包围过来，慢慢地，她就沉醉在了昏沉里。

后半夜听到麻五女人起夜，感觉门吱呀响了一声，王引兰就醒了几分，支棱起耳朵听，却什么也没有听到。

隔了有一会儿，听到门又“吱呀”响了一声，好像麻五女人回来了。喘气声很粗，好像又不是她。突然闻到了一股烟味，是暖和，是干燥，由远而近，在一双手的轻微划动下，烟味缭绕了全身。她说：“谁？”“我。”是麻五的声音。王引兰说：“是麻——老爷。”麻五说：“叫我麻五就好，今夜咱就来个婚姻。”王引兰知道麻五听了窗户，不再说话任由麻五动作。王引兰轻声叫了一声：“疼。”麻五说：“不可能，我还没有进去呢。”其实麻五是在试探，试探什么？只有麻五清楚，麻五在试探一个疑惑。王引兰眼泪生生滚下来，感觉到麻五有点忘我地反复在做一个动作，类似树枝的摇摆，芽儿拱得有劲儿，她被麻五的芽儿撞得青肿，并有一种撕裂的快感袭来，她叫着：“麻五，嗷麻五，麻五……”月光下麻五的小眼睛里闪过了一丝儿亮。

麻五撩开粉缎被子，有烟味儿飘出来。麻五说：“我真没有想到你还是个闺女。”麻五把她抱起来，麻五说：“祖宗，粉娘，我的小祖宗，我要正经八百给你个名分。”

停歇了几天，麻五从李庄雇了上好花轿，由一队响器领着绕窑庄走了一圈。新人王引兰坐在花轿里，妖娆得很。她感觉到了幸福，也无异于投靠了幸福。得到幸福了吗，恍惚中又觉得这不是她要的幸福，就放下心事抬起眼睛看马上的麻五。

骑在马上的麻五，十字披红，不时弯腰给窑庄看热闹的孩子们散发自己做的高粱粘糖。透过红绸帘子，王引兰看到一起一伏的麻五在红色阳光下像一只工蜂。笼罩在她眼前的喜气如同贴在她前额的往事，让她想起童年时老财娶妾。从春天油菜花田里穿过的花轿忽闪闪的，忽闪起了她一个梦想：长大了也坐了花轿穿过油菜花田嫁人去。

油菜花亮汪汪，坐了花轿奔哪方？绿望绿黄望黄，嫁了男人不想娘……

王引兰想娘，不知道娘想不想她。

麻五决定不出去卖木炭了，一来是自己岁数大了，快40岁的人没有一男半女；二来是不敢再进城里，要是被李府的人撞上指不定就没命了。麻五脸上挂着烟气如雾的喜悦，鼻子是鼻子，脸是脸，和所有人说话就露出了一丝儿和善。麻五用赚来的钱多买了地。冬天地闲着，他雇人一车一车往地里拉马粪。

屋子里倪六英教王引兰做新年衣裤，倪六英说：“城市里女眷时兴哦什么？”王引兰说：“早不穿大襟衣服了，像姐姐这样的肚兜，没有人戴。”

这时听得羊工铁孩在外面来回走动。

王引兰说:“姐姐,他是咱们家的下人,也要给他做吗?”

“不是下人,是长工,要做的。”

“长工?”王引兰想了想长工不就是下人吗?想来也和自己一样,就生出了几分可怜。

王引兰站起身走出去,看到铁孩正往堂屋封道走,她说:“哎,是叫铁孩吧?”

铁孩扭回头看着王引兰笑。铁孩说:“你真好看。”

午后阳光照着堂屋砖墙暖暖的,王引兰靠着墙,眼睛斜着石板院地上的鸡仔,一只白公鸡咕咕叫着扑着一群花母鸡调情,母鸡们有条不紊地一歪一歪扭着屁股。阳光把鸡们照得美丽异常。王引兰看着鸡们夸张的动作笑了起来。王引兰的笑声有些浪,这让铁孩有点忘情。就听屋里倪六英在咳嗽,铁孩伸了伸舌头扭身走进了封道。王引兰回过神来迎上去,看到铁孩从封道拿出一条鞭子来。那鞭子在阳光下泛着青光,蛇一样盘曲在铁孩怀中。

“拿鞭子做甚?”

“甩鞭。”

铁孩抬起头冲着王引兰笑着,把鞭子扔到西屋门前。

王引兰说:“恁大的鞭赶多大牲口”

铁孩笑了,笑得有点滑稽。“这牲口大咧,大得叫你想不到。”

“甚牲口?你倒给我说说。”

铁孩从封道端出一盆水放在西屋廊檐下,然后把鞭放进去。

“到时候就知道了。”铁孩说。

王引兰看到铁孩用手在水盆里翻着牛皮鞭子,腥膻味儿弥漫了满院。王引兰从来没有正眼看过这个汉子,他个子不高却很结实,四方脸,紫红色脸膛,皴裂的一双手很灵巧地在湿软的牛皮中间来回翻搅。她发现他翻搅得很仔细。这时候麻五从外面回来,王引兰说:“麻五麻五,什么叫甩鞭?”

麻五想了想说:“甩鞭呀,就是敲响冻地,告诉春天来了。”

麻五自从和王引兰婚姻后,说话上用词很是注意。

“那为什么要用水泡?”

“泡了的鞭不浮,实。”

还是不明白,听到麻五身后发出鞭子湿软的沙沙声,就有了一丝儿渴望。落日余光让麻五脸上镀上了一层蜡光,她仰起脸冲着麻五的肉头鼻子说:“麻五,今儿就想听。”这时听得倪六英在屋子里重重地叫了一声:“老爷。”

王引兰笑了笑缩着脖子走进了堂屋。

吃了晚饭,王引兰悄声和麻五说:“黑夜不要过来了,到堂屋陪陪姐姐。”麻五肉头鼻子轻轻地抽了一下,她不知道麻五是同意了还是不同意,反正她扭过腰身一摆一摆提了灯笼回了南屋。屋子里火盆燃着红红的火苗,把灯笼放在炕头上,从怀里取出麻五塞给的苹果偎在炕上吃了起来。

窑庄人从来不知道用小炭取暖，冬天大部分烧暖炕，天一黑就把被子铺开。炕头上盘了小泥炉用来生煤火，因为缺煤，到晚上火就来了。王引兰来到窑店第一天起就决定要用火盆来取暖。她不想生煤火，一来嫌煤脏；二来李府太太拢了袖管坐在火盆前的姿态很优雅，她从心里一直想着那个姿态。窑庄人看王引兰用火盆很稀罕，但是，却没有人效仿，觉得那东西很贵气。王引兰往火盆里添了一些木炭，解开红绸袄和红腰带把自己脱得精光拱到粉缎被子里，一股热气腾上来。王引兰想着甩鞭的事，听到门“吱呀”一声开了，不用说一定是麻五。

“说好了不来。”

“来看看，看看就走。”

麻五在火盆上把手烤暖，然后掀开粉缎被子把手伸进来在王引兰赤条条的身上揉来揉去，揉得王引兰面色红润。麻五说：“要不要进去暖暖？”王引兰说：“不。”反逗得麻五有了一股豪气，脱了衣服拱进来，搂着王引兰像搂着一团棉花，王引兰痉挛着，满面灼红地叫着：“麻五，麻五，麻五。”麻五一声不哼，王引兰脸上生出了沉醉的红晕。麻五突然不动了，静静地听了一会儿冲着窗外说：“是铁孩吗，怎么还不回去？”听得窗外的铁孩叫着：“咩，咩，咩……”接着是走远的声音。麻五说：“小叫驴也想痒。”王引兰说：“怎么不把大门拴好？”麻五说：“我说是来看看嘛，看看就看进去了。”

转眼大年到了，年三十后晌捂了一场很厚的雪。铁孩从山上砍回初一五更点亮的明火柴，堆到院子里。铁孩说：“麻叔，该准备的都准备了。”麻五说：“取来鞭子放在供桌上点了香磕头了吗？”铁孩说：“还没有。”于是就取了鞭放在香案上，烧了香磕了头。麻五拿了鞭走到大门外站到碾盘上，王引兰看到窑庄男男女女都站在碾盘周围，甩鞭人麻五张开了腕口，一条生命的弧线炸开了。鞭声不沾尘土与落雪交融，王引兰觉得心开了，血沸了，再等第二声鞭起，却只就一下，鞭声不再响了。铁孩用红布包了揣在怀里。麻五跳下碾盘拍了拍铁孩，回过头大声说：“干冬湿年，明年定是个好年成啊。”

吃完年夜饭，全家人开始守更。说是全家，也就是麻五、倪六英和王引兰三个。王引兰问麻五：“咋还供鞭？”麻五说：“新鞭，要请神开鞭，以后再甩就通灵了。”王引兰想着甩鞭，不知不觉倒在麻五腿上睡着了。不知道过了多久，松柴点燃的噼啪声惊醒了王引兰。明火把院子照得如同白昼，雪地被火光烤出了一个很大的圆，麻五盛了饺子用火筷夹了在明火上烧。王引兰迎着火光走了出来。麻五看到穿了红缎衣裤的王引兰在火光映衬下，一双丹凤眼顾盼生辉，麻五就愕然怀疑自己是在做梦了。

王引兰说：“烤这些年夜饺子做甚？”

麻五说："吃了明火烧的粮食能点亮心灯。"

这时听到遥远处有一声雷响，生生滚了地气，在天地邈远之中，浩浩荡荡传来。紧接着是大片雷声从漠漠旷野中急速滚过，王引兰叫了声："快听。"就听到外面有孩子们喊道："甩鞭啦——"

王引兰的心激动得要跳出来了，抓了麻五的手飞快地跑出院。

月雾相融一色，满世界一片白茫。

在这黄土塬上的奇异冬景中，她看到四周围山上有篝火点亮，篝火映照着一个个舞蹈的身姿，清晰的鞭声就从那里传来。

所有走出屋门的人大气不出，风刮过窑庄上空，有浮游的雪尘洒下来，晶莹地打在王引兰脸上，如同无数温柔的小刀子，让她莫名地快乐。麻五说："今年的鞭声比往年集中，听起来爽亮。"这时候有李庄的鞭声传过来，像裂帛声音，接着就是窑庄鞭声的应声而起。

仿佛来自浩渺天宇惊雷般的鞭声，竟让王引兰的灵魂战栗了。爹爹生前喜欢敲鼓，惊蛰那天是驴的生日，这天晚上总要爆出如豆如炸如度岁的鼓声。爹爹腰里扎着红绸，一口气灌下三碗黄酒，到一个山头上去擂鼓，那鼓声惊天动地。爹爹说，鼓声敲响了冻土，把春天召唤来了。可是爹爹的生命里却没有春天，爹爹曾设立蒙馆，教着几个孩子，在没有脱下开裆裤的孩子面前，爹爹给他们讲陶潜不为五斗米折腰的故事。爹爹就是一个不肯折腰的汉子，村上的保长六十大寿时给他发了帖子，他不去送礼。对方放出话来，我用八抬大轿抬呀，我请不了他来家里，还请不了他到一个地方去？日本人过来了，爹爹被说成是私通共匪。爹爹说，不误虚名，我还真想通一通哩。爹爹被请进了牢里。爹爹说，这地方待不住了，叫母亲带了她远走高飞。伸手不见五指的夜晚，远房舅舅赶了驴车送她们上路，经过一片沼泽地，车轮陷进了泥坑拔不出，娘说，抽那头老驴啊，用劲抽。舅舅疯了一样地抽，驴受了惊吓，她被驴车颠在了地上，舅舅甩过鞭让她抓紧，她叫了声"娘"，拽了麻鞭划出了沼泽地。她觉得有一种东西从此就嵌进了她的生命，是什么呢？她现在明白了，是鞭。鞭声是一种昭示：她王引兰的生命里会有春天吗？

麻五说："年说过就过了，春天说醒就醒了。"

"鞭声能够让油菜花开得更艳苞谷长得更壮吗？"

麻五说："能。"

王引兰眼中流下了眼泪，在天光映衬下，亮晶晶的，看上去是如此无言绵长。

四

王引兰的肚子一天天大了起来，麻五脸上的笑容也一天天多了起来。

是春天了，树好像一夜间润出了薄的浅绿，经过沉闷的冬季后，人们站到春天的田野上，心里不由涌起了莫名的激动。王引兰建议把高楼院对面的坡地买下来种油菜。

麻五说："为什么要种油菜，种高粱不好吗？"

王引兰说："种油菜，开油坊啊。小时候看见有钱人家种油菜，满天满地的黄，我就想等以后嫁了有钱人，也要种一大片油菜。麻五你算有钱人吗？"

麻五说："我当然算有钱人。穷人连粮食都是上一年和下一年接不上。"

王引兰说："就在对面坡地上种油菜。"

麻五说："对面坡地不蓄水不适宜种粮食，户主早想卖，我思量种什么也不合算。"

王引兰说："油菜花好看。你是有钱人吗，要买要买。我喜欢油菜花，我要在春天里看油菜花开。"

麻五说："买买，让你春天看油菜花开。"

男人有些时候是很听话的，他的听话是需要一个不听话的女人来媚惑他，就像他的财产要女人来挥霍一样，历史只是女人对男人的调教。

买了对面的山坡地，雇了人，只几天光景十几亩油菜地齐刷刷出了苗。铁孩把羊赶到对面山顶上，山上的绿色厚实适宜羊吃。满山顶羊群像落下来的云彩，有淡淡烟一般的白气漫逸开来。铁孩拿着羊铲吆喝着头羊："吆呵——"

一切恍若隔世，王引兰每天坐在自家高楼院大门口老槐树下的碾盘上看，这么一看就是大半天。阳光把红绸大襟袦照得像蝉翼一样透明，王引兰眼巴巴看着桃花开了杏花开，然后是李花、梨花、海棠花。

忽然一夜，油菜花开了，满坡耀眼的黄亮，花香把她拂闹得轻灵舒缓，差不多堵塞了对春天的其他想象。她想起李府老爷说："躲到油菜地田埂上做一些与春天有关的事，那才有意思，才叫别致的春色。"那意思她不完全懂，但是知道老爷的话里是充满了浮想和暗示的，很美妙。在王引兰思想中那个浮想和暗示不是老爷，不是麻五，是谁呢？王引兰在这里把自己的思想系了个扣，她脸上就有了近似油菜花香的春愁。这以后桃和杏长出了嫩嫩的果实，她开始闹着要麻五给她去摘。麻五捏着她的鼻子说："我的祖宗啊，我的粉娘。"

每日里麻五让铁孩从山上放羊回来，摘一些刚长出的嫩果子。

铁孩说："你喜欢吃酸了，我就给你摘酸，喜欢吃甜了，我就给你摘甜。"

麻五向王引兰要一些来给倪六英。王引兰就说:“你好偏心。”麻五说:“天下老的最疼小的。”油菜花香把麻五的话抬到了半空,落下来时落进了窑庄人大大小小的耳朵。耳朵们在春天的田埂上说些和春有关的话,这些话因为王引兰就更有意思了。

王引兰吃完桃啊杏啊,把软核用手揉得软软,对着麻五脸上肉头鼻子轻轻一捏,一股子水射了过去。麻五说:“射吧,射吧射吧。”王引兰说:“麻五,麻五麻五。”阳光把他们亲昵的影子拉得很近,王引兰看到麻五细眯着眼睛的脸上浮着一层虽然泛黄却很有神采的光亮。麻五说:“祖宗,你不知道你有多好看,满窑庄人都说你好看,都笑话我,说我要死挺在你怀里。”王引兰说:“你就看不出窑庄人在眼气你吗,傻麻五倔麻五憨麻五。”

土坡上油菜谢花了,有稚嫩的荚顶出来,空气里残留着油菜的芳香,麻五看到王引兰脸上有细细的绒毛,那细碎的绒毛在阳光下亮着灿灿的光华。这时就听到铁孩在对面的山上喊道:“狗——日——的——羊啊——”麻五望着山上的铁孩说:“好你个狗日的铁孩!”

快进入夏天的时候,王引兰要生了,肚子挺得看不见脚。倪六英的肚子也挺了起来。倪六英什么也不能吃,整个人脱了形。王引兰要生了,倪六英用筛子把炉灰过滤出一箩筐细面,揭掉炕上的席片,把炉灰铺上。王引兰在窑庄接生婆桂花的摆弄下顺产下一个女孩,麻五激动得出来进去。王引兰坐在细碎的炉灰上像棉花一样松散,倪六英抱着女儿偎在炕头菩萨般地笑。王引兰说:“姐姐要生一个男孩就好了。”倪六英晃着怀中的女儿说:“生哦男孩,生哦男孩。”

刚生了孩子,奶憋得慌,孩子吸不出急得哇哇哭。王引兰说:“麻五,麻五你来吃吃吧。”麻五不好意思地笑着走近,王引兰高隆的乳房傲然耸立,结实硬挺的赭红色乳头像两颗耀眼的玛瑙,麻五说:“你不说我也想挨过来。”用牙齿轻咬住,鼻息和头发搔得王引兰很痒,她忍不住笑出了声来。麻五看到阳光在王引兰身上流来流去,阳光和麻五的吸奶声很响,王引兰眯着眼睛,想叫麻五、麻五、麻五、麻五,看看倪六英就不敢叫了。在地上给孩子用艾叶水洗澡的倪六英低着头,故意把水声闹得很响。孩子像一只初生羊羔在倪六英手里绵软地叫起来,麻五缓缓抬起头,王引兰看到他嘴角挂着一缕奶香。

近秋,倪六英要生了。

见红时,麻五叫来了倪六英的母亲和接生婆桂花。倪六英躺在铺好炉灰的炕上,阵痛一阵阵袭来,她两手痉挛着在炕上抓。桂花说:“孩子脚先出来了,立生,是个男孩。”从早上一直到傍晚,豆大的汗珠不断从倪六英脸上浸出来。

桂花说:“要娘还是要孩?”

隔着窗户麻五什么也不说,因为是男孩,麻五有点犹豫了。

倪六英忍着痛坚决地说:“要儿。”

倪六英母亲抓着闺女的手呜呜哭了起来。

王引兰抱着四个月大的女儿坐在炕沿上,看着桂花撕裂了麻五进去的那一条河沟,看到那河沟里流出来的不是白色乳浆是一涌一涌的血,王引兰害怕,就隔着窗户喊:“麻五、麻五,死麻五,良心让狗吃了的麻五……”听到麻五叫道:“救大人,救大人,孩子还有将来。”王引兰看到桂花调换了一个姿势,用剪刀一块一块把肚子里那个小人人抠了出来。血把炉灰染成一片黑紫,这时听到倪六英的呻吟声逐渐小了下来。王引兰叫道:“姐姐——姐姐——姐姐。”倪六英沉沉地睁开眼睛,“我……怕是,哦……不行了。”倪六英母亲抱着闺女的头用沙哑的声音叫道:“儿,不敢留下白发人先走!”

麻五疯了一样从守了一天的门外冲进来,麻五扑过来时看到倪六英眼睛亮了一下,并艰难地指了指肘窝下的铜钥匙。麻五解下它捏在手里,俯在倪六英耳朵上,听得断断续续说:“防着她,哦……守不到头……哦——”然后一个“哦”没有上来,沉沉合上了眼睛。王引兰用力抱紧怀中的孩子,孩子被抱痛了,哇一声哭出了声。这时听得麻五叫了一声:“不要!”脑袋埋在倪六英胸前一动也不动。桂花依旧不紧不慢抠那个孩子,血依旧流着,窗户上月光一片旺白,桂花冷冷地说:“准备后事吧,肚净了。”

王引兰哆嗦了一下,觉得有什么东西把她的心掏了去,有些冷。

倪六英是在油菜挂铃时走的。

麻五决定要买上好的棺材。麻五把家安顿给铁孩,用倪六英那串钥匙开了堂屋竖柜上的铜锁取了什么,然后赶了马车上路了。倪六英停殓在堂屋谷草上,守灵的侄男侄女们跪卧在草铺旁,很平稳地呵着伤调。蜡烛整夜亮着。大好的月光。王引兰坐在南屋炕上,抱着女儿静静听送更纸的踏着满地横流的月光,哭着出去进来,一种凉津津的孤独漫遍了全身。屋子里油灯摇曳着黄色光晕,黑乌鸦在院外老槐树上啊、啊叫着,偶尔有一两声狗叫声插进来,王引兰满脑子都是一块块那孩子抠碎的影子,身上就有汗毛竖起来。想出去叫一个人过来,走出院子看到铁孩一脸冷霜,像松树的皮,却不知道什么原因。一定是倪六英死了,心里难受,就说:“铁孩你也不要太操劳,也要小心身体啊。”

“以后的日子还有什么指望,铁定是麻叔的了。”铁孩说完也不管王引兰是什么反应,扭头出了院子。

王引兰没有明白铁孩说什么,觉得热脸对了凉屁股,心往下一沉扭身走回了南屋。

三天后有人看到通往窑庄的路上有一团黄尘滚过来,接着看到了三匹飞跑的马和灰头土脸的麻五。车上拉了三口上好的楠木棺材,麻五在高楼院老槐下勒紧了缰绳，叫人把棺材卸下来，两口放进西屋地上，一口放进堂屋。

窑庄老斋公走过来说："就买了三口？"

麻五说："冲丧。死了要躺一样的棺。"

老斋公说："我还怕等不到你，要重新定一个出殡时辰。"

麻五揉了揉鼻子说："定了就不能变，我欠了她！"

王引兰眼泪唰一下就涌了出来。

老槐树上挂了彩练，门上贴了丧联，八抬大轿顶用纸做了白鹤，孝子们抬棺恸哭送行。麻五选了一处山势高燥的窑洞把倪六英放进去，等自己和王引兰百年后选好坟茔一起下葬。王引兰抱了穿白袍的女儿在窑洞口跪了很久，这时听到岸的山顶上传来三声鞭响："啪——啪——啪——"如扒着云缝射出的一线阳光。王引兰幽暗凄清的眼睛里就发生了变化，想：这日子真要敞开天光让人活，却是没有几天活头，说走就走了。鞭声是唤醒春天的，倪六英的春天去了，带着她肚子里的儿子，我的春天呢？

林中有鸟飞起来，干褐色的黄土在阳光下泛着马粪一样的光泽，窑洞两边的树绿得像蚂蚱的血。麻五悲悯地说："这些窑洞前风口上的树在秋风里叶落得早，在春天里发绿得也早，人日它娘还不如棵树。"

冬日第一场雪下过后，麻五雇了人炒菜籽。因为应了坡地上不蓄水的话，油菜少收了几成。麻五说："都是你这小妖精害了我。"

王引兰说："麻五，麻五我害了你，怪不怪我？"

麻五说："我不怪你。"

王引兰说："你不怪我，我可是要怪你。"

麻五说："怪我什么？"

王引兰说："怪你不把那串铜钥匙给我。"

麻五说："铜钥匙不能给你！"

王引兰说："怎么不能给我？"

麻五说："等给我养了儿，就给你。"

王引兰说："我偏不给你养儿。"

麻五说："小妖精，小祖宗，小粉娘，我现在就要你给我养儿。"

大白天两个人揉在了一起，就听得屋外铁孩叫着："羊，羊，羊。"

麻五对着窗户喊："叫羊日你娘呢，还不快去炒菜籽。"

菜籽碾成油饼在铁锅里熬，香味就飘满了窑庄上空。窑庄有人问铁孩："麻五哪里了？"铁孩答："掉进油缸里了。"

这一年，王引兰给女儿起了名字，叫"新生"。

五

公元一九四六年夏天，太行山区解放得早，在新中国礼炮还没有放响前夕，窑庄迎来了土地革命。历史的进步就是这样准时。然而这一年在决定自己命运的关头，麻五被窑庄土改工作组定为地主成分。起初麻五不知道地主是啥意思，当明白过来时，麻五决定不当地主。但是，土改工作队的人说，这不是当不当的问题，在事实面前当也得当，不当也得当。在窑庄数你地多，扳指头数数，哪一家像你一样雇了短工、长工？麻五说，我雇他们是出工钱的。土改工作队的人说，你还嘴犟，是你雇了短工、长工，不是短工、长工雇了你，从道理上讲，你就是地主，不定你恶霸地主就算便宜了。

头一次斗麻五，穷人们生怕斗不倒麻五将来惹下祸，无人为他们做主，斗了半天，几乎没有结果。工作组动员铁孩斗，铁孩不斗。后来农会领导组织群众敲着锣，打着旗，一面把麻五揪出来斗，一面把麻五的箱笼、粮食、家具搬了出来。工作队及时把这些东西分给农民，让他们看到自己从斗争中得到的成果，并鼓动说，要翻身就翻个彻底。铁孩的斗争情绪也激昂了起来。

起初麻五的嘴还说，铁孩他爹想要两张羊皮暖腿要铁孩来帮工，我是给过他羊皮的。铁孩一听说羊皮，就抹眼泪说："两张羊皮换了我十年的工夫，你还说得出口啊？"工作队的人一听铁孩是用两张羊皮换来的，就指着麻五说："开油坊的恶霸，榨干了穷人的血汗，我们就是要打倒你。""打倒地主麻五！"窑庄人应声而起举了拳头喊。

土地改革来不及让麻五把那串铜钥匙交给王引兰就把他的家产全部分了。王引兰寻死觅活坚决要求留下那两口棺材和那条甩得毛了的牛皮鞭子。分田、分浮财那天，麻五领了王引兰和女儿新生，最后用马车拉了棺材到铁孩的老窑里居住。

铁孩分了麻五的堂屋，依旧放羊，不过羊是群众的了。但是，这并不影响铁孩春风得意羊蹄疾。宿羊的窑在老窑和窑庄的路中间，王引兰往返路上碰到铁孩看到他脸上不知甚时又挂出了笑容。铁孩说："你还是那样好看。"王引兰说："有什么用，好看也是地主。"铁孩说："贫农就没有你好看。"王引兰说："好看？怕天天斗，斗多了就不好看了。"

麻五把两口棺材摞起来放在窑掌深处。麻五说："以后要自己动手种田。"肉头鼻子一抽一抽，像有满腹心事要倾诉，好像又找不到头绪。新生已经 13 岁了，因为运动一直没有识字。麻五说："新生也该识字了。"新生进窑庄识字班第二天跑了回来，新生说："同学都叫我小地主。"望着如花的女儿，麻五哭了。这是王引兰这么多年来第一次看到麻五哭。麻五哭时鼻头泛着潮红的血光。

麻五来不及看到新生识字，麻五就死了。如果麻五不是自己给自己坠了秤砣，那么，是谁给他坠了秤砣？

麻五死了，谁还会说？

六

王引兰仔细解着麻五蛋上的麻绳，怕把麻五弄疼，嘴里叫着："麻五，麻五麻五，不要怕疼，疼了就告诉我。"麻五不应，王引兰眼泪似珍珠一样落下来，着实感到了天人永隔的锥心之痛。

长工铁孩领着窑庄的青壮后生走进来，他们帮王引兰把麻五平平展展放在楠木棺材里。

铁孩说："葬到东凹祖坟里，和她老婆一起下葬。"

王引兰说："不葬。"

铁孩一脸困惑："不葬？以后日子怎么过还不知道，留他是个负担。"

王引兰说："活着我做主，死了新生做主，把他抬到倪六英姐姐窑内。"

铁孩说："按规矩湿伤带干伤应该入葬，不可以破坏了规矩。"

王引兰冷冷地说："还规矩啊，按规矩他不该死，死了；按规矩不该坠蛋，也坠了；铁孩懂规矩啊？给我坠了你的蛋，我看看！"

铁孩搞了一脸不自在，挥了一下手说："上路。"

新生拉了灵，王引兰穿了孝，由四个后生抬着麻五出丧。一路上歇了有十几歇，窑庄人说："老财麻五扭着劲不想走。"

王引兰想，不想走就能不走么！这世界上走一个人还不是稀松平常的事？麻五算啥，死都不利索，要人坠了蛋，下辈子做啥，做啥也绝了后啊，倒叫我来背负这苦。

放进窑，抬棺材的一走，王引兰对新生说："跪下，给你爹磕头。没有他就没有你娘。"新生眼睛睁得大大的，王引兰说："给你爹磕三个响头，记住，年年清明要来上坟。"

王引兰望着对面的青山，看到脚下是窑庄，再远处曾经是自己的油菜地，更远处是蜿蜒环抱的山脉，新绿遍地。她用手把散乱的发辫打开在脑后挽了个髻子，不远处有一个泉眼，有淡淡的岚气在聚拢。拉了新生走过去，看到清澈的泉水里有细小的蠓虫在游动，她用手轻轻拂了一下，然后爬下去断了气地喝。新生听到母亲喉管有咕噜咕噜的跌落声传出来，同时看到母亲鬓角有几根耀眼的白发，想上去拔掉它。突然王引兰跌坐在地上气绝了似的哭了起来：呀喂……指望是松柏树万古长青啊，呀喂……谁想到是杨柳树一时新鲜……哭一声麻五少早亡啊，生生把我闪在了半路上……死鬼麻五啊,你留下母女俩怎么活……哦呵呵呵……

哭声掀动满山绿叶。

七

王引兰不明白日子究竟发生了什么变化,也不知道从哪一天开始,和这个世界一下子疏远了,疏远得如此陌生,视觉和感觉很自然地被堵上了一种坚固的东西,她不再想笑,也不再想哭。工作队的人来找过她,要她控诉麻五的罪行。

王引兰说:"人已经死了,怎么就连死人也放不过!"

工作队的人说:"不可以不去,也不是放不放的问题,是讲明道理的问题,也是剥削者和被剥削者的问题,你要找到这个原因的病根所在,找到了才知道什么叫剥削、什么叫压迫。比如你以前在李府做丫头,就是剥削者剥夺了你的生存自由和劳动自由,后来到了窑庄等于是吃了二遍苦,受了二茬罪。你目前社会成分不好,应该尽快觉悟,就说不为了你自己吧,也要为你的闺女想想,也该帮她树立一个正确的人生观,你想怀揣一本变天账吗? 麻五连钥匙都舍不得给你,在他心中你是啥还不明白?"

王引兰说:"是啥我知道,说句爽利话吧,非要去?"

"非要去!"

王引兰说:"去。"

吃过后晌饭,王引兰拉了新生穿过羊窑去接受批判。新生吵着要王引兰打灯笼,王引兰说:"打一回灯笼,一个鸡蛋就没了,如今比不得从前了,要学你爹懂得东西中用。"新生说:"东西再中用也是要给人家分的。"王引兰想了想,是啊,又一想觉得不对,现在还是不能打灯笼,因为没有进项。"娘不活今天了,你还要活明天哩。"

天漆黑得像锅底,新生害怕不敢走,为了壮胆,王引兰哼起一首歌:青石板,板石钉,青石板上钉银钉,银钉亮晶晶,满天闪星星……娘俩一牵一扯提了心走到窑庄诉苦会的高台上。地上坐着窑庄的男女老幼,一个个神情激昂,窑庄也不过就二三十户人家。听到铁孩在控诉两张羊皮把自己卖给了麻五,王引兰来不及思考铁孩说的话就听到有人指点:看,麻五烧木炭的小老婆来了。

窑庄人看到麻五小老婆站到高台上用方言诉苦,声泪俱下的诉说带有一种本地没有的韵律,工作队从她脸色中发现不对劲,她在给麻五评功摆好哩,急忙叫她匆匆下台去,被农会的人拥出了会场。

由于复杂而麻烦的原因,工作队不再找王引兰诉苦。王引兰在老窑内静静地守着时光,用残余的生命活着。

以往的日子幻影一样消失了。王引兰忍不住怀疑这一切是否都是梦,一个神思恍惚状态下的白日梦。她想麻五一定是躲起来了,心被掏得空空的也想不出麻五究竟躲到哪里了。柔和如洗的阳光依旧穿过窗户照进窑内,空气中传来种种隐密而嘈杂的、难以捕捉的声音,好似一种细碎而绵长的声息,犹如一种絮语,嘤嘤嗡嗡,在这些嘈杂声中,一切变得更为寂静,寂静得使王引兰心头沉重,一种生命不知何所依归的强烈的郁闷的沉重。有人来给王引兰提亲,是离窑庄五十多里地的六里堡光棍李三有,社会成分下中农。来人说:“一个婆娘带着孩子,没有男人搭伙,日子过得紧巴巴不说,春种秋收寡妇家别人谁敢来帮忙?再说了,社会成分又不好,总是问题啊。”王引兰感到有满腹懊恼和不快,媒人的话让她心里怔忡不安。她说:“思忖思忖再说吧。”

媒人走后,王引兰心里一酸,投到炕上,抱着被子哭了一场。人没了,但日子因了闺女还得往下过,是啊,明年的春种秋收靠谁?只怕要赚窑庄女人的骂。小时候女人活娘,长大了活男人。如今娘和男人都没了。王引兰身上感到了凉意,有小风儿沿着脊梁沟吹。

夜晚降临时,坐在窗外的条石上看山,远山葱郁的树木形成一团一团的黑影,王引兰生出了一种自怜自惜又掺杂着几分疼痛的情绪。路在哪里,该向何方?日子已经像饴糖似的融化了,粘成了一团糊糊。向前、向后、拐弯等等都失去了意义。

王引兰听到有脚步声传来。来人说:“睡了吗?”

听声音是铁孩。

铁孩怀里抱了一捆辫好的艾草,近了说:“防蚊虫咬,睡前熏一熏。”王引兰正准备让他进窑,想起了麻五。麻五待他不薄,怎么就不能看好麻五,让人给坠了秤砣!这么一想王引兰腻歪得就不想动了。铁孩一看没有让他进窑的意思,放下艾草说:“听说你要嫁人了?”王引兰抬起头看了一眼铁孩,撂出一句不明不白的话:“要不是我能嫁人?”说完此话,突然觉得有一种耗尽生命天光的难过。铁孩说:“社会成分不好,要找也该找一个社会成分好的。就不能守麻叔三年?”王引兰想,你算啥,来张扬我。到底没说出来,提起窑前的马桶扭身走进了窑洞。隔着窗户,铁孩说:“走了,啊?”

王引兰听出那一声“啊”有想让她叫他转回的意思,可她就是不想叫,要你啊个够,不是日能得很吗?翻身了嘛!

听到铁孩脚步声远去,才镇定了一下情绪坐到炕上。突然觉得倦怠得很,好像有无边的幽暗在等着,把身子贴牢墙根就这么靠着,内心的愁烦似乎才有了一丝喘息。是什么原因使她的命在途中转了个弯,弯成了这样一个结局?窑外有风掀起落叶,一阵沙响。落叶提示着节气的变化,王引兰吹灭灯,感觉夜光微移,却找不来睡意。王引兰决定嫁人。路想了很多,却是路路不通,能够走通的只有一条:改嫁。找一个靠背和新生活下去。

出嫁之前王引兰要媒人叫来李三有,她有话要说。

李三有是一个个子很高的人，比王引兰要高出一头还多，长得又黑又瘦，微微驼背，穿了黑夹袄黑夹裤。李三有低头迈进窑洞时，王引兰坐在炕上纳鞋底，感觉就像似有一堵墙倒了过来。王引兰指了指对面的炕要他坐下。李三有说："不瞒你，咱是旧社会家穷，娶不起媳妇耽搁了，今年四十六，会木匠活，大是大了点，和麻五比还是小。和我搭伙过，说不上享福也不会让你受很大的罪。"

王引兰说："既然说开了，我也就明人不做暗事，人是嫁过去了，到末了我是要回来窑庄和麻五合葬的。人总得懂个情义吧，麻五死时不明不白，怕也听说了吧？"王引兰抬起头看了李三有一眼，然后用嘴滤了滤麻绳。

李三有说："嗯，听说了几句，大形势嘛。"

王引兰咧了咧嘴没有出声。

李三有说："是不是要择个日子过去？"

王引兰说："选日子，那倒不必，我要过去是要带了棺材过去的，最好等天黑透。"

王引兰说起棺材的事底气很足。在当时，活着有棺材的人那是很了不得的。

因为窑内光线暗，现在才看到窑掌深处躺着一口棺材。李三有走过去看见棺材盖的沿上雕了镂空花饰，很贵气。

一时找不到要说什么，脸上就挂出了一个光棍汉经常有的忧虑和黯淡神色。

王引兰穿了月白水蓝夹袄，耳朵上吊着滴水绿玉耳坠，30 岁的人了，居然看不出一点儿岁月的痕迹。透着傍晚的天光，她的脸上蒙上了一层淡淡的光晕，纳鞋的手势划出一道亮影。李三有想，她年轻时一定是个仙女。

李三有不自觉地说了一句："都依你。"

两天之后，王引兰和新生带了棺材被李三有用一驾马车拉走了。

那时候，黄昏降临，老槐的花香弥漫滋溢，香味和紫莹莹的暮色一起笼罩了整个村子，窑庄人在这香味里翕张着鼻孔。一个个神情亢奋。青蛙在河沟里聒噪，窑庄人看到了一辆马车穿过暮色走来，马车像小山一样昂着苍白的头，那个景致很动人。窑庄人的眼睛一刹那在腻香的黄昏里迟疑了很久，听着马脖子下的铃铛，叮当、叮当、叮当，远去了。

那时候，铁孩正在羊窑给羊接生，脸上浮着一层汗，马灯的光晕弥漫过来一股潮乎乎的煤油味，母羊下身不时涌出绯红的胰沫。有人走进羊窑说："麻五小老婆带了棺材嫁人了。"铁孩抬起头瞪着来人说："谁说的？"来人说："我亲眼看见的，六里堡的李三有赶着马车，那小子像杆子一样真他妈好命相。"铁孩说："有这么快？怎么也该给麻五守三年孝。"来人说："她能夹得住！"说完觉得自己这句话很有意思就笑了起来。铁孩说："笑个鸟！你来看着，我出去泻尿。"

这时候是月中，一轮圆月挂在天空上，山野里淡蓝色的热气在亮光里升腾，看羊狗在羊窑外卧着，听到铁孩走出羊窑，它摇着尾巴跑过来，铁孩一脚踢过去，嘴里骂了一句："我操你祖宗！"狗叫了一声，摇着尾巴躲到了一边。四野里响起鸟飞起的声音，铁孩突然不想尿了，一屁股坐到羊窑外的地上，觉得心上有一股热热的东西一下流走了。

羊窑内传来羊羔落生的叫声："咩——咩——"

远去的马蹄声像月影下弹拨出的琴声，漫漫泛泛，王引兰带着棺材绕着山脊隐没了。

八

李三有住了两间土坯房子，院子很大，不像麻五的四合院严紧。屋子里几乎没有摆设，一盘火炕，看上去空空荡荡。李三有叫人把棺材抬到屋里南墙角。打发走来人，安顿新生睡下，王引兰开始拾掇小东碎西。一时有点不好意思的李三有远远坐到了棺材盖上。李三有说："土改分了些东西，趁夜间无人，都隔墙扔回去了，再穷也不能要人家的东西。"

隔了一会儿又说："六里堡的地主要比你原先的家富裕，听说你原先的家也就是比别人多几亩地，人还是靠土地养，我们堡地主不光有地出租，在城里还开了商号，家里很是气派的，还有枪。"

王引兰说："人哪里去了？"

李三有说："人家算是开明地主，有一个孩子在城里得到了消息，不等土地改革就把商号和土地退了，跟孩子到城里去住了。"

王引兰头脑里真切显出了一个影像——麻五。小山沟里的小地主斗得比大村里还狠。心里就产生了对自己经历相去日远的伤感。

李三有说："明天是好日子，大小也该热闹一下，我租不起花轿，闹运动也不允许，我本家哥哥借了一把太师椅，就用太师椅抬了绕堡转一圈也算是坐了轿了。"

王引兰说："过来就过来了，我是什么人物还要坐轿，还要到村上绕一圈，怕那六里堡的人大牙都要笑掉。"

李三有惶惶地站了起来，双手摩擦出咭咭哑哑的涩响："那不行，定好了的，是要蒙盖头的，怕什么？"

李三有迟疑了一下接着不好意思地嘟囔了一句："我也是第一次结婚，不热闹也不吉利。"

王引兰端着一碗水往嘴里送，听到李三有说此番话，忍不住把碗放下，停顿了有一袋烟工夫，然后说："就依你。"

李三有说:“睡吧。”

王引兰看了看炕上的新生说:“怎么睡?”

是啊,怎么睡?李三有一下子心事重了。有一句话涌上了喉头想往出说又止住了,像似自言自语:“我还是睡棺材吧。”自己搂了铺盖在棺材上铺好躺下了。

第二天,王引兰由两个后生抬着绕六里堡转了一圈。

头上红盖头一掀一掀,王引兰坐在椅子上,身体像失去平衡一样任由他们颠来倒去。听到有炮仗不时响起,就想到了窑庄的甩鞭。一切是那样虚幻,似一个梦,奇奇怪怪,和梦中的人和事搅混着,便把一个好端端的梦弄得似梦非梦了。想着这些时,感觉那个梦在不远的地方重新圆起来,看上去滚滚翻翻像一团云。透过红红的盖头看到李三有在一条曲里拐弯的村路上前行,同时听到了闹哄哄的议论声,听得有婆娘说:窑庄的地主婆是带了棺材来的,老财被人坠了蛋,人长得水,怕是命不好。她将眼皮儿轻轻抬起又轻轻放下,在这个梦的将散未散里幻化成一个字:活、活、活。

就这样王引兰和李三有婚姻了。

王引兰要李三有帮她抬开棺材盖,她取出那条甩旧了的鞭子说:“三有,你来甩甩。”

李三有拿了鞭走到院子里笑着说:“我没甩过这东西。”他用力把鞭子甩出去,鞭梢反过来打了他的脸一下。

王引兰大笑着说:“甩鞭,真不在乎个高,你不会甩,鞭把你甩了。”王引兰拿起鞭也想甩,却甩成了一团麻。

安心住了下来。住下来的王引兰因为和新生睡一处,和李三有实际上是有夫妻名无夫妻实,这一点儿让王引兰感到很不安。但是,好像又没有好的解决办法。时间一长,反而弄得双方有点不好意思提那事了。

王引兰首先想到的是新生的识字问题,和李三有商量要新生进六里堡的识字班。

夏天了,李三有院子里的豆角秧扯了起来,有蝴蝶飞来,对对双双,煞是好看。新生老远叫着娘跑过来,王引兰听到新生嘴里念着:“请看天上日月,昼夜不得留停,坐地日行八方,寒来暑往古今。”王引兰想:世事变转,上天也是如此劳劳碌碌、辛辛苦苦啊。

辛苦的上天却不让人过好日子,冬麦不冒尖儿,夏收眼看要落空,等不得高粱、玉米秀穗,人们就急慌慌下地拔野菜。王引兰和李三有提着荆条篮走在连着重重坡地的山谷。阳光下的田野有一种生动而感人的美。李三有采过一把“炮杖花”顺手递给王引兰说:“吸吸它的根儿,很甜。”李三有看到阳光嵌进了王引兰的每一丝头发,头发全是金色的,李三有说:“甜吧?”王引兰说:“甜。”

李三有要王引兰学会识别野菜，因为草的家族在土地上是那么庞大，像满天的星星，有荠、蕨、虀、薇、匏、甘棠、卷耳。把野菜弄回家，可以拌上玉米面蒸着吃，也可以凉调，如曲麦菜、薄荷、小蒜；苦菜、刺夹菜、灰灰菜、杨叶、柳絮、沙蓬则用来煮熟浸泡去苦味后调食。当季是菜，过季就是草了。

草生草落，世事茫茫，人还不如草木。王引兰把目光落在了一个地方，那地方有丛野菊花生长着，花瓣很稠很浓，在太阳光下闪闪烁烁。山菊花的黄有点像油菜花，花朵在风的作用下不停地翻动，她和太阳的目光在翻动着的花朵上就一起高兴了起来。李三有看到王引兰高兴，就想有什么事也该行动了，走过去撩了撩她额前被风吹下来的乱发，感到心酥了一下。

两人的目光相撞，有些闪烁。

在期盼得以实现的时候，还应该有什么铺垫，王引兰说："这花开得多好，像油菜花。"

"再好也没你好。"

"我有什么好，福薄命贱。"

回过神来的李三有说："我比你更福薄命贱。小时候早早没了娘，弟兄三个，我大哥叫福成，二哥叫福顺，都死了。生下我之后，我娘得痨症死了，我爹给我起名三有，意思是福、禄、寿都要有。我爹是木匠，给我修了这两间土房也死了，土改运动因为我有房有童养媳就定成了下中农。你看我个儿大，其实很胆小，吓怕的。"

王引兰说："还有童养媳？"

李三有说："是我舅舅家闺女，从小送到我家做童养媳。成婚前名分是家中女儿，长我七八岁，后来到十二岁上也死了。依旧俗在地角上丘着，等我以后一起下葬。"

王引兰轻轻"哦"了一声，那种含愁也不减眉目传情的神态让李三有再一次地心酥了一下。

王引兰缓缓把手伸到李三有脸上，李三有的喉结咕咚一声落下一口唾沫，闭上眼睛把头靠在王引兰膝上，像猪娃子拱奶一样拱了几下，王引兰"呀喂"一声，整个身体就软了下来。

顺手揪下那捧山菊花，朝着那金黄的软垫躺下去，酥酥张开双臂。阳光从疏密不一的高粱叶子空隙漏下来，空气里浮游着细碎的金点子，地上山菊花发出湿软的沙沙声，她看到有一只大鸟俯冲下来。几朵云彩如棉花一样开放，她闻到了青草香味、野菊花香味、泥土香味。想，和一个人在油菜地田埂上做事就是好，只是这不是油菜花也不是春天。风抚着她的大腿和腹部，搓弄着她的乳房，从未有过的激动，在一种大幅度撞击声中她从喉管里挤出了：

"麻五，嗷麻五，麻五麻五……"

九

铁孩来六里堡看王引兰娘俩,同时带来了一张羊皮。

铁孩说:“你出嫁那天,圈里有羊生了羊羔,羊羔活着,母羊死了,我把皮熟了给你送过来。顺道看看,日子过得好吧?”

王引兰说:“什么叫好,心情爽快了就好,三有是女人性,总让着我。”

铁孩留意李三有脸上写着很多快活的东西。

李三有给铁孩取来旱烟锅:“自家种的,抽两口。”

铁孩接过烟袋说:“你大还是我大?”

李三有说:“我属虎,你属?”

铁孩呵呵笑了一声说:“属鸡,比我大。”

王引兰忙捅开火坐锅给铁孩做饭。

铁孩说:“别忙了,又不饿!”

李三有说:“谁说你饿,来家总不能不吃饭吧。”

铁孩扭回头和王引兰说:“新生去了识字班?”

王引兰说:“去了。”

铁孩说:“认了多俩字?”

王引兰说:“大字不够一箩筐。”

李三有说:“不能那样说,我看新生认的字比咱三个加起来还要多。”

铁孩说:“全国就要解放了,解放了好啊,天是明朗的天,原先人们想这社会也不过是一时一运,现在看来真要变了。”

这时天空传来了一两声雷响。

李三有冲着王引兰说:“要下雨了。”

王引兰说:“秋天的雷,唬人哩,怕也是过云雨。”

王引兰把高粱面掺上榆皮面和好,等锅开了往里拨,又到院子里揪了一把香菜和辣椒。王引兰说:“你一直喜欢吃辣椒拌鱼儿,今儿吃个饱。”

铁孩盯着火上冒热气的砂锅,心被什么烫了一下,很是不自在,把烟锅子递给李三有说:“你也来几口。”

这时候听到院子里雨滴像蹦豆一样落了下来,伴着铁孩的吃鱼儿声,在昏暗屋子里弥漫开来。这一顿饭吃得铁孩头上冒汗,清鼻涕出溜出溜往外涌。

铁孩说:“好吃的东西是好。”

这时候雨已经停了。雨在干黄的浮土上打出鱼鳞似的泥皮,铁孩踩着这些泥皮和李三有告别。

王引兰说："就走？"

铁孩说："就走！"

李三有说："想走动走动时就来走走。"

铁孩说："带来的羊皮，毛有点不大顺溜，隔日我给你弄一块羔皮来。"

李三有说："这就够了，可能的话帮我擀一条毡，给你出羊毛钱。"

铁孩说："回去就给你擀。"

李三有回过身到屋子里给铁孩拿擀毡的黄豆。趁着空隙铁孩说："你还是那样好看。"

王引兰说："过日子，不顶吃，不顶喝。"

铁孩说："还想不想回窑庄？窑庄有人想你，想不想听窑庄人甩鞭？"

王引兰心里想：窑庄有人想我？怕是瞎话。想听甩鞭倒是真的，可人是跟了奈何走，有什么就想什么，没什么也就不想了。脸上就露出了涩黄的笑，觉得鼻子酸酸，生怕再说下去眼泪掉下来，赶紧说："人到了这步天地，啥也不想！"

李三有提了黄豆出来说："拿着不送了啊。"

铁孩说："不送了，不送了，回去吧。"

铁孩大步往回走，走了几步扭回头看，看到王引兰不知什么原因撅着的屁股，他有点透不过气来，有什么东西往指尖上流，狠狠掐了自己的脸一下，这样好像才滤掉了一些憋闷气。

钉了铁掌的懒汉鞋走在干湿的泥皮上，他突然对这些干湿泥皮产生了近乎乖僻的热爱。到处是潮湿的静谧的青草气息，沙啦，沙啦，四周山野里只有他的脚步声在轻佻摆动，看着暮色中缓缓沉落的天光，笑了起来，那笑也像干湿的泥皮卷曲着似有几分涩凉。铁孩突然边走边踢着泥皮叫着："咩，咩，咩，咩……"

十

天不亮，李三有起身了。取了木匠家伙，尽量不弄出声响，但是，还是惊动了王引兰。

王引兰眯眼抬起头看了看天光，发现还早，还可以眯一会儿，就问："要去哪儿？这么早？"

李三有说："我爹活着时种过两棵柳，成材了，我怕过一段日子又有什么新运动，早一些把它砍回来做一张床，我要让你有床睡。"

王引兰说："天亮了砍也不迟，又不是砍下来就能做。"

李三有说："天亮就砍倒了，好叫人来抬，要不然，白天人都忙着收秋，谁还顾得！你睡吧，我知道你贪觉。"王引兰说："三有，你真好。"李三有说："好什么，让你过粗茶淡饭的日子，受穷。”王引兰把头缩进了被窝，却怎么也睡不着，想，粗茶淡饭的日子过着也好，只要气顺受穷怕什么？命中有的早有，命中无的想也想不来，世上好东西太多，你想“要”，“要”不想你。没有甩鞭，没有火盆，没有油菜花开的日子也能活出成色。王引兰就决定不睡了，早点给李三有做饭，吃了饭和李三有上地，地塄上的山菊花一定铺得很厚了。

早饭时，李三有和六里堡几个人抬回两棵不太粗的柳树。李三有把它放到院子里，等干透了用。王引兰递过烟袋，他吸了几口说：“吃了早饭拿上扁担和绳子，一起去把凹沟七分地的高粱杀回来。”

上午，阳光下有没有散尽的雾。王引兰和李三有一前一后，雾从脚跟升腾起来，在眼前绕来绕去，把铺向山凹的秋景弄得潮湿而亲切。王引兰和李三有都有点激动。无边旷野上正压抑着一种喧响，那喧响很是有一点儿柔暖，而那些雾就和八月里天空细密的阳光和身体内部发出的暗示很和谐地连接了。

坐在地垄上稍稍休息了一会儿，李三有站起身说：“来吧。”一种说不清但目的明确的要求，一下子冲上脸颊，有点喘不过气来。

王引兰通体舒畅而凉爽，不断加厚的青草地结实而富有弹性，十分高大的李三有在雾帘中沉下来，时间仿佛凝住了，那一刻，时间早已变成无边的空间。悬浮的雾粒将阳光散射成泛漫的天幕，李三有看到王引兰的身体白得透亮。

潮润的土腥气拌着呻吟在雾气缭绕中作长久的浮游，王引兰有些颤抖地叫着：“三有，三有三有，噢三有——”叫着，就突然感到了一种异样。

王引兰说：“芽儿怎么不精神了？”

李三有说：“怎么突然叫起我的名字了，一下不习惯，我等你叫麻五。”

王引兰说：“麻五是麻五，你是你，跟了你，你就不是麻五了。”

李三有开始在王引兰身体上扭缠起来，雾气湿润朦胧的白色在轻佻的动荡中起伏。

栖集在山凹里的鸟趁风翔起，天空一片生动。真格是秋波升温啊。

王引兰看到不远处有一个人影走过，手里是一把羊铲，铁孩来六里堡送毡来了？她看到他向前方的一头断崖走去，铁孩不会去断崖，她想：那不是铁孩。

是该开镰了，八月高粱和阳光奏出的乐声在悠悠回响，土塄子在淡蓝色的热气里战栗，高粱一片深红。人们提着镰刀走向各自的粮食，成熟的粮食在贫瘠的土地上唰唰倒伏，蚂蚱纷纷逃窜，王引兰望着尘雾里起伏动荡的李三有和落定的高粱，心里有一股说不出的失落。不可能搞清楚的是究竟是山野的粮食还是这种可能的环境消失使他们失落了，因为这两个因素是交织在一起的，它们都起了作用。更进一步说，王引兰希望秋天来得慢一些，然而季节是一件不容抗拒的事，心碎的温情转眼就要离去了。王引兰明白秋天的到来意味着什么，然而等不得王引兰多想，一切就结束了。

李三有从断崖上掉下去摔死了。

王引兰想不出李三有为什么会摔下去，自己的地离断崖有些路，烟袋锅在地中割倒的一片高粱旁放着，人却从崖头掉下去了。王引兰感到生活混乱不堪，六里堡中央的老槐上，有一只乌鸦到夜晚降临时，啊，啊，啊叫着。六里堡的人都知道乌鸦是来叫丧的，叫丧的乌鸦除了给李三有叫还要给谁？六里堡家家门上系了红，说王引兰福薄命贱，说王引兰命贱是贱了和她睡的人。女人们就像躲避瘟疫一样看着自己的男人不让出门。王引兰拿了石头走到老槐下用劲捣它，它不飞，它不敢偷闲的叫声越发来得密集。王引兰不知道它是受了自己内心的激情和天道的法则驱使而叫的，它的叫就是这种法则的显露形式。它要按照它的道理告诉王引兰，活虽然不能按活的方式来活，死是要按照死的方式去结束生命。王引兰咬牙切齿从嘴里蹦出一句让六里堡的人都听清楚了的话："死鸟。"

六里堡人说，不管死鸟活鸟，王引兰是带了棺材来勾命的。王引兰说不清，想了想觉得自己确是来勾命的。棺材是放死人的，哪有活人睡棺材的？

王引兰用自己的楠木棺材下葬了李三有，李三有和他的童养媳埋在了他父母脚头。

用自己的棺材下葬李三有是自己想了几天决定的。她的决定有一种不争的气度，她懂得人处于世间时情分的重要。生死由命，死了，死了，人若不死了，麻五怎么不转过来活呢。既然苦难不为人忌地逼近了并不幸福的生活，要一具楠木棺材又能给自己带来多少好！

王引兰搂了一包李三有生前用过的东西，在一个午后坐在了李三有坟旁。头上蒙着一块黑蓝方头巾，心痛却哭不出声音。北风呼呼叫着，她感觉生活在进一步朝深渊迈进，她不能回避自己心底对李三有的怨恨心情，因为他把她遗留在苦海之中独自去了。坟上的枯草干黄泛白，她拽过一把在嘴里嚼着，嚼着，干涩地咽下去。新坟的土堆上压着一团麻纸，风吹过时，纸张摩擦的声音响起。

荒秃秃的坟茔埋葬的不仅是人的肉体，同时，许多心愿和难以忘记的岁月也在这里安睡，没有谁能绕得过去。推导起来，如果说麻五给她的爱因年龄差异该是父爱，那么，李三有给她的爱也许才是婚姻之爱。这种爱是这样脆弱易逝啊，广阔的空间和苦难的岁月大大地扼制了王引兰爱的生长。直觉告诉，即使痛苦是命定的和应该的，她也不想沉醉在痛苦之中了。她把李三有用过的东西拿来，决定烧掉它。这是在失去李三有的情况下继续生活所想出来的唯一办法。

李姓家族看中了两间平房，因为李三有睡了王引兰的棺材，没有人敢出来明说。王引兰是决定要回窑庄了，她不想让生活中横着一个死人的幽灵和一些活人的眼睛。既然找不到和这个社会相处的方法，那么就龟缩进窑庄的老窑打发余生吧。从决定走时，天空就开始落雪，王引兰想等天晴，但是，雪时徐时疾地下着，大有不下到年头不罢的意思。她不想再在六里堡过这个年了，捎了话要铁孩来接。

铁孩冒雪赶了牛车来接。铁孩说："马和马车分家下户了，只好找了牛车来。"

天气阴暗，望着薄暮冥冥中雪落蒙蒙的六里堡，王引兰想：阳间就是男人和女人，女人和男人的欢爱。人住在地上，地给了男人和女人种种生存的命，命牵了你往哪走就得往哪走，咋活也是一辈子，一辈子咋活才叫好？麻五走了，李三有走了，欢爱没了。麻五买来的棺材，给了李三有，都是我的至亲啊！这个世界上，我用活来肯定他们的死，然而这活、这肯定，是怎样的一种疼！

坐在牛车上的王引兰，有一种隔世的恍然与无奈，她看到六里堡在她回望的视野中一层一层往远方推去，鱼鳞一样……

十一

一路上新生蜷曲在一条棉被中，小脸冻得红红的。

山野往后移动，那移动起伏不定，有些零乱。王引兰看着这些不断掠过的毫无内容的山，感到十分凄凉。风抄着地皮刮，然后狠狠甩出去。呼出的哈气把眉毛和额前的头发糊满了冰霜，看到铁孩拢着袖管，夹着一根桑条，脑袋上狗皮帽子在牛车晃荡中摇摆不定，王引兰思忖：命中就剩下这一个男人了，自己怎么就没有想到同命相怜的这个人呢？自己的一生和这个人到底是一种什么关系？本能抗拒着他，却又牵扯不开。新生说想睡觉。铁孩跳下车，把身上穿的羊皮大衣脱下来盖在新生身上。王引兰说："不可以这样脱，要伤风的。"铁孩说："受苦人还怕伤风？"

王引兰笑了笑，有一点儿苦涩。

车轱辘和铁孩的脚步声在雪地上合并出一种好听的响儿。

王引兰突然想起李府老爷教过的一个字："奴。"意思是女人生来就命定不是一个人活的，因此就得有一个人，用绳子牵着，在"女"字旁又加了一个"又"，就成了"奴"。我的"小奴家"，"叫一声小奴家与我多卿卿。"她不知道她这一生是谁的小奴家？王引兰抬头遥看远处白色的空山，止不住泛起了一股热，就有眼泪掉下来。

听到身后传来抽泣声，知道王引兰在哭。铁孩说："人都想争活，其实活着的人哪有死了的人稳妥。"

隔了一会儿，铁孩又说："有些事情放不下，就得活。"

王引兰的心动了一下，擦了擦眼睛，回过头，看到身后山野中一条蜿蜒的小道被牛车的铁轱辘碾出两道深深的辙。

活是归宿和安宁，风是飘零，雪是散落和湮灭，在这广漠的大山中骤然变得渺小了的牛车，在天地相接下看上去几近于无了。

十二

新生在窑庄村口闹着下车要去找小伙伴玩，王引兰说："让人家知道咱回了窑庄要笑话的。"铁孩说："有什么可笑话的，和土疙瘩打交道的人还怕笑话？迟早得见人。"

王引兰不好说什么，让铁孩抱下了新生。

开了老窑门，一股热气腾了过来。有一盆木炭放在火台上旺旺燃烧。

王引兰问："是你把火生着的？都忘了烧木炭了。"

铁孩说："捎话来让去六里堡接你，临走就把火生着了，让小羊工记着来添火，久不住人怕阴。"

炕上铺着一张白羊毛新毡，想起了李三有，他想要的毡到死都没有铺上。炉台旁的水缸内满上了水，王引兰觉得像在做梦，梦醒了自己也不知道自己是谁。铁孩把东西搬进老窑，有些映黑得看不清。王引兰要铁孩留下来吃饭，如今自己的身边还有谁？

王引兰说："谁的牛车给人家送过去，过来一起吃饭。"

铁孩说："不用了，送了牛车还得去羊窑看羊，不知道甚时辰才能过来。"

王引兰说："甚时辰过来，我们娘俩都等你。"

铁孩有些激动，头重脚轻走出窑门，"嘚"的一声赶了牛车走了。

王引兰在老窑门口沁凉透骨地站了很久，牛脖子上的铃铛声渐渐远去时，她才反身走进了窑洞。

找了一根麻秆点了火，想找一找从六里堡带来的洋油，从窑墙上摘灯时发现油灯里的洋油是满着的。灯捻爆了一下，泪水就止不住地流了下来。索性坐到灶火旁的板凳上，油灯在炉台上一闪一闪的，王引兰"哇"的一声抖肝倒肺地哭出了声。

大约酉时，铁孩腋下夹着羊铲来到了老窑。新生蜷缩在炕角睡着了，铁孩拽了被子盖在新生身上。王引兰用粗瓷海碗给铁孩端过来高粱鱼儿，看到铁孩正用一种毫不掩饰的爱怜眼光看着她。王引兰说："趁热吃。"

铁孩一激灵，眼睛慌乱地看了一下别处，她的心竟然也跳了一下。

王引兰说："铁孩啊，今年多大岁数了？"

铁孩用手摸了一下嘴说："快40了，也就是40了吧，明天就是腊八，离年近了。"

王引兰说："真是快啊，麻五过世已经三年了。"

停顿了有一段时辰，王引兰问："都解放了，咋还是一个人？"

铁孩说："不一个人，能有俩！过了，什么事情过了就过了。"

王引兰说："不算耽搁，还有机会。"

铁孩说："是有机会，怕是机会不巧。都让旧社会耽搁了。"

王引兰一听说旧社会心里就感觉沉，僵了一样站着不动，一张脸在油灯下泛着白。

铁孩知道一定是说到了她的痛处，但是，铁孩突然就激动了，停止了往嘴里吸鱼儿。铁孩说："15 岁上爹的腿罗圈了，想要两张羊皮暖腿，让我给麻五扛长工，20多年，从来没有想离开，我对他忠心不贰。一直到我爹娘死，麻五从没有问过我的年龄，他忘了我的年龄了。"

王引兰看到铁孩麻色泛黄的眼睛里有一丝泪光。

铁孩说："耽搁了。"说完低下了头。

王引兰走过去拿过碗用笊篱又捞了一碗。王引兰说："旧事咱不说，说起来都不好，麻五也没有落个好死，叫人坠了秤砣。"

铁孩埋头开始吃饭，吃了饭撂下碗问了王引兰缺什么不缺什么，夹了羊铲踩了雪回了自己土改分的麻五的堂屋。

雪落无声。王引兰闩上门吹灭灯和衣躺在新生旁边，老鼠在窑后掌动出了响声，她坐起来学了两声猫叫，一切又静了下来。窗户外的雪地透进来微弱的光芒，晃在隆起的被子上，羊毛毡在身下蓄着火炕的余热，却怎么也找不来睡。新生不安稳地翻来翻去，王引兰就想麻五，想李三有，想一些难以想清楚的和难以陈诉的旧事，不由得把脸用被子捂上哭了起来，却不知道这日子甚时能走到头。

准备过年了，雪也停了。化雪天的寒气冻得人直哆嗦。停雪天把新生的手冻得生了疮，铁孩给新生送来土制的冻疮膏和猪胰子。腊月二十几又送来了羊肉。铁孩身上有一股羊膻味，王引兰说："铁孩，脱下袄罩子来，我给你洗洗。"铁孩就脱下袄罩子让王引兰洗。

王引兰用脸盆端了铁孩的袄罩子到窑庄的暖泉里去洗。

腊月里天空一片空荡，暖泉旁已经有几个窑庄的婆娘在洗涮。从六里堡回来的王引兰给窑庄的人找到了话题。

"你说六里堡三有好好的，让人送去一口棺材给埋汰了。"

"可不，她命里带克星，谁找她谁倒运。"

"听说了没有，麻五在世时就和铁孩好上了。"

"麻五死了咋不跟了铁孩？"

"跟铁孩，她心高哩，她还不知道想嫁什么人哩。"

"嫁什么人？想嫁玉皇还嫌她破哩。"

"哈哈，哈哈，哈哈哈哈。"

王引兰听了这话心里恶恶的，脸上就浮上了一团猩红，过也不是不过也不是，后悔自己不该拿了铁孩的袄罩子来暖泉洗。想好歹我也是在城市生活了十几年的人，你们懂什么？懂油菜花田别样的春天吗？懂婚姻吗？就知道和男人黑宿，我是命不好，可懂春天，懂四季给人的好，怕你们啊，就决定走过去。暖泉旁的空气有点不自然。女人们各自在石板上搓衣，看到铁孩袄罩子漂洗出的黑水一团一团涌向远方，她们就停下来看铁孩的袄罩子，看王引兰，互相使了个眼色又低下头搓起了自己男人的脏衣服。

腊月三十，铁孩从山上砍下明火柴在老窑院子里堆起来。王引兰剁好羊肉饺子馅，撩了门帘和铁孩说："年夜饭不要回去，在这里吃吧，回去也是一个人。"

铁孩说："大过年的怕不合适吧。"

王引兰说："有什么不合适？咱早就是一家人啦。"

铁孩笑了，王引兰发现铁孩笑起来很有意思。就有了一股暖意，像一团棉花塞住了喉咙。松枝的香味，年的香味，捎带男人的什么味儿。王引兰也笑了，铁孩感觉有一道阳光穿透了身体，一下子就要有汗往出溢。

铁孩说："解放了，上边送下来鞭炮，就不甩鞭了。"

王引兰说："怎么能不甩鞭呢，春天就是要用鞭声来叫醒，叫醒了的年会布满土腥气，五谷才好生长。"

铁孩不好意思地说："想听就再甩一次，怕是鞭旧了声音不正。"王引兰站起身，从窑后掌木板箱里取出鞭子递给铁孩说："再旧也是鞭啊，它的声音是可以盖了天的。"

铁孩说："那我去安顿好，让他们各自领花炮回家放，五更我上山给你甩鞭。"

铁孩走后，王引兰给麻五和李三有的灵位点上香上了供，然后坐在炕上独对一盏如豆的油灯。王引兰取过给铁孩压好的鞋底，缠下绕在上面的麻绳，拿了针在头上滤了滤，然后一针一针纳了起来。

年夜晚，梦像溶化的灯晕一样无力地流泻着，山的谷峰在皎洁的冷光中起伏抽动，铁孩掖下夹了牛皮鞭和镰刀走在雪天中。夜空太高太远，月光在冷凉的空中充满一种谛听的寂静。铁孩在山腰回头看老窑那一盏如豆的灯火，感觉自己的影子无声地直起来。铁孩的攀登声和喘气声，在寂静中皱缩成团，"呼哧，呼哧。""呼哧，呼哧。"

铁孩在山的顶端用松枝划开一片空地，用火镰燃亮松柴，火光照亮了周围的一切。要是往年，对面山顶同时也会点亮明火，今年不同了。铁孩站到一块巨岩上挥动手臂，一声鞭响张着阔大的翼扬天而起，横过苍穹、山峦，阔大的群峰以其旷古的宁静接纳了它，之后山顶的鞭声便浩浩渺渺从天边荡起回音。

王引兰和新生激动地走出老窑，点燃明火，渐次高耸的山峰和渐次传来的鞭声生生从耳边扬起，而后没入夜空。在坚执的仰望中支棱起耳朵听，舒展于空山之上的鞭声，如春云浮空，还有什么比这永世绝响的鞭声更接近幸福的日子？鞭声拖拽着王引兰的梦巍巍峨峨，绵延不绝又荡起了她对春天的希望。

窑庄地上燃起了星星明火，柔暖的火光同时也点燃了铁孩舞蹈的激情。

鞭声响起后，窑庄和李庄的花炮淹没了鞭声。孩子们高兴地猫腰拣拾地上没有点燃的花炮，没有人抬头看山尖上的铁孩，人们热衷于新生事物的出现。王引兰望着那篝火前舞蹈的身姿，突然觉得被淹没了的鞭声空洞洞的，在缓缓向下沉落，沉落，落入无边的黑暗。那个舞蹈的人在幽暗清冷的天空下孤零零地由着篝火的熄灭转入黑暗，王引兰想，怕是再也听不到那呜成一片、如天外之音的鞭声了。

岁月因鞭声堆聚，复又随鞭声流散。

十三

新生十六岁了，方圆来提亲的人不断。王引兰想给女儿招一个上门女婿。由于成分不好，又因为分配了土地，广大翻身群众在保卫胜利果实的号召下，都前仆后继地走上了杀敌前线，这样和新生年龄相当的后生能入眼的就少。十六岁的新生和麻五就像一个模子脱出来的，没有一点儿像王引兰。窑庄人说，真是麻五的闺女啊。新生听了有点不耐烦，就不高兴地说："为什么要生在一个地主家庭？"于是不再到窑庄串门，整天守着老窑向王引兰学女红。

铁孩轮换着赶羊给窑庄口粮地卧圈，也就是夜间把羊赶到地里让羊拉屎拉尿，给地上肥。一户两天，大约有半个月铁孩没有到老窑。王引兰从心里盼铁孩来，她已经把他当成自己的依靠了。轮到卧圈，王引兰就打破规矩到地里给铁孩送饭。

这是清明前，时间往前挪一点儿，天还有那么几分寒意；往后推一段呢，就到了农忙时候，树在发芽，草在泛青，王引兰看到麻五和倪六英的窑洞，在左上方的山崖下，有桃花开得红灿，王引兰冷不丁说了一句："日月真难熬。"

铁孩腮帮上有一块肉鼓跳起来，铁孩说："难熬也没有我难熬，我是真难熬，都快熬不住了。"

王引兰诧异地回过头看着铁孩说："铁孩，你不可以那样想，要那样想就是把话送到窑庄人嘴里了。"

铁孩一看，话被捅透了，反倒不怕："你现在是没有主的人了，只要你情我愿，想怎么想就怎么想。"

王引兰说："就算是情愿也不能想，我已经害死两个男人了，不能害你。"

铁孩说："你早就害了我了。"

王引兰一怔，诧异地说："铁孩，不可以这样说，我害我自己也不会害你，说话可要讲个天地良心。"

铁孩说："吓唬你哩，我害了我自己了，我看你好。"

王引兰说:"不好,也没有人看我好。"

铁孩说:"谁要是看你不好,谁就不是个人了。"

王引兰站起身收拾了送饭桶边走边说:"铁孩,新生大了,有些事情不要对着我闺女说,说多了就不能给闺女做榜样了,当娘的活着就不配当娘了。"就听铁孩说:"等新生出嫁了我再说,有个话口就行。你明早送饭扛过一把镢来。"

第二天王引兰扛了镢挑了饭桶到地里送饭。铁孩打老远看到了王引兰,因为是上坡,王引兰走几步要停下来喘儿口,该挺的地方在喘息的间隙抖抖的,铁孩觉得王引兰以前好是脸蛋白嫩,如今脸蛋和乡下妇女一样潮红了,王引兰的好不是脸蛋了是身段。铁孩感觉有一团火滚过来。

趁给王引兰卧圈帮她下种,两人一起拉耧种谷。铁孩架耧,王引兰拉套,王引兰弯着腰,撅着屁股,两条浑圆的腿一闪一闪地前后移动。斜长的坡地常会碰到狗头泥块或棒秸茬子,一碰上吭噔一下,耧便顿住,然后提一下耧脚,躲过去,再往前耩。那吭噔一下让王引兰浑身一震,脖子都拽歪了,王引兰回过头来看一眼,红扑扑的脸上挂着笑,一下就裹住了铁孩的心,让他浑身战栗。铁孩就希望再吭噔一下,那一种盼望中藏着铁孩的盼望,铁孩的盼望是很有意思的盼望。

这时,离窑庄四十里地的黄牛蹄一户人家来提亲,是下中农成分,家里有一子三女,权衡了方方面面,王引兰决定给新生定了这门亲事。新生跟着媒人去黄牛蹄走了一趟,回来后,王引兰问对方的家庭和人怎样,新生说:"能过日子吧!"王引兰问人怎么样,新生说:"问啥人,反正大我三岁,只要不是地主就行。"王引兰说:"地主怎么了,你人小心不小,翅膀硬啦?才经过什么事?"

趁清明王引兰来给麻五说说此事。两口棺材在土窑内静静守候着时光的流逝。王引兰说:"麻五你听清楚,新生找了人家,闺女要出嫁,本来要找人上门续香火,你是知道的,成分不好,谁来?麻五,我是兜了一个圈又回来窑庄的,棺材留给了李三有,他也是好人啊,可是命不长。麻五,你要是在天有灵一定看到了我娘俩活得苦,活得累啊,苦日子没个尽头,我说给谁听?麻五告诉我呀,好好的人怎么都走了?你说不出来托个梦也好呀?麻五呀——冰凉的秤砣坠了你,让你成了无芽儿的鬼,日头早升晚上落,狠心一走我没人疼,呀喂——背靠地,脸朝天的麻五啊,我的心灰冷冷……"

新生看到母亲仰天伏地痛哭,心像是被勒了一下,也嘤嘤地埋头哭了起来。王引兰说:"你还哭他,他是地主啊?"王引兰抬起粗皮吹裂的手在新生脸上擦了一把泪,新生感觉娘的手像刺猬的脊毛刺刺的,扎得脸有些火辣。

铁孩躺在石板上在岭头放羊。那阵,太阳明亮而不刺眼,风缓缓地从山头上划下来,一声接一声单调枯燥的羊叫声不时响起,铁孩黝黑粗砺的脸挂上了一缕苦笑,然后,不知道什么缘由地翻起身面对着山下清明上坟的人们大声喊:"羊,啊——羊——"脸木木地冲着山下,有些恶恶的,之后老泪纵横。

七月天，太阳好像害了瘟病似的，连天阴雨。坡地上的秋粮被雨水浸饱了水分，散发出潮湿霉烂的气味。苦雨欺人，山坡上犁刻出斑驳的沟沟槽槽，秋天的落叶兜不住水，随了叶片落了下来，漾着一股草木沤烂的腥膻气，成群的蠓蝇涌进老窑，歇在草皮脱落的窑墙上，新生拿了蝇拍一下一下拍打着，声音的不断重复让王引兰什么也做不到心里。

雨不停，粮食真要烂在地里了。

好不容易等天放晴了，王引兰就托付铁孩到山外用新玉茭换回五斤棉花，她要给新生做出嫁的新衣。收完秋，王引兰和媒人定了好日子出嫁女儿。

大红的喜联贴在窑门上。上联是：成全一双儿女事，下联是：了却两家父母心，联额是：麻五嫁女。男方来了四个人，俩姐和一个嫂。

也就是五头毛驴。新生骑了小黑驴款款从田塍上走去，有蝉在窑垴一棵老榆树上歇着，知了知了知了地叫着，五头驴像山谷里浮起的一团紫气，伴了花鞭爆响沿山脊扭扭歪歪地远去。

王引兰望着远处，眼泪滴到了衣服的前襟上，心一下子空了，站在燥闷的空气中干咳了两下，用手拢了拢头发走回了老窑。

十四

牛鞭吊在阳光下翻晒，粗糙的山石完全撕裂了它，有纷纷落下的皮屑荡起来闪着光斑分化而去。王引兰仰起头嗅着它，嗅着一个春天的梦。太阳刚刚坠入山脊，远处的岭头上，无数黑暗的点子跳荡起来，又轻又软，有风瑟瑟吹来把这些点子连成一张大网，这时天光就在这张大网的作用下暗了下来。王引兰听到有羊羔的叫声传来。撩开帘走出去，看到铁孩怀里抱着一只羊羔。王引兰问：“有病了？”铁孩说：“要死了，我答应过要给你搞一张羔皮，现在它要死了，羔皮正好能给你暖腰。”王引兰给铁孩取出凳子来要他坐到院子里。

天光下晃荡的鞭子划过铁孩的头，铁孩放下羊羔站起身拽下它。

王引兰突然心血来潮地说：“从没有近处看你甩鞭，甩几下我想看看。”

铁孩诧异地握着鞭说：“有什么好看的。”

王引兰说：“山下望你看你很张扬。”

铁孩说：“那是远望，近看我就是一个山汉。”

铁孩走到院边，往手心唾了一口唾沫，捏紧鞭杆在头顶划一个圆弧，鞭声落下去时僵硬而萎缩毫无弹性，连着远方的山脉，显得那么干，啪，啪啪，啪啪——光秃秃的鞭声在老窑上空飘浮着，一点儿也没有穿透天空的力度。

王引兰说："这鞭声怎么就贴着地走了?"

铁孩说："鞭声是要山谷的应娃娃来衬托的，是山谷的应娃娃让你的耳朵里灌满了鞭声。"

没有鞭声的罩蔽，王引兰突然觉得一切都空了，扑面兜头而来的就是自己的眼皮在跳动，眼睛、耳朵被撑大了也感不到鞭声的肿胀。王引兰抬起头，除了天光她什么也没有看见，什么也没有听见。她的思想是伸向天空了的，但是，天空里什么也没有。

王引兰说："干巴巴的。"

铁孩说："干巴巴的。"

王引兰说："真是过得快呀，有些事情还没有明白什么就什么也不能够明白了。"黑暗中有生灵在动作，轻手轻爪的。她也找来一个凳子坐在了铁孩对面，王引兰说："铁孩，拿过旱烟来，我也抽两口。"铁孩站起身递过捏好的烟袋锅子，顺势踢了一脚那只将死的羊羔。王引兰呛得咳嗽了起来："太呛。"铁孩说："要不要我给你捣一捣背?"王引兰说："不用，呛一呛也好，也好。"

铁孩觉得有某种陌生的燥热在身体的某个角落升腾，仿佛要把他生命的原汁浮突地挺起来，弄得他很是难过。铁孩接过烟锅子说："我还是想给你捣一捣。"王引兰抬起头，看到灯光下铁孩那两只雾浊的眼睛盯着自己发亮。一股腥膻扑鼻而来，铁孩木木地站着，短粗的手烧着烟锅子，人像是有了分量似的看着王引兰的脖子，梗梗的。

铁孩说："说过等新生出嫁了说那事的，我现在就说了?"

王引兰说："我想了，还是不要说，等李三有烧了三年纸，我答应你。"

铁孩说："等不得，不是没有等麻五三年你就嫁了?"

王引兰说："不一样。"

铁孩说："什么不是人办，就看是人等它不等。"

王引兰说："你等它就等，该成的瓜不开谎花，等我把心放平了，给了你也就把心给了。"

铁孩说："非要我脸皮厚一回?"

铁孩嘴上咬着烟袋，嘴角翘起眼睛望着王引兰。王引兰感觉自己的心在沉浮不定地跳。

铁孩扑上去一把拽仰了王引兰，把嘴对了上去。王引兰挣扎着扭动着身体，渐挣扎渐柔软，觉得自己被什么框住了，是厚腻的羊膻味，汁液般地沉淀下来，觉得自己的舌头被吸吃了，羊膻味就更加刺鼻，令人作呕，可又奇异地使她兴奋。

铁孩说："从看到第一眼起，你就牵了我，牵了我的魂，我就把持不住了。麻五从城市里带你同来以前，告诉我要是你早破了身子，他要了就给我，后来他不让我挑逗甚至不让我和你说话。"王引兰推开铁孩把眼睛瞪得大大的，有些吃惊地望着说:“铁孩,不要乱说。”铁孩说:“没有乱说,是麻五骗了我。听到你和麻五宿,我就躁,跑到羊窑和羊好,不怕笑话,我把羊当你了。”王引兰推着铁孩说:“不要瞎说。”铁孩说:“没有瞎说,我就等这一天,你看什么,快来啊。”王引兰突然觉得铁孩的背后有一张脸晃了一下,像是麻五。王引兰说:“铁孩,你的背上有麻五的脸。”铁孩惊叫了一声:“在哪儿?”然后骂了起来,“麻五你个龟孙王八蛋,你坏我好事。”王引兰定定地看着铁孩,觉得铁孩的手在抖并连带着身子也抖了起来。山野的风打着旋扑进院子来,她的心里绝望了起来,有什么东西打碎了她的梦,她看到有一颗流星划下来,划出很好看的弧。

没有实现了自己想法的铁孩有点暴怒,俯身将那只将死的羊羔提起,用左手摁住它的脑袋,然后掏出一把刀,毫不费力地一刀捅了进去。羊羔就像撕碎的棉花一样抖了起来,温婉的眼睛亮亮地看着持刀人,血水像芙蓉花盛开。铁孩点燃一锅烟,拿刀又往里刺了刺,冰凉的刀让羊羔再一次抖了起来,它的毛发层层炸开来,如茸茸霜毫,王引兰低下头时看到它铃铛明亮的眼睛暗了下来。铁孩拿刀反复刺它,它合着刀的节拍抖动,像空气中上升的爆裂的气泡。铁孩迎着王引兰的目光说:“这样它的皮才蓬松。”

王引兰吓得面色如土,好久才挤出一句:“铁孩,你好歹毒。”

铁孩头也不扭地看着地上的羊羔,像是欣赏一件艺术杰作。

铁孩说:“比给麻五坠蛋轻省多了。”

王引兰全身像电击了一样松垮了下来,已发生的来自生存的痛苦和艰辛在她的脑海里像火一样烧起来,迷惑和绝望,重渡生命之河,她看到了血腥和杀机。

“天杀你啊,铁孩!”

铁孩为自己这句话惊恐得跌坐在地上。

铁孩想:自己是说漏嘴了。

王引兰大叫着蹿上去揪住铁孩的领口:“你干的好事!”

“都是为了你。”

“还敢说是为了我?”

“怎么就不能说是为了你!”

我说我为了你就是为了你。当然,我不说谁也不知。今儿说了是我想和你说,都和你说了吧。你不知道我有多想你。为了你,什么都敢干。你以为给麻五坠蛋容易?我是费了一番心思的,我说麻五你日能啊,为了两张羊皮你要我给你当十年长工,我不干了。他哄我说,你等着啊铁孩,我要到城里搞一个粉娘回来,我先要她,要是她早被破了身,肚里有了旁人的种,就让给你。我等啊,麻五这个老王八死龟孙咬住你就不放了,让我夜夜空想。我也是人,我和麻五没有两样,他想干的我也想干。谁不知道我是寡汉条子,窑庄女人多,哪个有你好?好不容易等到了土改斗地主,我想总算翻身了,我领麻五上茅厕,我说麻五你欠我的!麻五说是欠你的可是还不了了。我说把王引兰给了我,你就不欠了。麻五说我是趁火打劫,他现在什么也没有了就是不能没有你。我看没戏就想了一个恶招,我说麻五你不让我好活是不是?我也不让你好活,我给你鸡巴上拴个秤砣,你要能经一后晌斗你也算不欠我了。他想了想不同意。我就说你要不同意,我就让农会关了你禁闭,我去强行搞你的小老婆。他就同意了。他自己给自己系上了秤砣要我看,我看他系得蛮紧就说行。没有想到一个时辰没下来他就死了。我也不是有意害他,真的不是。你听我说完了,你说我不是为了你,我是为了谁?!

王引兰瘫了一样坐下去,猛然间又想到了李三有,倒吸了一口气说:"李三有是不是也是你干的?"铁孩有些激动,觉得自己好像是在窑庄的高台上讲演,有一种充斥意义不明的暗示,暗示什么呢?类似情欲的东西在无节制地膨胀,好想倾诉。是该说出来了,不说就不说了,越说倒越想表达,想说的欲望令他激动:"那也是为了你啊!"

麻五死了,我想你该归我了,谁想到你要嫁走?麻五刚死,我夜里老做噩梦就不敢和你明说。我是给你提过醒的,我想你要等麻五三年,没想到你守不住。我干李三有是想明干,后来我看明干干不过他就想了个巧。那天,我说我是来帮他收秋,我和他吸了几锅子烟就开始杀高粱。我说你喜欢吃酸枣,那边的崖下有一丛酸枣树酸枣好大,快杀完了,你一个人杀,我去摘上来。他不让,放我身上我也不让。我就知道他不让我去,他自己要去。我说我告诉你在哪儿。我把他领过去指给他看,他说很险。我说,是险,还是我下去吧,王引兰说你是女人性,你哪能干这等险活?我这样一刺激,他就越发要下去,他拽着一条老藤往下走,老藤根上一块石头脱落了把他带了下去。我绕着沟下去找,看到他死了,我当时不是盼他死,我盼他残废,他残废了日子就不好过,我来和你们一起过,我养活你们,我心甘情愿。可是,他死了,我怕你怀疑是我推下他,我不敢停留就回了窑庄。我想一定是老天疼我,命中注定你该是我的。

王引兰听铁孩说完觉得气血往上涌,整个身体像撕碎的布散乱了下来,而涌上的气血就和肉体剥离开了,眼里流酸水,把哭的念头强压下去,她开始视她的肉体为累赘了。

铁孩说:"千挨万挨挨到现在,为了你有两条命搭里了,你我是一根草上拴的蚂蚱,说什么都没用,拴死了。王引兰,老天把你送给我了,让我也动一动我的真家伙吧,你不要这样看我,都活到这份儿上了,我还怕谁!"

铁孩越说越激动,感觉在叙述中获得了一种精神上的快意,他突然来了兴致,放下刀在暗夜里期待着一个美丽时刻的到来。

暗,完全降了下来,像什么生灵也都偃息了;黑,有些趋向稠和,四壁竖起,封起了相对有限的空间。气血的涌动平复了，王引兰感觉自己的身体楔进了暗中，像蚕钻进了茧中，真好。看不见了，没有什么东西能破路而开，一股羊膻味，令她作呕，她要找一种气味来逼开它，她无法动了，成蛹了吗？她积聚所有悲哀激情捡起那把刀，摇摇晃晃站起身。

她说："来吧，来让你看看真家伙吧，铁孩。"

铁孩有些卸落了责任的激动，说："我等得够久了，这活儿归你了。"

王引兰拿着刀找准了铁孩身体一个缝隙插了进去。"噗嗤"一声，她感觉他身体闪烁出一种迟疑和惆怅来，他抖了起来，抖得叫王引兰心颤。她躲开他的影子，看到了油菜花田，先是鼓鼓囊囊的苞蕾，星星点点，饱满而繁密；再是冬日黑天下残绿衰翠渐渐起了亮色，那浓郁的、高雅的、药味儿的幽香就弥漫了她周身。她渴望的真正的春天来了，春天美得没法言说，她看到一个舞蹈的甩鞭人，在叫着她，小奴家，来啊，来啊，只一眨眼，她发现她看到的依旧是一片暗，是一种没有半点生机的死亡颜色，一个聒噪的世界里，有一种神秘的东西已经离她而去。原来她的生命里是没有春天的啊。她听到血滴成阵，落地如鞭，干巴巴的成为绝响。

（选自《黄河》2004 年第 1 期）

葛水平

女。1966 年出生于山西沁水县十里乡山神凹。1976 年进山西长子县的剧团当演员，后考入晋东南戏校学习。毕业后分配到山西晋城上党戏剧院工作。2005 年，加入中国作家协会。2008 年调长治市戏剧研究院任研究室主任。现为山西长治市文联主席，长治市作协副主席，山西省女作家联谊会副会长。

1980 年开始发表文学作品。著有中短篇小说集《喊山》《守望》《官煤》《陷入大漠的月亮》，诗集《美人鱼与海》《女儿如水》，散文集《心灵的行走》等。中篇小说《喊山》获第四届鲁迅文学奖。